OS ÍNDIOS E A CIVILIZAÇÃO

ESTUDOS DE ANTROPOLOGIA DA CIVILIZAÇÃO

Os índios e a civilização: a integração das populações indígenas no Brasil moder

1ª edição brasileira: Civilização Brasileira, Rio, 1970.
2ª a 6ª edições brasileiras: Vozes Ltda., Petrópolis, 1977-93.
7ª edição brasileira: Companhia das Letras, São Paulo, 1996.
Seis edições mexicanas: Siglo XXI, México, 1971-85.
Edição italiana: Jaka Books, Milão, 1973.
Edição francesa: UGE 10/78, Paris, 1978.

DARCY RIBEIRO

OS ÍNDIOS E A CIVILIZAÇÃO

A integração das populações indígenas no Brasil moderno

5ª reimpressão

COMPANHIA DAS LETRAS

Capa:
Hélio de Almeida

Preparação:
Maria Amélia Dalsenter

Índice remissivo:
Orlinda Teruya

Revisão:
Denise Gutierrez
Rosemary Cataldi Machado
Isabel Cury

Dados Internacionais de Catalogação na Publicação (CIP)
(Câmara Brasileira do Livro, SP, Brasil)

Ribeiro, Darcy, 1922-
Os índios e a civilização: a integração das populações indígenas no Brasil moderno / Darcy Ribeiro. — São Paulo: Companhia das Letras, 1996.

ISBN 85-7164-563-9

1. Antropologia 2. Civilização 3. Etnologia 4. Índios da América do Sul — Brasil — História. I. Título.

96-1889 CDD-980.41

Índices para catálogo sistemático:

1. Brasil : Índios e civilização 980.41
2. Índios e civilização : Brasil 980.41

2005

EDITORA SCHWARCZ LTDA.
Rua Bandeira Paulista, 702, cj. 32
04532-002 — São Paulo — SP
Telefone: (11) 3707-3500
Fax: (11) 3707-3501
www.companhiadasletras.com.br

A Rondon,
o humanista

SUMÁRIO

PREFÁCIO A ESTA EDIÇÃO

A Unesco, entre 1950 e 1952, ainda menina, cheia de esperança de salvar o gênero humano, olhou para o Brasil. Viu, extasiada, o milagre de uma convivência humana fecunda e cordial. A *democracia racial* que enlaçaria amorosamente negros e brancos no fabrico de uma mulataria esplêndida. E a alegre *assimilação dos grupos indígenas*, que, no encontro com as fronteiras da civilização, se converteriam em bons brasileiros.

Felizmente não ficou na proclamação dessas conquistas humanas exemplares, como se fazia até então. Decidiu pesquisar o fenômeno criteriosamente, promovendo pesquisas de campo cuidadosamente projetadas. Implantou para isso equipes competentes de cientistas sociais na Bahia, sede da falada democracia racial, em São Paulo e no Rio de Janeiro, também exemplares neste campo.

O resultado foi um desastre. Constatou-se que em todas as regiões pesquisadas havia forte preconceito racial, que a vida para um negro, ali, era muito mais difícil pela carga de humilhações, descasos e todas as formas de discriminação que sofria. Espantados com a revelação, os próprios cientistas fizeram o maior esforço na procura da proclamada democracia racial. Em vão.

A pesquisa com respeito à assimilação dos povos indígenas, que me foi entregue, deu o mesmo resultado decepcionante. Nenhum grupo indígena jamais foi assimilado. É uma ilusão dos historiadores, que trabalham com documentação escrita, a suposição de que onde havia uma aldeia de índios e onde floresceu, depois, uma vila brasileira, tenha ocorrido uma continuidade, uma se convertendo na outra. Em todos os casos examinados por nós, numerosíssimos, isso não sucedeu. Os índios foram morrendo, vítimas de toda sorte de violências, e uma população neobrasileira foi crescendo no antigo território tribal, onde implantou uma forma totalmente nova de vida e criou sua própria identificação étnica.

Na população neobrasileira evidentemente se incorporaram genes indígenas, oriundos de mulheres prenhadas por brancos ou pretos, cujos filhos cresceram já, longe de seu povo. Outra origem desses genes foram as crianças roubadas e desindianizadas, por já crescerem dentro de comunidades estranhas.

Onde quer que um grupo indígena pôde manter a convivência familiar — os pais educando seus filhos — permaneceu a identificação étnica tribal. A etnia é, assim se demonstra, uma das forças maiores da cultura humana. Resiste às guerras se há sobreviventes; resiste à transformação ecológica de seu hábitat. Resiste até ao assédio missionário que, mesmo exercido secularmente, não converte ninguém, nem europeíza ninguém, por maior que seja a pressão exercida.

A etnia só não resiste à escravização pessoal que, desgarrando as pessoas de sua comunidade, as transforma em mera força de trabalho, possuída por um senhor e vivendo a existência que ele lhe impõe. Resiste mal à prática missionária de separação dos filhos para educá-los longe de seu povo. Só conseguem assim deculturá-los, transformando-os em ninguéns, que não sabem de si e não servem para ser índios nem civilizados.

O trânsito da condição de índio específico, conformado segundo a tradição de seu povo, à de índio genérico, quase indistinguível do caboclo, se dá pelo que eu chamo de *processo de transfiguração étnica*. Em seu curso, sob pressões de ordem biótica, ecológica, cultural, sócio-econômica e psicológica, um povo indígena vai transformando seus modos de ser e de viver para resistir àquelas pressões. Mas o faz conservando sempre sua identificação étnica. Como gente que sabe de si mesma e não se identifica com nenhuma outra e guarda de sua cultura original tudo o que seja compatível com suas novas condições de vida.

O que se dá, inevitavelmente, é uma integração sócio-econômica, sem nenhuma assimilação cultural, porque os grupos indígenas alcançados e engolfados pela fronteira da civilização se vêem na contingência de conviver com seu contexto. Muitos índios se convertem em trabalhadores assalariados ou em produtores de alguma mercadoria, porque precisam de recursos para comprar ferramentas, remédios, panos e outros artigos de que necessitam. Mas, ainda assim, permanecem índios, porque se identificam e são aceitos como membros de sua comunidade indígena de origem antiqüíssima.

Este meu livro, que expõe as bases dos processos de transfiguração étnica, alcançou um bom êxito para o estudo científico, teve cinco edições brasileiras (esta é a sexta), além de cinco edições mexicanas, uma francesa e uma italiana. Neste momento, está sendo editado também nos Estados Unidos. Isso significa que ele continua vivo e atuante.

A boa notícia que tenho para os novos leitores deste livro é que os índios estão aumentando de número. Há trinta anos atrás, eles se reduziram a cerca de 100 mil. Hoje se acercam dos 300 mil e vão aumentar mais. Isto se dá em razão de sua própria adaptação biológica às doenças dos brancos, que os dizimavam enquanto indenes. Mas também porque conquistaram melhores condições de vida, melhor proteção contra chacinas e o domínio legal e real de seu próprio território. A hostilidade com que hoje defrontam é a do seu contexto imediato, por parte de gentes que querem invadir suas terras, e a hostilidade que as fronteiras da civilização sempre desenvolvem com respeito aos índios arredios que estão à sua frente.

Tem importância capital para a sobrevivência dos povos indígenas o apoio que eles encontram em nossas populações urbanas e também na opinião pública internacional. Cada violência cometida contra eles é denunciada pela imprensa e encontra ressonância. Até mesmo a lerdeza com que o governo demarca as terras indígenas é motivo de protestos no Brasil e no estrangeiro.

Neste momento se trava uma batalha mundial pela salvação dos Yanomami, o maior grupo tribal existente no mundo. De um lado é a opinião pública nacional e internacional que tenta salvá-los, fazendo demarcar um território que incorpore todas as suas aldeias para permitir que elas continuem convivendo e sobrevivendo. Do lado oposto, tudo fazem para dizimá-los, os garimpeiros que querem matar não só a eles, mas às suas matas e águas com o mercúrio e outras drogas que usam. Na mesma trincheira, está toda sorte de gente que ambiciona suas terras, por acreditar que podem dar melhor destino a elas do que servir de base de vida para o último grupo tribal silvícola do Brasil.

Brasília, abril de 1996

PREFÁCIO À PRIMEIRA EDIÇÃO

A natureza dos fenômenos estudados neste livro lhe emprestou um tom amargo que não procuramos disfarçar. É, ao mesmo tempo, um estudo científico que elaboramos com o maior rigor e uma denúncia que fazemos conscientemente. Atende, por isso, a duas lealdades: fidelidade aos padrões de trabalho científico e um profundo vínculo humano com os índios do Brasil.

O tema deste livro é o estudo do processo de transfiguração étnica, tal como ele pode ser reconstituído com os dados da experiência brasileira, e a apreciação crítica dos ingentes esforços para salvar povos que não foram salvos. Como alguns desses povos conseguiram sobreviver às compulsões a que estiveram sujeitos — e alguns outros ainda não experimentaram o contato com a civilização —, confiamos que tanto as análises como as denúncias aqui contidas ajudem a definir formas mais justas e adequadas de relações com os índios, capazes de abrir-lhes perspectivas de sobrevivência e um destino melhor.

O presente estudo focaliza as relações entre as etnias tribais e as frentes de expansão da sociedade nacional nos primeiros sessenta anos do século XX. Aprofundamos nossas investigações a uma ou duas décadas anteriores a 1900 apenas quando necessário para reconstituir certas situações, e só as estendemos para além de 1960 quando indispensável para examinar o resultado de seqüências factuais iniciadas anteriormente. Isto significa que resta por fazer o estudo da interação entre tribos indígenas e a sociedade brasileira na década atual e nos séculos anteriores. Com efeito, estão a pedir tratamento científico amplos e valiosíssimos acervos de dados, cuja análise é indispensável à compreensão do valor elucidativo das situações interétnicas ocorridas no Brasil. É o caso, entre outros, da documentação referente ao processo de aculturação dos grupos tupi da costa atlântica, que tiveram os primeiros enfrentamentos com agentes da civilização européia, e a referente a outros grupos, como os índios do Nordeste, da Amazônia, do Chaco, atingidos muito mais tarde e sobre os quais se dispõe, também, de copiosa bibliografia.

Outros temas cujo estudo poderia contribuir para a elaboração de uma teoria da mudança sociocultural são: a reconstituição do processo de formação da própria etnia brasileira; o exame do papel das instituições reguladoras da conscrição da mão-de-obra, principalmente a escravidão; e a análise da função exercida pelos órgãos de intervenção intencional no processo de integração dos grupos tribais, tais como as missões jesuíticas e os órgãos estatais de amparo implantados por Pombal e, mais tarde, pelo governo imperial. Existem diversos ensaios exploratórios sobre esses temas. Faltam os estudos sistemáticos da amplitude e profundidade que as fontes disponíveis e sua extraordinária importância estão a exigir.

A segunda limitação temporal que imprimimos ao nosso estudo consistiu em ter também deixado para trabalhos posteriores a análise sistemática do que está sucedendo neste momento com as populações indígenas brasileiras. Cremos que o esforço de compreensão do problema indígena realizado neste livro tornou mais facilmente inteligível a história recente. Cabe assinalar, porém, que a partir de 1960 parece ter tido início um novo período nas relações entre índios e brasileiros, cujas características básicas mal se configuram. Efetivamente, nos últimos anos, ocorreram várias transformações na sociedade brasileira que a lançaram com violência ainda maior sobre os grupos tribais, reduzindo substancialmente o poder de controle dos órgãos estatais sobre as fronteiras de expansão, em detrimento de sua capacidade de assegurar proteção às populações indígenas.

A construção de Brasília no centro do país, a abertura de rodovias-tronco de milhares de quilômetros que dali partem para a boca do Amazonas ou para o Acre tiveram o efeito de fazer avançar e alargar as fronteiras da civilização, intensificando extraordinariamente o impacto dos agentes da civilização sobre as populações indígenas arredias. Desse modo, diversas tribos que se mantinham isoladas foram atingidas em seus territórios de refúgio, sendo submetidas a contatos maciços e indiscriminados com extratores de drogas da mata e com exploradores de riquezas minerais. Em alguns casos, esses contatos resultaram em contaminações epidêmicas e em crises de fome que levaram os índios à dizimação maciça e, em outros, a massacres de tribos inteiras por bandos armados de fazendeiros que cobiçavam suas terras.

Outra ocorrência de importância foi a desmoralização do Serviço de Proteção aos Índios (SPI), sob o comando das diretorias que lhe foram impostas nos últimos anos. Debilitou-se, assim, ainda mais, sua já reduzida capacidade de assegurar amparo às populações indígenas, ao ponto de, nos últimos anos, torná-lo incapaz de até mesmo exercer as funções tradicionais de pacificador de grupos hostis ou simplesmente arredios, a fim de garantir uma ocupação tranqüila de zonas pioneiras. Efetivamente, a partir da década de 60, por inépcia ou por falta de recursos, o Serviço de Proteção aos Índios começou a transferir para missionários a incumbência de pacificar grupos arredios, ensejando, assim, o massacre de algumas destas expedições. Além da delegação, a terceiros, de atribuições que lhe cabiam privativamente e que sempre cumpriu, o órgão oficial de assistência passou a descuidar mais ainda do exercício de sua função de garantir aos índios a posse das terras que ocupam, algumas delas legalizadas há décadas como propriedade tribal. A valorização daquelas terras indígenas pela abertura de novas estradas que as tornavam mais acessíveis multiplicou a cobiça dos que delas queriam se apropriar. Em alguns casos, essa apropriação se consumou por parte de lavradores sem-terra que, escorraçados de fazenda a fazenda, acabaram por acoitar-se em território indígena. Na maioria dos casos, porém, os invasores foram os próprios fazendeiros, que procuravam criar novos latifúndios mediante o desalojamento dos indígenas ou alargar suas fazendas mediante a incorporação de territórios tribais vizinhos.

Mais graves ainda do que as violências e os desalojamentos, podem vir a ser os efeitos das novas diretrizes econômicas e assistenciais adotadas pelo órgão oficial que substituiu o Serviço de Proteção aos Índios: a Fundação Nacional do Índio. Segundo declaração de um de seus dirigentes, o programa da Funai é tornar-se auto-suficiente dentro de poucos anos, graças à exploração das riquezas das terras indígenas e, naturalmente, da força de trabalho dos próprios índios. A que conduzirá esta nova política de espírito empresarial num órgão que já não se inspira na ideologia indigenista de Rondon e que também já não conta com nenhum antropólogo em seus quadros? É de se temer que os índios terão de suportar tempos ainda mais adversos.

A realização deste estudo só se tornou possível graças à pertinácia com que minha mulher, Berta Ribeiro, o exigiu ao longo de anos e à inestimável ajuda que me prestou na sua elaboração. Tenho também débitos para com muitos colegas e discípulos que, inspirando-se nos primeiros resultados deste estudo divulgados em artigos, cursos e conferências, realizaram pesquisas próprias de cujas contribuições me vali para reelaborar meu esquema conceitual anterior.

Montevidéu, setembro de 1968

INTRODUÇÃO

A enorme extensão territorial e a desigualdade de desenvolvimento das suas várias regiões fazem do Brasil um país de violentos contrastes, em que tribos indígenas virgens de contato com a civilização são contemporâneas de grandes metrópoles modernas. Aquilo que para o Brasil litorâneo é a história mais remota, só registrada nos documentos da colonização, para o Brasil interior é crônica atual.

O Brasil de que vamos tratar é, principalmente, este Brasil interior, de matas e campos indevassados, que só agora vão sendo integrados ao sistema sócio-econômico nacional. Ali, índios e civilizados se defrontam e se chocam hoje em condições muito próximas daquelas em que se deram os primeiros encontros da Europa com a América indígena. De um lado, são índios armados de arco e flechas que, do recesso de suas matas, olham o brasileiro que hoje avança sobre suas terras, tal como o Tupinambá quinhentista olhava as ondas de europeus que se derramavam das naus portuguesas. De outro lado, são brasileiros engajados nas frentes de expansão da sociedade nacional, que avançam por uma terra que consideram sua e vêem no índio uma ameaça e um obstáculo.

Agora, como no passado, são sempre as mesmas entidades que se defrontam: uma etnia nacional em expansão e múltiplas etnias tribais a barrar seu caminho. De acordo com a visão quase unânime dos historiadores brasileiros e até mesmo dos antropólogos que estudaram o problema, esse enfrentamento teria como efeito a desaparição das tribos ou a sua absorção pela sociedade nacional, na forma de uma aculturação progressiva que teria desembocado na assimilação plena, através da miscigenação. Se assim fosse, encontraríamos para além das fronteiras da civilização tribos virgens de contato e, na retaguarda dela, tribos tanto mais aculturadas, mestiçadas e assimiladas quanto mais antiga fosse a ocupação neobrasileira de seus territórios, muitas das quais já fundidas e indiferenciadas na população regional.

Nossa pesquisa veio provar exatamente o contrário no tocante ao período examinado, que é o século XX. Com efeito, de todos os grupos indígenas sobre os quais obtivemos informação fidedigna, podemos dizer que não foram assimilados à sociedade nacional como parte indistinguível dela. Ao contrário dessa expectativa, a maioria deles foi exterminada e os que sobreviveram permanecem indígenas: já não nos seus hábitos e costumes, mas na auto-identificação como povos distintos do brasileiro e vítimas de sua dominação. Assim, o estudo que pretendíamos realizar do suposto processo de assimilação das populações indígenas no Brasil moderno resultou na conclusão de que o impacto da civilização sobre as populações tribais dá lugar a transfigurações étnicas e não à assimilação plena.[1]

Três foram as fontes factuais básicas do presente estudo. Primeiro, as observações diretas que tivemos ocasião de fazer no curso de quase dez anos de trabalho como etnólogo da Seção de Estudos do Serviço de Proteção aos Índios, metade dos quais vividos em aldeias indígenas. Segundo, um meticuloso exame dos arquivos do SPI e longas entrevistas com etnólogos, indigenistas e funcionários daquele órgão e com missionários cujas experiências no convívio com índios procuramos compreender. Terceiro, a bibliografia etnológica que examinamos detidamente em busca de observações e interpretações que nos ajudassem neste estudo.

A primeira destas fontes nos permitiu conhecer, por observação direta, diversas tribos de diferentes culturas nas mais variadas condições e graus de interação com a sociedade nacional: algumas, através de pesquisa etnológica exaustiva; outras, mediante inquéritos realizados com o propósito específico de examinar, em certos contextos tribais, os efeitos do impacto com a civilização. Estão no primeiro caso as nossas pesquisas junto aos índios do sul de Mato Grosso, especialmente os Kadiwéu (1948, 1950, 1951a)[2], que foram nosso objeto particular de estudo; mas também os Terena, os Guaykuru e os Ofaié-Xavante (1951b), cujas aldeias visitamos em 1947 e 1948. E também nossa pesquisa junto aos índios do vale dos rios Gurupi e Pindaré, no Pará e Maranhão, que estudamos em 1949/1950, especificamente os Urubu-Kaapor (1955 e 1957c) e genericamente os Tembé, Guajajara, Guajá e Timbira. Representa o segundo caso uma série de pesquisas de campo realizadas com o expresso objetivo de analisar os problemas de aculturação e integração na sociedade nacional de certos grupos indígenas selecionados como representativos das situações mais correntes de interação. No curso destas pesquisas, realizamos estudos das tribos da região dos formadores do Xingu, dos Karajá do rio Araguaia, dos Bororo do rio São Lourenço, dos Kaingang de São Paulo e Paraná, e dos Xokleng de Santa Catarina. Aquelas pesquisas etnológicas e estes inquéritos temáticos nos deram, em conjunto, uma visão das principais modalidades culturais indígenas, dos distintos contextos com que elas estão em contato, dos diferentes graus de integração dos indígenas na sociedade nacional e dos efeitos diferenciais de certos condicionadores do contato, tais como: a intervenção protecionista por parte do governo ou das missões religiosas.

Com respeito à segunda fonte de nosso estudo, representada pela ação indigenista e pelos estudos sobre temas indigenistas, cabem alguns destaques. Nossa dívida maior é para com Cândido Mariano da Silva Rondon e alguns de seus velhos companheiros com os quais tivemos oportunidade de trabalhar, especialmente Amílcar Botelho de Magalhães. Vêm em seguida os indigenistas e antropólogos com que convivemos e trabalhamos durante longos anos: José Maria da Gama Malcher, Noel Nutels, Eduardo Galvão, Carlos de Araújo Moreira Neto, Roberto Cardoso de Oliveira, Maria Luíza Jacobina, Telésforo Martins Fontes, João Carvalho e Eduardo de Lima e Silva Hoerhen. Os dois primeiros como diretores do Serviço de Proteção aos Índios durante os recentes períodos de mais fecunda atuação; os últimos, como colegas e colaboradores do tempo em que éramos funcionários daquele órgão. Finalmente, entre as pessoas que mais nos ajudaram com sua enorme experiência e compreensão do problema indígena, destacam-se os irmãos Cláudio, Orlando e Leonardo Villas Boas, cuja admirável vida devotada aos índios não tem paralelo.

A terceira fonte de nosso estudo é constituída pela copiosa bibliografia sobre os problemas de aculturação, bem como pelos estudos brasileiros que procuram compreender situações concretas de interação entre a sociedade nacional e os grupos indígenas. Sua utilização completou nossas próprias observações, conferindo-lhes maior amplitude e precisão.

Dentre as fontes etnográficas examinadas para este estudo, ressalta a obra do maior dos etnólogos brasileiros, Curt Nimuendaju Unkel, cujos estudos clássicos sobre os Guarani (1914), os Apinayé (1956), os Timbira (1946), os Tukuna (1952a) e relatórios elaborados para o Serviço de Proteção aos Índios nos foram de enorme utilidade. Vem, em seguida, a coletânea de estudos etnográficos reunida pela Smithsonian Institution no *Handbook of South American Indians* (Julian Steward, org., 1946-1949). E, por fim, as monografias publicadas por etnólogos que estudaram grupos indígenas neste século e se interessaram também pelos problemas de mudança cultural. É o caso de diversos estudos relacionados em nossas "Observações sobre a bibliografia" que, embora não focalizando diretamente os problemas de aculturação, nos foram muito úteis.

Apelamos, naturalmente, com maior proveito para os estudos antropológicos que trataram os problemas da mudança cultural especificamente; para as análises de aculturação das tribos indígenas brasileiras, sobretudo as monografias baseadas em pesquisas de observação direta; bem como para estudos e levantamentos concernentes às frentes de expansão da sociedade nacional e às condições de vida das populações indígenas de certas áreas. Estas fontes são também discriminadas nas "Observações sobre a bibliografia". Tais estudos nos serviram, simultaneamente, como fonte de dados e observações e como fonte de interpretação teórica.

Deve-se reconhecer, lamentavelmente, que ainda são muito tímidos os progressos alcançados no sentido de elaborar um esquema conceitual adequado à compreensão do processo de mudança sociocultural decorrente do impacto da civilização sobre as etnias tribais. Três contribuições brasileiras ao estudo da mudança cultural devem ser destacadas, todas elas devidas a antropólogos que combinam uma longa experiência de pesquisa direta com fecundas preocupações teóricas. Tais são os estudos modelares de Eduardo Galvão (1957, 1959) sobre os problemas de mudança cultural das tribos do Xingu e do rio Negro e a análise de Egon Schaden (1965) da bibliografia brasileira sobre aculturação, que compendia observações e interpretações próprias e alheias sobre o tema, na forma de um esboço da teoria sobre os condicionamentos e os resultados das relações interculturais. Ambos focalizam estes problemas através do esquema tradicional dos estudos de aculturação, muito embora Galvão questione mais claramente este esquema, mostrando sua insuficiência para a compreensão das situações que analisa. E finalmente os ensaios em que Roberto Cardoso de Oliveira, manifestando a insatisfação cada vez mais generalizada dos antropólogos brasileiros com aquele esquema teórico, propõe as noções de "fricção interétnica" (1962, 1963), de "tribalismo" e de "potencial de integração" (1967). Tais conceitos, conquanto úteis para descrever situações gerais de interação entre representantes da sociedade nacional e grupos tribais, bem como para assinalar certas potencialidades de conflito ou acomodação que lhes são inerentes, não provêem um esquema metodológico para explorar teoricamente o valor explicativo das situações de interação entre sociedades nacionais e etnias tribais que a realidade brasileira proporciona copiosamente.

Mais que um estudo de base bibliográfica, entretanto, este livro é o resultado de duas décadas de observações pessoais acerca do impacto da civilização sobre as populações indígenas do Brasil. E também dos esforços que empreendemos para explorar o seu valor explicativo, como contribuição à formulação de uma teoria geral de mudança sociocultural. Seu objetivo é, pois, alcançar uma compreensão acurada das situações de interação entre índios e frentes de expansão, a fim de chegar a generalizações significativas sobre o processo de mudança cultural. Sua meta é propor critérios de classificação e formular princípios explicativos que sirvam como hipóteses de trabalho para futuros estudos das relações entre as sociedades tribais e as nacionais em outras áreas e em períodos mais amplos de tempo.

Os estudos de aculturação focalizam os fenômenos culturais decorrentes do estabelecimento de contato entre entidades étnicas. Na sua formulação original, esses estudos se restringiam ao exame de contatos diretos e continuados, sendo o processo concebido como necessariamente bilateral e explicado em termos da adoção seletiva de elementos culturais estranhos. Prontamente se verificou, porém, a necessidade de incluir no âmbito da análise toda e qualquer ordem de contato interétnico e de considerar as situações em que o processo era unilateral ou, ao menos, em que não afetava necessariamente as duas etnias em confronto.

Dentro desta nova perspectiva, iniciou-se a busca de explicações não apenas nos mecanismos de aceitação/rejeição, orientados por critérios seletivos prévios à situação de contato, mas em termos de agentes causais de natureza cultural ou extracultural; no poder de coerção dos fatores sócio-econômicos envolvidos nas situações de interação; e na capacidade de resistência de cada sistema sociocultural a estas diversas contingências.

Dentro desta nova abordagem, alguns estudiosos caíram na armadilha da causação circular em que cada fator poderia ser, a seu tempo, causa e efeito. O resultado foi abdicar da formulação de uma teoria geral, ou limitar tanto a validade desta que se terminou por restringir a capacidade explicativa dos estudos de aculturação a análises histórico-etnológicas concernentes a situações concretas (Schaden, 1965). Outros estudiosos desviaram-se para análises de caráter sociológico das situações de conjunção, ressaltando os aspectos sociais dos conflitos interétnicos, mas desprezando outros fatores, inclusive os propriamente culturais (R. C. de Oliveira, 1964, 1967).

Esta divergência de orientação reflete as insuficiências do esquema conceitual dos estudos de aculturação e a impossibilidade de superá-las, seja com uma supervalorização dos fatores culturais, seja pela adoção de uma orientação sociologística. Por esta razão é que, no presente estudo, procuramos transcender esses esquemas, propondo uma abordagem mais ampla e integrada, capaz de situar os fenômenos propriamente aculturativos no seu campo específico — isto é, a análise da mudança do patrimônio cultural decorrente da conjunção interétnica —,mas que permita analisar, igualmente, toda a gama de fenômenos ecológicos, bióticos, econômicos, sociais, culturais e psicológicos resultantes desta conjunção.

Tal é o estudo da transfiguração étnica que, para os efeitos deste trabalho, pode ser definida como o processo através do qual as populações tribais que se defrontam com sociedades nacionais preenchem os requisitos necessários à sua persistência como entidades étnicas, mediante sucessivas alterações em seu substrato biológico, em sua cultura e em suas formas de relação com a sociedade envolvente. Esta acepção é, na realidade, uma aplicação particular e restrita de um processo mais geral que diz respeito aos modos de formação e de transformação das etnias.

Em dois livros anteriores focalizamos alguns dos aspectos mais gerais dos fenômenos de transfiguração étnica. Em *O processo civilizatório* (1968), examinando as formas de transição de uma para outra etapa evolutiva, sugerimos que ela pode se dar tanto por *aceleração evolutiva* — correspondente à passagem de um povo de uma formação econômico-social para outra, com a preservação de sua autonomia étnica — como por *atualização* ou *incorporação histórica,* que ocorre quando um povo altera sua tecnologia, suas formas de ordenação social e sua visão do mundo, por efeito da conjunção com sociedades mais avançadas; conjunção esta processada em condições de subordinação que conduzem à perda da autonomia no comando do seu destino. Em outro livro, *As Américas e a civilização* (1969), ao examinar o processo de formação e diferenciação dos povos americanos e as causas do seu desenvolvimento desigual, discutimos o conceito de *aculturação,* indicando que seu aspecto fundamental é a transfiguração étnica.

Os referidos trabalhos nos permitiram retomar, agora, em novas bases, o estudo das relações entre índios e não-índios no Brasil moderno, porque proporcionam um esquema conceitual mais amplo e compreensivo que os anteriores para situar esta ordem de fenômenos como instâncias particulares de processos de atualização histórica e de transfiguração étnica. Com efeito, os fenômenos de aculturação e de transfiguração étnica que estudamos aqui são, em essência, os mesmos que ocorreram com as populações indígenas e africanas aliciadas por europeus para servir de mão-de-obra na implantação das primeiras fazendas de açúcar da costa atlântica e das fazendas de criação de gado do sertão. Naquela conjuntura, populações extra-européias viram-se envolvidas em um processo civilizatório desencadeado pela expansão européia, no curso do qual foram deculturadas do seu patrimônio original para serem depois aculturadas em novas protocélulas étnicas que se configuravam como proletariados externos de metrópoles colonialistas.

As situações que estudamos agora diferem das anteriores, principalmente porque a etnia em expansão já é o fruto maduro daquele processo que encerra em si diversos atributos tomados dos próprios povos subjugados e que atingiu o limite de sua capacidade de absorver novas contribuições culturais indígenas. Difere, também, porque as novas ondas de expansão civilizatória já não estão armadas com o poder deculturativo da escravidão para erradicar os traços e valores dos contingentes indígenas. Mesmo assim, estão armadas de força suficiente para subjugar as etnias tribais e para desagregar suas estruturas sócio-econômicas, a fim de engajar na mão-de-obra regional os índios delas desgarrados, e para compelir, mesmo aqueles que permaneçam apegados à etnia tribal, a se integrarem no sistema econômico nacional. Nestas novas condições, o indígena tem oportunidades algo maiores de sobreviver, mas é condenado a transformar radicalmente seu perfil cultural, porque só pode enfrentar as compulsões a que é submetido, transfigurando sua indianidade, mas persistindo como índio.

A compreensão das situações que tivemos de examinar exigiu a reelaboração de uma série de noções correntes nas ciências sociais e a elaboração de alguns novos conceitos. É o caso da noção sociológica de *assimilação*, que utilizamos para indicar a expectativa de fusão de novos contingentes dentro das etnias nacionais como partes delas indiferenciadas; a de *integração*, com que indicamos modos de *acomodação recíproca* e de coexistência entre populações etnicamente distintas que, no caso dos grupos indígenas, podem ser medidas pelos graus de interação e de dependência que mantêm com respeito à sociedade nacional (*isolados*, *contato intermitente*, *contato permanente* e *integrados*).

Tornou-se imperativa, também, a reelaboração de outros conceitos descritivo-interpretativos que nos habilitassem a caracterizar com precisão as distintas variantes das situações de conjunção, a fim de avaliar o papel e a função de cada uma delas. Assim é que fixamos as noções de *distância cultural*, tanto *absoluta*, referente a etapas da evolução sociocultural, como *relativa,* concernente às variantes das tradições tribais e sua aproximação maior ou menor com relação à cultura brasileira. E a noção de *predisposições culturais*, para caracterizar as qualidades de *flexibilidade* ou de *rigidez* que facilitam ou dificultam a redefinição de itens e valores tradicionais; bem como os atributos de *agressividade* ou *docilidade* das etnias tribais em face da sociedade nacional.

Com o mesmo propósito tivemos de fixar a noção de situações de conjunção para melhor distinguir as relações *diretas* ou "espontâneas", experimentadas entre índios e não-índios, das relações contingenciadas pela *intervenção protecionista*, oficial ou missionária. O mesmo ocorreu no tocante às faces com que a sociedade nacional se apresenta às populações indígenas, conforme se estruture como frente de expansão econômica *extrativista*, *pastoril* ou *agrícola.*

Finalmente, procuramos precisar o conceito de *transfiguração étnica* concernente ao processo de formação e transformação das etnias para utilizá-lo com referência ao processo geral de passagem dos grupos indígenas da condição de isolamento à de integração, com todas as suas conseqüências de mutação cultural e social e de redefinição do ethos tribal. Este processo é estudado em termos de níveis de interação: *ecológica* e *biótica*, *tecnológi-*

co-cultural, *sócio-econômica* e *ideológica*, na forma do mesmo processo, embora, via de regra, concomitantes e intimamente relacionados no mundo das coisas.

É sabido que, em trabalhos como o presente — que exigem o levantamento de grande quantidade de dados e sua comparação sistemática visando a alcançar uma compreensão acurada de uma ampla gama de fenômenos —, dificilmente se pode reconstituir os caminhos pelos quais se chega às inferências básicas. Trabalhando, ao longo de anos, em pesquisas de campo bem como na reconstituição de situações com base na bibliografia pertinente e, ainda, em esforços de reflexão teórica sobre o material coletado, o estudioso acaba por tornar-se incapaz de distinguir suas *induções* de suas *deduções*.

Esta é, na verdade, uma questão acadêmica. Na realidade, sempre se parte para o exame dos dados empíricos armado de critérios selecionadores e se sai desse exame com "impressões" que acabam por cristalizar-se em hipóteses. Estas, por sua vez, são verificadas antes como um esforço de confirmação do que de contestação. Como certo dia, por motivos práticos, deve-se dar por concluído um trabalho que poderia estender-se indefinidamente, o que resulta é um estágio do esforço de compreensão, na forma de materiais para compor um livro. Sua apresentação final é sempre uma construção "artística" em que não se reconstituem os caminhos pelos quais se chegou às inferências, sendo estas apresentadas da maneira mais demonstrativa e persuasória possível.

Pouco podemos fazer para ajudar o leitor a acautelar-se contra as deformações resultantes destas contingências. E o lamentamos porque, em muitos casos, os mesmos materiais compulsados poderiam fundamentar distintas interpretações. Procuramos, entretanto, reduzir estes inconvenientes, mediante um esforço deliberado para deixar que os dados empíricos, na medida do possível, falassem por si mesmos e servissem a outras interpretações. Neste sentido, a cada formulação teórica fizemos seguir ou anteceder as bases empíricas em que se fundamenta, na forma de casos exemplificativos. Por isso, acreditamos que, atentando para os nossos conceitos relativos às variáveis examinadas e correlacionando-os com os materiais empíricos em que se sustentam nossas interpretações, qualquer especialista pode apreciar o grau de acuidade que alcançamos e surpreender, eventualmente, linhas soltas que permitam conduzir a uma melhor compreensão das situações estudadas.

A disposição que demos a este livro se baseia em três grandes divisões. Na primeira, apresentamos um painel da situação em que se encontravam as populações indígenas brasileiras no fim do século passado e nos primeiros anos do presente. Aí relatamos a expansão da sociedade brasileira através de suas fronteiras extrativista, pastoril e agrícola e damos notícia dos grupos indígenas que estavam em contato com a sociedade nacional. Nos casos em que dispúnhamos de material mais rico, reconstituímos a história anterior desses grupos.

Na segunda parte estudamos o papel e a função da proteção oficial ou missionária, procedendo a uma análise crítica da formulação e da execução da política indigenista brasileira. Para isso, analisamos as condições em que se criou o órgão estatal de proteção e avaliamos a atuação deste e das missões religiosas no exercício de sua dupla função: pacificar as tribos arredias e hostis contra as quais se arremetia a sociedade nacional e proteger essas mesmas tribos e aquelas que já encontraram em convívio pacífico. Este estudo tem em vista lançar luz sobre um dos condicionantes básicos do destino das populações indígenas: a intervenção racional por parte de instituições governamentais e de missões religiosas. Ao mesmo tempo, visa a expor, em seus acertos e seus erros, uma experiência extraordinariamente rica e elucidativa para quem esteja empenhado em amparar populações tribais.

Na terceira parte, focalizamos globalmente o processo de transfiguração étnica. Para isso utilizamos uma abordagem nova, elaborada para permitir a reconstituição da "história natural" das relações entre índios e civilizados. Iniciamos com uma análise das seqüências típicas da integração progressiva das populações indígenas na sociedade nacional e com uma apreciação quantitativa dos efeitos do impacto da expansão civilizatória sobre os grupos tribais. Aí procuramos fixar as etapas da integração e avaliar a relevância das principais variáveis das situações de conjunção, ou seja, as faces com que a sociedade nacional se apresenta aos índios e as diferenças étnico-culturais peculiares aos próprios indígenas. Estudamos, a seguir, as instâncias fundamentais da transfiguração étnica, através de análises temáticas dos fatores causais que atuam neste processo, tais como: as compulsões ecológicas e bióticas, as coerções sócio-econômicas e culturais, bem como as reações diferenciais das etnias tribais. No capítulo final, discutimos o significado da integração alcançada pelos grupos indígenas que, tendo percorrido todo o caminho da aculturação, se viram na condição de índios-genéricos porque despojados de suas especificidades culturais, mas nem por isso assimilados pela sociedade nacional. Finalmente, apresentamos algumas conclusões que não pretendem sintetizar nosso estudo, mas assinalar regularidades relevantes que ele permitiu determinar.

I AS FRONTEIRAS DA CIVILIZAÇÃO

1 A AMAZÔNIA EXTRATIVISTA

O delta do Amazonas constitui uma das áreas de mais antiga ocupação européia no Brasil. Já nos primeiros anos do século XVII ali se instalaram soldados e colonos portugueses, inicialmente para expulsar franceses, ingleses e holandeses que disputavam seu domínio, depois como núcleos de ocupação permanente. Estes núcleos encontrariam uma base econômica na exploração de produtos florestais, como o cacau, o cravo, a canela, a salsaparrilha, a baunilha, a copaíba, que tinham mercado certo na Europa e podiam ser colhidos, elaborados e transportados com o concurso da mão-de-obra indígena, farta e acessível naqueles primeiros tempos.

Estas condições marcariam o desenvolvimento da colonização da Amazônia dentro dos estreitos limites da economia mercantil extrativista. Embora fossem tentadas grandes lavouras de produtos de exportação, como o cacau, a cana-de-açúcar, que faziam a riqueza de outras regiões da colônia, a monocultura jamais alcançou ali a mesma importância. E acabou sendo completamente sobrepujada pela indústria extrativa, quando a descoberta de novas espécies naturais e o aumento do seu consumo mundial propiciaram a expansão destas atividades.

A contingência de sair a esmo em busca dos produtos naturais, onde a natureza ao acaso os fez crescer, foi o condicionante fundamental de ocupação da Amazônia. Afora o próprio delta, onde se concentra a maior parte da população, o vale só foi devassado linearmente ao longo dos rios, furos, lagos e canais do maior sistema fluvial da Terra, que é, ao mesmo tempo, uma das áreas de mais baixa densidade demográfica do mundo.

Para esta obra de devassamento da floresta tropical e de exploração de seus produtos, os índios foram aliciados desde a primeira hora, através de toda sorte de compulsões, desde a "sujigação" e o descimento para as missões e núcleos coloniais até técnicas mais manhosas, como a de acostumá-los ao uso de artigos mercantis cujo fornecimento posterior era condicionado à sua participação nas atividades produtivas como mão-de-obra para todo serviço.

Através de alguns exemplos da história das relações entre índios e civilizados em certas áreas da Amazônia, procuraremos retratar as condições em que elas se processaram em toda a região. Para isto selecionamos a região do rio Negro, onde encontramos uma fronteira da civilização que começa a estabilizar-se e na qual o conflito aberto entre índios e civilizados deu lugar ao estabelecimento de um *modus vivendi* que permite aos grupos indígenas sobreviventes conservar certos aspectos de sua cultura tradicional, acomodando-os às exigências da sua condição de populações integradas na economia regional como produtores e como consumidores. Nos vales do baixo Madeira e do Tapajós veremos como, uma após outra, as tribos da região se levantaram contra o avanço da civilização, abrindo sucessivas frentes de luta numa situação de conquista jamais consolidada ao longo de mais de um século. Finalmente, os vales do Juruá-Purus nos permitirão retratar situações de sucessão ecológica em que populações neobrasileiras, disputando a grupos indígenas menos aguerridos o domínio de matas riquíssimas em seringais, avançaram a ferro e fogo, com rapidez fulminante, dando cabo, em poucos anos, de toda a população indígena. Antes, porém, devemos fazer um exame sucinto das características das frentes de expansão extrativista.

* * *

O século XX encontra os índios da Amazônia em condições de vida muito semelhantes àquelas do tempo dos descimentos para as missões religiosas e para o trabalho escravo no Brasil colonial. Ao longo dos cursos d'água navegáveis, aonde quer que pudesse chegar uma canoa a remo, as aldeias eram assaltadas, incendiadas e sua população aliciada. Magotes de índios expulsos de seus territórios perambulavam pela mata, sem paradeiro. Para qualquer lado que se dirigissem deparavam com grupos de caucheiros, balateiros, seringueiros, prontos a exterminá-los.

O móvel desta onda de violências era a crescente procura nos mercados internacionais do látex coagulado de certas plantas imemorialmente conhecidas dos índios, que delas se utilizavam para a fabricação de bolas e seringas e para a impermeabilização de trançados e tecidos. Era a borracha, cuja crescente aplicação na indústria de pneumáticos vinha abrindo à Amazônia uma fonte de riquezas como jamais tivera. Sua exploração começara na primeira metade do século passado e se desenvolveu em dois ciclos sucessivos. O primeiro, desencadeado pela invasão da floresta por bandos móveis de caucheiros, que em poucos anos devassaram quase todo o vale à procura das concentrações de *Castilloa elastica*. Como as árvores eram abatidas a fim de extrair todo o látex, os bandos tinham de mover-se continuamente em busca de novos cauchais, cobrindo, assim, imensas distâncias. Nenhuma tribo em cujo território crescia o caucho pôde fugir do encontro com estes exércitos de molambos, que caíam como um cataclismo sobre as aldeias. Um dos procedimentos comuns para dominar os índios era, então, o seqüestro das mulheres e crianças, dentro da própria maloca, sob a vigilância de um capataz. Deste modo, o bando invasor se assegurava a cooperação dos homens na descoberta e exploração de novos cauchais e se garantia o abrigo, a alimentação e a satisfação de seus apetites.

O segundo ciclo iniciou-se quando começaram a escassear os cauchais, obrigando a onda a refluir para as terras baixas do vale, onde iria engajar-se em novas formas de produção da borracha, dando algum alento às populações indígenas dos altos cursos dos tributários do Amazonas. Era a vez dos seringais (*Hevea brasiliensis*) situados nas ilhas e terras marginais, mais próximas dos postos de exportação. Nestas áreas sobreviviam alguns grupos indígenas já experimentados nos embates com a civilização, remanescentes de tribos que desde tempos coloniais mantinham contato com neobrasileiros. Eles se integravam na economia regional como fonte ocasional de mão-de-obra e como produtores autônomos de peixe seco, de peles de caça, de ovos de tartaruga, de óleos e essências florestais e outros produtos extrativos. Preservavam, todavia, sua economia tribal de subsistência, baseada na lavoura, na caça e na pesca, e sua autonomia étnica.

A exploração dos seringais não deixaria lugar, porém, para estilos tribais de vida. Em pouco tempo aquelas populações foram compulsoriamente aliciadas para a produção de borracha e para os trabalhos ligados à navegação fluvial. Foram o índio-remo, o índio-piloto, o índio-bússola que descobriram os seringais e os vincularam aos portos através do emaranhado de canais e rios que constituem a Amazônia.

A forma de extração do látex era também primitiva. Se já não abatiam a árvore, como faziam os caucheiros, sangravam-na tão profundamente que resistia a poucas safras. Assim, a onda era compelida a sair em busca de novas concentrações de seringueiras, para repetir adiante o mesmo processo e mais uma vez deslocar-se, afastando-se cada vez mais dos portos de embarque, multiplicando os problemas de transporte e indo ao encontro de tribos mais isoladas que da civilização só haviam experimentado, anos antes, o impacto com os bandos de caucheiros.

Deste modo foram sucessivamente explorados os seringais das zonas baixas do rio Amazonas, primeiro no Pará, depois o médio e o alto curso até o rio Solimões já no estado do Amazonas e, finalmente, todos os seus tributários, desde a foz até as cabeceiras. Nos primeiros anos deste século, a onda de extratores já atingia as grandes concentrações de seringueiras dos formadores dos rios Juruá e Purus, na região que viria a constituir o território do Acre, cinco mil quilômetros terra adentro.

A borracha, como todos os produtos nativos da floresta tropical, distribui-se irregularmente e com baixa concentração em meio a uma infinidade de outras espécies desprovidas de valor comercial. Mesmo nas zonas de maior concentração, os seringais cobrem enormes extensões, impedindo que a população se organize em núcleos consideráveis. Estas condições determinaram a dispersão da população amazonense ao longo dos cursos d'água por todo o imenso vale, resultando uma concentração demográfica de quase deserto e impondo a criação de um sistema de comunicações baseado exclusivamente na navegação fluvial.

Aqui, a terra em si mesma não tem nenhum valor e a mata exuberante que a cobre só representa um obstáculo para alcançar aquelas raras espécies realmente úteis. Não se cogita, por isso, de assegurar a posse legal das terras, como é o caso das regiões de economia agrícola e pastoril com seus latifúndios e suas demandas.

O que importa na Amazônia é o domínio da via de acesso que leva aos seringais. E este domínio não assume, senão acidentalmente, a forma de propriedade fundiária. É imposição de quem dispõe dos meios de transporte e controla os trabalhadores. O seringal é, por isso, empresa desvinculada da terra: seu elemento é o rio, no qual o homem não se fixa como povoador, mas apenas se instala como explorador até o esgotamento dos seringais. Então, vai adiante, com seus próprios meios: as canoas, o barracão de mercadorias e o livro de débito com que mantém presos os seringueiros.

Este caráter móvel da indústria extrativa a torna muito mais destrutiva para a população indígena porque vai alcançá-la onde quer que esteja. Enquanto na economia agrícola ou pastoril a expansão se faz de forma mais ou menos contínua, o seringal segue sempre à frente, rompendo qualquer veleidade de resistência por parte do índio, deixando um deserto atrás de si e espichando cada vez mais os seus caminhos.

Em virtude da baixa concentração das seringueiras nativas, mesmo nas zonas mais ricas raramente se encontram duzentas árvores no percurso de dez a quinze quilômetros de uma picada que constitui a unidade de exploração. É a *estrada*. Em geral, se dispõe em um ou dois círculos que começam e acabam na barranca do rio onde mora o seringueiro encarregado de sua exploração. O seringal é o conjunto destas estradas, comumente dispostas ao longo de um rio, distando horas e mesmo dias de viagem umas das outras, conforme a região. Na desembocadura, em guarda contra qualquer deserção de trabalhadores ou extravio de mercadoria, fica a residência do patrão ou do gerente. É o *barracão* com seu "porto", seu depósito de bolas de borracha, seu armazém provido de aguardente, tabaco, gêneros alimentícios, panos, munições, medicamentos, sal, água-de-cheiro e todas as quinquilharias que possam estimular o trabalhador a gastar prontamente o salário.

A rotina de trabalho do seringueiro consiste em percorrer sua estrada duas vezes cada dia: uma primeira ronda para sangrar as árvores e assentar as tigelas que receberão o látex; a segunda, para recolher a produção. O trabalho é iniciado pela madrugada e o ocupa até a tarde, permitindo-lhe apenas dispor de algum tempo para a pescaria e a caça que suplementará sua escassa alimentação. Na sua palhoça, à noitinha, terá de trabalhar algumas horas mais, pois lhe cabe coagular o látex por defumação.

Assim como a exploração do caucho impunha a organização dos trabalhadores em bandos móveis compostos só de homens, a do seringal imporá o isolamento do trabalhador. Já lhe permite viver com a família, mas segrega-o de qualquer outro convívio, pois cada *estrada* forma uma unidade à parte que não deve e não pode confundir-se com as outras. Só a canoa que leva os mantimentos e escoa a produção do seringueiro ao centro durante a safra o põe em contato com o mundo.

Assim trabalha o seringueiro durante toda a safra, que coincide com o período de preparo da terra para o cultivo. Nestas circunstâncias torna-se impossível qualquer atividade agrícola e ele depende inteiramente do patrão para o fornecimento de gêneros alimentícios, roupas, munições, aguardente e de tudo o mais de que necessita em sua frugalidade compulsória. E estes artigos são fornecidos a preços majorados, de modo a nunca haver saldo, prendendo-se o seringueiro ao patrão enquanto lhe restem forças para produzir. Nos meses de entressafra, quando as chuvas torrenciais impedem qualquer atividade na mata, o seringueiro, em geral, tem de fazer novo débito a saldar na safra seguinte. Agrava estas condições um acordo tácito, que sempre vigorou entre os donos dos seringais, de não aceitarem trabalhadores com dívidas não saldadas. Quem quer que tenha viajado pelos seringais da Amazônia conhece estes trabalhadores que aguardam anos a fio o papelucho libertador, em que o patrão se dá por saldado de todos os seus fornecimentos.

Ao lado do patrão, um outro personagem faz funcionar as engrenagens desta economia primária. É o *regatão*. Este vai aonde não chega o seringalista. É o traficante que conduz sua mercadoria no pequeno barco em que vive e com o qual singra cada rio, cada igarapé onde haja alguma coisa para trocar por aguardente, sal, fósforos, panos, anzóis, agulhas, linha de coser, munição e uma infinidade de artigos desta ordem. Criador de necessidades e instrumento de sua satisfação, o regatão é o rei do igarapé, assim como o patrão é o rei do rio. Grande parte do seu negócio é o desvio da produção dos seringais, retirada a golpes de audácia, mas sua empresa maior é a exploração do índio, que trabalha o ano inteiro juntando a copaíba, a castanha, a canela, o cravo, a salsaparrilha, a piaçava, para trocar por pouco mais que nada.

Esta é a condição do seringueiro dito civilizado, do caboclo amazonense ou nordestino preso ao guante do dono do rio.

Para o índio, o seringal e toda a indústria extrativa têm representado a morte, pela negação de tudo que ele necessita para viver: ocupa-lhe as terras; dissocia sua família, dispersando os homens e tomando as mulheres; destrói a unidade tribal, sujeitando-a ao domínio de um estranho, incapaz de compreender suas motivações e de proporcionar-lhe outras. Enfim, submete o índio a um regime de exploração ao qual nenhum povo poderia sobreviver. Assim, diante do avanço desta "civilização" representada pelos extratores de drogas da mata, só resta ao índio resistir e, quando isto se torna impraticável, fugir para mais longe, mata adentro, para as zonas altas onde não cresce a seringueira. Entretanto, esta mudança de ambiente muitas vezes lhe é fatal. Dentro da mata faltam muitos dos elementos fundamentais à subsistência e o suprimento de artigos de comércio aos quais se tinha acostumado, como as ferramentas, o sal e medicamentos para as moléstias estranhas que leva consigo, terra adentro.

Uma outra característica da onda invasora que a faz lançar-se contra os índios é ser composta principalmente de homens que, uma vez dispersos pelos seringais, só poderão satisfazer suas necessidades sexuais ou conquistar uma companheira tomando-a aos índios. Araújo Lima (1945: 266), em seu estudo sobre a Amazônia, mostrou como esta carência determinou, na fase mais alta da borracha, um verdadeiro tráfico de mulheres decaídas. Eram aliciadas pelos negociantes de Belém e de Manaus e remetidas aos seringais com fatura de despesa de transporte e comissão, como qualquer outra mercadoria. Mas este era, obviamente, um artigo de luxo que só estava ao alcance do pessoal mais abonado. O simples seringueiro tinha de resolver seus problemas de outro modo e o único a seu alcance era a maloca.

Naqueles primeiros anos do século xx a cotação da borracha alcançara o auge, sua exportação era uma das principais fontes de divisa com que contava o país e, por isto mesmo, nenhuma providência oficial se negava, quando solicitada, em nome da defesa da produção dos seringais.

Entretanto, era uma das economias mais destrutivas e exigentes em vidas humanas, em sofrimento e em miséria que jamais se conheceu. E tão custosa ao índio quanto ao branco nela engajado. Aliás, só foi possível elevar a produção da borracha aos altos níveis que alcançou, em virtude do êxodo da população do Nordeste do Brasil, provocado pelas secas que assolam periodicamente aquela região. A disponibilidade de mão-de-obra, constituída pela massa de flagelados nordestinos que afluía para a Amazônia em busca de novos meios de vida, é que tornou possível o devassamento das matas para a exploração das seringueiras nativas.

Naqueles anos de clímax, porém, ninguém tinha olhos para o custo da borracha em vidas humanas. Ela parecia a todos uma riqueza inesgotável, embora a maioria das pessoas engajadas em sua produção perecesse em pouco tempo, vitimada por febres e, sobretudo, por doenças carenciais, que assumiram caráter endêmico por toda a Amazônia.

A alta cotação da borracha, permitindo pagar qualquer preço pela subsistência dos seringueiros, levara ao abandono da lavoura e da economia pastoril através do vale. Toda a população se dedicava ao trabalho dos seringais e importava tudo de que carecia, desde os cereais que vinham do sul do país até a carne enlatada e outras conservas trazidas pelos navios ingleses.

Em conseqüência, as avitaminoses alcançaram um grau epidêmico, devastando a população dos seringais. A massa de homens vigorosos desembarcados dos navios vindos do Nordeste, depois de alguns meses de trabalho nos seringais, transmudava-se em magotes de enfermos, pernas inchadas e paralisadas, apodrecendo vivos, vítimas do que parecia a doença do clima, quando era o beribéri, doença da fome de vitaminas. Avalia-se que metade da população encaminhada à Amazônia nos anos do *rush* da borracha foi vitimada pela avitaminose (Castro, 1946: 92).

A economia amazonense, baseada na exploração dos seringais, alcançou seu apogeu no primeiro decênio deste século. Em 1910, a borracha chega a contribuir com perto de 40% do valor total das exportações do Brasil. Durante os cinqüenta anos anteriores, a borracha integrara a Amazônia na economia mundial, construíra cidades como Manaus e Belém em plena floresta tropical, multiplicara por três a população do vale. Mas naquele mesmo ano surgiram os primeiros sinais do declínio próximo, com a entrada no mercado mundial da borracha produzida nos seringais cultivados do Oriente, oferecendo qualidade mais alta a preços mais baixos. Nos anos seguintes, sobreveio o colapso que arruinou toda a Amazônia, provocando o abandono dos seringais e a decadência da economia importadora/exportadora das cidades, lançando toda aquela população, cuja "prosperidade" dependia exclusivamente da borracha, na mais completa miséria.

É a época da fome, já não carencial, mas completa. A Amazônia, que tinha assentado sua subsistência em gêneros importados a fim de mobilizar todas as forças para a produção do látex, via-se privada de tudo por não ter recursos para a importação. Paradoxalmente, a esta quadra da penúria só puderam enfrentar os mais pobres, ou seja, os índios, pois quase somente eles — por não terem como comprar o que comiam — não haviam abandonado a lavoura de subsistência, a caça, a pesca e a coleta.

Assim, o colapso da economia extrativa foi a salvação das populações indígenas remanescentes da Amazônia. Uma década mais de atividades, ao ritmo em que se efetuavam, teria certamente levado quase todas as tribos do vale ao extermínio. Agora, libertos da opressão em que viviam e do terror de se defrontarem com civilizados, os índios voltavam aos antigos territórios dos quais haviam sido desalojados, para procurar restabelecer a vida nos moldes antigos. A população cabocla também retornava à lavoura, que pelo menos lhe garantia a subsistência, e via desaparecerem as doenças carenciais que a estiolavam nos tempos de riqueza.

Aos poucos, porém, organizaram-se outras formas de exploração das drogas da mata. Nenhuma delas alcançaria jamais a importância da borracha, mas seriam suficientes para manter uma economia de trocas. Surge, assim, a exploração em alta escala da castanha, da copaíba, da balata, da poaia, da piaçava e de uma série de outros produtos florestais. Os bandos de extratores aos poucos se avolumam e ganham forças. São invadidas zonas até então inexploradas, pois cada um daqueles produtos tem um hábitat próprio. A castanha-do-pará, por exemplo, que se torna por algum tempo o principal produto de exportação da Amazônia, cresce em terras altas onde não vinga a seringueira, exatamente naqueles ermos onde o índio, expulso das terras baixas, fora se acoitar e de onde iria ser desalojado pela nova onda invasora.

O vale do rio Negro

O rio Negro constitui uma das províncias de mais antiga ocupação européia na Amazônia. Desde o século XVII seus índios vinham sendo submetidos a descimentos, tanto das missões religiosas como para o cativeiro em mãos dos colonos. Estas incursões guerreiras, bem como a interferência dos estabelecimentos europeus sobre a vida das tribos, se revestiram de tamanha violência que provocaram ali, até meados do século XIX, algumas das mais graves rebeliões indígenas da história da Amazônia. Segundo observações de Curt Nimuendaju (1950), a população do rio Negro apresentava, nos primeiros anos do século XX, quatro conglomerados perfeitamente distinguíveis, tanto pela cultura como pela língua, embora profundamente interpenetrados. O primeiro deles era constituído por uma população mestiça resultante do cruzamento de europeus com índias no período dos descimentos, que se entende numa língua indígena, o *nheengatú* ou *língua geral*,[1] introduzida na região pelos missionários, colonos e seus escravos índios. Esta população mestiça, que configurava o perfil local do neobrasileiro, ocupava as margens do baixo rio Negro, tendo por centro a cidade de São Gabriel, de onde se irradiava pelo rio Uaupés e pelo Içana. Conservara muitas formas indígenas de adaptação à floresta tropical, como seus métodos de caça, de coleta, de pesca e de lavoura, seus utensílios domésticos e, em grande parte, sua concepção do mundo naquilo que se refere ao ambiente geográfico. Do conquistador recebera os instrumentos de metal; a fome de sal e a sede de aguardente; algumas formas exteriores de religiosidade cristã; além de certas idéias sobre o além-túmulo associadas a um novo sistema de valores e motivações. Todos estes elementos organizados numa economia mercantil de caráter extrativista, baseada na exploração dos índios, como o maior contingente de mão-de-obra da região.

Um segundo conglomerado era constituído pelos remanescentes de tribos de língua aruak, portadores de uma das culturas mais elaboradas da floresta tropical. Haviam alcançado alto desenvolvimento na cerâmica, na lavoura, na construção de canoas e de soberbas habitações coletivas, e na tecelagem de redes e, além disso, contavam com elementos de guerra que garantiam sua superioridade sobre outras tribos: sarabatanas, dardos envenenados com curare e escudos trançados. Exerceram profunda influência sobre as outras tribos, chegando mesmo a "aruaquizar" algumas delas. Sendo, porém, as mais acessíveis — pois viviam nas margens dos rios navegáveis —, foram as primeiras atingidas pelos conquistadores, avassaladas e dizimadas.

O terceiro conglomerado compreende as tribos de língua tukano vindas do oeste, dotadas de cultura menos elaborada que a dos Aruak, da qual, já naquela época, haviam adotado muitos elementos. Sofreram, também, profundamente os efeitos do impacto com a civilização, mas conservam-se ainda numerosos, vivendo em suas grandes malocas uma vida tanto mais farta quanto maior a distância que as separa dos núcleos mestiços.

Finalmente, o quarto conglomerado é constituído de povos de línguas alófilas: os Maku, os Guaharibo, os Xirianá e os Waiká, todos de cultura muito rudimentar. Desconheciam a cerâmica, a tecelagem, a navegação e a lavoura, vivendo errantes pela mata. Ao contato com os dois primeiros grupos, adquiriram muitos elementos, "aruaquizando-se" uns e "tucanizando-se" outros. Habitando no centro da mata, junto aos divisores d'água e fora das vias percorridas pela civilização, só indiretamente sofreram seu efeitos.

Foram, por isto, menos afetados, conservando-se em número considerável até começos do século, quando tanto civilizados como índios da barranca se lançaram contra eles.

Esta a situação dos índios do rio Negro, em princípios do século.

Trezentos anos de civilização e catequese os haviam reduzido às mais extremas condições de penúria. Só nos altos rios sobreviviam tribos que conservavam certo vigor físico e estas mesmas submetidas a três flagelos:

1. A tirania dos caucheiros, seringueiros e balateiros que surgiam por todos os lados e em ondas sucessivas, tanto descendo pelo alto Uaupés, vindos da Colômbia, como subindo de São Gabriel, pelo rio Negro. Uns e outros com o mesmo propósito de "sacar índios" e conduzi-los à força aos cauchais. Destes, muito poucos logravam voltar às suas malocas e a maioria pereceu vitimada pela fome, acometida pelas febres ou simplesmente esgotada no duro trabalho.
2. Os regatões, que cruzavam os rios e igarapés em todos os rumos, amolecendo com aguardente as últimas reservas morais dos índios e submetendo-os à mais escorchante exploração para, afinal, destiná-los, por venda de suas dívidas, aos mesmos caucheiros.

3. Finalmente, no encalço dos regatões, os missionários salesianos, que, apesar de serem a menor calamidade, não era a menos deletéria, em virtude de sua feroz intolerância para com todas as manifestações da cultura indígena.

Os dois primeiros eram movidos pela ganância do lucro a qualquer custo, que anulava todo escrúpulo. Os últimos eram animados pela fúria sagrada contra tudo que simbolizasse a vida tribal. A ignorância e o desprezo pela cultura indígena tornaram-nos incapazes de perceber a importância funcional das instituições tribais, fazendo de sua tarefa mais uma obra de extirpação que de educação.

Desta intolerância resultou o mais clamoroso fracasso: índios cada vez mais semelhantes aos brancos pobres, na miséria das casas, nas vestes em trapos, nas comidas malsãs, nas festas lúdicas; mas em compensação, brancos e índios cada vez mais indígenas na concepção do sobrenatural e nos processos de controlá-lo.

Nada mais eloqüente do fracasso da conversão do que um estudo da religiosidade da população cabocla da Amazônia (Galvão, 1955), de seu sincretismo, em que o legendário cristão é reinterpretado juntamente com o indígena para servir às mesmas formas antigas de culto. É a vitória do xamã, que, sobrevivendo às próprias tribos que o forjaram, permanece atuante na vida das populações caboclas da Amazônia.

Assim, apesar das diferenças, o missionário deve ser colocado ao lado do traficante como soldado da mesma causa. Um e outro, cada qual a seu modo, abrem caminho para a sociedade que cresce sobre os cemitérios tribais.

Os missionários salesianos chegaram ao rio Negro em 1916. Instalaram-se para permanecer. Em terras devidamente registradas em nome da Ordem, construíram uma majestosa igreja e as amplas dependências da missão. Nos primeiros anos, dependeram da cooperação dos moradores de São Gabriel e souberam obtê-la. Depois, com a ajuda financeira do governo, tornaram-se independentes e cresceram até constituir a potência da região. Para os índios representaram uma fonte de vários benefícios: pagavam corretamente o trabalho que lhes prestavam ou os artigos que vendiam, o que é inédito ainda hoje no rio Negro; defendiam-nos muitas vezes das violências dos balateiros e regatões; prestavam-lhes alguma assistência médica e mantinham escolas primárias e profissionais. Por isso, os índios sempre preferiram tratar com eles e mostram grande empenho em atendê-los, inclusive em se batizarem.

A atuação dos salesianos não se restringe aos menores internados nas missões e às poucas famílias que vivem nas palhoças mais próximas. Vão adiante, atuando em aldeias distantes, onde uma série de mudanças lhes devem ser atribuídas. Por certo, assim atendem a algumas necessidades vitais dos índios e, se tais benefícios não puderam estender-se mais, não será à missão que se deva criticar, pois ela se empenhou em crescer.

Há, porém, necessidades de outra ordem, talvez mais fundamentais ainda, porque delas depende a sobrevivência dos índios como gente capaz de manter-se a si mesma e de reagir contra o aviltamento. Nada é mais necessário aos índios do que uma barreira ao processo de identificação com os pontos de vista dos civilizados, que os levam a se olharem com os olhos dos brancos, como pobres bichos ignorantes e desprezíveis, contra os quais tudo é permitido.

A incompreensão revelada pelos missionários desta função de reerguimento moral é demonstrada pelo ardor com que se lançaram contra as malocas, procurando substituí-las por choças dispostas em arruamentos, cada qual com uma família conjugal.

Malgrado os estragos do tempo dos descimentos e os que se seguiram, provocados por caucheiros, balateiros e regatões, quando da chegada dos salesianos muitas casas comunais ainda se erguiam nas margens do rio Negro. Os remanescentes de dois, três ou mais clãs, quando não mais dispunham de número suficiente de membros para viverem independentes, juntavam-se, formando uma só maloca. Assim conservaram seus métodos tradicionais de luta pela subsistência, lavrando a terra, caçando e pescando coletivamente.

Mas os salesianos acabariam por destruir este último alento da vida tribal. Alegavam que a maloca, desprovida de janelas e permanentemente cheia de fumaça, era um matadouro de índios; que a promiscuidade de tanta gente de sexo e idade diversa contrariava a moral cristã.[2] Entretanto, como mostra Nimuendaju, uma casa de estilo antigo, medindo vinte por quarenta metros, proporciona melhores condições higiênicas que as palhoças pelas quais foram substituídas:

> As malocas são em geral muito bem construídas, as suas cobertas oferecem inteira garantia contra o mais violento aguaceiro; o chão é enxuto e limpo e de tarde reina na sua penumbra uma frescura agradável. As casinhas modernas, pelo contrário, são o mais das vezes quentes e mal-acabadas. Quanto ao prejuízo que a convivência de diversas famílias na maloca dizem acarretar é simplesmente falso. Devido à rigorosa exogamia não existem relações amorosas entre os filhos de uma mesma maloca.
>
> O principal motivo, porém, da aversão do missionário contra a habitação coletiva é outro; vê nela, e com toda razão, o símbolo, o verdadeiro baluarte da organização e tradição primitiva, da cultura pagã que tanto contraria seus planos de conversão, de domínio espiritual e social. A comunidade da maloca é a unidade da primitiva organização semicomunista destas tribos. Levantada pelos esforços conjugados de seus habitantes, todos têm parte na sua posse, sujeitos, porém, à direção patriarcal do tuxaua. Devido ao parentesco de sangue e à estreita convivência, o laço que une esta comunidade é muito forte. A arquitetura da maloca está inteiramente de acordo com o primitivo sistema familial e social. Ela se divide em cinco zonas (uma de cada lado) pertencentes às diversas famílias que nelas fazem os seus compartimentos, duas aos trabalhos comuns e o espaço grande do meio às cerimônias públicas, religiosas e profanas. Na maloca condensa-se a cultura própria do índio; tudo ali respira tradição e independência e é por isso que elas têm de cair. *(Nimuendaju, 1950)*

Esta incompreensão — característica dos missionários mas enormemente exacerbada nos salesianos — foi a condenação final dos índios do rio Negro e do Uaupés. Ali onde o índio só carecia de amparo contra seus exploradores e, sobretudo, de revigoramento da confiança em si próprio, os salesianos só souberam dar maior espezinhamento e maior desprezo. Entretanto, aqueles índios detinham uma das culturas mais bem adaptadas à floresta tropical. Ainda hoje a excelência de suas soluções pode ser notada por quem quer que observe a vida dos caboclos do rio Negro, que continuam a prover a subsistência pelos velhos métodos indígenas (Galvão, 1959: 4).

Muito mais que da exploração dos regatões, o missionário se preocupa em livrar os índios das tentações do demônio, empenhado em lhes roubar a alma. É ainda Curt Nimuendaju quem registra este zelo missionário na destruição do que resta aos índios de indianidade.

> Na aldeia de Urubuquara, à margem esquerda do Uaupés, composta de casas em estilo civilizado, uma maloca e uma capelinha com uma casa anexa para hóspedes e padres que às vezes visitam a aldeia, surpreendi os índios precisamente no começo de uma festa de caxiri. Na porta da maloca estava se dando a recepção dos índios vindos de fora, enquanto as mulheres destes ainda se pintavam no porto. Os recém-vindos formavam uma fila, um atrás do outro, na entrada da maloca, cada um com o seu arco ou com um bastão na mão, o chefe com escudo e lança.
>
> Os habitantes masculinos da maloca, em formatura idêntica, vinham devagar ao encontro dos visitantes, passando rente do seu lado direito, de modo que cada índio de uma fileira pudesse cumprimentar o da outra e trocar com ele algumas frases convencionais em língua tariana. Somente nestas ocasiões se conversa esta língua hoje praticamente morta, sendo em todos os demais casos substituída pela tucana. Parado à porta, pedi aos índios que não interrompessem a cerimônia. Timidamente e submissos aproximaram-se os tuxauas para me pedir desculpa. Festejavam, pela última vez, uma festa de caxiri no estilo antigo; era a despedida dos costumes de seus pais. Assim que tivesse

terminado iam destruir os seus enfeites de dança e tratar de construir, em lugar da maloca, casinhas arruadas, conforme o governo lhes tinha ordenado pela boca de "João Padre". Em resposta, não pude deixar de lhes explicar que o governo não proíbe as festas dos índios, tampouco as dos padres e outros civilizados, contanto que não haja desordens; que eu, pessoalmente, achava lindíssimos os seus enfeites de dança, muito mais lindos que os trapos da civilização, e que sua soberba maloca era muito melhor que as gaiolas dos civilizados. Então o tuxaua Baratinha amarrou a sua própria rede para mim num canto da maloca de onde pudesse observar tudo bem, mandou-me descansar da viagem, cuidou que fosse servido de caxiri, convidando-me até para o caápi. De vez em quando ele se sentava um pouco ao meu lado para ouvir a minha opinião sobre o correr da festa. Segundo me explicaram, o caápi evita que os homens briguem quando ficam quentes do caxiri.

Pelas quatro horas da tarde começou a dança. Os homens dançaram de acangatára, mocinhos e mocinhas dedicaram-se com ardor à sua dança predileta ao som da flauta de pã. Livres da vestimenta ridícula da civilização, soberbos na sua nudez realçada pelos enfeites de penas e pela pintura, o aspecto destes índios era extremamente belo e pitoresco, e eu não pude deixar de me indignar com a idéia de que esta podia ser, de fato, a última festa deste gênero, porque eu ia-me embora no dia seguinte, mas "João Padre" ficava.

Índios do Tapajós e do Madeira

O domínio da civilização nas terras da margem esquerda do Amazonas e das que se seguem, ao longo do rio Madeira e do rio Tapajós, somente se consolidou depois de um século de lutas contra os índios. Diversas tribos ali enfrentaram os brancos, opondo-lhes a mais tenaz resistência. Quando a vitória e a subjugação de uma delas parecia indicar que a região fora afinal conquistada, surgia outra, descendo dos altos cursos daqueles rios para ocupar o lugar da vencida e fazer repetirem-se os trucidamentos recíprocos.

As lutas começaram com os Torá, que entraram na história como culpados de um ataque a viajantes do Madeira, vingado por uma expedição que em 1716 levou a destruição e a morte a seus aldeamentos. A este ataque outros se seguiram, enfraquecendo os Torá, que afinal tiveram de ceder lugar a outras tribos, indo alguns para as missões, sendo outros reunidos nas vilas como cativos e como tropas de defesa contra os ataques dos Mura. Alguns sobreviventes Torá, que conservaram a organização tribal, vivendo nas barrancas do médio Madeira e seus afluentes, ali enfrentaram bandos de caucheiros, seringueiros e castanheiros que os reduziram às poucas dezenas com que entraram no século XX. Curt Nimuendaju[3] ainda encontrou, em 1922, um grupo de 31 deles já mestiçados com os restos de outra tribo, os Matanawí, mas ainda falando o torá. De tribal tinham pouco mais que a idéia de uma origem e uma destinação comum, cujo episódio mais relevante era a tradição ainda viva na boca dos poucos sobreviventes. Eis como Nimuendaju o reproduz:

> Contam que habitavam antigamente tanto nas margens do baixo Machado como nas cabeceiras do Marmelos, ocupando nestas últimas o rio Preto, afluente ocidental do Paricá, cabeceira ocidental daquele rio, de onde existia uma via de comunicação terrestre para o rio Machado, mas que mais tarde se tornou impraticável, devido às hostilidades dos Parintintin. Até neste longínquo esconderijo os Torá se viam perseguidos pelos civilizados que lhes cercaram a aldeia, levando presos uns tantos índios para servirem de remadores aos moradores do Madeira. Na cachoeira do Paricá, os que tinham escapado da batida fizeram uma tentativa desesperada para libertar os seus parentes: puseram-se de tocaia em ambas as margens da cachoeira; o batelão se aproximou e o seu piloto quis aportar acima da cachoeira para descer a embarcação na espia, quando se viu repelido por uma descarga de flechas. Conseguiu ainda atravessar para a outra margem, onde da mesma forma foi impedido de encostar. Não podendo mais subir contra a correnteza, esta arrastou o batelão pelo tombo da cachoeira abaixo, despedaçando-o de encontro às pedras. Era exatamente o que os Torá da tocaia queriam, julgando que os presos, exímios nadadores, teriam assim uma boa ocasião para se salvar. Infelizmente, porém, estes achavam-se amarrados, e assim morreram nos turbilhões do Paricá os prisioneiros junto com os seus escravizadores. Contam os

> Torá que naquela cachoeira, de noite, ainda hoje pode-se, às vezes, ouvir o estalo do batelão nas pedras e os gritos de desespero dos seus tripulantes. *(1925: 138)*

Aos Torá sucederam os Mura, como maior resistência indígena contra o invasor branco. Foram nisso tão bem-sucedidos que, em fins do século XVIII, eram objeto de desesperados apelos de extermínio, como único meio de evitar um completo colapso da civilização na Amazônia. Os Mura habitavam primitivamente as terras da margem direita do médio Madeira, onde enfrentaram os primeiros brancos, que tanto subiam o rio vindos do Amazonas, como o desciam, vindos de Mato Grosso. Graças ao sucesso de suas táticas de povo canoeiro contra invasores que navegavam em pesados batelões, os Mura expandiram-se passando a ocupar um extenso território ao longo do Madeira até sua foz e daí pelo Amazonas e Purus acima, concentrando-se principalmente na região do Autaz. Desta posição, dificilmente acessível pelo intrincado sistema de lagos, furos e canais, passaram a atacar, quase impunemente, as populações civilizadas do Amazonas, Solimões e rio Negro, obrigando mesmo algumas vilas a se mudarem para longe de sua área de ação.

Guarnições militares foram criadas para fazer frente aos Mura e organizaram-se diversas expedições punitivas que anualmente os perseguiam em seus refúgios (Nimuendaju, 1925: 140). Mas à força de guerrearem com os cristãos, os Mura, como tantos outros índios, acabaram por conhecer alguns dos seus elementos de cultura, como as armas de fogo e as ferramentas, a cujo uso se foram acostumando. A despeito disto e das baixas que sofriam, os Mura se conservaram independentes e hostis até 1784, quando surgiu na região uma outra tribo que lhes impôs sério revés. Eram os Munduruku, do rio Tapajós, que vinham expandindo-se para o Madeira. Vendo-se entre dois fogos, alguns grupos Mura procuraram espontaneamente uma vila civilizada, propondo paz. A estes grupos se seguiram outros e, dois anos depois, toda a tribo se estabelecia em aldeamentos permanentes, passando a conviver pacificamente com os civilizados.

Nessa época a população Mura foi orçada em 60 mil almas, número talvez exagerado. Em 1820, Martius desceu a estimativa para 30 a 40 mil; em 1864, Albuquerque de Lacerda os estimou em 3 mil. Segundo cálculos de Nimuendaju, em 1922 os Mura perfaziam cerca de 1600 índios, vivendo principalmente no Autaz. Conservam, hoje, aproximadamente o mesmo contingente populacional. Um pequeno grupo de uma centena de almas vive ao longo do Maici, afluente do Madeira. São os Pirahã, índios Mura típicos na rudeza de sua cultura de povos ribeirinhos, cujas casas são simples pára-ventos e cuja tralha doméstica é das mais rudimentares (Nimuendaju, 1925: 140-2 e 1948: 257 e 266).

Entre o Tapajós e o Madeira, sempre perto do Amazonas, viviam os Mawé. Ali foram encontrados pelos jesuítas do século XVIII e ali mesmo reunidos em missões, escravizados e conduzidos para fora ou chacinados, conforme aceitavam ou se opunham à subjugação por parte dos padres e colonos. Que jamais se submeteram, indica o fato de que, após três séculos e meio de contato, ainda permanecem Mawé, lutando hoje como sempre pela posse da terra e sendo aliciados por todos os movimentos de revolta da população civilizada, já que não são capazes de movimentos próprios.

Os Munduruku, tribo tupi do Tapajós, viriam ocupar, de certo modo, o lugar dos Mura nas crônicas guerreiras da Amazônia. As primeiras notícias desta tribo, datadas de 1770, já se referem ao seu expansionismo pelo médio e baixo Tapajós, de onde estavam desalojando os antigos habitantes. Depois de vencerem as tribos que os separavam dos civilizados, enfrentaram também a estes, assaltando as vilas ribeirinhas do Amazonas. No auge do seu expansionismo, os Munduruku não se limitaram à região do Tapajós e do Madeira; suas expedições de guerra alcançaram o Xingu e o Tocantins, indo além, até os limites orientais da floresta amazônica.

Devido à grande combatividade desses índios, eles foram recrutados pelos brancos para fazer face a tribos hostis. Com isso os Munduruku conseguiram manter, por um longo período, certa integridade e autonomia tribal e o poder político dos seus chefes, alcançado pelo relevante papel que exerciam na guerra. Assim, os padrões guerreiros passaram a ser desempenhados tanto pelas antigas motivações tribais como por razões mercenárias. Só entre 1912 e 1914 vários fatores, como a depopulação, a influência missionária e o desaparecimento de tribos hostis, juntaram-se para pôr fim às correrias guerreiras dos Munduruku (Murphy, 1960: 42-4). Gonçalves Tocantins avaliou a população munduruku em 18 910, por volta de 1877. Hoje estão reduzidos a 1250 (Murphy, 1960: 7).

Em meados do século XIX, surge na região uma outra tribo guerreira. Antes se falava dela uma vez por outra, nunca, porém, como sendo capaz de ameaçar a estabilidade da colonização. Eram os Parintintin (Kawahiwa), que daí em diante, ano após ano, atacariam índios e civilizados, acabando por ocupar o antigo território dos Torá, Mura e Pirahã e por se constituir em nova barreira à expansão dos civilizados no Madeira. O apogeu do domínio parintintin se daria já no século XX, precisamente no período da alta da borracha, quando a próspera economia amazonense permitia e estimulava grandes investimentos para alcançar seus objetivos. Mesmo assim, os Parintintin conservaram-se independentes e hostis, suportando tanto as expedições punitivas como o cerco dos seringueiros e os ataques dos índios Munduruku aliciados no Tapajós para exterminá-los. Os Parintintin cobraram um alto preço, em vidas, pela borracha extraída ao longo dos principais afluentes do médio Madeira. Ali os seringueiros tiveram de trabalhar quase sempre dois a dois, um para sangrar a árvore, enquanto o outro fazia a cobertura com seu rifle, pronto a atirar sobre qualquer sombra que se movesse.

A marcha dos caucheiros e seringueiros no alto Amazonas foi tão violenta quanto nas outras regiões. Ali ganharam força as ondas que se lançariam contra o rio Negro e o Juruá-Purus. Aldeias inteiras de índios Mawé foram destruídas por seringalistas que cobiçavam os ricos seringais de suas terras. As aldeias do médio Tapajós onde, depois de subjugados, se estabeleceram os Munduruku também foram assaltadas por seringueiros. Os Torá, Matanawí e Pirahã devem ter sido algumas das maiores vítimas dos caucheiros e seringueiros em virtude do estado de decadência em que já se encontravam quando o rio Madeira foi por eles invadido.

Assim foram dominados, um após outro, os Torá, Mura, Mawé, Munduruku,[4] todos enfraquecidos pelas lutas contra outras tribos e pelos ataques de invasores dotados de armas mais eficientes. De cada uma destas tribos, alguns grupos desgarrados permaneceram nos altos rios, preferindo enfrentar ali o ataque das tribos hostis e dos civilizados a se deixarem subjugar. A maioria, porém, foi engajada na nova sociedade, onde eram respeitados enquanto permaneciam unidos e numerosos e enquanto os brancos se lembravam de sua antiga força. Quando a opressão aumentava muito, um grupo de índios se exasperava, matando o missionário ou o traficante com que tinha contato. Mas logo caía sobre eles toda a força do castigo exemplar: eram trucidados, tinham suas casas queimadas e os sobreviventes levados para longe como escravos.

Por fim se acomodavam à vida das camadas mais pobres da nova sociedade, na qual encontravam lugar como produtores de gêneros alimentícios ou como mão-de-obra. Alguns se especializaram em certas atividades econômicas, como os Mawé, que se tornaram conhecidos pela alta qualidade do guaraná que cultivam. Todavia, conservaram sua identificação tribal e, a despeito de falarem português e viverem como caboclos amazonenses típicos, consideram-se índios e assim são considerados. Hoje só podem exprimir sua revolta contra a exploração de que são vítimas, como os caboclos, juntamente com toda esta camada, quando ela se rebela. Assim foi durante a Cabanagem, movimento revolucionário (1833-9) que reuniu caboclos, negros, brancos pobres e índios, na mais violenta rebelião da Amazônia. Os Mawé, os Mura, os Munduruku aderiram à insurreição, engrossando as forças cabanas, e seu território constituiu o maior reduto dos revoltosos. Nas campanhas de 1834-9, em que as forças legais derrotaram os cabanos, estes índios sofreram massacres em massa, conservando-se, porém, fiéis aos rebeldes. Muitos anos depois, quando a Cabanagem morrera em todas as regiões, ali continuava viva, polarizando a solidariedade dos índios como sua única bandeira de libertação do jugo em que viviam. E, depois da Cabanagem, cada movimento sedicioso do Amazonas aliciou forças nesses núcleos tribais que levavam aos insurgentes não só sua revolta, mas reclamos específicos.

A ocupação do Juruá-Purus

As matas da região banhada pelos rios Juruá-Purus, originalmente só habitadas por índios, constituíam, dez anos depois da descoberta dos seringais, a principal zona produtora de borracha da Amazônia e contavam com uma população superior a cinqüenta mil habitantes, formada principalmente de deslocados nordestinos que lá foram ter, fugindo da seca.

Em conseqüência da rapidez e da violência desta invasão, o que fora uma das áreas amazônicas de maior população indígena despovoou-se em poucos anos, na medida em que nasciam os núcleos civilizados. Ali os coletores de drogas da mata não tiveram predecessores, missionários ou quaisquer outros — foram eles próprios os desbravadores da terra, os descobridores das tribos e seus algozes. Nenhuma outra região apresenta, por isto, tantas dificuldades para o etnólogo e para o lingüista. Não somente pouco se sabe sobre as tribos que a habitavam, como há enorme confusão, a começar pelos nomes. O seringueiro não estava interessado em distinções lingüísticas e culturais; com uns poucos nomes batizou todas as tribos, fazendo-os recair sobre grupos completamente diferentes. Isto indica bem a superficialidade dos contatos, que mal permitiram uma identificação grosseira dos índios. Tratava-se, entretanto, de uma área de grande homogeneidade cultural, em que grupos das famílias lingüísticas pano, aruak e katukina fundiram seus patrimônios, alcançando alto desenvolvimento e uma perfeita adaptação ao ambiente. Haja vista a elaboração da cerâmica, dos trançados e da tecelagem de tribos aparentadas a estas na região do rio Ucaiali.

Grande parte das tribos do Juruá-Purus desapareceu antes que fosse possível qualquer documentação sobre seus costumes; de muitas delas só se conhece a crônica das violências de que foram vítimas — crônicas, aliás, quase idênticas, pois os mesmos fatos se repetiram com uma tribo após outra. À descoberta de um novo grupo indígena, em muitos casos pacífico, seguiam-se os esforços para engajá-lo no trabalho dos cauchais e seringais, sucedendo-se a revolta e a fuga dos índios. Ao segundo encontro, já sabendo o que esperar dos brancos, tratavam de defender-se e assim se iniciava a sua caça; desde então eram perseguidos até que, incapazes de defesa, se deixavam subjugar, colocando-se a serviço de um patrão. Os homens eram escravizados no trabalho, as mulheres mais vistosas tomadas como amásias pelos seringueiros e também engajadas nas tarefas de subsistência. As meninas robustas, que prometiam moças fornidas para o amor e para o trabalho, e os meninos mais vigorosos, que podiam dar bons trabalhadores, eram levados pelo patrão.

Esta foi a forma de ocupação, ou mais precisamente, de exploração dos cauchais e seringais do território do Acre. Os primeiros inspetores do Serviço de Proteção aos Índios que penetraram naquela região em 1911 e 1912 ainda puderam registrar os processos através dos quais os índios eram subjugados. Vejamos alguns casos concretos que enchem seus relatórios:

> [...] No rio Inauhiny, o inspetor encontrou um acampamento de caucheiros peruanos que tinham a seu serviço sessenta índios Yamamadi. Estavam presos num círculo formado por numeroso pessoal armado de

> rifles para evitar qualquer tentativa de fuga. Haviam sido aprisionados em sua maloca, muitas léguas distante, e de lá conduzidos ao cauchal, sob toda sorte de violências, inclusive fome, porque nenhum alimento lhes foi dado durante todo o percurso. Alguns morreram durante a viagem, outros, ao chegarem ao acampamento.

Este não era um fato isolado, constituía o sistema comum de exploração do caucho.

Os índios Kurina do rio Gregório, que tinham recebido amistosamente os primeiros invasores brancos, sofreram tamanhas violências que se afastaram de todo o convívio, travando uma guerra cruenta aos brancos. Não tinham pouso e se viam cercados de bandos de caucheiros por todos os lados, até que um morador da região se decidiu a pacificá-los. Foi o primeiro branco que teve a coragem de ouvi-los, verificando que, cansados de tanto sofrimento, só aspiravam à paz.

O mesmo ocorreu com os Kaxinawa, acuados nas matas mais distantes, fugindo dos civilizados. Por mais que se afastassem, porém, eram sempre alcançados pelas ondas de invasores que batiam toda a região à procura de seringais. Viviam sobressaltados, sem jamais saber se poderiam colher as roças que estavam plantando, antes que novos ataques os pusessem em fuga.

Esta situação persistiu até que um morador do rio Tarauacá organizou um grupo de índios Katukina, fortemente armado, e se pôs a percorrer as matas procurando os Kaxinawa para "catequizá-los". O relatório da Inspetoria do SPI no Amazonas, de 1906, assim descreve o primeiro encontro com um grupo desses índios:

> [...] No dia seguinte mandei minha companheira para o roçado para ver se a ela podiam aparecer. Não havia passado uma hora, apareceram alguns índios, inclusive o tuxaua de nome Tercum. Logo que me avistou perguntou-me se eu era bom. Respondi que sim. Disse, então, que nunca julgou que um "cariú" (branco) falasse com eles e que de agora em diante iriam viver mais descansados. Aconselhei que não mais atirassem nos "cariús" que eles não os matariam. O tuxaua, porém, me respondeu que os brancos já haviam morto muitos dos seus e carregado

> suas mulheres e filhos. Que há pouco mataram uma sua mulher e um filho de peito e que tinham cortado o milho do roçado e ateado fogo. Não sabiam mais onde morar; haviam emigrado do Riozinho da Liberdade para o rio Gregório e que agora já não tinham para onde ir. Seus filhos estavam morrendo de fome; não podiam caçar nem pescar, pois os "cariús" onde os encontravam metiam-lhes balas.

O resultado desta pacificação foi a escravização dos índios, que pouco tempo depois viviam em condições ainda mais miseráveis que quando perseguidos na mata.

Os relatórios do Serviço de Proteção aos Índios relatam inúmeras chacinas movidas contra os índios Ipurinã, do rio Purus. Um desses casos é assim relatado:

> No dia 16 de junho de 1913, dois seringueiros de nomes Júlio Marques e Antônio Vicente, encontrando um índio e sua mulher, para se apossarem desta, mataram aquele, após renhida luta corporal, fugindo a índia na ocasião. No dia 18 do mesmo mês, os índios, sob a chefia do tuxaua João Grande, rechaçaram uma expedição composta de nove seringueiros, entre os quais se achavam os acima citados. Esta expedição, segundo uns, ia tratar de paz, pagando ao respectivo tuxaua a morte do índio com algumas mercadorias; segundo outros, teria o criminoso propósito de continuar a obra destruidora. Desta expedição escaparam apenas três seringueiros, sendo Júlio Marques e Antônio Vicente os primeiros a caírem mortos.
>
> Dez dias após, uma tropa de cinqüenta seringueiros armados e bem municionados atacou de surpresa uma maloca, praticando verdadeira carnificina. Todas as malocas, então, se reuniram e se armaram. Apavorados com a atitude dos índios, os seringueiros fugiram precipitadamente para a margem do Purus, muitos abandonando todos os seus haveres.

As mesmas violências foram sofridas pelos índios Kanamari, segundo relatório da Inspetoria do Amazonas, em 1912:

> Um seringueiro, José Marques de Oliveira, criava dois meninos dessa tribo, tirados violentamente dos pais, cuja entrega lhe era insistentemente solicitada. Uma noite conseguiram libertar as crianças. A vingança do seringueiro foi um ataque à maloca, realizado numa madrugada. Os índios surpresos correram, ficando mortas quatro mulheres,

> inclusive a do tuxaua. Duas crianças que não puderam fugir foram jogadas dentro de um igarapé e ali mortas a bala. Não satisfeitos com isto, os assaltantes ainda saquearam a maloca, destruindo tudo que encontravam, desde as roças até as casas e utensílios, deixando esta gente em completa miséria.

Seria possível multiplicar às centenas estes exemplos; a história de cada rio, de cada igarapé da região é uma crônica destas violências.

Depois de anos de conflitos e de opressão por parte dos civilizados, os índios acabaram por familiarizar-se com eles. Com a ajuda de companheiros que, depois de viverem algum tempo nos seringais, voltavam à tribo, chegaram mesmo a aprender o manejo das armas de fogo. A guerra ao branco passa, então, a ser feita também para conquistar rifles e munição e as hostilidades recrudescem. Grupos de indígenas considerados "mansos" e até subservientes por alguns seringalistas são tidos como responsáveis por ataques a outros seringais e a este título perseguidos e trucidados.

À medida que se consolida a ocupação, quando começam a ser concedidos, pelo Governo Federal, títulos de posse das terras ocupadas, a presença de índios organizados em tribo, dentro dos seringais, passa a ser tida como uma ameaça à validade dos títulos possessórios. E os índios são expulsos, malgrado sua utilidade como mão-de-obra, praticamente gratuita, na lavoura de subsistência, na pesca, na caça e no transporte.

Em 1950-1, Harald Schultz e Wilma Chiara encontraram no alto Purus restos de tribos outrora numerosas, vivendo como intrusos dentro dos seringais que se estabeleceram em seu território, a cujos donos entregavam, por quase nada,[5] sua produção de seringa e de castanha. Eram correntes as histórias de massacres de índios, ao tempo da alta da borracha, e, "[...] ainda em tempos atuais, certas firmas comerciais mantêm seus homens em armas para matar índios que se opõem pacífica ou hostilmente à devastação e ocupação de suas regiões de caça" (Schultz & Chiara, 1955: 182) .

2 AS FRONTEIRAS DA EXPANSÃO PASTORIL

O Brasil é tanto um país de descampados como de matas. Afora a Amazônia e as florestas que acompanham o litoral, quase todo o interior apresenta um revestimento florístico ralo, que varia desde as caatingas do Nordeste com sua vegetação xerófila de semideserto até os cerrados do Brasil Central, que por vezes alcançam certo vigor, chegando a dar a impressão de matas pobres.

A paisagem típica dessas áreas não florestais é o campo recortado pelas florestas em galeria, que acompanham o curso dos rios, ou entremeado de capões de mato, que crescem nas manchas de terra mais úmida. Em certas regiões os campos são dominados por palmeiras como o buriti, a carnaúba, o carandá, que emprestam uma fisionomia característica à savana brasileira.

A ocupação do Brasil iniciou-se pela costa atlântica, na zona de matas que, primeiro, forneceu o pau-brasil e, depois, as terras apropriadas para o plantio da cana-de-açúcar. Assim que a população cresceu e que o empreendimento colonial prosperou, as caçadas e pescarias dos índios tornaram-se insuficientes para assegurar-lhes a subsistência, iniciando-se a criação de gado e de cavalos, trazidos de além-mar, tanto para corte como para prover animais de montaria e de tração.

As pastagens naturais mais acessíveis, a partir dos primeiros núcleos de povoamento, eram os sertões da Bahia e de Pernambuco, particularmente pobres de água e cobertos por uma vegetação eriçada de cactáceas. Estas características de pobreza e aridez determinaram uma rápida dispersão dos criadores de gado por todos os campos do Nordeste e a ocupação econômica dos extensos sertões interiores.

O clima tropical simplificou sobremodo a criação do gado. Aqui não seria preciso mais que largá-lo no campo junto de uma aguada permanente, ele próprio buscaria o alimento. Para cada rebanho de umas centenas de cabeças bastava um curral tosco, algumas palhoças para as poucas famílias de vaqueiros que tiravam do gado o alimento, a roupa, o vasilhame, a cama, os arreios, a porta do casebre e quase tudo o mais de que careciam.

A partir daqueles núcleos, os rebanhos e seus vaqueiros avançavam sertão adentro, espalhando currais ao longo dos riachos que descobriam. Assim, distanciavam-se cada vez mais de seus mercados, o que não constituía problema, porque os bois de corte e de serviço, quando devessem ser vendidos, conduziriam a si próprios até as cidades do litoral.

Deste modo constituía-se a fronteira de expansão pastoril, que, em menos de dois séculos, ocupava todo o Nordeste. Aqui não se tratava de simples andanças para prear índios, como as bandeiras que cobriram áreas muito superiores, mas da ocupação efetiva da terra. Ocorre que estes campos constituíam o hábitat de diversos povos indígenas, alguns dos quais contavam com uma cultura altamente especializada à vida nessas regiões áridas, que lhes permitia tirar a subsistência dos parcos recursos que elas ofereciam.

O impacto entre o índio e o invasor europeu assume nessas fronteiras de expansão pastoril a mesma violência de que se revestiu a penetração na floresta tropical. Mas ela é aqui atenuada porque ao criador não interessa o concurso do índio como mão-de-obra e, sobretudo, porque se constituía em sociedade mais bem estruturada, que crescera vegetativamente, não carecendo de mulheres índias, como as ondas de extratores de produtos tropicais. Nesses sertões, o fulcro das discórdias estava na posse da terra que o criador queria limpar dos ocupantes humanos para encher de gado e no problema criado para o índio com a liquidação da caça, que o privava de uma insubstituível fonte de subsistência.

Os índios dos sertões do Nordeste opuseram toda resistência possível à invasão do seu território. Nos primeiros séculos, alguns deles tiveram oportunidade de aliar-se aos franceses e aos holandeses, que disputavam aos portugueses o domínio da terra. Depois de consolidada a conquista lusitana, só contaram com o recurso de resistir até o suicídio ou emigrar para mais longe da costa, cedendo lugar aos rebanhos.

Os grupos que mais se opuseram à invasão foram trucidados, sendo os sobreviventes apresados como escravos para os canaviais da costa ou para reforçar a população das missões religiosas, sempre necessitadas de novos contingentes humanos. Onde a força dos criadores não foi suficiente para quebrar o ânimo guerreiro do gentio, empreitou-se o serviço de paulistas, criados na escola das bandeiras, especializados em carnificinas e no preamento de índios, alguns dos quais se estabeleceram como povoadores nas terras que despovoaram de índios.

Os grupos mais acessíveis ao convívio pacífico com o invasor conseguiram permanecer em seus territórios, onde acabaram ilhados entre currais, tendo de viver sob o domínio de um dos grandes criadores cujos interesses e ódios foram chamados a defender contra os outros índios ou contra outros criadores.

Através dos dois primeiros séculos de contato com os europeus, estes índios encontraram guarida e alguma proteção contra os colonos nas missões religiosas, principalmente jesuíticas. Com a expulsão dos jesuítas, em 1759, a administração das aldeias foi entregue a sacerdotes menos interessados na obra catequética e posteriormente a oficiais civis. Mais tarde, os índios foram declarados cidadãos livres e suas aldeias promovidas a vilas, recebendo nomes portugueses, pelourinhos e outras prerrogativas. Esta farsa libertária só representou para os índios o direito de serem explorados sem ter para quem apelar. Os administradores das vilas foram recrutados, em geral, entre vizinhos que cobiçavam as terras da antiga missão ou a seara representada pelo controle da força de trabalho de todos os índios aldeados.

Em pouco tempo, uma população sertaneja cresceu em torno da igreja e do pelourinho, tomando a direção de todos os negócios e submetendo os índios a tais vexames que os obrigavam a abandonar as suas antigas aldeias ou os condenavam a sobreviver como núcleos marginais em condições indescritíveis de penúria.

Durante o Império foi dada alguma atenção aos problemas dos índios do Nordeste: foram concedidas verbas para o fornecimento de ferramentas e proporcionadas diversas honrarias militares aos que se dedicavam ao cargo de diretor de índios nas províncias e de encarregados de aldeamentos. Para os índios isto representou, quase sempre, ainda mais escorchante exploração e alguns grupos preferiram abandonar suas terras a fim de passar por gente livre, onde ninguém pudesse identificar sua condição de índio, que os sujeitava aos diretores. Contudo, o século XX ainda encontraria alguns remanescentes dessas populações indígenas vivendo nas faixas mais áridas das terras que lhes haviam sido concedidas ou espalhados em magotes pelas barrancas dos rios ou pelas fazendas.

O convívio direto com sertanejos em aldeias comuns, que tantas vezes fora e ainda é apregoado como o único meio de "civilizar os índios", não levara a este resultado. Ao contrário, em cada uma delas se defrontavam índios e sertanejos separados pela mais tenaz hostilidade, embora pouco se diferenciassem uns dos outros, racial e culturalmente. As raízes desta animosidade se encontravam nos conflitos pela posse da terra, na exploração a que estavam sujeitos os índios, no preconceito arraigado contra tudo que lembrasse os costumes tribais.

Os índios do Nordeste

Nestas condições, sobreviveram alguns descendentes dos Potiguara, primitivos ocupantes da costa do Paraíba. Em tempos coloniais lhes foram concedidas duas reservas de terras no município de Mamanguape, uma em Monte Mor — o antigo arraial da "Preguiça" —, outra na Baía da Traição. A primeira delas foi dividida em lotes e entregue às famílias indígenas. Destes lotes, nenhum ficou com os índios, todos foram usurpados. Hoje, ali se eleva a povoação sertaneja de Rio Tinto e a maior parte das terras pertence a uma poderosa firma agroindustrial.

Os Potiguara concentraram-se na outra reserva, onde foram visitados por Alípio Bandeira em 1913. Constituíam, então, uma centena de famílias, vivendo nos riachos que vão ter à baía da Traição, sob a direção de um *regente*. Proviam a subsistência através da pequena lavoura de enxada, do trabalho assalariado para fazendeiros vizinhos e, principalmente, da pesca de caranguejos e mariscos no mangue.

Já então, nenhum potiguara falava o idioma tribal e, vistos em conjunto, não apresentavam traços somáticos indígenas mais acentuados do que qualquer população sertaneja do Nordeste; muitos deles tinham até fenótipo caracteristicamente negróide ou caucasóide. Assim, nada os diferenciava dos sertanejos vizinhos, senão a convicção de serem índios, um grau mais alto de solidariedade grupal, fundamentado na idéia de uma origem, de uma natureza e de uma destinação comuns, que os distinguia como povo. Mesmo os usos que cultuavam como símbolos de sua origem indígena haviam sido adotados no processo da aculturação. É o caso das danças e cantos acompanhados pelo *zambé* e pelo *puitã*, instrumentos africanos que eles acreditavam serem tipicamente tribais.

Alípio Bandeira oferece um retrato de corpo inteiro desses remanescentes Potiguara e da resistência que opõem à integração na sociedade nacional:

> Quatro séculos de civilização ocidental passaram pela estirpe desses homens. Eles são, portanto, no mínimo, a décima geração de aborígines aboletados conosco. Freqüentam as vilas, conhecem as cidades e têm suas moradas, como quaisquer outros sertanejos, à beira das estradas. Aí recebem o mascate e o tropeiro, o professor e o padre em desobriga. Confundem-se nas igrejas com as populações rurais e das vilas. Sabem as intrigas da vizinhança e por vezes nelas figuram. Perderam de todo a língua dos antepassados, falando em lugar dela o nosso idioma. Constroem casas como as nossas, vestem-se como nós, usam os nossos utensílios e a nossa medicina. Alugam-se e alugam os filhos. Compram e vendem, preferindo, como é natural, para as suas transações certas pessoas e certos lugares. Tudo isso praticam à imitação dos brancos, e, todavia, são índios puros, índios selvagens, com a sua sociedade à parte e tão alheia à nossa quanto lhes é possível sonegá-la da mútua e voluntária aproximação em que as duas se defrontam. Da nossa indústria aceitaram tudo quanto estava ao alcance deles, dos nossos costumes adotaram os mais semelhantes aos seus, do nosso adiantamento intelectual e moral não fazem caso. A catequese religiosa não deixou neles mais do que uma beatice extravagante e supersticiosa com que misturam suas crenças fundamentais a alguns atos do culto católico. A não ser esta aquisição de fanatismo, nada mais espiritualmente receberam do meio em que vivem e ao qual permanecem indiferentes e inadaptáveis. *(A. Bandeira, 1926: 20)*

Em condições muito semelhantes à dos Potiguara, viviam no Nordeste vários outros grupos indígenas. Alguns deles conservavam algo mais da cultura original e ainda usavam a língua, ao menos para fins cerimoniais.

Na serra do Ararobá, em Pernambuco, sobreviviam cerca de 1500 índios Xukuru, em condições ainda mais precárias que as dos Potiguara. Praticamente nada lhes restava das terras concedidas em tempos coloniais e onde se estabeleceram as missões criadas para catequizá-los. Altamente mestiçados com brancos e negros, já não se diferenciavam, pelo tipo físico, da população sertaneja local. Haviam esquecido também o idioma e abandonado todas as práticas tribais, exceto o culto do Juazeiro Sagrado, se é que este cerimonial fora originalmente deles (Hohenthal, 1954: 93-166).

Mais ao sul, ainda em Pernambuco, vive um outro grupo indígena, igualmente numeroso, os índios Fulniô, tradicionalmente conhecidos como Carnijó ou Carijó. Embora altamente mestiçados, a ponto de não poderem ser distinguidos, pelo tipo físico, da população sertaneja, viviam à parte, conservando o idioma iaté e só falando o português com os estranhos. Mantinham-se fiéis ao culto do Juazeiro Sagrado, que cada ano reunia toda a tribo na caatinga, durante alguns meses, para o cerimonial. Esse período de segregação do convívio com os sertanejos permitia aos Fulniô reviver as tradições tribais e aprofundar o sentimento de sua especificidade étnica e religiosa.

As terras que ocupavam lhes tinham sido asseguradas por uma carta régia de 1705, como meio de estabelecer a paz depois de um levante. Mas desde então vinham sendo invadidas. Em 1878 foi necessário tomar providências para acautelar os interesses da tribo, cujas terras estavam sendo vendidas. A reserva foi, então, demarcada e dividida em lotes entregues às famílias fulniô. No começo do século XX, em torno da igreja levantada pelos índios, dentro do perímetro do aldeamento, existia um número considerável de moradores sertanejos e grande parte dos lotes tinha passado dos índios a estranhos, a título de arrendamento, compra ou por simples esbulho.

Por volta de 1916, era tão grande a hostilidade entre os Fulniô e a população de Águas Belas que crescera em redor da igreja que os índios foram compelidos a se afastarem para um quilômetro adiante do antigo aldeamento, agora cidade, fugindo aos vexames a que os submetiam as autoridades locais. Nesse período, os índios que haviam permanecido no antigo aldeamento estavam ameaçados de perder as terras que lhes restavam. Muitos outros viram-se obrigados a dispersar-se para trabalhar nas fazendas da região. Os moradores neobrasileiros de Águas Belas, aproveitando-se dessa situação, pleitearam reversão ao domínio do Estado das terras concedidas aos Fulniô, alegando que fora extinto o aldeamento com o ato de extinção da diretoria dele incumbida no Império. Essa reversão permitiria a legalização da posse das terras pelos civilizados, que delas se haviam apropriado, a título de ocupação antiga de terras devolutas ou de propriedade do Estado (E. Pinto, 1956).

Diversas outras formas de alienação de terras indígenas ocorreram no sertão de Pernambuco, Alagoas, Sergipe, Bahia, dando cabo de dezenas de aldeias que ainda em fins do século passado ali existiam e eram citadas nas estatísticas do Império. Por volta de 1910, na ilha de Assunção no rio São Francisco, foi posto em prática um processo singular de esbulho de terras contra os índios Tuxá e seus descendentes, que as ocupavam desde tempos imemoriais. Consistiu em obter dos índios licença para construção de uma capela consagrada a Nossa Senhora de Assunção. Essa consagração, registrada posteriormente em cartório como doação, serviria de base para a expedição de títulos de propriedade em que o vendedor era a Santa Padroeira, representada pelo bispo de Pesqueira, na Bahia, e o comprador, um potentado local. Este fez sentir aos índios a força de seu título possessório, obrigando-os a se colocarem a seu serviço, a pagarem foros pela ocupação das terras, ou a abandonarem as ilhas como intrusos.

À medida que eram escorraçados de suas terras, os índios se juntavam aos bandos que perambulavam pelas fazendas, à procura de um lugar onde se pudessem fixar. No começo do século, vários desses magotes de índios desajustados eram vistos nas margens do São Francisco. Alimentavam-se de peixes ou do produto de minúsculas roças plantadas nas ilhas inundáveis — únicas cuja posse não lhes era disputada — e trabalhavam como remeiros e como peões das fazendas vizinhas.

Assim viviam os seus últimos dias os remanescentes dos índios não litorâneos do Nordeste que alcançaram o século XX. Estavam quase todos assimilados lingüisticamente, mas conservavam alguns costumes tribais. Viviam ao lado de cidades que cresceram em seus aldeamentos, sem fundir-se com eles. Era o caso da aldeia fulniô, em frente à cidade de Águas Belas; dos Xukuru e a cidade de Cimbres, ambas em Pernambuco; dos Xokó, em frente da cidade de Porto Real do Colégio; dos Wakoná e a cidade de Palmeira dos Índios, ambas em Alagoas; dos Tuxá e a cidade de Rodelas, da Bahia. Outros foram compelidos a abandonar as antigas aldeias, transformadas em vilas, e a acoitar-se mais longe, como os Xukuru da serra de Urubá, em Pernambuco; os Pankararu de Brejo dos Padres, no mesmo estado; os Pakaraí da serra da Cacaria e os Umã da serra do Arapuá, ambos na Bahia.

Embora convivendo com as populações sertanejas vizinhas, delas estavam separados pela mais viva animosidade e pelo desprezo mais profundo. Mantinham, porém, aquelas condições mínimas de que um grupo étnico parece necessitar para conservar-se como tal: conviviam e criavam seus filhos, ensinando-lhes, geração após geração, o mesmo corpo de crenças. Malgrado as condições de penúria e de opressão, e provavelmente por causa delas, esses resíduos da população indígena do Nordeste continuavam identificando-se como índios, mesmo depois de esquecerem a língua tribal e a maior parte da cultura antiga. Cada um deles — como os Fulniô, os Tuxá, os Pankararu, os Wakoná — considera a si próprio, ainda hoje, como a tribo de que descende, a das legendas heróicas que só eles recordam e, assim mesmo, muito pouco.

Eis o que restou, no século XX, dos índios do interior do Nordeste: simples resíduos, ilhados num mundo estranho e hostil e tirando dessa mesma hostilidade a força de permanecerem índios. Pelo menos tão índios quanto seja compatível com sua vida diária de vaqueiros e lavradores sem-terra, engajados na economia regional. A maioria dos antigos habitantes aborígines do Nordeste desaparecera, todavia, como os Cariri, Pimenteira, Amoipira, Tarairu, Jeicó e Garaum.

Só muito adiante, para o oeste, nas zonas de ocupação pastoril mais recente, iremos encontrar grupos indígenas que conservam algo mais do que a obstinada consciência de que são índios. Por todos os sertões do Nordeste, ao longo dos caminhos das boiadas, toda a terra já é pacificamente possuída pela sociedade nacional; e os remanescentes tribais que ainda resistem ao avassalamento só têm significado como acontecimentos locais, imponderáveis.

Os Timbira e a civilização

Entre as caatingas áridas do Nordeste e as florestas úmidas da Amazônia estende-se uma região que combina características de ambas. São as campinas do sul do Maranhão, banhadas por rios permanentes, protegidas por florestas ciliares e entremeadas de tufos de mata e de palmais. Este era o território de algumas tribos relativamente populosas e altamente especializadas à região. Eram os Timbira, que constituíam originalmente quinze tribos, das quais somente quatro alcançaram o século XX. Não tendo, em seu modo de vida, nada de comum com os criadores de gado que vieram ocupar seu território, esses índios ofereceriam sérias dificuldades para o estabelecimento de relações pacíficas. A descoberta e a invasão de seus campos tiveram início no primeiro quartel do século XIX e se prolongaram por quarenta anos de lutas ininterruptas, seguidas de um *modus vivendi* precário que, até os primeiros anos deste século, ainda explodia periodicamente em conflitos sangrentos.

Sobre os campos dos Timbira avançaram criadores e rebanhos vindos de várias direções: dos sertões de Pernambuco e da

Bahia, através dos rios São Francisco e Parnaíba, numa lenta expansão que levara dois séculos para atingi-los; de Goiás, descendo pelas margens do rio Tocantins, do Maranhão mesmo, avançando ao longo do vale do Itapicuru. A primeira onda fora a mais violenta. Saía das caatingas e lutava para conquistar campinas verdes e ricas de aguadas, onde seus rebanhos se veriam livres dos longos meses de estiagem e duas secas periódicas. Mas, diante dos Timbira, nada podiam simples vaqueiros com os parcos recursos do curral. Para desalojá-los, o invasor se viu compelido a arregimentar-se em verdadeiros grupos de guerra, em *bandeiras* compostas de cem a duzentos homens, aliciados entre os sertanejos e postos sob o comando de um caudilho local. Eram organizadas oficialmente, com apoio das autoridades, que até forneciam documentos legalizando a escravização dos índios preados em combate, sob a alegação de que a carta régia que declarava guerra de extermínio e autorizava o cativeiro dos Botocudo de Minas Gerais[1] era válida também para os Timbira, pois uns e outros eram da mesma "nação tapuia".

Através dessas *bandeiras* os criadores esperavam obter rápida vitória sobre os Timbira, enfrentando-os em grandes batalhas campais. Mas os índios, que naquela altura já haviam experimentado o fogo dos trabucos civilizados, não se deixavam surpreender em campo aberto. Ao primeiro sinal de ataque, escalavam as morrarias vizinhas e lá permaneciam até que a bandeira se pusesse em retirada, para então atacar-lhe a retaguarda.

Com o prosseguimento dessa guerra que os índios queriam fazer de emboscada, para desespero dos criadores que a pretendiam campal e decisiva, uns e outros acabaram por se conhecer. Os índios aprenderam a usar e a cobiçar ferramentas e outros pertences dos sertanejos, o que facilitaria o estabelecimento de relações. Os criadores, por sua vez, haviam encontrado uma utilidade para o índio: davam bom dinheiro na vila de Caxias, vendidos em leilão para o trabalho escravo nos algodoais da costa maranhense.

Um passo decisivo se deu quando índios capturados pelos criadores conseguiram escapar depois de anos de cativeiro, entendendo a língua do invasor e conhecendo muitos dos seus costumes. Igualmente, vaqueiros aprisionados pelos Timbira escaparam depois de viverem anos nas aldeias. Uns e outros serviriam, doravante, como parlamentares da paz. Uma paz de engodo porque, quando os índios abandonavam seus redutos, confiantes nos protestos de amizade ditados em sua língua e nos oferecimentos de ferramentas e outros brindes, eram ali mesmo atacados e subjugados para serem levados aos leilões de Caxias. Era já o valor do índio como mercadoria que não permitia o estabelecimento da paz. Francisco de Paula Ribeiro relata um desses episódios, em toda a sua dramaticidade:

> Mas quão diferente não foi deste acolhimento protestado, aquele que receberam na crueldade com que, a sangue frio, foram ali mesmo mortos, alguns atraiçoadamente; nas prisões com que imediatamente agrilhoaram outros, e na infame partilha que se fez das suas famílias, em tom de escravos perpétuos, chegando a ser arrematados em leilão público na praça da vila de Caxias, e levados aos descaroçadores de algodão daquele distrito, onde amarrados como macacos ao cepo foram asperamente castigados para adiantar as tarefas do serviço consignado pelos seus ilegítimos senhores, no entanto que talvez sofriam fomes intoleráveis. *(F. P. Ribeiro, 1841: 302)*

Os Timbira só tiveram paz quando o governo imperial se interessou pela pacificação, destinando dotações para atender às despesas de aldeamento, e quando os próprios criadores, que aspiravam por mais campos onde seu gado pudesse pastar em segurança, procuraram livrar-se das bandeiras que, havendo encontrado um fim em si mesmas, só se interessavam em fazer escravos, agravando cada vez mais os conflitos com os índios.

O primeiro grupo timbira a confraternizar-se procurou espontaneamente os civilizados, pleiteando aliança contra outro ramo da própria tribo que o havia derrotado numa guerra interna.

Apresentaram-se em massa ao povoado sertanejo mais próximo em dia previamente marcado por seus emissários.

> Seriam em número de quinhentos a seiscentos homens e mulheres, todos mancebos de 15 até 30 anos e gente de boa cor, mais clara do que a dos seus vizinhos. Os veteranos, rapazes, e ainda mulheres que tinham filhos a criar, haviam ficado escondidos pelos matos; e foi isto para que pudessem esses visitantes fugir mais desembaraçados no caso de precisão. Traziam eles todos uns ramos verdes nas mãos, sinal característico de paz e elas os braços encruzados; cantavam alternadamente e não com aquela algazarra que é própria dos seus divertimentos. Mas davam por alguma forma a conhecer, no assustado dos seus semblantes, a incerteza que tinham da sinceridade dos homens que vinham a comunicar. *(F. P. Ribeiro, 1841: 316-7)*

Esses índios, "os mais compatíveis com uma perfeita redução", que não roubavam nem pediam, mesmo estando famintos e cujas maneiras "todas propendiam à civilização", segundo o nosso cronista, foram de tal forma tratados que pouco depois fugiam para voltar à vida antiga.

Para os Timbira, a paz com o invasor foi tão fatal quanto a guerra. O destino dos grupos que procuraram confraternizar-se com os civilizados foi às vezes ainda mais dramático que o dos simples chacinados. Este é o caso dos Canela, Kapiekrã, que também procuraram estabelecer relações com os civilizados, tendo em vista uma aliança contra outra subtribo timbira, os Sakamekrã, que os haviam derrotado na guerra. Obtiveram a paz e a aliança e até uma grande vitória contra seus inimigos numa expedição conjunta com seus novos aliados.

Para isto, abandonaram seus roçados e seus campos de caça e fixaram-se junto aos civilizados, que contavam sustentá-los com a ajuda do Governo. Esta, porém, faltou, foi mal aplicada ou insuficiente. O certo é que, pouco tempo depois, os índios tiveram de dispersar-se em magotes pelas fazendas de criação à procura de alimentos; e começaram os atritos com os fazendeiros que não estavam dispostos a mantê-los com seus parcos recursos. Em pouco tempo a situação tornou-se insustentável, os fazendeiros queixavam-se dos índios, acusando-os de lhes furtarem o produto das roças e de abaterem suas reses, exigindo providências capazes de pôr cobro a estes abusos que os estariam levando à falência. Os conflitos eram diários, mas os índios, embora dispersos, ainda se faziam respeitar pela rala população dos campos.

Um dia veio a solução: o plano era atrair os índios para a vila de Caxias, então atacada por uma epidemia de bexiga, a pretexto de uma nova guerra, contra outra tribo timbira. Uma vez ali, as bexigas dariam cabo deles. Os índios deixaram-se enganar, atendendo ao chamamento. Em Caxias, durante vários dias nada lhes foi dado para se alimentarem e quando, premidos pela fome, quiseram colher legumes nas roças vizinhas da vila, caiu sobre eles todo o peso de uma punição premeditada. Foram presos e espancados, inclusive mulheres e crianças, e dentre elas a esposa do principal chefe da tribo, que, ao reclamar contra este tratamento, foi também fustigado.

Dos restantes se encarregaram a varíola e o trucidamento, pois quando os escapos da peste quiseram fugir, foram espingardeados. Alguns índios que conseguiram escapar levaram consigo a epidemia, contaminando os sertões, cujos moradores indígenas experimentaram pela primeira vez a varíola. Segundo cálculos de Francisco de Paula Ribeiro, que testemunhou esses fatos, a varíola atingiu até as populações indígenas da margem esquerda do Tocantins, 1800 quilômetros a oeste:

> Não é certamente fácil fazer-se uma idéia certa de quantos mil destes desgraçados se evaporaram por semelhante motivo, e ainda muito mais quando sabemos o método extravagante com que pretendiam curar-se, sepultando-se nos rios para suavizar o calor das febres, ou ainda, abreviando-se uns aos outros a vida, logo que se conheciam com verdadeiros sintomas daquele mal tão cruel, ao qual chamam eles — Pira de Cupé — sarna dos cristãos. Qualquer um dos que enfermavam durante suas marchas deitava-se no chão, pondo por

> cabeceira uma pedra, e punham-lhe então os amigos ou parentes outra grande pedra sobre a cabeça, com a qual lha esmagavam e o deixavam ali ficar descansado e livre das suas dores. *(1841: 312)*

Assim se quebrou a resistência das tribos timbira. Uma após outra, foram compelidas a estabelecer relações com os invasores e aliciadas para a luta contra as recalcitrantes.

Os Krahô representaram papel da maior importância nessas lutas contra sua própria gente, ao lado dos invasores. Um dos maiorais desta tribo celebrizou-se pelo empenho que pôs em submeter esses índios aos desígnios dos civilizados, levando-os à guerra muitas vezes com o intuito exclusivo de fazer escravos em outras tribos timbira para fornecer aos aliados. Vejamos seu perfil, traçado por um comandante de guarnição militar (com. José Pinto de Magalhães) que se aproveitava dos pendores deste índio para a civilização, vendendo em Belém os prisioneiros que ele trazia:

> Prezava-se de bom guerreiro e com justiça, pois assaz o experimentamos nas expedições em que nos ajudou contra as nações circunvizinhas. Não tinha ambição alguma e era humano, entregando-nos generosamente todos os prisioneiros que fazia e muitas vezes aconteceu que quebrasse a cabeça a seus soldados porque se opunham a estes sentimentos; demos-lhe por aqueles alguma roupa, que somente vestia quando nos aparecia, um chapéu velho armado, que sempre conservou na cabeça por impostura de representação, ainda mesmo quando andava nu entre os seus, e uma pistola, com a qual gostava de atirar. Finalmente envenenou-o a sua mesma gente, porque ele tomava um caráter despótico para corrigir-lhe os maus costumes; as povoações dos nossos distritos perderam algum sossego com a sua morte.[2] *(F. P. Ribeiro, 1841: 320-1)*

Em meados do século passado foi designado aos Krahô um missionário de um grupo de doze capuchinhos italianos que foram ter a Goiás, depois de se comprometerem na revolução que irrompeu em Roma em 1848. Este missionário procurou catequizá-los num aldeamento estabelecido na embocadura do rio do Sono, no Tocantins, no mesmo local onde está hoje a cidade

Pedro Afonso. Em torno da pequena igreja ali construída, foi-se concentrando, a convite do missionário, uma população de vaqueiros dos campos vizinhos que, anos depois, disputavam as terras dos índios, obrigando-os a procurar refúgio mais longe. Uma intervenção do Governo Central procurou garantir a terra aos índios, mas, naqueles ermos, bem pouco valiam disposições legais, ainda mais quando deveriam ser aplicadas pelos próprios usurpadores.

Quando esses mesmos índios foram procurados em 1890, anos depois da morte de seu missionário, por outro — agora um dominicano, frei Gil Vilanova —, "permaneciam pagãos" e, mais que isto, escaldados com a catequese. Só à custa de grandes esforços consentiram em confiar-lhe três crianças para serem educadas. Hoje, esses índios continuam tão pagãos como os encontrou frei Vilanova, porém mais pobres porque despojados de suas terras (Gallais, 1942: 130).

Esses foram os processos usados na conquista dos campos do Maranhão e do norte de Goiás. Em fins do século passado, quase todas as terras aproveitáveis já estavam controladas pelos criadores de gado. Os grupos timbira que não quiseram submeter-se tiveram de abandonar os campos fugindo para as matas, como os Krem-yé, que foram ter ao Gurupi, e os Gavião, que se refugiaram no Tocantins, onde se conservam hostis até hoje.

Com o tempo, vitimados pelas doenças e pela miséria, resultante em parte da redução do seu território de caça e de coleta, os Timbira que ficaram nos campos diminuíram tanto que nem puderam mais fazer face à invasão dos poucos campos que lhes foram reservados, quando da pacificação. À custa de tramóias, de ameaças e de chacinas, os criadores de gado espoliaram a maioria deles e os remanescentes de vários grupos se viram obrigados a juntar-se nas terras que lhes restavam, insuficientes para o provimento da subsistência à base da caça, da coleta e da agricultura supletiva desses índios.

Nos primeiros anos do século XX, o cerco e a opressão dos criadores eram tais que os grupos timbira se viram compelidos a mudanças constantes. Onde quer que se estabelecessem, porém, eram alcançados pelos criadores; renovavam-se os atritos, as acusações de roubo de gado e de plantações das roças e, por fim, o choque, o massacre. O mais violento deles ocorreu já em 1913 e custou a vida a mais de uma centena de índios. Um criador estabeleceu-se com seu rebanho na chapada das Alpercatas, próximo da aldeia Chinela. O gado, vivendo solto, espalhou-se pelos campos vizinhos onde os índios Canela continuavam a caçar. Ora, é sabido que o pastoreio e o próprio gado afugentam a caça, assim ela foi escasseando e os índios esfaimados tiveram de incluir a carne do boi em sua dieta. Estouravam os conflitos com os fazendeiros.

> O índio comia um boi, o fazendeiro matava um índio. Certo dia os tais Arrudas reuniram para mais de cem Canela em sua fazenda para tomarem parte numa festa onde havia muita cachaça; depois de embriagá-los, caíram sobre eles, sem deixar um só vivo. *(S. F. Abreu, 1931: 226)*

Chacinas como esta foram relativamente raras, mas violências de toda ordem para expulsar os índios de suas terras e mesmo o assassinato de índios encontrados sozinhos no campo pelos vaqueiros eram acontecimentos freqüentes e sempre impunes.

Não existe estatística antiga das quinze tribos timbira, porém algumas estimativas parciais permitem avaliar a redução que sofreram. Tudo indica que os quatrocentos Krahô e os trezentos Canela que sobrevivem em nossos dias decresceram na mesma proporção que os Apinayé. Destes sabemos que constituíam 4200 em 1824, quando foram visitados por Cunha Matos, já muitos anos depois dos primeiros contatos e após haverem sofrido pesados ataques da guarnição de São João do Araguaia, além de epidemias de varíola. Atualmente os Apinayé não passam de cem índios (Nimuendaju, 1956: 5). Nesta base se pode avaliar a população original desses grupos em um mínimo de trinta mil indígenas e de todas as tribos timbira em mais de duzentos mil índios.

As tribos do Brasil Central

A história dos Akwé repete a dos Timbira. Ambos falam línguas da família jê, vivem em regiões de campo e têm organização social complexa, baseada num sistema de metades e clãs, cuja posição espacial nas aldeias circulares é rigidamente regulada segundo o quadrante solar. Ocupavam originalmente a bacia do Tocantins, desde o sul de Goiás até o Maranhão, estendendo-se do rio São Francisco ao Araguaia. Antes de enfrentarem os criadores de gado que os alcançaram vindos do oeste, do norte e do sul, tiveram de fazer face às bandeiras e aos garimpeiros que devassaram seu território em busca de ouro e diamantes. Sua oposição aos civilizados foi tão tenaz que eles chegaram a ser responsabilizados pela decadência de Goiás.

Entraram em relações pacíficas com os brancos em 1785, quando um governador de Goiás cumulou de brindes e honrarias um grupo de índios aprisionados e os devolveu às suas aldeias com propostas de paz. Os Akwé que se mantinham até então irredutíveis acorreram à capital da província, surgindo ali um número de 3500 para estabelecer-se junto dos cristãos.

Para acomodá-los foi organizado o aldeamento de d. Pedro II ou Carretão, com casas arruadas, dotado de um engenho de açúcar e controlado por um estabelecimento militar vizinho. Ali os Akwé tiveram oportunidade de conviver intimamente com guarnições militares e de experimentar a vida civilizada. Não devem ter apreciado a experiência, porque logo depois começaram a escapar rumo ao norte, para o antigo território tribal. Anos depois, o aldeamento, que dizem ter concentrado cinco mil índios, estava praticamente deserto e os Akwé reiniciaram suas hostilidades. Um grupo que denotava maior aversão ao convívio com civilizados e que passou a ser conhecido como Xavante, começou a deslocar-se para a margem esquerda do Tocantins (1824), depois para o Araguaia (1859), acabando por se estabelecer nos campos do rio das Mortes. Dali partiam em assaltos às populações sertaneja e indígena das vizinhanças, mantendo-as em pé de guerra até poucos anos atrás.

Com o recrudescimento das lutas entre esses grupos akwé e os civilizados, o Governo tomou providências enérgicas para confinar no Carretão aqueles que ainda lá permaneciam. Nos anos seguintes, foram compelidos a se fixar ali grupos de índios Kayapó e Karajá vencidos em guerra. Estes índios não se davam uns com os outros e menos ainda com os sertanejos, que tinham o ânimo incandescido por anos de lutas contra eles. Neste ambiente de odiosidade recíproca é que se procurou encaminhar aquelas tribos para a civilização. Segundo a tradição local, entre os métodos de extermínio utilizados em Goiás, houve também a contaminação propositada de bexiga e o envenenamento de aguadas com estricnina. Muito poucos índios sobreviveram no Carretão, onde perderam a língua e os costumes; não obstante, permaneceram sempre índios. Índios por autodefinição, já que não sabem a que tribo se filiam, mas apenas que o direito às terras que lhes usurparam se baseia nesta condição e nela também a odiosidade que lhes votam todos os não-índios da vizinhança. Desse esbulho dos *índios* do Carretão participou também um governador do estado de Goiás que, usando de sua autoridade, lhes tomou até mesmo a antiga sede do aldeamento. Os índios só puderam salvar as imagens da antiga capela, que exibiam nas ruas de Goiás como o único documento de seus direitos postergados. A capela, agora fechada para eles, ainda está de pé, em meio aos campos de criação, que se estendem a perder de vista na fazenda do ex-governador.

Os Akwé, que voltaram a se fixar no seu antigo território, à margem direita do Tocantins, passaram a ser conhecidos como Xerente. Estes grupos revelaram maior disposição para conviver com os civilizados. Por volta de 1870 foram procurados em suas aldeias por um capuchinho, frei Antônio de Ganges, com o propósito de catequizá-los. Aos poucos foi-se concentrando em torno da igreja e da casa do missionário uma população sertaneja que invadia, lentamente, com seus rebanhos os campos de caça dos índios, formando-se um arraial chamado Tereza Cristina, hoje Piabanhas. Quando os índios se deram conta do logro e procuraram expulsar os invasores, já lhes restava muito pouco e isto mesmo vieram perdendo desde então (Gallais, 1942: 129).

Um balanço expressivo dos resultados da catequese foi feito por outro missionário, por volta de 1900:

> Acham [*os Xerente*] que têm direito às terras que ocupam; quando os cristãos procuram apoderar-se delas consideram isso uma revoltante injustiça e vão logo aos extremos. Quando o pe. Antônio fundou Piabanhas, não tardaram a verificar-se conflitos desse gênero, com tal caráter de gravidade que foi necessário recorrer às autoridades superiores. A questão foi levada ao tribunal do Imperador, que se pronunciou no sentido de um acordo. Entregou aos índios uma vasta extensão de terras, para gozo exclusivo seu, e das quais em hipótese alguma poderiam os cristãos desalojá-los. Os índios aceitaram lealmente a decisão do grande chefe do Rio, pelo qual têm o mais profundo respeito. Mas nas regiões que lhes haviam sido reservadas havia belas pastagens, que os cristãos se sentiram muito felizes em aproveitar para os seus rebanhos. Acharam a coisa mais simples deste mundo mandar para lá o gado. Mas os índios não se mostraram de acordo e todo o gado que entrasse limites adentro do território que lhes havia sido designado era abatido sem misericórdia. Daí as queixas e recriminações. *(1942: 139-40)*

Ainda hoje os Xerente recordam aos vizinhos sertanejos as "ordens do Imperador", como seu título indiscutível ao território tribal, cada vez mais reduzido. A figura do imperador d. Pedro II assumiu tamanha importância para estes nossos contemporâneos Xerente que eles o incluíram na sua mitologia, identificando-o como o ancestral mítico de uma das metades tribais. Naqueles textos, o imperador é a própria personificação dos direitos da tribo à terra em que sempre viveram, cuja posse é condição de sua sobrevivência como povo. Ele é o herói que garante, a seus olhos, a validade da justiça tão desmoralizada dos homens brancos. Em alguns textos o imperador é apontado como imortal; outros anunciam sua morte próxima, que será marcada por um cataclismo que destruirá todo o mundo; um terceiro já o dá como morto e explica pela profanação de seus ossos sagrados a epidemia de gripe espanhola que assolou as aldeias xerente. Nas evidentes contradições formais desses textos é que se afirma sua consistência psicológica. Não pode morrer o herói que é a única garantia de sua sobrevivência, por isto é imortal. Mas a própria tribo se extingue lentamente e nela é o herói que morre aos poucos e com ele todo o mundo; por isto o herói vai morrer e com ele perecerão todas as coisas; o mundo de um povo é ele próprio. O imperador mítico não garante somente as terras, mas tudo que sua posse representa; ele é o guardião da tribo contra todos os males que adviriam de sua morte; assim, e por extensão, só dele podem vir as grandes desgraças. Por isto, quando estão enfermos, sofrem e morrem, é o herói mesmo que está morto e do túmulo comanda o destino de seu povo.

A redução da população xerente foi tão drástica quanto a dos índios Timbira. Cunha Matos (1874) os avaliou em quatro mil em 1824, quando já haviam sofrido grande redução. Por volta de 1900, Urbino Viana contou 1360 índios (1928: 35); dados do SPI indicam que seriam oitocentos em 1929; e, segundo nossos cálculos, seriam cerca de 350 em 1957. Em contraposição, a outra banda da tribo, os Xavante, que se isolou dos civilizados voltando à vida antiga, cresceu em número e se fez respeitar e temer cada vez mais até constituir uma das tribos mais aguerridas do Brasil. Até 1946 sua hostilidade era a única garantia dos índios vizinhos, também seus inimigos, contra a expansão das fazendas de criação.

Kayapó setentrional é a designação de uma tribo de língua jê dividida em grande número de hordas hostis que cobriam, e ainda hoje cobrem, em suas correrias guerreiras um extenso território entre os rios Araguaia e Tapajós, ao longo das fronteiras da floresta amazônica com os campos do planalto central. Mesmo fora dessa área imensa, têm sido assinalados ataques kayapó a núcleos sertanejos e a grupos indígenas. Essa extraordinária mobilidade e a mais ativa belicosidade fazem dos Kayapó os índios mais temidos e mais odiados do Brasil. Somente os Xavante chegaram a disputar-lhes essa legenda de ferocidade. Tribos distantes mais de mil quilômetros de suas aldeias, como os Tapirapé e os Karajá, viviam sobressaltadas nas grandes estiagens de cada ano, temendo os ataques kayapó que costumavam ocorrer nessa ocasião e lhes custavam a aldeia, os roçados, a vida dos homens e o apresamento das mulheres e crianças.

Vivendo na zona limítrofe entre o planalto central e a floresta amazônica, os Kayapó estiveram entre dois fogos: de um lado, as ondas de criadores de gado e os garimpeiros que avançavam pelos campos do Araguaia e, do lado oposto, as levas de seringueiros e castanheiros que ainda invadem seu território subindo pelo rio Xingu. No último quartel do século passado uma horda Kayapó que vivia no rio Pau d'Arco, afluente do Araguaia, entrou em relações pacíficas com a povoação de Santa Maria do Araguaia. Era uma vila de pequenos criadores de gado, nucleada em torno de uma igreja construída em 1860 por um capuchinho que, temendo os ataques dos Kayapó, edificou uma igreja-fortaleza, dotada de torreão e seteiras, que tanto servisse ao culto como de abrigo à população em caso de necessidade (Gallais, 1903: 34). Ao tempo da confraternização com aqueles índios, Santa Maria vivia seus melhores dias; era sede de uma guarnição militar e porto de escala de uma companhia oficial de navegação a vapor. Para os Kayapó, estes primeiros contatos não trouxeram grandes mudanças, apenas representaram uma oportunidade de obter pacificamente as ferramentas que antes tinham de conseguir pela guerra. Continuaram vivendo em seus campos e apenas algumas crianças lhes foram tiradas para serem educadas num colégio fundado em Leopoldina para menores indígenas.

Nos anos seguintes, as relações com civilizados se restringiram mais ainda, em virtude do fracasso da companhia de navegação e do colapso em que entrou a economia da região. Essa situação perdurou até 1897, quando um outro missionário, frei Gil de Vilanova, que já tentara aproximar-se da tribo homônima do sul, criou uma missão para os Kayapó do rio Pau d'Arco abaixo da Vila Santa Maria, então já muito decadente.

Frei Gil, com seus companheiros dominicanos, repetiu junto aos Kayapó os mesmos processos utilizados por seus antecessores no Brasil Central. Atraiu para junto deles a população sertaneja dispersa pelas barrancas do rio Araguaia e do Tocantins, onde estiolava corroída pelas doenças endêmicas, pelo alcoolismo e por conflitos intermináveis. Com esta gente constituiu o *arraial,* que cinco anos depois de fundado contava cerca de duas mil pessoas. Com a ajuda destes sertanejos, os missionários edificaram a primeira igreja tosca, o casarão para o convento e o barracão da escola para as crianças kayapó e sertanejas. Depois, cerca de quinhentos Kayapó foram trazidos de seus campos para junto da missão e localizados dois quilômetros adiante do arraial. Era a *aldeia,* onde o índio adulto viveria sob a vigilância e o amparo dos missionários que lhe propunham:

> Primeiro, que abandonariam a sua vida de vagabundagem e de correrias e de que viriam estabelecer-se junto de Conceição; segundo, que confiariam algumas das suas crianças aos missionários. *(Gallais, 1903: 43-4)*

O interesse dos missionários e sua grande esperança estavam nas crianças que, acreditavam, uma vez separadas dos pais, poderiam ser orientadas para uma vida nova, segundo os padrões cristãos.

O programa consistia em subtraí-las cedo

> da influência do meio em que nasceram, impedi-las de contrair os hábitos da vida selvagem e lhes incutir, ao contrário, os da vida cristã, lhes dar, com a instrução religiosa, o ensino elementar que se dá nas

> escolas primárias, e depois quando estiverem na idade de se casarem, formarem famílias cristãs que se fundam à massa da população já civilizada. Desta maneira, o elemento selvagem se extinguirá por si mesmo, depois de duas ou três gerações, a tribo se achará incorporada, ao mesmo tempo, não só à sociedade como à Igreja. *(1903: 50-1. Ver também 1942: 237-8)*

Assim nasceu Conceição do Araguaia, misto de missão de catequese e povoação sertaneja, representadas respectivamente pela *aldeia* e o *arraial,* ambos sob a autoridade temporal e espiritual dos dominicanos. Sucederam-se as três gerações de que falava o padre Gallais. O arraial cresceu e é hoje a cidade Conceição do Araguaia, orgulhosa do templo de pedra e cal, das instalações do convento e dos edifícios escolares construídos pelos dominicanos de frei Gil. Mas a aldeia, onde está? Fundiu-se, acaso, na população sertaneja, integrada através da instrução ministrada a crianças, para isto separadas dos pais? Não. Simplesmente extinguiu-se. Morreu. Dos 1500 Kayapó[2] do fim do século resta talvez uma dezena. São peões nas fazendas dos dominicanos que hoje ocupam os campos onde caçavam seus antepassados, intérpretes das turmas dedicadas à atração de bandos kayapó que permaneceram ainda hostis, e empregadas domésticas em Belém e no Rio de Janeiro.

Eis o que restou de uma tribo vigorosa, a única entre os Kayapó que encontrou gente realmente empenhada em ajudá-la. Todos ou quase todos os sobreviventes, embora educados no colégio de frei Gil, com os seus cuidados de isolamento e só tendo convivido com a tribo quando já inteiramente desorganizada pela intervenção missionária, desmoralizada e miserável, consideram-se e são tidos por todos, inclusive pelos padres, como autênticos Kayapó. Aliás, poucos anos depois de iniciada a catequese daqueles índios, os missionários começaram a entrever as dificuldades da obra que empreendiam. O biógrafo de frei Gil, depois de comentar a facilidade com que as crianças aprendiam dos civilizados as técnicas de cultivo, de criação de gado, de pesca etc., pondera:

> E, no entanto, ainda se conservam bem selvagens e dir-se-ia que fazem questão de continuar Kayapó. De volta à aldeia não conservam grande coisa do que se lhes ensinou no colégio; há neles como que um instinto irresistível, uma necessidade por natureza que os reconduz aos hábitos da raça. *(E. Gallais, 1942: 275)*

Os outros grupos kayapó setentrionais continuaram hostis até recentemente, alguns ainda o são. Certos bandos, como os Gorotire, procuraram estabelecer relações pacíficas tanto com a gente dos campos quanto com os seringueiros que penetraram seu território, subindo pelo Xingu. Mas sempre foram recebidos a bala ou com tentativas de escravização. Acabaram localizando-se na orla da floresta para estarem ao abrigo dos ataques que tanto vinham dos criadores como dos coletores de drogas da mata. E dali partem, nos meses de estiagem, os temidos grupos que atacam sertanejos e índios do Xingu e do Araguaia.

Nenhuma tribo em nosso tempo chegou a polarizar tanto ódio dos sertanejos como estes Gorotire e, na cidade fundada por frei Gil para catequizá-los, acoita-se hoje o maior número de chacinadores de índios Kayapó. Em Conceição do Araguaia como em Altamira e outros povoados do Xingu, a odiosidade contra aqueles índios chegou a tal paroxismo que os moradores se deleitam em ouvir e repetir histórias de chacinas, ainda que as saibam inverídicas, pelo simples gosto de descrever, com os pormenores mais macabros, cenas de trucidamento de mulheres e crianças kayapó.

Adiante voltaremos a examinar as relações dos Kayapó setentrionais com sertanejos, pois ainda hoje seu território tribal é zona de choques sangrentos.

Caiapônia é todo o território hoje compreendido pelo sul de Goiás, sudeste de Mato Grosso, Triângulo Mineiro e noroeste de São Paulo. Ali viveram e ali morreram os Kayapó meridionais, tribo da mesma família jê e de cultura aparentada, mas diversa da sua homônima do norte, os Kayapó setentrionais. Primeiro enfrentaram os bandeirantes paulistas que desbravaram seu território no preamento de escravos e na busca de minas de ouro e diamantes. Como escravos, esses índios nunca foram muito apreciados. Eram tidos como gente rude, que não se prestava ao trabalho agrícola. Para os bandeirantes, os Kayapó representavam um obstáculo que devia ser eliminado: primeiro, para limpar o caminho que conduzia a tribos de "gente de mais qualidade", depois, para desimpedir a rota que levava às minas de Goiás e, finalmente, para explorar o rico território aurífero e diamantífero por eles ocupado.

Como os outros grupos jê de que tratamos, os Kayapó meridionais tiveram também seus entusiasmos pelos cristãos, experimentaram conviver pacificamente com eles e chegaram até a concentrar-se em grandes grupos nos estabelecimentos militares criados para civilizá-los. Como as outras tribos jê, porém, acabaram fugindo para seus campos, onde retornaram aos costumes tribais e reiniciaram as hostilidades contra o invasor. Os estabelecimentos criados para *amansá-los* tiveram de ser transformados em guarnições dedicadas a subjugá-los ou, pelo menos, a defender de seus ataques os viajantes dos poucos caminhos que cortavam a Caiapônia.

Quando a decadência das explorações auríferas permitiu aos Kayapó restabelecerem suas forças, surgiu uma nova invasão: a dos criadores de gado que penetravam na Caiapônia, vindos de Minas e de São Paulo. Era a mesma onda que tivera início, séculos antes, junto à costa no Nordeste e que viera avançando ao longo do rio São Francisco, para alcançar, já no fim do século XIX, o território dos Kayapó do sul. Seria uma invasão mais tenaz e mais poderosa que as antecedentes. Os bandeirantes, feita a razia, arrebanhavam os prisioneiros, os acorrentavam em magotes e regressavam. Os garimpeiros nunca se fixavam num lugar e pouco se afastavam da barranca dos rios; depois de esgravatá-los arduamente, iam adiante. Os criadores vinham para apossar-se da terra e nela se fixarem definitivamente. Contra eles nada puderam os

Kayapó: gente e gado surgiam de todas as direções, alcançando-os onde quer que se refugiassem.

O século XX encontra os Kayapó meridionais empenhados nesta luta de sobrevivência como povo. Desiludidos de conviver pacificamente com os brancos, pelas trágicas experiências recordadas por toda a tradição tribal, só lhes restava lutar. Estavam reduzidos a grupos de poucas dezenas de pessoas, vivendo nos recantos mais ermos, e eram caçados como feras. Em represália aos ataques sofridos e para alimentar o ódio irreprimível ao invasor, atacavam os viajantes mais desguarnecidos e os pequenos grupos de criadores ou garimpeiros que encontravam desatentos, sempre com os cuidados que exige o enfrentar armas de fogo com bordunas, arcos e flechas.

Nunca encontraram quem lealmente se dispusesse a propor-lhes a paz, assegurando a oportunidade de viverem independentes. Alguns missionários dominicanos tentaram persuadir os criadores de que o quinto mandamento se aplicava também a esses Kayapó, mas desistiram logo. Eles próprios estavam demasiadamente impressionados com os relatos sobre a ferocidade dos índios e cheios de dúvidas sobre o direito dos Kayapó às terras em que sempre viveram, "mas que não fizeram inteiramente suas por seu trabalho", e até sobre a legitimidade do procedimento do branco que impõe pela força das armas "seus direitos, que são talvez recentes, mas que nem por isso deixam de ter uma legítima realidade" (Gallais, 1942: 83-4).

Eram problemas de confessor que precisava perdoar suas ovelhas armadas de trabuco, envenenadas de ódio contra o índio. O missionário, autor destes conceitos, descreve os temores que passavam seus companheiros nas viagens pelos campos da Caiapônia:

> [...] ameaçados e até detratados por índios emboscados nas touceiras de mato e que se faziam notar dos viajantes por ditos zombeteiros e até desafios, às vezes proferidos em mau português. *(Gallais, 1942: 98-9)*

Periodicamente, os criadores organizavam batidas para expulsar os índios do campo. Provavelmente não tanto com o objetivo de se livrarem dessa gente misteriosa e desbocada como para garantir as pastagens a seu gado, o que, afinal, era seu modo de fazer a terra "inteiramente sua por seu trabalho". É, ainda, o missionário quem nos conta:

> Cansados de sofrer afrontas de toda espécie, exasperados com os assassínios cometidos pelos índios, os homens válidos armaram-se e, certo dia, organizados em grupo para uma imensa batida, desceram o rio Araguaia, tomado para a base de suas operações. Prepararam uma flotilha de barcos leves cheios de munições e víveres e dividiram-se em dois grupos; um operando à margem direita e outro à margem esquerda. Nesta ordem subiram o rio, mantendo-se sempre em comunicação com os barcos que acompanhavam o movimento e que serviam de traço de união entre os dois grupos. Com receio de serem colhidos nas malhas desta imensa rede que avançava, lenta mas metodicamente, os índios recuavam e se furtavam, sabendo muito bem que não havia indulgência a esperar por parte daqueles que os atacavam. Abandonaram, assim, três de suas aldeias, deixando nelas apenas algumas velhas, crianças e doentes incapazes de fugir. Foram todos impiedosamente massacrados. Só foi poupada uma moça que acabara de dar à luz e que apanharam de surpresa amamentando duas criancinhas. Fizeram-na prisioneira. Mas, pela noite seguinte, a corajosa índia desapareceu com seus dois filhos e foi juntar-se aos de sua tribo. [A expedição punitiva, na afoiteza de encontrar os índios, afastou-se demais das canoas onde iam os víveres, acabando por desmoralizar-se e bater em retirada] [...]sem terem levado a bom fim e de modo completo a obra de extermínio que tinham em vista. *(Gallais, 1942: 101-2)*

Hoje, toda a Caiapônia é deserta de índios e só recorda seus antigos habitantes no nome dos acidentes geográficos: "serra dos Caiapós", "rios Caiapó-grande e Caiapozinho". Os Kayapó meridionais desapareceram sem deixar vestígios, além destes nomes. Dos trinta e poucos que ainda sobreviviam por volta de 1910, perto do Salto Vermelho, à margem do rio Grande em São Paulo, não resta nenhum.

* * *

Ilhados entre os povos de língua jê dos quais vimos tratando, vive uma tribo de língua alófila, os Karajá. Concentram-se principalmente nas praias do rio Araguaia, tendo os maiores núcleos na ilha do Bananal, formada pela bifurcação daquele rio, bem no centro geográfico do Brasil. O Araguaia marca o ritmo de vida desses índios. Durante a estação de estio eles acampam em suas praias, alimentando-se de peixes e tartarugas e de outros produtos tirados do rio e de suas barrancas. Quando as águas sobem, inundando as praias, refugiam-se nas terras altas do interior, onde cultivam suas roças, sempre vigilantes contra o ataque das tribos vizinhas.

Ali foram encontrados pela civilização, representada, primeiro, pelo bandeirante e, mais tarde, pelos mineradores de ouro, traficantes, militares e missionários que se haviam estabelecido nas nascentes do Araguaia e procuravam uma saída para o oceano. A navegação pelo Araguaia assumira importância capital para aquela população que se via na contingência de transportar de São Paulo, em lombo de burro, o sal, as ferramentas e tudo o mais de que carecia, através de milhares de quilômetros de sertões desertos.

Depois de um longo período de lutas contra os preadores de escravos, quando preponderou o interesse de navegar pacificamente o Araguaia, foram feitos alguns esforços para estabelecer relações com os Karajá. Os resultados foram, porém, tão precários que jamais permitiram se dispersassem as guarnições militares que garantiam as negociações. Uma fonte permanente de conflitos eram os esforços para aliciar índios como remeiros para o transporte de mercadorias, colaboração que os traficantes não podiam dispensar, já que somente o índio conhecia o rio e constituía a única fonte de mão-de-obra na região. Durante todo o século XIX as relações só pioraram, sucedendo-se os ataques dos Karajá a guarnições e outros núcleos civilizados e as expedições punitivas às suas aldeias. Diversos grupos foram compelidos a viver em colônias criadas para *amansá-los*, não somente no Araguaia, mas a grandes distâncias.

Na segunda metade do século passado, o Araguaia conheceu um surto de progresso, graças ao gen. Couto de Magalhães, que procurou resolver o problema fundamental da província que então governava, criando uma empresa oficial de navegação a vapor, destinada a garantir a comunicação franca e regular com o Pará, ligando o centro do país a um porto marítimo. Os Karajá experimentaram, então, anos de contato maciço com a civilização, contato que, pela primeira vez, se assentava em bases permanentes através de todo o seu território. Viram surgir uma rede de guarnições militares, diversos núcleos de comércio ativo e até colégios criados especialmente para seus filhos. Esta euforia, porém, não durou vinte anos: os vapores afundaram, a empresa extinguiu-se, os comerciantes faliram e o colégio foi fechado.[4] Ao findar o século, os Karajá haviam voltado à vida antiga, em suas praias desertas ou só raramente visitadas por civilizados. Porém, algumas aquisições da civilização já provocavam profundas mudanças em sua vida, como o hábito de tomar cachaça e a contingência de sofrer doenças antes desconhecidas.

Os índios que freqüentaram o colégio durante os anos de seu funcionamento e ali aprenderam não somente a falar, mas a escrever português, voltaram igualmente aos costumes tradicionais. Quem os visse, então como ainda hoje, em suas aldeias, não suspeitaria das experiências de civilização que enfrentaram, tão completamente pareciam ter-se despojado delas.

Assim entraram os Karajá no século XX. Em 1888, os três grupos em que se dividia a tribo (Karajá, Xambioá e Javaé) perfaziam quatro mil pessoas (Ehrenreich, 1948: 25), mas ainda viviam em relativa independência, mesmo porque o Araguaia só em nossos dias seria realmente integrado na economia nacional, através da ocupação dos campos marginais por criadores de gado.[5]

Tribos da família lingüística bororo ocupavam originalmente uma larga faixa do centro de Mato Grosso que se estendia a oeste até a Bolívia; a leste até o centro-sul de Goiás, onde confinava com a Caiapônia; ao norte até as margens da região dos formadores do Xingu e ao sul até próximo do rio Miranda. Nessa região de cerrados, campinas e florestas em galeria, os Bororo tiveram os primeiros encontros com bandeirantes paulistas. Já no século XVII, os mesmos bandeirantes ali descobriram terrenos auríferos e se instalaram para explorá-los, constituindo uma cunha que, aos poucos, foi dividindo a tribo em dois ramos, um oriental e outro ocidental. Alguns grupos, dos dois ramos, foram subjugados e escravizados, outros se aliaram aos invasores, seguindo-os em expedições punitivas ou de preamento de escravos.

Os Bororo ocidentais, que viviam no território ocupado por garimpeiros, lavradores e criadores de gado, foram logo exterminados. Nos fins do século XIX eram descritos como "[...] uma decaída e miserável comunhão; não puderam suportar uma civilização por meio da sífilis e da cachaça" (Steinen, 1940: 568).

Os Bororo orientais, em sua maioria, permaneceram hostis até fins do século XIX, embora cada vez mais enfraquecidos pelos ataques que sofriam e encurralados numa fração do antigo território pela pressão dos civilizados que avançavam pelo sul, leste e oeste e de tribos inimigas como os Xavante que viviam no norte. Não obstante, ainda eram considerados um flagelo pelos mato-grossenses, que não poupavam esforços para subjugá-los ou exterminá-los por meio de bandos armados. Só não alcançaram este objetivo em virtude da penúria em que caiu a população civilizada, com a decadência da mineração.

Em 1886, o presidente Galdino Pimentel, que levara para a província de Mato Grosso uma atitude nova para com os índios, tenta uma aproximação com os Bororo, por métodos persuasórios. Para isto escolheu-se um militar experimentado em expedições punitivas contra aqueles mesmos índios, o alferes Antônio José Duarte, que foi incumbido de devolver a uma aldeia do São Lourenço um grupo de índias ali aprisionadas anos antes e que viviam em Cuiabá como cativas. Deviam ser conduzidas pela tropa até próximo da aldeia, de onde seguiriam com presentes e propostas de paz. Para assegurar a lealdade das embaixadoras da paz, seus filhos foram retidos em Cuiabá. A iniciativa foi coroada de êxito e, de volta, o alferes pôde levar a Cuiabá algumas dezenas de índios Bororo, logo seguidos de centenas de outros, que foram recebidos festivamente, consolidando-se a paz (Steinen, 1940: 572-3).

O próprio alferes pacificador foi investido do comando das colônias militares criadas para aldear os Bororo. Karl von den Steinen, que os visitou em 1888 na Colônia Tereza Cristina, documentou a forma pela qual os Bororo estavam sendo civilizados: índios e soldados viviam em inteira promiscuidade, num ambiente de conflitos, cachaçadas e luxúria, de que os próprios oficiais participavam. Aos índios se pagavam com aguardente os serviços que prestavam, e às índias com roupas e adornos vistosos, os favores.

Vejamos alguns "quadros da catequese" no caleidoscópio de Karl von den Steinen. Sobre as boas relações entre índios e soldados: "Os soldados estavam dançando com as mulatas e índias ao belo luar, e faziam música com sanfona, pratos e garfos — expansão de alegria em toda parte!". Sobre o modo de distribuir a ração de carne: "Os pedaços de carne e os ossos são amontoados sobre um couro diante da casa; os índios, homens, mulheres e meninos, em parte munidos de cestas, ficam ao lado, à espera. Um dos cadetes dá o sinal, e todo o bando precipita-se sobre a carne e os ossos como uma alcatéia de lobos". Sobre o gosto pela pinga por parte de um cacique bororo que um jornal de Cuiabá descreveu como inteiramente identificado com a civilização: "Lá pelas nove horas, ainda Moguiocúri se apresentou perante os cadetes, exigindo cachaça. Para variar, este cacique vestia uma camisa vermelha de mulher e um paletó de linho branco; insistiu por que fossem buscar a chave da despensa, e afinal recebeu a sua garrafa. Ele não era menos feliz quando, de vez em vez, para o mesmo fim acordava os senhores, a horas avançadas da noite". (1940, 583-5).

Anos depois, diante do seu evidente fracasso, as colônias militares foram extintas, sendo a de Tereza Cristina entregue, em 1894, aos missionários salesianos. A missão teve curta duração porque os padres de tal forma se incompatibilizaram com os índios que toda a tribo abandonou a colônia, provocando a dispensa dos missionários por parte do Governo.

Em 1901, os salesianos tentariam novamente a catequese dos Bororo, desta vez junto aos grupos do rio das Garças. Para este fim, estabeleceram-se próximos da linha telegráfica que une Goiás a Cuiabá, atraindo grande número de índios para a nova missão que foi denominada Sagrado Coração. Quando visitada, em 1911, pelo gen. Rondon, que fora o primeiro a manter relações pacíficas com aqueles índios, sua situação não era muito superior à das colônias do alferes. Todo o antigo território dos Bororo do rio das Garças fora doado à missão e constituía um latifúndio, onde o índio vivia na condição de agregado. Ali também as crianças haviam sido tomadas aos pais e isoladas para receber educação especial, fora das influências gentílicas dos adultos. Os índios moravam em casas evidentemente inferiores àquelas que constroem em suas matas. A aldeia tradicional, de forma circular, em que a posição de cada casa obedece a princípios rigidamente estabelecidos, dera lugar a uma rancharia arruada onde era impossível operar a antiga organização social bororo. Sob a direção dos missionários, os índios integravam-se na economia regional, produzindo nas roças da missão e sendo alugados aos fazendeiros vizinhos (Botelho de Magalhães, 1942a: 118-9).

Índios do sul de Mato Grosso

Ao sul do território bororo, no extremo sudoeste de Mato Grosso, se estende o Pantanal, região de campos baixos, alagadiços, que o rio Paraguai inunda cada ano durante vários meses. A vegetação do Pantanal caracteriza-se pela concentração da mesma espécie de palmeira, árvore ou gramínea, formando extensos bosques homogêneos em meio às campinas. São os carandazais, buritizais, paratudais etc. Toda a vida da região é marcada pelo fluxo e refluxo das águas do Paraguai. Quando elas sobem, inundando os campos, a caça e os caçadores indígenas deslocam-se para os terrenos mais altos; quando baixam, caça e caçadores descem também, porque a terra pouco antes inundada resseca-se rapidamente, transformando-se em deserto onde só se encontram algumas lagoas de água salobra.

Nessa região viviam tribos que falavam línguas diversas e apresentavam profundas divergências de cultura, embora tivessem muito de comum. Algumas, especializadas na vida ribeirinha, como os canoeiros guató e payaguá, tiravam toda a sua subsistência do Paraguai e só se afastavam do seu curso quando o próprio rio extravasava para os campos, ampliando seu mundo aquático. Outras, constituídas de bandos seminômades de caçadores e coletores, como os Mbayá-Guaikuru, viviam em terra, acompanhando os bandos de cervos, veados, porcos e toda a caça em seus movimentos comandados pelas enchentes e vazantes. Nos terrenos mais abrigados e mais próprios para o cultivo viviam tribos de lavradores, como os Guaná, de língua aruak.

Já antes dos primeiros contatos com os brancos, os grupos guaikuru manifestavam tendências para o domínio de outras tribos de caçadores e coletores e sobre os lavradores guaná. Estas tendências iriam crescer nos séculos seguintes, graças à adoção do cavalo e seu uso na caça e na guerra. Introduzido pelos espanhóis na primeira metade do século XVI, o cavalo multiplicara-se tão extraordinariamente nos campos do baixo Paraguai que, um século depois, já se encontravam em toda a região inumeráveis tropas selvagens. Enquanto para os outros índios representaram apenas uma nova caça, notável pelo tamanho, foram utilizados pelos Guaikuru como montaria para cobrir maiores distâncias, ampliando seu território de caça e coleta. Acima de tudo, porém, a adoção do cavalo representou para esses índios uma arma de guerra, através da qual puderam entrar em contato com tribos distantes e lhes impor vassalagem.

Assim, os Mbayá-Guaikuru estenderam suas correrias a uma área tão ampla como a que vai de perto de Cuiabá, em Mato Grosso, às proximidades de Assunção, no Paraguai, e das aldeias Chiriguano nas encostas andinas, no Chaco, até as tribos guarani, das matas que margeiam o Paraná. Em toda essa região atacavam e saqueavam não somente grupos indígenas, mas também povoados espanhóis e portugueses, fazendo cativos em todos eles. Chegaram, deste modo, a constituir o principal obstáculo que os colonizadores tiveram de enfrentar no centro da América do Sul e motivo constante de suas preocupações. Bem aparelhadas expedições militares foram armadas por portugueses e por espanhóis para combatê-los sem jamais lograr êxito completo contra esses índios cavaleiros, que conheciam profundamente seu território e sabiam fugir a todo encontro que lhes pudesse ser desfavorável.

Foi tentada também a catequese pelos jesuítas espanhóis, principais interessados na pacificação, uma vez que suas missões eram um dos objetivos preferidos de ataque e de saque daqueles índios. Somente depois de várias tentativas malogradas, os jesuítas conseguiram estabelecer entre eles uma missão que duraria até sua expulsão, sem contudo serem capazes de dominá-los, ou ao menos se imporem a todos os bandos.

Com a descoberta do ouro em Mato Grosso e o afluxo de paulistas, abriu-se nova frente de lutas para os Mbayá. Os novos invasores, porém, vinham em canoas através de milhares de quilômetros de navegação e, contra estes, pouco valiam os cavalos dos índios. Mas as monções paulistas logo aprenderam que não podiam abandonar suas canoas porque, uma vez em terreno limpo, os ataques mbayá lhes seriam fatais. Não tardou que os cavaleiros mbayá se aliassem à tribo dos canoeiros payaguá, causando às monções mais prejuízo que todas as outras tribos reunidas. Esta animosidade dos grupos guaikuru, cavaleiros e canoeiros, contra os paulistas, era estimulada pelos espanhóis, que compravam o produto de seus saques e lhes davam guarida. Deste modo procuravam expulsar os paulistas ou contê-los em sua expansão para o oeste e para o sul.[6]

Mas os espanhóis, mesmo depois da instalação de uma missão jesuítica junto a um dos bandos mbayá, jamais conseguiram impor a paz a todos eles. Tanto vilarejos como missões continuaram a sofrer ataques e, depois da expulsão dos jesuítas, estas correrias aumentaram, dando lugar a represálias que fizeram os Mbayá aproximar-se dos portugueses. As ofensas recíprocas foram esquecidas e o ânimo guerreiro dos Mbayá, agora estimulado pelos portugueses, voltou-se contra os espanhóis. Nessa ocasião já estava rompida a aliança dos Mbayá com os canoeiros payaguá, os quais, com o crescente domínio dos portugueses sobre o alto Paraguai, sofreram severos reveses e foram obrigados a procurar refúgio nas imediações de Assunção.

A paz que se seguiu foi-se consolidando aos poucos, embora mais de uma vez, durante as negociações, tanto os portugueses quanto os Mbayá tenham sido traídos e massacrados. Só em fins do século XVIII se chegou a um acordo, celebrado num tratado solene pelo qual os Mbayá-Guaikuru reconheciam a suserania dos reis portugueses, mas tinham asseguradas a posse de um extenso território e a aliança portuguesa para suas guerras. Iniciavam-se, assim, como uma aliança entre potências, relações pacíficas entre os Mbayá e os portugueses. Teriam, naturalmente, um curso bem diverso. Aos poucos os portugueses foram estabelecendo contato e colocando sob sua proteção as tribos guaná, antes dominadas pelos Guaikuru, isolando-as até reduzi-las a um simples grupo, incapaz de exigências. Proibidos de guerrear as tribos amigas dos portugueses, os Mbayá tiveram de orientar suas hostilidades contra povos mais distantes, que viviam sob suserania espanhola.

Durante o longo período de lutas entre espanhóis e portugueses pelo domínio do rio Paraguai, os Mbayá ainda tiveram oportunidade de exercer seus padrões guerreiros. A eles se deve o não estabelecimento dos paraguaios acima do rio Apa, numa época em que, primeiro aos portugueses, depois aos brasileiros, era materialmente impossível impedi-lo. No curso da guerra do Paraguai lutaram ativamente ao lado das tropas brasileiras, mas sempre independentes, como uma força à parte, movida por motivações próprias e exercendo a guerra a seu modo.

Até a segunda metade do século passado ainda eram suficientemente fortes para impor respeito. Contavam com rebanhos de cavalos e de gado para comerciar com os brasileiros e eram bastante audazes para suprir-se de novas manadas, nos campos do Paraguai. Aos poucos foi diminuindo seu poder guerreiro, com a perda dos antigos vassalos e a diminuição crescente de sua população, em virtude das doenças transmitidas pelos civilizados e do estancamento de suas principais fontes de crescimento: o preamento de crianças e o aliciamento de adultos de outras tribos. No comércio com os brasileiros, principalmente de aguardente, perderam a maior parte de seus rebanhos, ficando reduzidos à miséria. Assim, com os anos de convivência pacífica, passaram de aliados senhoriais a simples índios dominados, de negociantes de cavalos próprios e roubados a meros peões de fazendas.

O século XX os encontraria reduzidos a meio milhar de índios dominados pelo alcoolismo, divididos em grupos espalhados pelas fazendas de criação que aos poucos invadiam seu antigo território, e fazendo um esforço dramático para se acomodarem aos modos de vida aprovados pelos seus dominadores. Somente uma divisão da tribo, os Kadiwéu, que permaneceu unida, entre o Paraguai e a serra da Bodoquena, conservava relativa independência. Mas suas terras também começavam a ser invadidas por criadores de gado. Um português estabeleceu-se entre eles e, montando um alambique para fabricar aguardente, obteve consentimento para fundar uma fazenda de criação. A princípio manteve boas relações com os índios; em troca de serviços, fornecia-lhes aguardente, sal, panos, munição e ferramentas. Mas, à medida que apertavam as exigências do fazendeiro, começaram a estourar conflitos. Por fim, a tribo dividiu-se em grupos: um hostil ao invasor, outro favorável, formado pelos índios já demasiadamente viciados para se livrarem dos fornecedores de cachaça.

Seguiram-se choques armados em que os índios levaram vantagem e o fazendeiro teve de apelar para tropas oficiais. Conseguiu soldados para atacar e incendiar os acampamentos kadiwéu que dizia estarem dentro de suas terras. Os choques recrudesceram e, depois de anos de lutas, quando o fazendeiro havia perdido grande parte do seu gado, as casas e currais de suas fazendas, e os índios viviam acoitados nas serrarias, o governo interveio, demarcou terras para os Kadiwéu, estabelecendo fronteiras nítidas, que eles, desde então, vêm procurando defender contra a crescente pressão dos criadores de gado (Baldus, 1945-8).

Os canoeiros guató jamais constituíram obstáculo tão sério como os Payaguá e foram logo dominados. Por ocasião da guerra do Paraguai atacaram e sofreram ataques de ambos os lados em luta. Nos anos seguintes, a varíola e outras moléstias deram cabo da maior parte deles, continuando os poucos remanescentes sua vida de pescadores nas lagoas e furos do alto Paraguai.

Os lavradores guaná que se deslocaram para a margem oriental do Paraguai, acompanhando seus suseranos mbayá, por contarem com a proteção dos portugueses se livraram dos antigos senhores. Como gente sedentária, produtora de mantimentos e de tecidos, estes Guaná estabeleceram relações mais estreitas com os portugueses e foram mais rapidamente dominados. Notícias da primeira metade do século XIX indicam que alguns grupos foram aldeados junto ao Paraguai; outros, mais a leste, no rio Miranda, viram-se envolvidos na guerra entre brasileiros e paraguaios e tiveram suas aldeias invadidas. Findas as hostilidades, voltaram a instalar-se nos antigos locais e entraram em competição com os criadores de gado que, nesse período, começavam a ocupar a região.

A maior parte dos grupos guaná — entre eles os Kinikinão e os Layana — perdeu suas terras, sendo compelidos a trabalhar para os que delas se apossaram, ou a se dispersar. Outros, como os Terena, foram obrigados a afastar-se das terras mais férteis à margem do rio Miranda e a refugiar-se em terrenos áridos, onde se tornou mais difícil sua vida de lavradores. Muitas de suas aldeias, ainda numerosas, estavam dominadas por negociantes de aguardente, sal e outros artigos. Viviam já como os sertanejos da região, do cultivo de pequenos roçados e como peões das fazendas. Assim os encontraria o gen. Rondon, nos primeiros anos deste século, quando construía na região uma linha telegráfica. Só nessa época conseguiram a demarcação dos territórios que ocupavam e certas garantias possessórias.

Embora falando o português e vivendo como sertanejos, os remanescentes dos Guaná conservaram a língua tribal e alguns dos antigos costumes. Sua acomodação mais completa e mais fácil à sociedade rural sul-mato-grossense explica-se, provavelmente, pela experiência anterior de relações de subordinação para com outro grupo; pelo costume de produzirem um excedente de mantimentos em suas roças, o qual, no passado, servia como tributo aos suseranos mbayá e, agora, era destinado ao comércio com civilizados; finalmente, por serem lavradores desenvolvidos que podiam fornecer mantimentos às populações civilizadas que cresciam em torno deles, dedicadas à criação de gado. Graças a esta combinação de circunstâncias, os grupos guaná que se conservaram na posse de glebas de terra sobreviveram em proporção muito mais alta (Métraux, 1946: 238-40).

Ao sul da Caiapônia, nas terras banhadas pelos afluentes do rio Paraná, viviam duas tribos que se tornaram conhecidas dos sertanejos como índios Xavante, embora nada tivessem de comum com a tribo homônima dos Akwé do rio das Mortes, senão o fato de viverem todas elas no campo. À margem direita do Paraná, entre o Sucuriju e o Ivinhema, viviam os Ofaié-Xavante, contra os quais se lançou, em meados do século passado, a mesma onda de criadores de gado vinda do rio São Francisco e que vimos investir sobre os Kayapó. Em sua fuga, os Ofaié se deslocaram para o sul, onde foram encontrar outra fronteira de expansão pastoril que penetrava a região, vinda dos campos do Rio Grande do Sul. Assim cercados, esses índios foram dizimados sob as mesmas alegações que vimos levantar-se desde o Nordeste: seriam ladrões de gado que abatiam reses como se fossem veados ou porcos selvagens. O certo é que nenhum esforço foi feito pelos civilizados para se acercarem desses índios; os criadores simplesmente faziam chacinar cada grupo descoberto, quando um novo retiro de criação era fundado.

O gen. Rondon, que em 1903 teve o primeiro contato pacífico com um desses grupos nos campos do rio Negro, os estimou em dois mil índios. Em 1910, seriam pouco mais de novecentos. Hoje, os remanescentes das chacinas não alcançam uma dezena. Por toda a região antes ocupada pelos Ofaié se estendem, agora, fazendas de criação e cada uma delas tem sua crônica de lutas contra a "selvageria" desses "xavante". Os índios contam a história de modo menos lisonjeiro para a valentia dos pioneiros. Viveram sempre em fuga, plantando roças que não podiam colher na afoiteza de fugir a novos ataques, vendo a tribo diminuir cada vez mais por morte dos adultos e roubo das crianças, pelos vaqueiros (D. Ribeiro, 1951b: 107-10).

Na margem oposta do rio Paraná, em território paulista, vivia outra tribo também chamada Xavante; os Oti dos Campos Novos do Paranapanema, igualmente especializados na vida campestre. Eram coletores e caçadores, de hábitos muito frugais por imposição da região que ocupavam, especialmente pobre de caça. Moravam à beira dos riachos, em ranchos armados com galhos cobertos de palmas e tão pequenos que dentro deles só se podiam manter sentados.

Nunca foram muito numerosos; originalmente podem ter sido, no máximo, quinhentos, conforme cálculos de Curt Nimuendaju, que em 1909 andou procurando os remanescentes da tribo e nos deixou uma notícia excelente sobre eles (Nimuendaju, 1954a: 83-8) na qual nos baseamos para este relato.

A região foi devassada em meados do século passado por sertanejos deslocados de Minas Gerais. Ali descobriram extensas pastagens nativas, apropriadas para a criação, e começaram a ocupá-las com seus rebanhos. Os Oti, que viviam em penúria de caça, viram, como que por encanto, povoarem-se os seus campos de uma caça nova e enorme, de que uma só peça podia sustentar uma rancharia, sendo, ademais, extremamente dócil e fácil de ser abatida. Puseram-se a campo para gozar daquela fartura inesperada, dando cabo, em pouco tempo, dos rebanhos introduzidos pelos criadores. Saindo de uma dieta famélica, os Oti até desenvolveram certa gula, manifestando decidida preferência pela carne de égua e pelos bezerros nonatos. Realizavam suas caçadas com toda a desenvoltura, perseguindo reses feridas até junto da morada dos vaqueiros, sem nenhuma preocupação de dissimular sua presença.

Entrementes, os criadores preparavam calmamente uma batida que deveria exterminar todos os Oti. Juntaram 57 homens bem armados e numa madrugada cercaram a principal rancharia, como descreve Nimuendaju:

> Atordoados e sonolentos se levantaram os Oti tentando escapar, tendo alguns mesmo tanta pressa nisto que saíam com a choça à cabeça, arrancando-a do solo com o levantar; debalde, porém, eles estavam circulados e foram mortos todos, sem exceção de idade ou sexo, até ficarem apenas duas ou três crianças que foram levadas como troféus vivos. Quantos Oti foram assassinados nessa ocasião no córrego da Lagoa não se pode assegurar hoje. José Paiva, um dos que fizeram parte do grupo dos assaltantes, disse-me que os mortos estavam em montes sobre o terreno, e outras pessoas me garantiram que o número deles alcançava a duzentos, no entanto, parece exagero.

Apavorados diante do furor da chacina, os outros grupos Oti trataram de escapar, fixando-se mais longe, na orla da mata onde viviam seus inimigos kaingang. Mas dali continuaram caçando vacas e éguas sempre que se oferecia oportunidade, o que não era raro, porque os campos estavam cada vez mais cheios delas. Outras chacinas foram organizadas; por fim os criadores caçavam os Oti com a mesma naturalidade com que estes atacavam seus rebanhos. E foram ficando cada vez mais afeiçoados ao esporte que nenhum mal lhes causava, porque, já então, era sabido que jamais um desses índios havia usado suas armas para defender-se dos sertanejos, simplesmente se deixavam matar, sem esboçar nenhuma reação além da fuga, como relata Nimuendaju:

> Uma única vez sofreu dano uma pessoa nessas perseguições, e isto se deu da seguinte forma: certo colono, quando viajava sozinho a cavalo pelo campo, encontrou-se com um grupo de índios Oti, que, avistando-o, fugiram. Como, porém, esse cavaleiro visse entre os fugitivos uma mocinha, desatou o seu laço e tocou-se atrás deles para a apanhar. Os índios refugiaram-se numa mata próxima e o cavaleiro não hesitou em persegui-los, mas o fez tão precipitadamente que só tarde demais viu que o seu cavalo passava debaixo de um galho estendido e, assim, batendo a cabeça com extrema violência de encontro ao galho, foi cuspido da sela e caiu desacordado. Em breve voltou a si e, procurando o seu animal, só encontrou dele uma poça de sangue e pedaços dos arreios atirados ao lado. Os índios, vendo o cavaleiro cair, em vez de se darem pressa em assassiná-lo, aproveitando o seu desvalimento, não tiveram tal preocupação. Atiraram-se ao cavalo, mataram-no, esquartejaram-no e trataram de levar a boa presa para a aldeia antes que o colono recobrasse os sentidos.

Nos fins do século passado, quando os Oti estavam reduzidos a uns cinqüenta, os criadores começaram a se dar conta das conseqüências de seu extermínio. Assim reduzidos, esses índios não puderam mais reter nas matas os seus tradicionais inimigos, os Kaingang, que sem essa vigilância caíram sobre os criadores, matando o gado e a eles próprios, em proporções tais que grande parte da região teve de ser evacuada. Mas os Oti continuavam sendo caçados, embora alguns deles já tivessem conseguido estabelecer relações pacíficas com certos moradores. Até então nenhuma tentativa se fizera para salvá-los do extermínio.

Só muito tardiamente e de forma desastrosa um sertanejo tentou retirá-los da região, colocando-os a salvo. Reuniu um magote que se dispôs a acompanhá-lo e o levou a São Paulo, a fim de pedir a proteção do Governo para os índios e uma recompensa por seus serviços. As autoridades resolveram o problema do modo mais simples: deram alguns presentes aos índios e os mandaram voltar para os campos. Decepcionado com os resultados de sua empreitada, o pacificador regressou com os índios. Mas em caminho, para fazer face às despesas, teve de vender algumas crianças e negociar favores das mulheres. Para rematar, os que sobreviveram à viagem morreram atacados por uma epidemia à entrada dos campos.

Uns poucos Oti que não acompanharam a expedição voltaram a seus esconderijos, onde foram assaltados pelos Kaingang. Os sobreviventes desse ataque, e das caçadas que prosseguiam nos campos, estavam reduzidos em 1903 a oito: quatro crianças e quatro adultos, dos quais um só homem, que não tardou a ser espingardeado. Logo depois, as mulheres se apresentaram a um grupo de trabalhadores numa roça, agarrando-lhes as mãos e dando a entender que queriam amparo. Um deles imaginou que talvez se tratasse de uma cilada dos temidos Kaingang; estabeleceu-se o pânico e uma índia foi morta imediatamente a bala. Em 1908, elas foram vistas pela última vez: eram então duas mulheres apenas, sentadas ao lado da estrada, cobrindo o rosto com as mãos.

À margem dessa vasta região de campos que vimos estudando, no extremo sudeste de Mato Grosso, começa uma área de matas, em princípio ainda intercalada de campos, mas que daí por diante ganha densidade. É a extensão mais ocidental da floresta atlântica, cujos habitantes indígenas estudaremos em separado. Aqui trataremos somente das tribos guarani, que tinham seu hábitat nas matas que margeiam os afluentes do rio Paraná, em território hoje compreendido pelo sul de Mato Grosso, oeste de São Paulo, Paraná e Rio Grande do Sul.

Essa foi uma das regiões de maior densidade demográfica do Brasil indígena. Aí os jesuítas conseguiram juntar a maior parte dos índios que povoaram suas célebres missões do Paraguai. Graças a uma organização econômica coletivista, elevaram essas tribos guarani a um nível de desenvolvimento material e de domínio de técnicas européias jamais alcançado depois. Mas constituíram, também, verdadeiros viveiros de escravos, primeiro para os bandeirantes paulistas — que, segundo cálculos talvez exagerados dos jesuítas, mataram e escravizaram mais de trezentos mil índios missioneiros —, depois para os fazendeiros paraguaios, que, com a expulsão da Companhia de Jesus, se apossaram das missões, tomando a terra aos índios e levando-os ao último grau de penúria e desespero.

Após a destruição das missões jesuíticas, uma parte das tribos guarani que as povoavam fundiu-se com a população rural do Paraguai: são os Guarani modernos. Outra parte fugiu para as matas, indo juntar-se aos grupos que se tinham mantido independentes, voltando a viver a antiga vida de lavradores e caçadores. Estes são os Kaiwá, Guarani primitivos, contemporâneos. Esses Guarani primitivos se viram envolvidos pelas tropas em luta durante a guerra do Paraguai e tiveram, então, os primeiros contatos maciços com brasileiros. Cessadas as hostilidades, a região foi evacuada e eles puderam continuar a levar vida independente em suas matas.

A ocupação econômica da região começou pelos campos marginais, onde viviam outras tribos, como os Ofaié, não atingindo os Guarani porque estes estavam nas matas que não interessavam aos criadores. Atrás deles, porém, vieram os extratores de erva-mate, que crescia nativa naquelas matas. Em poucos anos, toda a região era devassada, os ervais eram descobertos e postos em exploração e os índios engajados neste trabalho. A exploração dos ervais de Mato Grosso foi realizada principalmente por paraguaios que, falando também o guarani, mais facilmente puderam aliciar os índios para o trabalho, ensinar-lhes as técnicas de extração e o preparo da erva e acostumá-los ao uso de ferramentas, panos, aguardente, sal e outros artigos, cujo fornecimento posterior era condicionado à sua integração como mão-de-obra na economia ervateira.

Nos primeiros anos deste século os ervateiros dominavam toda a região, e começava a se tornar difícil para um grupo indígena manter-se à margem, conservando a vida tribal. Um após outro, os maiores grupos foram sendo engajados como assalariados temporários dos ervateiros, acostumando-se a fazer deste trabalho a fonte de suprimento de artigos antes desconhecidos e que se haviam tornado necessidades vitais para eles. A maioria daquelas tribos entrara em colapso pela impossibilidade de conciliar as exigências do trabalho assalariado individual com sua economia coletivista. Deste modo, os Guarani escapos das missões, dos paulistas e dos colonos paraguaios caem novamente na penúria e no desespero a que tantas vezes já os tinha levado o contato com a civilização.

Recrudesce, então, a velha tendência dos povos tupi-guarani de exprimirem o desespero através de manifestações religiosas, de movimentos migratórios de fundamento mítico. É a busca da "Terra sem Males". Grupos guarani voltam a deslocar-se de seu território, em grandes levas, como vinham fazendo desde princípios do século passado, rumo ao litoral atlântico. São liderados pelos pajés que, baseados nos relatos míticos, prevêem o fim do mundo e prometem salvar seu povo, levando-o em vida a um paraíso extraterreno.

Em 1912 Curt Nimuendaju (1954b: 9-57) encontrou os remanescentes de uma dessas levas que, através de toda sorte de vicissitudes — da fome, da sede, da oposição das povoações cada vez mais densas que encontravam pelo caminho —, seguiam rumo ao mar que desejavam transpor para alcançar a Terra sem Males. Remanescentes dessas migrações encontram-se, ainda hoje, em pequenos grupos nas vizinhanças do porto de Santos, vivendo de seus roçados e da venda de imitações de seus antigos artefatos e adornos.

3 EXPANSÃO AGRÍCOLA NA FLORESTA ATLÂNTICA

Nos primeiros anos deste século ainda existiam, próximo da costa, entre alguns dos principais núcleos de população do sul do Brasil, extensas manchas de mata virgem, desertas ou somente ocupadas por tribos hostis. Era o que restava da floresta atlântica que, ao tempo da descoberta, se estendia ao longo da costa, numa faixa de duzentos a trezentos quilômetros de largura desde o nordeste até o extremo sul do país, ora avançando profundamente para o interior, ora alcançando a orla marítima. Todas as tribos que sobreviviam naquelas manchas haviam experimentado contatos com civilizados; algumas delas chegaram a conviver com missões de catequese e guarnições de vigilância, mas a maioria somente tivera encontros intermitentes e hostis. Umas e outras, porém, haviam aprendido, na própria carne, a fugir desses contatos e a hostilizar todas as tentativas de penetração em seu território.

Entretanto, era uma questão de tempo. Sua própria sobrevivência até o século XX só fora possível porque jamais chegaram a interessar seriamente aos brancos — quiçá por sua rudeza — como mão-de-obra escrava e porque suas terras não ofereciam, até então, incentivo a nenhuma exploração econômica. Mas chegara sua vez. A crescente procura de certos produtos tropicais no mercado mundial, principalmente o café, criara condições para a exploração das matas que ocupavam. Seria uma expansão inexorável, da mesma natureza daquela que nos séculos XVI e XVII havia exterminado, escravizado ou desalojado os índios que habitavam as matas costeiras, para cobri-las de canaviais, e daquela que no século XVIII, com a descoberta do ouro em certas regiões de Minas, Mato Grosso e Goiás, dizimara as tribos que nelas viviam.

Aqueles surtos de expansão econômica se fizeram principalmente com mão-de-obra escrava, trazida da África, após o fracasso do colonizador em seus esforços para basear a produção no braço indígena. Assim foram, em grande parte, populações negras destribalizadas que sucederam às indígenas nas áreas açucareira e mineradora. O novo surto e a nova sucessão se fariam com os excedentes da população criados no próprio país, pelo caldeamento dos contingentes alienígenas negros e brancos com os índios subjugados e escravizados. Eram populações deslocadas de suas regiões de origem, pelas secas nas caatingas do Nordeste ou pela decadência das lavouras de cana, de algodão e de fumo das antigas matas litorâneas ou, ainda, pelo abandono das minas exauridas. Contribuiriam também, ponderavelmente, contingentes alienígenas — dessa vez imigrantes europeus, vindos como colonos.

Essa nova expansão demográfica ocuparia as últimas faixas da floresta atlântica onde grupos indígenas se mantinham independentes. Era um movimento de recuperação de territórios deixados para trás na afoiteza da expansão descontínua, rumo às minas. Assim seria superada a condição de arquipélago demográfico que, até então, caracterizava o Brasil e dele fazia um país de núcleos de população ilhados na costa, à margem de rios navegáveis ou no sertão interior. A enormes distâncias uns dos outros, estes núcleos só se comunicavam pelo mar, ao longo da costa deserta, pelos rios navegáveis, e por imensas estradas terrestres através da mata selvagem. O avanço sobre aquelas enormes ilhas de selva indevassada começa na segunda metade do século passado. Por toda a periferia ela foi sendo invadida, a princípio por simples famílias de sertanejos deslocados, que procuravam terras sem dono para instalar-se; depois, por sucessivas ondas de invasores que avançavam organizados, dispondo de grandes capitais, de amparo oficial e até de tropas privadas para garantir suas conquistas.

Contra esses novos invasores nada podiam as flechas e tacapes indígenas, salvo retardar-lhes um pouco o ímpeto à custa de tamanhas perdas para tribos tão pouco numerosas, que importavam em sua própria extinção. No curso dessa expansão, as matas seriam rasgadas por estradas de ferro, a navegação costeira e dos grandes rios seria dotada de barcos a vapor e, aos poucos, todo o país seria ligado por serviços de comunicação telegráfica. Tudo isto representava um equipamento civilizador que em breve não deixaria lugar a estilos de vida arcaicos, indígenas ou sertanejos. Com esses recursos seriam rapidamente conquistados os últimos redutos das tribos da floresta atlântica.

Um após outro, esses grupos foram sendo atingidos e, à medida que se opunham à invasão de seus territórios, eram exterminados em chacinas ainda mais bárbaras que as dos primeiros séculos, uma vez que o invasor não se preocupava em poupar vidas para o trabalho escravo, mas simplesmente em desocupar a terra a fim de utilizá-la nas grandes plantações. Nenhuma daquelas tribos era numerosa. As maiores contavam menos de cinco milhares de pessoas, fracionadas em pequenos bandos, muitas vezes hostis uns aos outros. Imponderáveis em número e divididos por lutas internas, representaram, todavia, um sério obstáculo à integração de seu território na economia nacional. Muitos desses grupinhos mantiveram estacionadas, durante anos, frentes de expansão de centenas de quilômetros. Conhecendo seu território à perfeição e tendo desenvolvido um sistema de guerrilha baseado em suas pobres armas, mas sobretudo numa alta capacidade de se camuflarem na mata, puderam fazer frente a exércitos e não raro obter vitórias.

Últimos bolsões indígenas do leste

Uma dessas faixas de mata indevassada estendia-se do sul da Bahia até o vale do rio Doce, ao longo da vertente oriental da serra do Mar. Mata alta e espessa, enleada por parasitas e lianas, oferecia grande variedade de contrastes em suas grimpadas pela morraria e descambamentos sobre os vales profundos. Era o último refúgio de várias tribos e, até então, seu reduto inexpugnável, uma vez alcançado depois das refregas contra civilizados.

A oeste, a mata se prolonga em galerias, acompanhando o curso dos rios, e se torna mais rala até confluir com os cerrados do vale do São Francisco, ocupados por mineradores e criadores de gado. A leste, estende-se o litoral atlântico, de população pouco densa, nucleada principalmente na foz dos rios que descem da mata, como o Pardo, o das Contas, o Jequitinhonha, o Mucuri, o São Mateus e o Doce. Nos altos cursos destes rios, protegidos pela floresta espessa, viviam os Kamakã, os Pataxó, os Maxakali, os Botocudo, os Puri-Coroado, que falavam línguas diferentes umas das outras e também diversas dos outros idiomas indígenas do Brasil.

Eram conhecidos dos civilizados por certas designações genéricas como Aimoré — gente que desde o século XVI infundia terror por suas investidas contra os ocupantes da costa — ou Botocudo, porque alguns grupos usavam grandes botoques nos lóbulos das orelhas e no lábio inferior, ou ainda como Coroado, por rasparem a cabeleira em círculo, três dedos acima das orelhas, formando uma espécie de coroa. Todos eram tidos como Tapuia — palavra tupi que significa bárbaro, inimigo, e que os colonos, em seu próprio processo de tupinização, aprenderam a empregar para diferenciar todos os grupos que não falavam a língua tupi e não baseavam sua subsistência no cultivo da mandioca. Assim se juntavam sob este termo as tribos mais diversas, lingüística e etnologicamente, só unidas por uma condição fundamental para o colonizador: terem menos valor como escravos, pelas barreiras lingüísticas e culturais que apresentavam à integração nos arraiais neobrasileiros.

As tribos acima citadas apresentavam uma certa unidade em sua forma relativamente simples de adaptação à mata. Não conheciam a lavoura ou a praticavam de forma muito incipiente, que indicava serem agricultores recentes. Mesmo os que possuíam maiores roçados dependiam largamente da caça e da coleta. Somente os Maxakali tinham aldeias mais estáveis, com residências familiais permanentes; todos os outros viviam divididos em hordas, que nos Botocudo alcançavam de sessenta a duzentas pessoas e nos Kamakã cerca de quarenta, movimentando-se sempre dentro de certa área em busca de caça, dos frutos e dos tubérculos de que aquelas matas eram particularmente ricas.

A penetração civilizadora começou pela parte sul, na região ocupada pelos Puri-Coroado, entre o rio Paraíba e o Doce. Foi empreendida por agricultores interessados naquelas terras para o cultivo do algodão, do fumo e para plantações pioneiras de café. Em meados do século passado quase todos esses índios tinham sido subjugados e recolhidos a aldeamentos sob a direção de missionários. Os Botocudo, muito mais numerosos, dominavam a área que vai do rio Pardo ao rio Doce e sofriam ataques que partiam tanto de Minas Gerais como do Espírito Santo, devendo ainda fazer frente aos grupos indígenas empurrados pelos civilizados para as matas por eles ocupadas.

No começo do século passado, ao intensificar-se a penetração naquelas matas, os conflitos com os Botocudo foram tão sangrentos que o Governo reeditou (em 1808) leis que, por seu barbarismo, haviam sido revogadas no século anterior. Estas autorizavam a guerra contra eles e asseguravam aos que os apresassem o direito de tê-los como escravos. Ao mesmo tempo se estabelecia um sistema de fortificações ao longo do rio Doce para garantir a navegação e combater os índios.

Um desses postos teve por comandante o cel. Guido Marlière, francês que, para escândalo de seus contemporâneos, julgava que a guerra contra os índios melhor se faria com grãos de milho do que com chumbo. Graças a essa atitude amistosa, conseguiu estabelecer relações pacíficas com o grupo mais próximo de sua guarnição e protegê-lo contra os civilizados. Depois de seu afastamento, porém, esses índios ingressaram no mesmo sistema através do qual os outros grupos estavam sendo "civilizados" — a cachaça e a exploração — e chegaram a ser dos mais desmoralizados e miseráveis. Ao lado das guarnições militares o governo subvencionou missões de catequese. Padres capuchinhos foram contratados e encaminhados para Minas, Espírito Santo e Bahia, onde a tropa subjugava grupos botocudo, a fim de se encarregar de sua civilização.

Duas dessas tentativas de catequese instalaram-se em terras concedidas oficialmente aos índios. Foram a de Mutum, criada para os índios de Etuet, pacificados por Guido Marlière, e a de São Sebastião do Ocidente, onde os missionários reuniam os remanescentes de outros bandos botocudo. Com o abandono das missões pelos padres, os índios caíram sob o jugo de fazendeiros que lhes tomaram as terras, a título de compra. Em 1910 já nada restava delas e os índios sobreviventes haviam sido expulsos da região.

Uma só missão, a de Itambacuri, conseguiu estabelecer-se solidamente perto de Teófilo Otoni. Estava também a cargo de capuchinhos que reuniram os bandos botocudo que viviam nas matas do Mucuri, nas últimas décadas do século passado. Ali se repetiu o clássico sistema de juntar índios e sertanejos, na esperança de civilizá-los pelo convívio, garantindo ao mesmo tempo a segurança dos missionários pela presença de gente fiel. Correram os anos, o número de sertanejos cresceu, como em toda a região, enquanto o de índios minguou até o desaparecimento ou "caldeou-se na população da freguesia", segundo sempre afirmam os missionários.

Que os índios não se acomodaram ao sistema instituído pelos capuchinhos, pode-se ver pela sublevação que teve lugar em 1893. Ela ocorria após vinte anos de catequese, quando a missão parecia mais próspera — especialmente para os civilizados nela instalados, que constituíam, então, os principais produtores de mantimentos da região. As causas da revolta nunca foram bem esclarecidas. Os documentos missionários falam principalmente da índole falsa, indócil e má "de suas ovelhas indígenas" (Palazzollo, 1945: 275). Tudo indica ter contribuído para esse resultado a prática de segregar as crianças indígenas — pois um dos propósitos dos revoltosos era recuperá-las —, o rancor provocado pela irrupção de uma epidemia de sarampo, que os índios também atribuíram aos padres, e ainda os conflitos de interesses criados dentro da empresa missionária entre índios e sertanejos (1945: 276 ss.).

Revoltados, os índios flecharam os dois catequizadores, que revidaram o ataque a bala e conseguiram escapar, embora feridos. Fracassada a revolta, cerca de setecentos a oitocentos índios fugiram para as matas, atacando e incendiando as propriedades de lavradores que encontravam no caminho, matando quatro pessoas e ferindo sete. A revanche não se fez esperar. Para isto reuniramse não só os civilizados instalados na missão, como também carabineiros trazidos pelas autoridades da cidade e, posteriormente, tropas oficiais instaladas em Itambacuri para garantia dos missionários e dos lavradores.

Na caçada que se seguiu, morreram a bala mais de vinte índios (1945: 278) e acima de quatrocentos foram vitimados pela epidemia de sarampo que novamente grassava na mata (1945: 279). Segundo documentos missionários, o mais doloroso desses acontecimentos foi "o constrangimento deles quando se viram na dura necessidade de organizar uma expedição de homens bem armados e bem providos para combater os índios emboscados e em guerrilhas" (1945: 260). Aos poucos, os índios sobreviventes das chacinas, da epidemia e da fome começaram a regressar à missão, único refúgio que lhes restava. Em 1913, Itambacuri alcançava novamente alto grau de prosperidade econômica. Contava, então, cerca de doze mil habitantes, dos quais 446 seriam índios "puros e mestiços" (1945: 260).

Um bando de índios Pojitxá, atraído para a missão antes da revolta e que a abandonara também em data anterior àqueles acontecimentos — não tendo, portanto, nenhuma *culpa* —, viveu, desde então, acoitado e sempre em fuga, pois eram massacrados onde quer que se apresentassem. Os mesmos missionários, movidos pelo clamor levantado contra os ataques que esses magotes de desesperados faziam às vezes a sertanejos, procuraram debalde recolhê-los à missão e tomar-lhes as crianças "para educar convenientemente". Por volta de 1915 ainda sobrevivia um grupo de trinta, que logo depois foi atacado, sendo os adultos mortos e as crianças distribuídas entre os assassinos.[1]

Assim viviam os grupos botocudo que alcançaram o século XX. Escondidos nas matas entregues a imigrantes europeus para colonização, como a colônia italiana de São Mateus no Espírito Santo, e desesperados diante do cerco que em torno deles se fechava dia a dia, lançavam-se contra os invasores, conseguindo por vezes desalojá-los, por algum tempo, de terrenos já devassados. Da parte dos italianos, esses conflitos deram lugar a palavrosas exigências de socorro e correção contra a selvageria dos Botocudo, a protestos consulares e a longos noticiários sobre seus sofrimentos em jornais de Roma e do Rio de Janeiro. Por parte dos Botocudo, esbulhados de suas terras onde eram caçados como bichos, apenas o protesto de suas flechas. Nessas condições é que o Serviço de Proteção aos Índios foi encontrar, em 1910, os remanescentes indígenas de Minas Gerais e do Espírito Santo, reduzidos a pequenos grupos, obrigados a perambular continuamente pela mata, porque, onde quer que se estabelecessem por um período mais longo, acabavam sendo descobertos e atacados.

Os Maxakali viviam, originalmente, entre os rios Jequitinhonha e São Mateus. Alguns grupos, desalojados pelos Botocudo, chegaram até a costa (Caravelas), outros avançaram para leste até o meridiano de 41°31'. Desde os primeiros contatos, os civilizados procuraram utilizá-los na luta contra os Botocudo. Mas estes índios sempre fugiram ao convívio com neobrasileiros, mantendo relativa independência, até que o número de sertanejos instalados em sua região cresceu de tal modo que não puderam mais fugir aos contatos. Nos primeiros anos deste século lutavam pela posse de suas terras, vendidas por civilizados que se tinham imposto como seus diretores ou simplesmente invadidas. Outro processo utilizado para desalojar os Maxakali foi induzi-los a derrubar as matas para plantar roçados e semear capim depois da colheita, assim impedindo que a mataria se refizesse. Deste modo se inutilizava a terra para a lavoura e se expulsava a caça, tornando impossível a vida desses índios lavradores e caçadores.

Nos primeiros anos do século XX os sertanejos já haviam estabelecido um *modus vivendi* com os Maxakali; obtinham deles produtos extraídos da mata, como a poaia ou mesmo mantimentos de suas roças, trocando-os pelo artigo que lhes parecia o único meio de cativar os índios: latas de querosene cheias de cachaça que levavam às suas aldeias. Entendiam-se com os índios através de um português pronunciado como se falassem a crianças e misturado com uma meia dúzia de palavras de sua língua. Esta gíria bizarra foi o português que os Maxakali puderam aprender porque só assim lhes falavam, certos de que estavam falando o idioma daqueles índios.

Embora visitados muitas vezes por padres em desobriga, os Maxakali conservaram sua própria religião, mesmo porque não lhes pediam mais que a simples e proveitosa tarefa de se deixarem batizar, aceitarem um nome cristão para tratar com os estranhos e ganhar, na ocasião, alguns presentes (Otoni, 1930: 173-215).

* * *

No extremo norte dessa faixa de matas, entre o rio das Contas e o rio Pardo em território baiano, sobreviveram, até o século XX, duas outras tribos, em guerra uma com a outra e hostilizadas pelos civilizados: os Kamakã e os Pataxó. Os primeiros ocupavam a bacia do rio Pardo e desde o século anterior vinham sofrendo ataques. A maior parte da tribo fora subjugada e compelida a recolher-se a missões sob administração de religiosos ou diretores civis, onde era submetida a toda sorte de explorações. No século XX alguns bandos permaneciam independentes e hostis nas matas entre o rio Cachoeira e o Grupunhi. Os Pataxó tiveram o mesmo destino, sendo também subjugados e entregues a missões que pouco depois os abandonaram à própria sorte. Alguns bandos dessa tribo conseguiram escapar às perseguições que lhes eram movidas e alcançaram o século XX.

Contra esses grupos, tanto os pacificados como os hostis, se lançaria uma outra fronteira de expansão agrícola desde a primeira metade do século passado: as plantações de cacau. Esta planta originária da Amazônia fora transplantada para a Bahia, onde, encontrando condições favoráveis, se desenvolvera admiravelmente. A ascensão contínua da procura do cacau no mercado mundial e a decadência das lavouras de cana-de-açúcar, fumo e algodão, que criou uma grande disponibilidade de mão-de-obra, permitiram uma rápida e vigorosa expansão das lavouras cacaueiras nas matas do sul do estado, então praticamente inexploradas. Contra o último reduto dos Kamakã e Pataxó é que se lançaria essa onda de plantadores de cacau. As terras reservadas aos grupos pacificados foram rapidamente esbulhadas e os que viviam acoitados na mata se viram envolvidos em conflitos com sertanejos que a invadiam de todos os lados.

Em 1910 estes conflitos chegaram a ter repercussão na imprensa das grandes cidades; naquele ano os índios conseguem desalojar diversos núcleos de plantadores de cacau das margens do rio Cachoeira, afluente do rio Jequitinhonha. Grupos de bandoleiros organizados pelos grandes plantadores de cacau devassaram as matas para dar cabo desses índios obstinados que enfrentavam seus fuzis, contando apenas com flechas e uma técnica admirável de "minar" grandes áreas com estrepes feitos de lascas de madeira. Entretanto, o conhecimento que aqueles índios tinham de suas matas os garantia e dificilmente os carabineiros conseguiam alcançá-los. Todos se surpreendiam com o número reduzido desses grupelhos indígenas, calculado pelos fogos de seus pousos, em face da notável mobilidade que lhes permitia atacar e minar extensas áreas em pouco tempo.

Um século de perseguições levara remanescentes dos Pataxó e Kamakã a uma simplificação radical de seu equipamento e a uma capacidade extraordinária de se dissimularem na mata, esgueirando-se de uma região para outra, sem serem jamais notados. Todos os cuidados eram tomados pelos bandos encarregados de surpreendê-los e chaciná-los. Não falavam, não faziam fogo e nem fumavam, certos de que o fino olfato dos índios revelaria sua presença mesmo a grande distância.

Mas os chacinadores acabaram encontrando armas eficazes contra esses inimigos invisíveis, recorrendo a velhas técnicas coloniais, como o envenenamento das aguadas, o abandono de roupas e utensílios de variolosos onde pudessem ser tomados pelos índios e, sobretudo, minando os arredores das casas e plantações com armadilhas montadas com armas de fogo.

Os Kaingang e a expansão dos cafezais

Uma extensão da floresta atlântica avançava pelas vertentes orientais da serra do Mar, acompanhando o curso dos rios que correm para oeste, como o rio Grande, o Tietê, o Paranapanema, o Ivaí e o Iguaçu. Eram as grandes matas do vale do Paraná, que cobriam grande parte dos estados de São Paulo, sul de Minas Gerais e norte do Paraná e que, durante o período colonial, só foram devassadas em sua orla oriental. A maior parte dela se conservara intocada até o século passado, quando emergiu uma nova lavoura tropical que a poria abaixo para dar lugar a plantações que se estenderiam a perder de vista.

Era a cultura do café, já antiga no Brasil, mas que somente no século passado assumiria o caráter de lavoura de exportação, desenvolvendo-se até constituir a atividade econômica fundamental do país. As grandes lavouras cafeeiras começaram nas matas próximas do Rio de Janeiro, alcançando o vale do Paraíba, de onde desalojariam os últimos grupos Puri-Coroado, avançando, em seguida, para São Paulo. Ali encontrariam terras mais apropriadas que permitiram o grande incremento da cafeicultura. Inicia-se, então, a chamada marcha da "onda verde" que, começando pelas matas do extremo leste, ganha rapidamente o centro e o norte, passando a ocupar uma área mais extensa que qualquer outra cultura tropical. Todavia, em virtude da própria natureza do terreno, essa cobertura não forma uma área contínua. Para isto contribui, também, a precariedade dos métodos de cultivo que, expondo a terra à erosão, exaure rapidamente os recursos naturais, deixando uma retaguarda deserta. Os cafezais precocemente envelhecidos são substituídos por pastagens, e toda a população que se concentrava para seu plantio desloca-se para a frente à procura de novas matas virgens, a fim de repetir as derrubadas e o moroso cultivo.

O café é planta arborícola que só começa a produzir a partir do quarto ao quinto ano. Em todo esse período exige constantes cuidados sem dar nenhum rendimento senão o dos cultivos associados geralmente de cereais, plantados entre as fileiras enquanto o arbusto não faz muita sombra. Exige, por isto, a inversão de capitais capazes de financiar esse longo período de crescimento. Trata-se, portanto, de uma cultura para grandes empresas que dispõem de crédito e são capazes de manter grupos de trabalhadores. Assim, quando o café avança sobre uma área nova, o faz com uma avalanche de gente, de capitais e de equipamento. Funcionando à base da existência de matas virgens, a marcha do café tornou-se uma fronteira em contínua expansão. Nos primeiros anos deste século essa fronteira já alcançava as florestas que se estendem do vale do Tietê ao vale do Paranapanema e daí ao Paraná. Até então aquelas matas só haviam sido atravessadas por bandeirantes que se dirigiam para Mato Grosso e Goiás, no preamento de escravos ou em busca de minas, ou que serviam à comunicação entre o Paraguai e São Paulo.

Nelas viviam índios conhecidos como Coroado que, segundo parece, não despertaram o interesse dos bandeirantes como mão-de-obra escrava; talvez por serem mais aguerridos e pouco numerosos em relação aos grandes estoques humanos mais dóceis que existiam mais a oeste ou talvez porque, como gente de língua travada e que só conhecia uma agricultura muito primitiva, não dessem escravos de qualidade. Esses índios que viviam no recesso das matas, em São Paulo, Paraná e Santa Catarina, eram conhecidos como Guaianá, Coroado, Bugre ou Botocudo, de língua kaingáng. Alguns deles que habitavam a orla das matas, haviam sido subjugados pelos criadores de gado vindos do sul e sobreviviam nos capões de mata, desde os campos de Guarapuava, Ivaí e Palmas até o Rio Grande do Sul.

Os Kaingáng falam uma língua filiada à família jê, que, como vimos, tem seus representantes principais no planalto Central. Aquelas tribos desenvolveram uma adaptação altamente especializada aos cerrados e cocais, enquanto os Kaingáng — vivendo na mata, como os de São Paulo — praticavam uma lavoura incipiente de milho, embora baseassem sua subsistência principalmente na caça e na coleta. Os conflitos entre os Kaingáng de São Paulo e os civilizados começaram na orla de suas matas, junto aos campos do Paranapanema, ocupados por criadores de gado. Essa região era habitada por seus tradicionais inimigos, os Oti-Xavante, cujo extermínio deixou os campos livres às investidas kaingáng. Aí foram organizadas as primeiras batidas contra eles, por parte dos criadores desalojados por seus ataques. A penetração começou sorrateiramente e não parece ter preocupado os índios, tanto assim que muitas fazendas se instalaram na boca da mata, iniciando plantações de café. Uma ferrovia fora construída através de seus territórios sem provocar conflitos, e os trabalhadores da estrada viram, muitas vezes, os índios atravessarem a linha em atitude pacífica, ainda que temerosa.[2] Um deles contava até que, defrontando-se com um grupo de índios, foi insistentemente chamado por eles com gestos amistosos; preferira, entretanto, fugir desta gente traiçoeira.[3]

Entretanto, a invasão ganhava impulso e por fim já atingira o centro das matas, na proximidade das aldeias kaingáng. Em lugar de simples caçadores, isolados ou em grupos de dois a três, entravam turmas numerosas; eram os engenheiros encarregados do levantamento da região, para o Estado e para particulares, que requeriam glebas da mata. A princípio, segundo tradição oral recolhida na região, os índios somente advertiam o invasor de seu descontentamento, fechando suas picadas com galhos de cipós trançados. Depois ocorreram atritos, que, mesmo não causando vítimas entre os civilizados, acirraram os ânimos de parte a parte. Em 1905 ocorre o primeiro ataque dos índios nas proximidades da Estrada, contra a turma de um agrimensor que, realizando uma medição, afastara-se muito dos trilhos. A esse ataque sucederam-se outros, nos anos seguintes, contra as turmas da estrada e contra agrimensores que operavam entre as estações que hoje correspondem às cidades paulistas de Lins e Araçatuba. Uma comissão de sindicância criada para estudar os conflitos verificou que todos esses ataques resultaram em menos de quinze mortes de civilizados. Em contraposição, nessa época foram realizadas diversas chacinas que levaram a morte a aldeias inteiras dos Kaingáng, reavivando o ódio e dando lugar a novas represálias.

Nesse mesmo período, a malária, a febre amarela silvestre, a úlcera de Bauru, que grassavam a cada ano, deram cabo de mais de quinhentos trabalhadores. Entretanto, segundo as publicações da empresa ferroviária interessada em ocultar tamanha mortalidade, o inimigo era o índio; o grande obstáculo ao prosseguimento da construção e à abertura das fazendas seria a hostilidade dos Coroado. Por fim, era tamanho o terror, tanto dos índios como dos civilizados, que todos viviam em vigília, interpretando cada sombra, cada ruído, como indício da iminência de um ataque. Os trabalhadores da estrada, penetrando na mata indevassada com a imaginação incandescida pelo medo, viam um índio atrás de cada árvore e os pressentiam no pio de cada pássaro.

A empresa fornecera armamento e munições à vontade para todo o seu pessoal e a mata dia e noite ribombava de tiros contra índios que não se deixavam ver. A excitação se alastrava e uma turma, ouvindo à distância tiros da outra, metralhava também a mata para prevenir-se contra um provável ataque, mas principalmente para descarregar a tensão nervosa. Este era o ambiente na estrada, nas fazendas, nas pequenas vilas. Todos se sentiam ameaçados; ninguém se aventurava sozinho pela mata, certo de que estava cheia de índios; nunca abandonavam as armas. Trabalhava-se, comia-se e dormia-se com as carabinas ao alcance da mão.

> Um grupo de cinqüenta trabalhadores recém-chegados fora abrigado num barracão para passar a noite. Um deles teve o capricho de sair despido para satisfazer alguma necessidade e ao voltar foi visto ao luar por um companheiro que se apavorou cuidando que era um índio. Deu-se o alarma: "Bugre no acampamento". Cada um pega da arma e se põe a atirar a esmo; quando se restabeleceu a calma e foi esclarecida a causa da balbúrdia, vários deles estavam feridos, um, mortalmente. *(Ibidem)*

E vão surgindo interessados em manter o ambiente de pavor: criadores de histórias fantásticas, que por meio delas compraram terras desvalorizadas pelo terror ao índio; empreiteiros de batidas estipendiados pela Estrada e por subscrições públicas, que começam a entrever possibilidades eleitorais pelo prestígio que alcançavam após cada chacina; e, por fim, a própria Estrada, que assim desviava a atenção da principal causa de suas dificuldades para aliciar trabalhadores e mantê-los no serviço — as epidemias. Os Kaingáng, por sua vez, sentiam fechar-se o cerco em torno deles — formado, de um lado, pelos criadores, do outro, pela Estrada e pelos cafeicultores — e redobravam sua hostilidade.

Nesse ambiente de terror surgiram chefetes especializados em chacinar índios. Organizavam publicamente os bandos de bugreiros e planejavam seus ataques, depois de aliciar os carabineiros e percorrer todas as fazendas vizinhas e o comércio angariando donativos em dinheiro, mantimentos e munições. Tinham o cuidado de organizar as batidas sempre nos meses de chuva, porque nessa época os índios raramente se afastavam da aldeia para caçadas e pescarias coletivas, permitindo, assim, um extermínio mais completo.

As maiores batidas realizadas em 1908, 1909 e 1910 foram financiadas principalmente pela Estrada de Ferro Noroeste do Brasil, utilizando trabalhadores da construção por ela armados e municiados e entregues à orientação dos referidos especialistas. Toda uma técnica fora desenvolvida para as chacinas. Um desses bugreiros relatou uma batida da qual participou a uma comissão de sindicância criada em 1911 para apurar os fatos:

> Ouvimos do próprio João Pedro a minuciosa narrativa desse feito, por ele atenuado quanto ao número das vítimas e de certos atos ignóbeis que por outros lhe são atribuídos. Eram ao todo 31 homens, os que tomaram parte nessa funesta empresa, armados de carabinas Winchester, calibre 44, 12 tiros e munição sobressalente em quantidade, além de afiados facões e outras armas brancas. Assim andaram cerca de quatro dias, com o máximo cuidado, de sorte a não serem pressentidos pelos índios, cujo aldeamento alcançaram ao anoitecer. Achavam-se estes em festa, em torno de uma fogueira preparada ao centro do terreiro cercado por vários ranchos, uns grandes, outros menores. Segundo o próprio João Pedro, parecia tratar-se de uma cerimônia qualquer, correspondente ao casamento, tendo em vista a maior atenção e solicitude de que era alvo, entre todas, uma moça, mais do

que as outras enfeitada. Dançavam e cantavam alegremente os índios inteiramente despreocupados da horrível catástrofe que os aguardava. Estabelecido o cerco com a necessária precaução, ficou resolvido esperar-se a madrugada para o assalto, quando os ingênuos silvícolas, extenuados, se tivessem por fim entregue a um sono profundo, diga-se eterno.

Durante essa prolongada e lúgubre expectativa, tiveram João Pedro e os seus calma e tempo de sobra para fazerem curiosas observações que ele espontaneamente transmitiu ao ten. Dantas, as quais, por serem favoráveis aos pobres índios, nem por isso conseguiram mover à piedade aos seus frios e implacáveis inimigos. Dizia o preto que o surpreendera, a ele e seus companheiros, a limpeza e boa ordem que em tudo apreciaram no aldeamento; que os ranchos e o terreiro eram bem varridos, o chão destocado, limpo e batido; tudo, enfim, tão direito, se não mais do que os nossos, dizia.

Muito os surpreendera, igualmente, a inalterável cordialidade mantida durante todo o tempo da festa, as risadas francas e as brincadeiras que se permitiam uns com os outros; e até puderam a esse respeito notar, dos seus esconderijos, a diversidade de caracteres, em uns alegres, mais retraídos em outros. Aqueles em geral metiam estes à bulha e não raro que, entre os primeiros, se fizessem notar os anciãos. Mas, de tudo isso, nenhuma desavença surgia. E rematava por fim o preto: "Até parecia gente, sr. Tenente".

Mas, continuemos. Pelos modos a festa se prolongaria até o amanhecer, e já começava a impacientar os da traiçoeira emboscada, para os quais eram de inestimável auxílio as trevas da noite. Por isso, desistiram de esperar que ela cessasse de todo, receosos de virem a ser descobertos com as primeiras claridades.

E assim rompeu a primeira descarga geral, de cujo mortífero efeito só não fará idéia precisa quem não souber da perícia daquela gente no tiro, e não atentar para o largo tempo que tiveram de preparar suas pontarias, em descanso, e até mesmo de se distribuírem previamente as vítimas, cada uma a cada um para que não viessem a convergir as homicidas atenções exclusivamente sobre aquelas que espontaneamente as atraíssem.

Mas além desta, várias outras descargas foram feitas, e certo não podiam ter tido melhor sorte aqueles pobres índios que se teriam despertado sobressaltados e completamente desnorteados ante aquela covarde e insólita agressão.

> Há quem afirme que mais de cem vidas aí foram sacrificadas, tendo-se seguido às primeiras descargas o assalto a facão, que a ninguém deu quartel. A princípio, logo que voltaram dessa horrível hecatombe, só os chefes se mostraram reservados e discretos, pretendendo fazer acreditar ter sido apenas três ou quatro o número de mortos. Não assim, porém, o pessoal miúdo, dentre o qual dois ou três garantiram a frei Boaventura, de Santa Cruz, ter sido a centena excedida. Haviam feito uma limpa, diziam, e alguns até autenticaram sua valentia exibindo orelhas cortadas de suas vítimas![4]

Os Xokleng e os imigrantes europeus

Mais para o sul, nos estados do Paraná e Santa Catarina, a floresta atlântica, alcançando terrenos e clima subtropicais, assume uma feição nova com a crescente dominância da araucária. É a zona dos pinhais, que prossegue pelo oeste e para o sul, já numa região de campos. Essa mata é o hábitat de uma outra tribo kaingáng, os Botocudo ou Coroado de Santa Catarina, conhecidos na literatura etnológica como Xokleng ou Aweikoma. Para evitar confusão com outros grupos homônimos, nós os chamaremos Xokleng.

Viviam nas matas ricas em pinheirais, desde as proximidades da costa até o centro de Santa Catarina, ao longo do rio Itajaí e seus formadores. Alguns bandos levavam suas zonas de ação, ao norte, até o Paraná e, ao sul, até a região de campos ocupada por criadores de gado. O que melhor caracteriza essa tribo é a inadequação de seu equipamento ao território que ocupava. Vivendo ao longo de rios caudalosos e piscosos que amiúde atravessavam, não tinham embarcações, nem comiam peixes. Contra os rigores do clima da região, onde muitas vezes neva, não possuíam nenhuma proteção além do fogo de um sumaríssimo rancho de folhas. Embora hostilizados por outras tribos e pelos civilizados, jamais conseguiram unir-se; ao contrário, viviam divididos em pequenos bandos extremamente hostis uns aos outros (Jules Henri, 1941).

Em meados do século passado, largos trechos daquelas matas foram destinados a colonos alemães, italianos e eslavos trazidos ao Brasil por iniciativa governamental ou de empresas particulares. Seria uma nova fronteira da civilização que teria sua base numa economia de pequenas propriedades de exploração agrícola intensiva. Aqui o índio se defrontaria com contingentes de imigrantes empenhados em devassar a mata para se instalarem como pequenos proprietários, contando principalmente com as próprias forças. Esta expansão, mesmo com a ajuda das companhias de colonização e com o apoio do Governo, não apresentava aquele caráter de deslocamento de massas humanas de que se revestiu a marcha dos cafezais paulistas. Aqui o colono europeu, depois de conduzido a seu lote, permanecia isolado com a família, muitas vezes a considerável distância dos vizinhos mais próximos.

Camponeses europeus do século passado — que, via de regra, até então só tinham empunhado ferramentas agrícolas — viam-se obrigados a se armar e a aprender o manejo das carabinas de repetição. Aquelas famílias, ilhadas na mata, tendo de construir com as próprias mãos e com a madeira das derrubadas não somente a casa e o mobiliário mas todos os utensílios de que careciam, viam-se a braços ainda com o terror ao índio armado de flechas e tacapes que vigiava todos os seus movimentos. Enquanto na marcha do café, imigrantes estrangeiros encontravam-se ao lado dos sertanejos afeitos a tratar com índios, nas matas de pinhais eles tiveram de enfrentar os índios apenas com as idéias preconcebidas que traziam da Europa. Na prática, os resultados foram a bem dizer idênticos, já que uns e outros viam em cada índio uma fera perigosa pronta para atacar, o que impedia qualquer entendimento.

Após os conflitos que se seguiam a cada nova penetração, o pânico se apossava dos colonos; e grupos deles abandonavam a terra, dirigindo-se a São Paulo, onde poderiam trabalhar em segurança, embora como assalariados, ou regressando à Europa. Muito cedo o governo se viu compelido a tomar providências para estancar o êxodo dos colonos. A primeira delas foi destacar uma guarnição militar para expulsar os índios. A esta se seguiram outras medidas, através de todo o século passado, sem que se conseguisse pôr fim aos conflitos. Além das guarnições, foram tentadas também, sem sucesso, as turmas de sertanejos armados para dar cabo dos índios, por conta do governo provincial, do município de Blumenau e das companhias de colonização. Falou-se muito também em tentar os meios persuasórios, através de civis e religiosos que se dispusessem a ir ao encontro dos índios pacificamente, mas jamais alguém logrou sequer defrontar-se com eles.

Foi à força das armas dos próprios colonos e, sobretudo, enchendo a mata de bugreiros profissionalizados, que a colonização prosseguiu pelo vale do Itajaí, levando a frente de lutas sempre adiante. Mas com o avanço da colonização estreitava-se cada vez mais o cerco das matas onde se refugiavam os índios e amiudavam-se os conflitos. Nos primeiros anos deste século, em plena vigência do regime republicano, todos os governos estaduais e municipais das zonas que tinham índios hostis, tanto o de Santa Catarina como o do Paraná, destinavam verbas orçamentárias especiais para estipendiar bugreiros. É certo que essas carnificinas causavam revolta em muitos lugares e levaram à criação de associações de amparo aos índios, mas nenhuma delas passou das pregações humanitárias. E estas pouco adiantavam, pois ninguém podia convencer os colonos apavorados de que não podiam matar índios que, por vezes, também os matavam.

O dr. Hugo Gensch, médico de Blumenau e o mais notável desses indianistas, demonstrou que em 52 anos de existência daquela cidade, os índios haviam matado 44 pessoas, tendo perdido nesse período um número incomparavelmente superior. Por exprimir tais opiniões, foi apelidado pelos colonos de *Bugervater* (pai de bugre). O espírito humano tem certas exigências e o colono precisava ver no índio um animal feroz para poder caçá-lo com a consciência tranqüila. A ele não se aplicavam as atitudes humanitárias, sentimentais, que aquela mesma gente demonstrava de tantos outros modos. O coro era praticamente unânime e ainda reforçado por jornais, como o tristemente célebre *Urwaldbote*, de Blumenau, que pregava diariamente a chacina, demonstrando que os índios eram incapazes de evolução e, diante de uma raça superior capaz de construir uma civilização naquelas matas, tinham mesmo de ser exterminados.

No meio desse cerco feroz, o índio era compelido a um comportamento de fera. Esgueirava-se pela mata, procurando confundir-se com ela para não ser percebido; esquivava-se de todo encontro e, quando isto era impossível, sabia que sua única chance era matar primeiro. Não tinha pouso certo, perambulava sempre, evitando deixar qualquer rastro que denunciasse o rumo que tomava. Para as cerimônias em que vários bandos deviam reunir-se, cercava-se de todas as precauções, cavava profundas trincheiras e minava as imediações com fojos — buracos disfarçados com uma fina camada de gravetos e folhas que escondiam lanças e longos estrepes.

Nem assim se punha a salvo das chacinas levadas a efeito por facínoras especializados em bater as matas para descobri-lo. Bastava o menor indício da passagem de um índio por um lugar para os colonos ou criadores se juntarem em bandos bem armados e pôr-se em seu encalço. E se a suspeita se confirmava, era chamado um bugreiro especializado para o ataque, sistematicamente planejado e levado a efeito com requintes de crueldade. O índio era considerado fora-da-lei, seu assassinato era não somente impune, mas estimulado e reverenciado como obra meritória.

Em Santa Catarina, os bugreiros profissionais e até oficializados alcançaram tal eficiência em suas batidas que deixaram para trás, como meros amadores, os bandos de celerados que caçavam índios em São Paulo, Minas Gerais, Espírito Santo e Bahia. No relatório do inspetor do Serviço de Proteção aos Índios, Eduardo de Lima e Silva Hoerhen, que em 1910 retiraria das matas de Santa Catarina esses bugreiros profissionais, aquelas batidas são assim descritas:

> Infinitas precauções tomam, pois é preciso surpreender os índios nos seus ranchos quando entregues ao sono. Não levam cães. Seguem a picada dos índios, descobrem os ranchos e, sem conversarem, sem fumarem, aguardam a hora propícia. É quando o dia está para nascer que dão o assalto. O primeiro cuidado é cortar as cordas dos arcos. Depois praticam o morticínio. Compreende-se que os índios, acordados a tiros e a facão, nem procuram defender-se e toda heroicidade dos assaltantes consiste em cortar carne inerme de homens acobardados pela surpresa.
>
> Depois das batidas dividem-se os despojos que são vendidos a quem mais der, entre eles os troféus de combate e as crianças apresadas.
>
> Nos municípios de Araranguá e Tubarão existiam e existem quiçá, os celebérrimos Veríssimo, Maneco Ângelo e Natal Coral, os três grandes capitães das batidas. Eram tidos como heróis e como tais, respeitados. Visitavam-nos, aplaudiam-nos e citavam seus nomes como se fossem de prestantes cidadãos.
>
> Em Nova Veneza os morticínios levados a efeito por Natal Coral e Ângelo a mando do diretor da colônia foram numerosos. Em cada município onde existiam índios, havia os tais caçadores. Citamos os três indivíduos que se entregavam ao triste mister nos municípios do sul. Falemos, agora, do mais célebre de todos: o famigerado Martinho Marcelino ou Marcelino Bugreiro, o homem pago pelos governos estaduais para dizimar os Xokleng. Conseguiu reunir pequena fortuna com a sua profissão; sua fama estendeu-se pelo estado e, desse modo, mandavam-no chamar, gratificavam-no principescamente para levar aos índios o terror, para aprisionar crianças, para vender armas e utensílios indígenas. Nos seus diferentes ataques, matou mais índios do que todos os outros bugreiros reunidos. Só numa dessas batidas, quando foi aprisionada a menina Korikrã, junto a onze outras crianças, morreram centenas de pessoas de todas as idades e sexos, conforme narrou aquela moça, cujo nome mencionei acima, filha adotiva do dr. Hugo Gensch.[5]

4 PENETRAÇÃO MILITAR EM RONDÔNIA

Assim viviam, assim morriam os índios do Brasil nos primeiros anos deste século. Os que se opunham ao avanço das fronteiras da civilização eram caçados como feras desde os igarapés ignorados da Amazônia até as portas das regiões mais adiantadas. Ainda mais dramático era o destino dos índios civilizados. Submetidos ao convívio com as populações brasileiras que ocuparam seu antigo território, incapazes de se defenderem da opressão a que eram submetidos, viviam seus últimos dias. Expulsos de suas terras, eram escravizados nos seringais e nas fazendas onde enfrentavam condições de vida a que nenhum povo poderia sobreviver.

Somente se conservavam unidos e no domínio das terras que ocupavam quando estas não representassem nenhum valor econômico e sua cooperação como mão-de-obra não fosse um imperativo da economia regional. Era fatal para os índios a ocorrência de qualquer fonte de riqueza em seu território, como minérios, essências florestais de grande procura ou o valor relativo do próprio terreno, quando à acessibilidade se juntavam possibilidades de aproveitamento agrícola ou pecuário. Alguns anos mais de abandono e todos esses índios teriam desaparecido sem deixar vestígios na população que lhes sucedesse.

Em meio a esse cenário de violência e terror avultava, porém, uma exceção: um grupo de militares que, percorrendo as zonas mais desertas do país, desbravando alguns dos últimos redutos de tribos virgens de influências da civilização, assumira diante delas uma atitude amistosa, procurando chamá-las ao convívio com a sociedade brasileira.

Era a Comissão de Linhas Telegráficas e Estratégicas de Mato Grosso ao Amazonas, depois chamada Comissão Rondon, criada para a construção das linhas telegráficas que ligariam as regiões mais desertas de Mato Grosso e do Amazonas ao circuito de comunicações telegráficas brasileiras. Essa obra, que por suas proporções seria uma grandiosa empresa política, econômica e militar, tornou-se, sob a direção de Cândido Mariano da Silva Rondon, um dos maiores empreendimentos científicos e humanísticos jamais tentados.[1]

A carreira indigenista de Rondon teve início em 1890 quando, recém-graduado na Academia Militar, foi destacado para servir em seu estado natal, Mato Grosso, na construção da linha telegráfica e estratégica que, partindo de Cuiabá, avançava para o Araguaia. Aí, primeiro sob a direção do gen. Gomes Carneiro, depois com autonomia de comando, Rondon tem seus primeiros contatos com populações indígenas. A região atravessada pela linha telegráfica era habitada pelos temidos Bororo de Garças que constituíam o principal obstáculo nas comunicações entre Goiás e Mato Grosso.

Para pôr fim às hostilidades entre os Bororo e os sertanejos que andavam por aquelas paragens, o gen. Gomes Carneiro proclamara que faria punir qualquer agressão praticada contra os índios. Rondon levaria adiante esta política, colocando os índios sob a proteção das tropas que comandava e conseguindo deste modo, já ao concluir-se a construção das linhas, estabelecer relações pacíficas com os Bororo de Garças e pôr fim a um século de choques sangrentos. A essa comissão segue-se outra, agora no sul do estado, onde Rondon foi incumbido da construção de linhas telegráficas que ligariam Cuiabá aos principais núcleos de população próximos das fronteiras com o Paraguai e a Bolívia.

Ali Rondon encontraria os remanescentes de diversas tribos, todas em convívio pacífico com as populações sertanejas locais. Junto delas teria ocasião de conhecer a condição do "índio civilizado", despojado de suas terras, espoliado nas fazendas de criação ou nos ervais, sujeito a toda sorte de violências — inclusive a de não lhe reconhecer o direito de criar seus próprios filhos, se qualquer fazendeiro se engraçasse por eles, nem de impor respeito às suas esposas e filhas. Eram os Terena, Layana e Kinikináo, remanescentes dos antigos lavradores guaná; os Kadiwéu, representantes dos índios cavaleiros Mbayá-Guaikuru; os canoeiros guató do rio Paraguai; os caçadores e coletores ofaié dos rios Negro e Taboco, e os Kaiwá, guarani primitivos das matas ervateiras fronteiriças com o Paraguai.

Ao examinar a situação dos remanescentes desses grupos indígenas nos primeiros anos do século XX, vemos que foi Rondon, no curso de seus trabalhos de construção de linhas telegráficas, que fez demarcar as terras que ainda lhes restavam, conseguindo dos governos de Mato Grosso o seu registro como propriedades tribais. E foi Rondon, ainda, quem desarmou os bandos de carabineiros do fazendeiro Gato Preto, que caçavam os índios Ofaié sob a alegação de que estavam acabando com seu gado, mas na verdade o faziam para limpar os campos de seus ocupantes indígenas e empregá-los na expansão de suas fazendas de criação.

Aliciando trabalhadores para suas obras principalmente entre índios, a comissão lhes dava oportunidade de adquirir artigos que até então lhes pareceram inatingíveis. Naquela região Rondon teve oportunidade de constatar muitas vezes que velhos trabalhadores indígenas recebiam de suas mãos os primeiros salários em dinheiro, em sua longa e árdua vida de labuta pelas fazendas. Verificou, então, que as afirmações sobre a indolência irremediável do índio não passavam de justificativa para a exploração a que os submetiam. Sendo os índios a única mão-de-obra da região, só eles poderiam ter aberto as estradas, construído as fazendas e derrubado a cada ano as matas para os roçados; mas era preciso ignorar e negar a evidência para justificar a servidão a que os sujeitavam.

Amadurecido nesses empreendimentos como sertanista, como engenheiro e como geógrafo, Rondon seria em 1906 incumbido de uma obra ainda mais arrojada. O que lhe pediam agora era que atravessasse 250 léguas dos sertões desertos do noroeste de Mato Grosso e trezentas léguas de floresta amazônica para levar os fios telegráficos de Cuiabá ao território do Acre, recentemente incorporado ao Brasil, fechando, ao mesmo tempo, o circuito de comunicações telegráficas nacionais.

Rondon aceita a empresa que a muitos engenheiros e militares experimentados parecera inexeqüível e se propõe não só realizar a obra ciclópica que seria a construção da linha telegráfica, mas também ampliar seus encargos, a fim de proceder ao estudo científico da região que atravessaria, em suas feições geográfica, florística, faunística e etnográfica. E, já agora como indigenista militante, impõe uma outra condição inteiramente nova em empreendimentos dessa natureza: as populações indígenas desconhecidas que viviam na região a devassar deveriam ficar

> [...] aos cuidados da comissão, no intuito de evitar que para elas a penetração em seu território fosse acompanhada das calamidades e cruezas sofridas pelos habitantes de outras regiões, onde se haviam aberto estradas de ferro ou de rodagem, estabelecido linhas de navegação ou feito simples incursões de exploração geográfica ou, ainda, de demarcação de limites. *(Rondon, 1916: 63).*

Falava já a experiência do desbravador que, ao pacificar grupos indígenas, os vira perderem as terras em que viviam, ocupadas por latifundiários. No curso do novo empreendimento Rondon se tornaria mais consciente ainda de suas responsabilidades de pacificador. Veria que

> [...] sertões onde nunca pisou homem civilizado já figuram nos registros públicos como pertencentes ao cidadão A ou B; mais tarde ou mais cedo, conforme lhes soprar o vento dos interesses pessoais, esses proprietários — *cara deum soboles* — expelirão dali os índios que, por uma inversão monstruosa dos fatos, da razão e da moral, serão então considerados e tratados como se fossem eles os intrusos salteadores e ladrões. *(Rondon, 1916: 45)*

Constataria que o convívio indisciplinado com civilizados não representa um progresso para os índios, mas, ao contrário, sua brutalização sob a mais vil das servidões — "a de escravos cuja vida não tem interesse ao senhor".

Com essas preocupações é que Rondon se põe em marcha com sua equipe, rumo ao desconhecido. Seriam oito anos de ingentes esforços, de sacrifícios, de privações; mas oito anos, também, cheios de magníficas realizações. Ao fim deles a Comissão Rondon construíra os 2268 quilômetros de linhas telegráficas, a maior parte através de regiões nunca antes palmilhadas por civilizados; procedera ao levantamento geográfico de 35 mil quilômetros lineares por terra e por água; determinara mais de duzentas coordenadas geográficas; inscrevera na carta de Mato Grosso cerca de quinze rios até então desconhecidos e corrigira erros grosseiros sobre o curso de outros tantos.

Essa a obra incomparável do geógrafo. A ela se deve acrescentar, ainda, as contribuições de Rondon para o conhecimento das populações indígenas, da geologia, da flora e da fauna do Brasil interior. Para isto se fizera acompanhar de cientistas que, avançando com as turmas construtoras da linha telegráfica, realizaram um balanço da natureza brasileira que desafia qualquer paralelo. Fora a mais arrojada penetração jamais realizada para desbravar os desertos interiores do Brasil e, a par disto, a mais altamente organizada, levada a efeito segundo um programa previamente estabelecido e rigorosamente executado. O acervo de dados recolhidos por etnólogos, astrônomos, geógrafos, geólogos, botânicos, zoólogos e sertanistas que se associaram à Comissão Rondon foi recolhido a diversas instituições científicas nacionais e estrangeiras e deu lugar a centenas de publicações.

Maior, porém, que a obra científica foi a humanística. Num tempo em que os índios eram espingardeados como feras junto a zonas povoadas próximas a cidades modernas como São Paulo, Rondon, ao penetrar os sertões mais ermos, fora ao encontro das tribos mais aguerridas do país, levando-lhes uma mensagem de paz e abrindo novas perspectivas nas relações da sociedade brasileira com povos indígenas. Através de sua ação indigenista, Rondon provara que era possível chamar a tribo mais hostil ao convívio pacífico da sociedade brasileira, por métodos persuasórios. Sua equipe havia atravessado territórios das tribos mais temidas, nos quais ninguém antes ousara penetrar, sem jamais hostilizá-las e acabando por conquistar a confiança e a amizade dos índios.

Dificilmente se encontrará em toda a amarga história das relações entre povos tribais e nações civilizadas um empreendimento e uma atitude que se compare aos de Rondon. Mesmo os missionários mais piedosos que evangelizaram os índios do Brasil quinhentista jamais abriram mão do braço secular. Ao contrário, sempre apelaram para ele como o único remédio para a subjugação do gentio, condição para sua catequese. Em Rondon, era o próprio braço secular, era o próprio Exército que, em marcha pelos territórios indígenas, abria mão de sua força para se tornar ternura e compreensão. Por isto sua legenda "Morrer se preciso for, matar nunca" é, também, o ponto mais alto do humanismo brasileiro.

Os primeiros índios com que deparou a Comissão Rondon foram os Pareci, marcados por séculos de contatos e violências dos civilizados. Neles os bandeirantes e os primeiros povoadores de Mato Grosso tiveram uma das fontes preferidas de escravos, por serem índios lavradores que fiavam e teciam o algodão para o fabrico de redes e panos. A beleza de suas mulheres despertou logo a atenção dos mineradores de ouro que em Mato Grosso, como em Goiás, só dispunham de mulheres indígenas nos primeiros anos. A comissão encontrou os grupos Pareci mais próximos das povoações sertanejas, engajados na economia regional como extratores de produtos florestais e sujeitos à maior exploração.

> De nada lhes valia serem de gênio dócil e inofensivo; muitas vezes foram perseguidos e trucidados a tiros de carabina e perderam as suas aldeias devastadas e incendiadas por civilizados que assim procediam para ficar com o monopólio da exploração de seringais em que eles se achavam estabelecidos desde tempos imemoriais. (Magalhães, A. & Barbosa, L. B. H., 1916: 264)

À medida que avançava pelo território pareci, indo ao encontro dos grupos mais isolados, constatava Rondon que os índios eram mais numerosos, viviam melhor, gozando de mais fartura. Como fizera antes com as tribos do sul, Rondon colocou os Pareci sob a proteção da comissão, livrando-os da

> [...] opressão dos seringueiros, obstando a que os índios continuassem a ser perseguidos e enxotados, a ferro e fogo das suas aldeias, espoliados de suas terras, roubados e depravados pela introdução da cachaça, com todo o seu triste cortejo de misérias físicas e morais. (Magalhães, A. & Barbosa, L. B. H., 1916: 276)

Convenceu os chefes pareci da conveniência de transferir-se a tribo para terras melhores, assegurando-lhes a propriedade das mesmas e os colocando, assim, mais perto das linhas telegráficas, o que lhes garantiria trabalho bem remunerado. Fundou escolas que alfabetizaram os Pareci e prepararam artífices e telegrafistas, depois aproveitados nas estações da região. E, sobretudo, levantou o ânimo da tribo, pelo respeito às suas instituições e pelo acatamento às suas autoridades, impondo a todos os antigos exploradores esse mesmo respeito. Assim conquistou Rondon a confiança daqueles índios que, daí por diante, seriam seus mais preciosos guias no desbravamento de regiões que somente eles conheciam.

Rondon e os Nambikwara

Em seguida, a Comissão Rondon inicia a penetração no território dos Nambikwara. Desta tribo não se sabia mais do que o nome a ela atribuído um século antes e as notícias dos violentos choques que tivera com todos os que tentaram invadir sua região. Eram descritos como índios antropófagos, em guerra contra todas as tribos circundantes. Os Nambikwara seriam uma prova de fogo para os métodos persuasórios de Rondon. Ninguém, exceto ele, acreditava ser possível penetrar o território daqueles índios sem lhes mover uma guerra cruenta; e ninguém esperava da Comissão Rondon, já assoberbada pelas dificuldades imensas de sua empresa, que ela se fizesse pacificamente. Em seu diário, referindo-se àquela penetração, escrevia ele:

> Ninguém exige de nós atos sublimes, de coragem e de abnegação; mas é nosso dever absoluto não juntarmos aos embaraços já existentes outros que tornem ainda mais difícil a árdua tarefa de quem, no futuro, tiver forças para a vencer. (1916: 130-1)

À medida que a expedição avançava iam aumentando os sinais da presença daqueles índios: caminhos cada vez mais batidos, árvores onde haviam tirado mel com seus machados de pedra, acampamentos de caça recentemente abandonados e, finalmente, sinais de sua presença pressentidos bem próximos. Os Nambikwara vigiavam o avanço da tropa, mantendo-se, porém, sempre invisíveis. As preocupações dos oficiais eram cada vez maiores, o encontro desejado era iminente, mas todos temiam pelos seus resultados. Apreensivo com o ânimo de seus soldados, Rondon registra em seu diário:

> Os expedicionários pouco dormiam. Muitos nos contaram ter ouvido, alta noite, rumo do sol poente, sons parecidos com as flautas dos índios, provenientes talvez dalgum aldeamento estabelecido para essa banda [...] O que não teria passado pelo espírito dos nossos soldados e tropeiros cercados, nestes ermos, de indícios e vestígios dos Nambikwaras, nome que só por si basta para arrebatar as almas, mes-

> mo as mais frias, às regiões povoadas de cenas pavorosas de antropofagia, de que andam cheias as lendas secularmente entretecidas em torno desta nação de silvícolas?!! (1916: 136)

Este era o mais grave problema de Rondon naquela penetração: o pavor de seus soldados. Gente aliciada da população sertaneja, acostumada a matar índios com a naturalidade com que se abate a caça, não podia conceber que estes devessem ser poupados, mesmo quando atacassem. Vinham sugestionados pelas histórias de massacres, ouvidas através de toda a zona pioneira, cuja população vivia em guerra com aqueles mesmos índios. Nestas condições, todas as preocupações eram necessárias para evitar o pânico diante de um ataque de índios, pois, se fosse revidado pelos soldados, poderia comprometer todo o empreendimento. Uma vez que se estabelecesse a luta, a comissão só poderia romper os sertões pela guerra, matando índios e sofrendo também imensas perdas. O primeiro problema era o moral de sua própria tropa — mantê-la serena e consciente, mesmo nos momentos em que o orgulho militar fosse excitado por um ataque inesperado.

O índio, por sua vez, não podia encarar a invasão indisfarçável do seu território senão como um ato hostil. Toda a tradição tribal e a experiência pessoal de cada um deles ensinavam que cada homem branco é um celerado, pronto a trucidar, violentar, incendiar e roubar. Como convencê-los de que a comissão era diferente de quantos magotes de seringueiros ou simples exploradores haviam tentado atravessar antes as suas terras, à força de balas? Para Rondon este era um ponto de honra — se a comissão devesse transformar-se em força trucidadora de índios, ele não teria aceitado seu comando. Todavia estava certo de que os índios procurariam hostilizar a tropa; e sua repulsa à idéia de ter de revidar-lhes o fazia redobrar a vigilância para frustrar-lhes qualquer oportunidade de ao menos tentar um ataque. Acabrunhado por preocupações dessa ordem durante a penetração pelo território nambikwara, Rondon escrevia:

> Estamos invadindo suas terras, é inegável! Preferiríamos pisá-las com o assentimento prévio dos seus legítimos donos. Havemos de procurar todos os meios para lhes mostrar quanto almejamos merecer esse assentimento e que não temos outra intenção senão a de os proteger. Sentimo-nos intimamente embaraçados por não podermos, por palavras, fazer-lhes sentir tudo isso [...] Eles nos evitam; não nos proporcionam ocasião para uma conferência, com certeza por causa da desconfiança provocada pelos primeiros invasores que profanaram os seus lares. Talvez nos odeiem também, porque, do ponto de vista em que estão, de acordo com a sua civilização, todos nós fazemos parte dessa grande tribo guerreira que, desde tempos imemoriais lhes vem causando tantas desgraças, das quais as mais antigas revivem nas tradições conservadas pelos anciãos. *(1916: 131-2)*

Realmente vieram os ataques. Os índios que rodeavam e seguiam a tropa continuamente, procurando ocasião para hostilizá-la, acabaram atacando e ferindo mais de uma vez os expedicionários. Porém, a força moral de Rondon e de seus oficiais foi capaz de conter a tropa e evitar revides. Mesmo quando o próprio general foi alvejado pelas flechas nambikwara e os soldados oficiais mais se agitaram tentando rechaçar o ataque, a ordem foi mantida e a diretiva de Rondon ficou de pé: "Morrer se preciso for, matar nunca".

Esta atitude pacífica, aliada aos presentes que a comissão vinha deixando em cada caminho de índios com que deparava, nos ranchos de caça ou arrumados em jiraus onde pudessem ser encontrados acabaram por convencer os Nambikwara do ânimo amistoso dos expedicionários. Em 1910, o primeiro grupo se apresentou ao pessoal da comissão, sendo acolhido com todas as mostras de amizade e largamente presenteado com brindes especialmente destinados para esta eventualidade. Poucos meses depois, todos os outros grupos se tinham confraternizado com a comissão, apresentando-se às centenas, acompanhados de suas mulheres e filhos, em vários pontos da extensa região em que operava.

> Nem mesmo os velhos inválidos se quiseram privar da satisfação de verem, com seus próprios olhos, os homens que apareciam assim, de repente, nas suas terras, com o poder de produzirem tão profunda e radical modificação nos seus hábitos seculares, como essa que resulta da substituição dos instrumentos de pedra pelos de ferro. (Rondon, 1916: 150)

Seguiram-se esforços para lograr a pacificação total dos Nambikwara com as tribos que guerreavam, principalmente os Pareci, seus inimigos tradicionais e que haviam representado o papel de guias da comissão, através dos sertões desconhecidos da serra do Norte.

Kepkiriwat, Rama-Rama e Ariken

A fome de ferro que demovera as últimas resistências dos Nambikwara à confraternização confirmaria sua força junto de cada uma das tribos que a comissão encontrou em seus caminhos. Uma delas, os Kepkiriwat, tendo deparado — segundo presumiu Rondon — com uma picada aberta pela comissão a golpes de ferramentas, decidira transferir-se para junto dela, na esperança de surpreender um dia a gente que dispunha de tão extraordinárias ferramentas. Para tribos que só contavam com machados de pedra que cortavam, furavam, raspavam e poliam com instrumentos feitos de ossos, dentes e conchas, um arbusto decepado com um golpe de terçado devia representar alguma coisa de extraordinário capaz de aguçar vivamente sua curiosidade. Esses índios confraternizaram-se com a comissão em 1913. Eram, até então, inteiramente desconhecidos.

Nos dois anos seguintes a Comissão Rondon entrou em relações com as tribos do rio Ji-Paraná. Eram povos de língua tupi que viviam em guerra com todos os vizinhos e, sobretudo, com os seringueiros que penetravam seu território, partindo do rio Madeira. Assim, a Comissão Rondon, que deixara para trás os últimos núcleos pioneiros de Mato Grosso, a mais de dois milhares de quilômetros, reencontrava a civilização em outra de suas frentes de expansão, aqui representada pela mesma violência sem freios contra os índios. Era a fronteira de expansão da economia extrativa da Amazônia, que avançava como uma avalanche sobre as tribos acoitadas naqueles ermos. E esta violência não tinha nenhuma relação com a atitude dos índios: fossem agressivos ou dóceis, eram sempre tratados como feras.

Num dos afluentes do Ji-Paraná, Rondon ouviu a história de uma tentativa de pacificação de seringueiros, levada a efeito pelos índios Rama-Rama.

> Cansados de tantos sofrimentos, os índios resolveram catequizar, amansar, ou, se quiserem, domesticar aquele civilizado sobre o qual certamente teriam opinião um tanto parecida com a que muitas vezes vemos expender-se a respeito deles mesmos, isto é, a de ser um bárbaro com instinto de fera. Mas ainda assim não se resolveram a matá-lo; preferiram os meios brandos e eis o que engendraram: o truculento seringueiro atravessava habitualmente certo rio, sobre uma pinguela. Dois Rama-Rama puseram-se a esperá-lo bem ocultos, cada qual em uma das cabeceiras da rústica passagem. Vem o seringueiro, barafusta por ali e quando está todo absorvido com as dificuldades naturais de semelhantes passos, levantam-se os índios fechando-lhe as saídas. Atônito, o homem perde a presença de espírito e nem mais se lembra da espingarda que traz a tiracolo. Porém, mais atônito deveria ter ele ficado, quando viu aqueles selvagens que o podiam acabar em um instante e com toda a segurança, estenderem-lhe as mãos desarmadas, oferecendo-lhe frutas: eram os "brindes" com que tentavam iniciar o trabalho de catequese do civilizado. (Rondon, 1916)

Mais adiante, já no vale Jamari, a comissão iria deparar com os Ariken, cuja atitude pacífica não os poupava da mais violenta perseguição dos seringueiros bolivianos e brasileiros que os desalojaram de seu antigo território e os mantinham em constante inquietação. Rondon, não podendo realizar a pacificação, procurou os perseguidores e conseguiu convencê-los a assumirem uma nova atitude diante daqueles índios. O conselho foi seguido e pouco tempo depois os Ariken confraternizavam com todos os sertanejos da região, abrindo-lhes suas aldeias, adotando seus costumes e até aprendendo a exprimir-se em português com surpreendente rapidez.

A conseqüência desse contato indiscriminado e da atitude dócil daqueles índios foi sua pronta contaminação por doenças, desde a gripe até a sífilis, que provocaram violenta mortalidade, reduzindo a tribo que contava seiscentas pessoas a sessenta apenas, em poucos anos. A par disto, as crianças lhes foram tomadas para serem "educadas" na condição de criados, prática tão comum na Amazônia. Assim os encontrou Rondon em 1913, quando voltou àquela região, sendo obrigado a adotar medidas enérgicas para sustar a extinção do grupo.

Através de mais de vinte anos de atividades nos sertões de Mato Grosso, convivendo com remanescentes de tribos que tiveram longos contatos com civilizados e com índios pacificados por ele próprio, Rondon reunira uma experiência preciosa sobre as relações entre índios e brancos. E mais que isto, forjara uma equipe igualmente consciente da complexidade e da importância do problema indígena. Esta foi a grande escola do indigenismo brasileiro, onde se formaram aqueles que iriam criar e dirigir o Serviço de Proteção aos Índios. Oficiais, cientistas, escritores, professores, todos unidos pela mentalidade formada naqueles anos de campanha pacífica, apresentavam-se a Rondon recém-egressos das escolas militares e civis, ainda bisonhos. Já caracterizados, porém, por haverem escolhido servir exatamente ao setor mais árduo, àquele que exigia trabalho mais extenuante, vontade mais firme, coragem não apenas para morrer heroicamente, mas sobretudo para viver a dura existência de longos anos de isolamento, nos sertões mais ermos.

Desses homens sairiam os primeiros indigenistas brasileiros. Haviam aprendido na escola de Rondon a não apelar para a força ou para qualquer tipo de violência, ainda que para revidar a ataques. Aprenderam, sobretudo, que mesmo a tribo mais aguerrida está sedenta de paz e confraternizará com a civilização — desde que se consiga convencê-la de que não está tratando com a mesma espécie de brancos com que até então se defrontara. Vale dizer, que a civilização tem outra face além daquela pela qual sempre lhes fora apresentada.

II A INTERVENÇÃO PROTECIONISTA

5 A POLÍTICA INDIGENISTA BRASILEIRA[1]

Nos primeiros vinte anos de vida republicana nada se fez para regulamentar as relações com os índios, embora nesse mesmo período a abertura de ferrovias através da mata, a navegação dos rios por barcos a vapor, a travessia dos sertões por linhas telegráficas houvessem aberto muitas frentes de luta contra os índios, liquidando as últimas possibilidades de sobrevivência autônoma de diversos grupos tribais até então independentes.

Em 1910, ano da fundação do Serviço de Proteção aos Índios, largas faixas do território nacional, que podiam ser alcançadas com um a dois dias de viagem a partir de algumas das principais cidades brasileiras, como São Paulo, Vitória, Ilhéus, Blumenau, estavam interditadas a qualquer atividade econômica pelas lutas sangrentas que levavam tribos inteiras ao extermínio. As notícias dessas lutas ocupavam todos os jornais, eram discutidas nas assembléias legislativas, nas associações científicas e instituições filantrópicas, todas elas exigindo providências imediatas. O presidente da República convocava reuniões de ministros para estudar a conveniência de mandar forças do Exército para pôr cobro àqueles conflitos. As populações das zonas pioneiras exigiam medidas capazes de assegurar a conclusão de estradas de ferro e de garantir a vida dos sertanejos que conquistavam novas matas para as plantações de café e dos colonos estrangeiros a quem haviam sido entregues terras habitadas por tribos hostis.

Era esta a situação da Estrada de Ferro Noroeste do Brasil, interrompida algumas léguas adiante da capital de São Paulo pelos índios Kaingang, que infundiam o terror numa frente de trezentos quilômetros ao longo daquela ferrovia e na região compreendida entre os rios Tietê, Feio, do Peixe e Paranapanema.

A situação era igualmente grave nas matas do sul do rio Doce, tanto no estado de Minas como no do Espírito Santo. Ali os Botocudo se opunham, de armas na mão, ao devassamento do seu território tribal. A colônia italiana de São Mateus via-se na iminência de ser abandonada.

Nas matas de araucárias dos estados do Paraná e Santa Catarina, os índios Xokleng eram chacinados por bugreiros profissionais, estipendiados por sociedades colonizadoras e pelos cofres públicos, para expulsá-los das terras em que sempre viveram e que haviam sido destinadas a imigrantes alemães e italianos. As legações desses países e a imprensa de suas capitais exigiam providências enérgicas, capazes de garantir a vida dos colonos. O extermínio dos índios era não só praticado, mas defendido e reclamado como o remédio indispensável à segurança dos que "construíam uma civilização no interior do Brasil".

Entretanto, a população citadina, distanciada não só geográfica mas historicamente das fronteiras de expansão, e desligada dos interesses que atiçavam os chacinadores de índios, já não podia aceitar o tratamento tradicional do problema indígena, a ferro e fogo. Abria-se um abismo entre a mentalidade das cidades e a dos sertões. Enquanto, para os primeiros, o índio era o personagem idílico de romances no estilo de José de Alencar ou dos poemas ao gosto de Gonçalves Dias, ou ainda o ancestral generoso e longínquo, que afastava toda suspeita de negritude; para o sertão, o índio era a fera indomada que detinha a terra virgem, era o inimigo imediato que o pioneiro precisava imaginar feroz e inumano, a fim de justificar, a seus próprios olhos, a própria ferocidade.

O movimento que levaria à criação de um órgão oficial incumbido de tratar do problema começa pelas campanhas da imprensa. A princípio são simples descrições de chacinas e apelos por providências do governo. Aos poucos se avoluma, ganha adeptos dedicados que fundam associações destinadas a defender os índios. Por fim empolga as classes cultas do país; e o índio, até então esquecido, torna-se o assunto do dia — na imprensa, nas revistas especializadas, nas instituições humanitárias, nas reuniões científicas. No Congresso de Geografia realizado em 1909, já é a questão mais vivamente debatida e objeto de quatro alentadas teses (Primeiro Congresso Brasileiro de Geografia, 1911).

Para esta tomada de consciência do problema, contribuíram ponderavelmente as conferências do gen. Rondon, que, de volta de suas expedições, revelava à gente das cidades uma imagem nova do índio verdadeiro que aguardava a intervenção salvadora do Governo. Foi ele quem substituiu a figura de Peri pela de um Nambikwara, aguerrido e altivo, ou pela dos Kepkiriwat, encantados com os instrumentos supercortantes da civilização, ou ainda pela dos Umutina, dos Ofaié e tantos outros, levados a extremos de penúria pela perseguição inclemente que lhes moviam, mas, ainda assim, fazendo comoventes esforços para confraternizar com o branco.

Contribuiu também para polarizar a opinião pública em torno da questão indígena da morte pelos Kaingáng, em 1901, de um padre muito relacionado nas camadas mais altas de São Paulo, mons. Claro Monteiro, que fora tentar sua pacificação.

Paradoxalmente, um dos pronunciamentos mais decisivos para a fundação do Serviço de Proteção aos Índios foi um artigo de um cientista de renome, Hermann von Ihering, diretor do Museu Paulista, defendendo ou justificando o extermínio dos índios hostis. Sumariando a situação dos aborígines do Brasil meridional e suas relações com imigrantes, concluía Von Ihering que, não se podendo esperar deles nenhuma contribuição para a civilização e sendo, ao contrário, "um empecilho para a colonização das regiões do sertão que habitam, parece que não há outro meio, de que se possa lançar mão, senão o seu extermínio" (1907: 215).

Esta proposição causou a mais violenta revolta em todos os círculos, provocando uma série de contestações que contribuíram largamente para a tomada de posição diante do problema e, sobretudo, para a divulgação dos métodos persuasórios desenvolvidos por Rondon. Todavia, a tese de Von Ihering não era mais que a expressão, em letra de fôrma, de uma atitude secular, profundamente enraizada em todas as zonas onde sobreviviam índios hostis ou arredios. Acontece, porém, que o índio se tornara um dos temas prediletos da literatura nacional mais consumida àquela época. Não aquele índio que vivia e morria caçado nas matas, mas o *bom selvagem* inspirado em Rousseau ou em Chateaubriand. E era a este índio idílico, personagem de romance ameno, que o leitor de jornal via trucidar no artigo de Von Ihering.

Como compreender atitude tão radical em Von Ihering, um dos cientistas que mais haviam contribuído, em seu tempo, para o desenvolvimento da etnologia brasileira e sido dos primeiros a tomarem consciência da gravidade da questão indígena? Para compreendê-lo, é preciso ler com ele, na língua materna, o *Urwaldsbote,* jornal em que os colonos alemães de Santa Catarina narravam seus padecimentos e clamavam por soluções drásticas, que pusessem cobro aos ataques dos Xokleng. Um artigo daquele jornal, citado pelo próprio Von Ihering, expõe este programa:

> Se se quiser poupar os índios por motivos humanitários é preciso que se tomem, primeiro, as providências necessárias para não mais perturbarem o progresso da colonização. Claro que todas as medidas a empregar devem calcar-se sobre este princípio: em primeiro lugar se deve defender os brancos contra a raça vermelha. Qualquer catequese com outro fim não serve. Por que não tentar imediatamente? Se a

> tentativa não der resultado algum, satisfizeram-se as tendências humanitárias; então, sem mais prestar ouvidos às imprecações enfáticas e ridículas de extravagantes apóstolos humanitários, proceda-se como o caso exige, isto é, exterminem-se os refratários à marcha ascendente da nossa civilização, visto como não representam elemento de trabalho e de progresso. *(1911: 137)*

E Von Ihering, de quem colhemos a citação, arremata, compadecido: "Quem escreveu estas linhas anseia por uma solução, humanitária ou não".

Sua predileção evidente pelo colono é que o fazia estranhar a "predileção sentimental do brasileiro em favor dos índios, que são um escolho imenso a transpor" (1911: 113). Ele, que não tem um comentário para o índio caçado pelos colonos em suas choças, se apieda e se revolta contra a impunidade do selvagem empenhado na "matança sem peias dos pioneiros da civilização" (1911: 113). O sistema de catequese que propõe só tem de novidade a equiparação legal do índio hostil ao cidadão brasileiro das cidades, para efeito de punição dos crimes que comete.

Por outro lado, esta situação de conflito entre índios e colonos enquadrava-se muito bem no esquema conceitual de Von Ihering, seu evolucionismo haeckeliano, da "competição vital": diante de uma população mais bem dotada, os mais fracos devem ceder lugar, por um imperativo das leis naturais, da evolução, do progresso. Nesta ordem de raciocínio, Von Ihering chega a ver ameaçada a própria civilização: "A marcha ascendente de nossa cultura está em perigo, é preciso pôr cobro a esta anormalidade que a ameaça" (1911: 113).[2]

Catequese ou proteção

Em meio a estes debates, o país toma consciência do problema indígena, definindo-se logo duas correntes opostas. Uma, religiosa, que defendia a catequese católica como a única solução compatível com a formação do povo brasileiro. Outra, leiga, argumentava que a assistência protetora ao índio competia privativamente ao Estado. Sendo este leigo, leiga deveria ser a assistência, mesmo porque mais de uma religião era professada pelo povo e cabia assegurar ao índio plena liberdade de consciência para, uma vez capacitado, escolher sua própria fé, e bem assim garantir a todas as confissões religiosas o direito de fazer prosélitos entre eles.

A catequese era defendida em nome da "experiência secular e única dos missionários, no tratamento de problemas indígenas", reconhecendo

> [...] na fé cristã a força única capaz de tão elevado cometimento, a fonte inexaurível de devotamento, de abnegação até o sacrifício, sem o que essa cruzada difícil se não realizará. (Sampaio, 1901: v)

Tais argumentos eram apresentados ao lado de descrições grandiloqüentes da obra da Companhia de Jesus no Paraguai e demonstrações do malogro das administrações civis criadas pelo Império. Em artigos de jornal, em teses nos congressos científicos, nas câmaras legislativas, o ponto de vista religioso era apresentado nesses termos, sempre com a previsão de que qualquer tentativa de assistência não dirigida por sacerdotes católicos estaria fadada ao mais completo fracasso.[3]

Nessas discussões jamais se analisava a situação real das missões religiosas que subsistiam, apregoando-se as vantagens do sistema com exemplos do passado mais remoto. Era como se existissem centenas de santos homens, prontos para iniciar a catequese, desde que o Governo lhes assegurasse a necessária ajuda financeira. Entretanto, havia mais de um século parecia ter-se quebrado o fervor missionário do clero católico. Dezenas de pedidos de padres catequistas, feitos pelos governos provinciais para atender tanto a índios hostis como a índios já civilizados, deixaram de ser satisfeitos pelas ordens religiosas por não contarem com pessoal para isto. E nos poucos casos atendidos, os clérigos encaminhados às províncias eram de tal sorte inqualificados para os misteres da catequese que pouco depois se desmoralizavam perante índios e civilizados. Já então a maioria dos padres entrados no país, destinados à catequese de índios, manifestava decidida preferência pelo trabalho junto às populações sertanejas, sempre carecentes de sacerdotes e junto às quais encontravam maior compreensão e maior conforto.

Foi o que ocorreu com as missões de padres capuchinhos criadas para pacificar os índios hostis de São Paulo, Santa Catarina, Minas Gerais e Espírito Santo, os quais, embora recebendo estipêndios do Estado para esta obra, jamais a ela se dedicaram realmente (Primério, 1942). Deu-se o mesmo com os dominicanos que se propuseram catequizar os Kayapó meridionais, os Karajá, os Xerente e os Krahô do Tocantins. O mesmo ocorreria, nos anos seguintes, com os salesianos, primeiro em Mato Grosso, depois no Amazonas. Quase todas essas missões se dissolveram nas desobrigas através de vastas regiões sertanejas, acabando por esquecer ou relegar a um plano secundário os propósitos para os quais foram criadas.[4]

Em todo o século XIX nenhuma missão religiosa realizara uma só pacificação de tribo hostil; no entanto, continuavam apregoando sua exclusiva capacidade para esses empreendimentos. As poucas missões que realmente atuavam entre índios haviam caído a um nível muito baixo. Mesmo onde havia fervor e dedicação, como parece ter ocorrido com os dominicanos de frei Gil, no Araguaia, os métodos utilizados punham tudo a perder. Velhos erros repetidos através de gerações levavam uma tribo após outra ao mais alto grau de desajustamento, sem que os missionários tomassem consciência do papel que sua própria intolerância representava no processo. Em quase todas as missões haviam estourado conflitos entre índios e missionários que eram atribuídos, de forma simplista, à rudeza do índio mal-agradecido e irremediavelmente inapto para a civilização.

Os salesianos, aos quais fora entregue em 1894 a Colônia Tereza Cristina, onde viviam os Bororo do rio São Lourenço, com eles se incompatibilizaram a ponto de a colônia ser abandonada pelos índios e os missionários serem compelidos a aceitar sua expulsão (Bandeira, 1923: 75).

Em 1893 os capuchinhos, que catequizavam índios Pojiá em Itambacuri, Minas Gerais, foram atacados por seus catecúmenos, levados ao desespero. O assalto fracassou, mas os índios fugiram para as matas do Mucuri, onde foram caçados por sertanejos revoltados contra o insólito ataque aos piedosos missionários.[5]

Em 1901, cinco padres franciscanos e nove freiras que dirigiam uma missão de catequese dos índios Guajajara, em Alto Alegre, município de Barra do Corda no Maranhão, foram trucidados pelos índios revoltados com a separação de pais e filhos, moças e rapazes. A represália imediata, contra inocentes e culpados, revestiu-se de requintes de crueldade da parte de sertanejos e índios Canela, para isto aliciados. Vinte anos depois, os índios remanescentes da missão de Alto Alegre ainda escondiam sua identidade, apavorados com o que lhes poderia suceder, se fossem descobertos (S. F. Abreu, 1931: 219).[6]

Assim se vê que foi o malogro das missões religiosas e não os pontos de vista doutrinários o que levou à adoção da assistência leiga, sem preocupação de proselitismo religioso, assegurando-se, assim, ampla liberdade de catequese a todas as confissões religiosas.

A formulação desta nova política indigenista coube principalmente aos positivistas[7] que, baseados no evolucionismo humanista de Augusto Comte, propugnavam pela autonomia das nações indígenas na certeza de que evoluiriam espontaneamente, uma vez libertadas de pressões externas e amparadas pelo Governo.

Segundo o modo de ver dos positivistas, os índios, mesmo permanecendo na etapa "fetichista" do desenvolvimento do espírito humano, poderiam progredir industrialmente, tal como haviam progredido, na mesma etapa, os povos andinos, os egípcios e os chineses. Para tal resultado, o que cumpria fazer era proporcionar-lhes os meios de adotarem as artes e as indústrias da sociedade ocidental. Assim, não cabia ao governo nenhuma atividade de catequese, que pressupõe o propósito de conversão em matéria espiritual e para o que seria necessário existir uma doutrina oficial, religiosa ou filosófica. O que se impunha era, pois, uma obra de proteção aos índios, de ação puramente social, destinada a ampará-los em suas necessidades, defendê-los do extermínio e resguardá-los contra a opressão.

A feição prática da nova política indigenista assentou-se na experiência pessoal de Rondon, acumulada em vinte anos de atividades nos sertões de Mato Grosso. Positivista militante, orientara toda a sua vida de acordo com os postulados de Augusto Comte. Oficial recém-formado, recusara uma cátedra na Academia Militar, escolhendo atuar no setor onde poderia mais eficazmente imprimir à tropa sob seu comando uma feição construtiva e pacífica, tal como Comte propugnara para o advento do Estado Positivo, quando os remanescentes dos antigos exércitos seriam utilizados em funções de policiamento e nas grandes obras civis. A Comissão Rondon fora uma aplicação prática, consciente, das idéias de Comte no terreno militar: a utilização pacífica do Exército no desbravamento dos sertões interiores; na construção de obras civis, como a linha telegráfica; na realização de objetivos humanísticos, como a proteção ao índio. É, pois, de Comte que vem a inspiração para esta epopéia dos sertões brasileiros: um corpo de tropa que, avançando em território habitado por índios hostis, se nega a fazer uso das armas, mesmo quando atacado, em nome de um princípio de justiça.

Depois das jornadas de Rondon, da demonstração prática da validade de seus métodos persuasórios junto a grupos aguerridos como os Nambikwara, não podiam manter-se mais aquelas velhas teses por tantos defendidas, da incapacidade do índio para a civilização, da inevitabilidade do uso da força contra o índio arredio e hostil; e a conjura mais manhosa ainda, segundo a qual a dizimação dos povos tribais, conquanto lastimável, seria uma imposição do progresso nacional e, assim, historicamente inexorável.

Convidado para organizar e dirigir a instituição federal de assistência aos índios, Rondon aquiesce, mas condiciona sua participação à aprovação, pelo Governo, dos princípios estatuídos pelos positivistas sobre a matéria. Como diretrizes para o novo órgão, Rondon reporta-se aos princípios compendiados em 1822 por José Bonifácio de Andrada e Silva e até então irrealizados:

> 1. Justiça — não esbulhando mais os índios, pela força, das terras que ainda lhes restam e de que são legítimos Senhores;
> 2. Brandura, constância e sofrimento de nossa parte, que nos cumpre como a usurpadores e cristãos;
> 3. Abrir comércio com os bárbaros, ainda que seja com perda da nossa parte;
> 4. Procurar com dádivas e admoestações fazer pazes com os índios inimigos;
> 5. Favorecer por todos os meios possíveis os matrimônios entre índios e brancos e mulatos. (1910: 22-3)

Na apresentação de seu programa indigenista, Rondon e sua equipe passam em revista as experiências práticas do passado e os estudos da questão indígena no Brasil. Dentre estes destacam os do gen. Couto de Magalhães, cujos esforços levados a efeito em meados do século passado, para assistir os índios Karajá e Kayapó do rio Araguaia segundo os métodos tradicionais, ele próprio criticara num retrato clássico do índio catequizado:

> É, por via de regra, um ente degradado; ou seja que o sistema de catequese é mau, ou seja que o esforço dirigido especialmente para conseguir um homem religioso se esqueça de desenvolver as idéias eminentemente sociais do trabalho livre, ou seja por outra qualquer cousa, o fato é este: o índio catequizado é um homem sem costumes originais, indiferente a tudo e, portanto, à sua mulher e quase que à sua família. *(1940: 146)*

Em outro contexto, Couto de Magalhães matiza esse retrato:

> Coitados! Eles não têm historiadores; os que lhes escrevem a história ou são aqueles que, a pretexto da religião e civilização, querem viver à custa de seu suor, reduzir suas mulheres e filhas a concubinas, ou

> são os que os encontram degradados por um sistema de catequese, que com mui raras e honrosas exceções é inspirada por móveis de ganância ou da libertinagem hipócrita, o que dá em resultado uma espécie de escravidão que, fosse qual fosse a raça, havia forçosamente de produzir a preguiça, a ignorância, a embriaguez, a devassidão e mais vícios que infelizmente acompanham o homem quando se degrada. Os escravos dos gregos e romanos eram de raça branca, e não sei que a história tenha conservado notícia de gente pior. (1940: 283)

E propõe, a seguir, o sistema de assistência que lhe parece mais conveniente:

> É ensinar em cada tribo alguns meninos a ler e a escrever, conservando-lhes o conhecimento da língua materna, e, sobretudo: não aldear nem pretender governar a tribo selvagem. Deixemo-los com seus costumes, sua alimentação, seu modo de vida. A mudança mais rápida é aquela que só pode ser operada com o tempo, e no decurso de mais de uma geração, pela substituição gradual das idéias e necessidades que eles possuem no estado bárbaro, em comparação com as que hão de ter desde que se civilizem. Limitemo-nos a ensinar-lhes que não devem matar aos de outras tribos. É a única coisa em que eles divergem essencialmente de nós. Quanto ao mais, seus costumes, suas idéias morais, sua família, seu gênero de trabalho para alimentar-se, são muito preferíveis, no estado de barbaria em que eles se acham, aos nossos costumes que eles repelem enquanto podem, e aos quais se não sujeitam senão quando enfraquecidos por contínuas guerras, se vêm entregar a nós para evitar a morte e a destruição. (1940: 283-4)

O Serviço de Proteção aos Índios

Dentro desta orientação foi estabelecido o Serviço de Proteção aos Índios e Localização de Trabalhadores Nacionais, criado pelo decreto nº 8072, de 20 de julho de 1910, e inaugurado em 7 de setembro do mesmo ano. Previa uma organização que, partindo de núcleos de atração de índios hostis e arredios, passava a povoações destinadas a índios já em caminho de hábitos mais sedentários e, daí, a centros agrícolas onde, já afeitos ao trabalho nos moldes rurais brasileiros, receberiam uma gleba de terras para se instalarem, juntamente com sertanejos. Esta perspectiva otimista fizera atribuir, à nova instituição, tanto as funções de amparo aos índios quanto a incumbência de promover a colonização com trabalhadores rurais. Os índios, quando para isto amadurecidos, seriam localizados em núcleos agrícolas, ao lado de sertanejos.

Nos anos seguintes esta regulamentação seria modificada em alguns pontos essenciais. Já em 1914, reconhecendo-se a especificidade do problema indígena, o SPI passaria a tratar exclusivamente dele, transferindo as atribuições de localização de trabalhadores nacionais para outra repartição governamental.[8]

O regulamento baixado com a lei de criação do SPI, confirmado, com pequenas modificações, pelo decreto nº 9214, de 15 de dezembro de 1911, fixou as linhas mestras da política indigenista brasileira.

Pela primeira vez era estatuído, como princípio de lei, *o respeito às tribos indígenas como povos que tinham o direito de ser eles próprios, de professar suas crenças, de viver segundo o único modo que sabiam fazê-lo: aquele que aprenderam de seus antepassados e que só lentamente podia mudar.*

Até então o índio fora tido, por toda a legislação, como uma espécie de matéria bruta para a cristianização compulsória e só era admitido enquanto um futuro não-índio. Aquele regulamento marca, pois, uma nova era para os índios. Por ele, a civilização brasileira abre mão, ao menos em lei, do dogmatismo religioso e do etnocentrismo que até então não admitia outra fé e outra moral senão a própria. Isto não significa que nivelasse as crenças, os hábitos e as instituições tribais às nacionais, mas que compreendia o relativismo da cultura e que diferentes formas de concepção do sobrenatural ou de organização da família atendem satisfatoriamente a seus objetivos, cada qual em seu contexto histórico, e que não podem ser substituídas umas pelas outras abruptamente.

Outro princípio de importância fundamental era a *proteção ao índio em seu próprio território.* Punha-se cobro à velha prática dos descimentos, que desde os tempos coloniais vinham deslocando tribos de seu hábitat para a vida famélica dos vilarejos civilizados. Esta técnica de "civilização do índio" fora utilizada, desde sempre, como a principal arma do arsenal de desorganização da vida tribal. Uma vez fora do ambiente em que se tinha criado e onde era eficiente seu equipamento de luta pela subsistência, o índio dificilmente poderia manter a vida comunal e só lhe restava fugir ou submeter-se aos seus dominadores.

Pelo regimento ficava também *proibido o desmembramento da família indígena,* pela separação de pais e filhos, sob pretexto de educação ou de catequese. Era outra prática secular que, embora responsável por fracassos clamorosos e até por levantes sangrentos, continuava em vigor. Acreditando só poder *salvar* os índios pela conquista das novas gerações e revelando absoluto menosprezo pelo que isto representava para os pais índios, os filhos lhes eram tomados e conduzidos às escolas missionárias. O pior é que o sistema jamais dera os resultados que dele se esperavam. Na realidade, só privava o jovem índio da oportunidade de iniciar-se nas técnicas e tradições tribais, as únicas realmente operativas em sua vida de adulto. Na missão o índio era preparado para uma vida de civilizado que não teria oportunidade de viver. Quando voltava à aldeia, via-se lançado à marginalidade: nem era um índio eficazmente motivado pelos valores tribais e capaz de desempenhar os papéis que sua comunidade esperava de um adulto, nem bem era civilizado, por força do que ainda conservava de índio e, sobretudo, pelo sucessivo fracasso em todas as suas tentativas de passar por civilizado entre civilizados. Malgrado as qualificações educacionais e técnicas que adquirisse na escola, continuariam a considerá-lo como um índio e a tratá-lo com todo o peso do preconceito que separa índios de sertanejos.

Toda a ação assistencial deveria, doravante, orientar-se para a comunidade indígena como um todo, no esforço de levá-la a mais alto nível de vida, através da *plena garantia possessória, de caráter coletivo e inalienável, das terras que ocupam, como condição básica para sua tranqüilidade e seu desenvolvimento*; da introdução de novas e mais eficientes técnicas de produção e da defesa contra epidemias, especialmente aquelas adquiridas no contato com civilizados e que, sobre populações indenes, alcançam maior letalidade.

Mais tarde, reconhecendo a incapacidade objetiva do índio para interagir em condições de igualdade com os demais cidadãos, a lei atribuía-lhe um estatuto especial de amparo que, *assegurando a cada índio, tomado em particular, todos os direitos do cidadão comum, levava em conta, na atribuição dos deveres, o estágio social em que se encontrava.*

Rondon não ficou na formulação dos princípios. Colocou-se à frente do Serviço de Proteção aos Índios, como seu diretor, a princípio, e, depois, como orientador sempre vigilante. Graças à sua ação indigenista, o SPI pacificou quase todos os grupos indígenas com que a sociedade brasileira deparou em sua expansão, sempre fiel aos métodos persuasórios. Dezenas de servidores do SPI, ideologicamente preparados e motivados pelo exemplo de Rondon, provaram, à custa de sua vida, que a diretiva "Morrer se preciso for, matar nunca" não é mera frase.

Outra característica básica do programa de Rondon é a perspectiva evolucionista em que foi vazado, que permitiu não só aquilatar a importância funcional e a relatividade das instituições culturais, mas também criar uma expectativa de desenvolvimento natural e progressivo ao índio, na base de sua própria cultura.

A melhor expressão deste programa seria formulada, anos mais tarde, por L. B. Horta Barbosa, nestas palavras:

> O Serviço não procura nem espera transformar o índio, os seus hábitos, os seus costumes, a sua mentalidade, por uma série de discursos, ou de lições verbais, de prescrições, proibições e conselhos; conta apenas melhorá-lo, proporcionando-lhe os meios, o exemplo e os incentivos indiretos para isso: melhorar os seus meios de trabalho, pela introdução de

> ferramentas; as suas roupas, pelo fornecimento de tecidos e dos meios de usar da arte de coser, a mão e a máquina; a preparação de seus alimentos, pela introdução do sal, da gordura, dos utensílios de ferro etc.; as suas habitações; os objetos de uso doméstico; enfim, melhorar tudo quanto ele tem e que constitui o fundo mesmo de toda existência social. E de todo esse trabalho, resulta que o índio torna-se um melhor índio e não um mísero ente sem classificação social possível, por ter perdido a civilização a que pertencia sem ter conseguido entrar naquela para onde o queriam levar. *(1923: 25)*

Para aquilatar-se a importância desses princípios e o caráter pioneiro de sua formulação naquele Brasil de 1910, basta considerar que a 39ª Conferência Internacional do Trabalho, reunida em Genebra em 1956, aprovou, como recomendação para orientar a política indigenista de todos os países que têm populações indígenas, um documento inspirado em grande parte na legislação brasileira, no qual esses mesmos princípios são enunciados como as normas básicas que devem disciplinar todas as relações com os povos tribais.

Consideradas em seu contexto histórico, essas diretrizes positivistas eram o que se oferecia, então, de mais avançado. A etnologia, da qual se poderia esperar alguma orientação, tendo em vista a copiosa bibliografia de descrição de costumes exóticos que reunira, era ainda uma disciplina de museu, inteiramente alienada da realidade humana dos materiais com que lidava. A atitude do etnólogo, em geral, era da mais completa indiferença pelo destino dos povos que estudava. O índio, olhado sobranceiramente das alturas da civilização européia, orgulhosa de si mesma, era visto como ser exótico, discrepante, cujas ações de fósseis vivos só interessavam enquanto pudessem lançar luz sobre o passado mais remoto da espécie humana.

A atitude humanística de muitos etnólogos que percorreram o interior do país parece contradizer essas afirmações; mas a verdade é que a ciência antropológica da época não considerava como tarefa sua a procura de soluções para os problemas sociais dos povos que estudava. Cultivava, ao contrário, uma atitude de alheamento para tudo quanto pudesse parecer cogitação prática ou preocupação assistencial.

Esta atitude de pedantismo acadêmico só podia afastar, cheios de revolta, os que procuravam soluções para o problema indígena movidos por valores humanitários. Daí a atitude de menosprezo que alguns dirigentes do Serviço de Índios assumiram diante do que chamavam "cientificismo", que tanto incluía o frio evolucionismo haeckeliano de Von Ihering, com seu conceito de raças refratárias ao progresso, como a simples pesquisa das peculiaridades culturais do índio, pelo que implicavam de preconceito e de alheamento para com a atividade indigenista.

Uma organização administrativa com sede na capital da República e projeção sobre todo o território nacional foi criada para fazer cumprir os princípios acima expostos e realizar os objetivos imediatos de garantir aos índios a posse das terras por eles ocupadas; de controlar suas relações com civilizados a fim de impedir que fossem oprimidos ou explorados; e de promover a punição dos crimes cometidos contra os índios.

A realização prática dessa política apresentava uma série de problemas, a começar pelas dificuldades de acesso às regiões habitadas por grupos indígenas, pela variedade de línguas e tradições culturais, pela diversidade de ambientes e de condições de vida e, sobretudo, pelas desconfianças que séculos de amargas experiências com civilizados haviam deixado em cada grupo indígena. A esses obstáculos se juntaram outros, ainda mais difíceis de vencer: os provenientes dos interesses escusos que o SPI teria de contrariar, para garantir ao índio a posse das terras que lhes pertenciam e que haviam sido usurpadas, para impedir sua escravização e para impor respeito à família indígena.

Iniciava-se, assim, uma obra que levaria anos para ser posta em prática, ainda que mediocremente. O que se propunha era nada menos que a criação de uma instituição de imposição da lei, exatamente nos sertões mais ermos, onde ela jamais pudera imperar. E esta instituição deveria atuar principalmente sobre os potentados locais, os chefetes sertanejos que jamais haviam conhecido qualquer norma legal, dos quais dependiam o juiz e todas as autoridades locais e que eram reverenciados pelos políticos como a fonte de seus votos e a garantia de suas eleições.

Três condições eram indispensáveis à plena aplicação desta política indigenista: verbas suficientemente avultadas para financiá-la; pessoal altamente qualificado para tarefa tão delicada, seja a de controlar um processo social complexo, como a aculturação e a assimilação; suficiente autoridade e poder para se impor aos régulos locais.

Nos primeiros anos de atividade, ao Serviço de Proteção aos Índios foram facultadas todas essas condições. O Parlamento, pressionado pelo clamor geral em prol de medidas de amparo aos civilizados em luta contra índios, votava prontamente as verbas solicitadas. A segunda condição também pôde ser satisfeita, porque Rondon contava com a equipe que forjara durante a construção das linhas telegráficas, composta de oficiais de formação positivista, experimentados no trato com os índios e movidos do maior entusiasmo à causa indígena. Ao lado deles formaram, desde a primeira hora, alguns professores universitários, funcionários públicos, médicos, engenheiros e publicistas, quase todos positivistas, que haviam liderado a campanha pela criação do serviço. Desses homens saíram os primeiros dirigentes e inspetores do Serviço de Índios. O que acaso lhes faltava em compreensão do complexo problema com que lidavam era compensado pela dedicação fervorosa que devotavam aos índios. O poder de autoridade não faltou também e vinha, quiçá, da única fonte realmente capaz de impor-se no interior — o Exército. Constituídas, em sua maioria, por oficiais, as chefias do SPI eram respeitadas como se o próprio Exército andasse pelo interior nesta campanha de amparo ao índio.[9]

Pouco depois, começam a faltar, um após outro, todos aqueles requisitos essenciais e o Serviço de Índios entrou na sua verdadeira história: breves períodos de atividade intensiva, seguidos de longos períodos de inoperosidade e quase estagnação.

Três anos depois de criado, exatamente quando acabara de expandir suas atividades por todo o território nacional, atingindo dezenas de grupos indígenas, e quando um reforço de dotações se fazia necessário, viu cortadas suas verbas em 60%. A causa imediata eram as dificuldades financeiras que enfrentava o país com a iminência da guerra e a crise de alguns ramos da economia nacional, principalmente da borracha. Mas a crise e a guerra passaram e as dotações só foram restabelecidas em 1925, ascendendo até 1930, para de novo decaírem.

A sobrevivência do SPI e o seu poder dependeram sempre do prestígio pessoal do mal. Rondon. Assim, em 1930, não tendo Rondon participado da revolução que convulsionou o país — movido pelas convicções positivistas que o impediam de deixar-se aliciar em intentonas —, o SPI caiu em desgraça e quase foi levado à extinção. Entretanto, naquele ano havia alcançado o ponto mais alto de sua história. Pacificara dezenas de tribos, abrindo vastos sertões à ocupação pacífica, e instalara e mantinha em funcionamento 97 postos de amparo ao índio, que estavam distribuídos por todo o país e eram, em regiões inteiras, os únicos núcleos de civilização onde qualquer sertanejo poderia encontrar amparo e ajuda.

Nos anos seguintes, as dotações caíram progressivamente até atingirem níveis tão baixos que nem permitiam manter a própria máquina administrativa. Decaiu, finalmente, o próprio SPI: de um serviço autônomo, atuante em bases nacionais, a mera seção subordinada a uma repartição burocrática do Ministério do Trabalho, que passou a designar os seus melhores servidores para outras tarefas, tidas como mais importantes.

O SPI jamais conseguiu recuperar-se completamente dessa crise. Só em 1934 voltou às boas graças governamentais porque, naquele ano, Rondon aceitara uma missão diplomática extremamente penosa na Amazônia, como presidente da comissão mista criada pela Liga das Nações para encaminhar à pacificação o Peru e a Colômbia, que se encontravam em conflito pela posse da região de Letícia (D. Ribeiro, 1958: 44-6).

Nos anos seguintes, retorna o SPI ao Ministério da Guerra e consegue o aumento de dotações orçamentárias. Assim, em seus primeiros trinta anos de atividade, o Serviço de Índios só dispôs de verbas suficientes para atuar durante dez anos; nos outros vinte, esteve sempre em déficit em relação ao indispensável para enfrentar os problemas indígenas que encontrou e os que ele próprio suscitara, atraindo dezenas de tribos e lhes infundindo expectativa de amparo.

As dificuldades com pessoal seguiram a mesma trilha. Já em 1911 os oficiais que serviam como inspetores foram chamados às fileiras do Exército. O SPI viu-se, de um momento para outro, desprovido da maior parte dos inspetores experimentados com que contava. A substituição daqueles homens em parte foi possível porque eles próprios, no curto período de atividades exclusivamente indigenistas, haviam formado novos quadros. Mas a queda das dotações impossibilitava contratar novos elementos de igual qualificação; até mesmo compelia o serviço não somente a despedir diversos de seus colaboradores, mas a entregar trabalhos iniciados a servidores evidentemente incapazes de levá-los avante.

Desde então, contando sempre com orçamentos exíguos, o SPI enfrentou sérias dificuldades no recrutamento de pessoal. Através de toda a sua vida administrativa, perdeu dezenas de servidores capazes, dada a absoluta falta de recursos para mantê-los. Todavia, permaneceram nos seus postos os homens formados por Rondon, enfrentando toda sorte de dificuldades, oriundas de uma vida modesta que eles mesmos se impunham, acabando por sacrificar suas carreiras para não abandonarem a atividade indigenista.

Ainda mais difícil foi o problema da imposição de autoridade. Muito mais que por maiores dotações orçamentárias, o SPI lutou sempre por obter um apoio mais decidido do governo central, que lhe permitisse fazer face aos poderes locais. Era o chefe de polícia negando-se a prender assassinos de índios; os próprios juízes absolvendo-os contra todas as evidências e contra a lei; os prefeitos negando-se a tomar qualquer providência administrativa contra o esbulho de terras indígenas, mesmo porque, em termos políticos, decidiam entre seus eleitores de um lado, embora criminosos, e índios analfabetos do outro.

Através de toda a sua história, o Serviço de Proteção aos Índios se viu quase sempre só, lutando contra o consenso geral para impor a aplicação da lei, não somente daquela que garantia amparo especial ao índio, mas o simples respeito ao Código Civil, quando índios se viam envolvidos em conflitos com civilizados.

Não foram estas, evidentemente, as causas únicas das dificuldades do Serviço de Proteção aos Índios. O rápido sucesso alcançado na pacificação das tribos hostis mais próximas das grandes cidades aliviou o Governo das pressões que sofrera no sentido de criar e manter o SPI. Ademais o serviço se revelara muito mais incômodo do que se imaginara quando de sua criação. Pusera realmente em prática o seu programa, opondo-se deste modo a centenas de potentados locais, cujos negócios se baseavam na exploração da mão-de-obra indígena e cujos projetos de riqueza se assentavam em perspectivas de usurpação de terras de índios. Levara às regiões mais distantes o conhecimento de leis que, se libertavam o índio da escravidão no seringal e na fazenda, por dívida ou por qualquer compulsão, também libertavam o sertanejo. Distribuíra mercadorias, quebrando monopólios ciosos; abrira escolas, alfabetizando gente que analfabeta sempre fora mais acomodada e menos exigente. Por tudo isto, cada servidor sabe de ciência própria e de experiência pessoal que não pode contar com os governantes estaduais e locais, quase sempre ligados, política e economicamente, aos interesses dos exploradores dos índios.

O apoio do governo central, mais distanciado das fronteiras de expansão, nem sempre foi suficiente para fazer face à oposição e até mesmo à odiosidade dos poderes locais. A precariedade da posição do SPI, entre estas esferas de poder, foi desnudada cada vez que o Governo Federal e os governos estaduais entravam em conflito. Assim, cada movimento revolucionário ocorrido no Brasil, desde a criação do Serviço de Índios, pareceu a seus funcionários, nas zonas onde ele mais atua, realizado contra os índios, tais as violências que desencadeava, levadas a efeito pelo novo bando que ascendia ao poder. É que, nessas ocasiões, em geral os papéis se invertem e os governos locais, dependentes do central, passam a vender caro o seu apoio. E entre as exigências daqueles estava quase sempre a de uma nova política indigenista que deixasse mãos livres para o esbulho do que restava aos índios. Na verdade, a legislação indigenista era fruto das cidades costeiras — com sua mentalidade mais liberal e, sobretudo, sua desvinculação dos problemas das zonas pioneiras — e jamais foi aceita pela gente que vive nas fronteiras de expansão.

A situação continuou precária até 1940, quando Getúlio Vargas visita a ilha do Bananal e, enternecendo-se com as crianças karajá, decide amparar o SPI. Começa, então, um novo ciclo de atividades intensivas. Reorganiza-se e renova-se o quadro de pessoal do serviço, que retorna ao Ministério da Agricultura; reinstalam-se postos indígenas abandonados havia anos; reiniciam-se as atividades de pacificação.

Uma desgraça talvez maior sobrevém, então, através da imposição ao SPI das normas estandardizadas para a administração pública federal. Dentro de poucos anos vê-se o serviço invadido não nos postos instalados no interior, mas nas cidades — por burocratas incapazes de compreender ou de se identificar ideologicamente com a obra a que ele se ligava. Nestas condições, os postos vão sendo entregues a agentes recrutados a esmo, inteiramente despreparados para as tarefas que são chamados a desempenhar e dirigidos por funcionários citadinos que entendem menos ainda do problema indígena, só atentos a normas burocráticas formais, freqüentemente inaplicáveis a uma atividade tão singular como a proteção aos índios.

Uma reação enérgica contra esta situação foi levada a efeito de 1950 a 1954 por José Maria da Gama Malcher, que contrata etnólogos e lhes entrega a direção das principais divisões do SPI, num esforço para substituir a antiga ideologia positivista, evidentemente superada, por uma orientação científica moderna. A experiência revelou-se altamente fecunda e permitiu ao SPI alcançar outra fase alta de sua história. Lamentavelmente entraria logo em novo colapso, quando a política partidária começa a interferir em seus destinos. O SPI, como inúmeros outros órgãos da administração federal, transformado em prêmio de barganha eleitoral entre os partidos políticos vitoriosos nas eleições de 1955, é entregue ao PTB.

Graças à enérgica reação de um grupo de servidores contra esse clientelismo, o SPI foi retirado da influência política direta dos partidos a partir de 1957. Entretanto, o custo dessa vitória foi a classificação do SPI como "órgão de interesse militar", cuja direção poderia ser entregue a oficiais da ativa.

Os últimos anos de administrações militares, já não inspiradas nos princípios filosóficos positivistas, como ao tempo de Rondon, ou em quaisquer outros, conduziram o SPI ao ponto mais baixo de sua história, fazendo-o descer em certas regiões à condição degradante de agente de sustentação dos espoliadores e assassinos de índios.[10]

6 A PACIFICAÇÃO DAS TRIBOS HOSTIS

Um balanço crítico dos cinqüenta anos de atividades que o SPI desenvolveu desde sua criação deve levar em conta as duas ordens de problemas que ele foi chamado a resolver:

1. os problemas da sociedade brasileira em expansão, que encontra seu último obstáculo para a ocupação do território nacional nos bolsões habitados por índios hostis;
2. os problemas da população indígena envolvida nessa expansão, a qual se esforça por sobreviver e acomodar-se às novas condições de vida em que vai sendo compulsoriamente integrada.

Quanto ao primeiro problema, não há dúvidas de que o SPI atendeu plenamente aos seus objetivos e se manteve fiel ao longo de décadas à diretiva de Rondon: "Morrer se preciso for, matar nunca". Graças à sua atuação, imensas regiões do país, entre as quais se encontram algumas das que hoje mais pesam na produção agrícola-pastoril e extrativa nacional, foram ocupadas pacificamente pela sociedade brasileira; e os índios que as habitavam passaram a viver nos postos indígenas, assentados em pequenas parcelas dos antigos territórios tribais.

Estão neste caso os célebres Kaingáng do oeste de São Paulo, pacificados em 1912 por Manuel Rabelo e Luiz Bueno Horta Barbosa, cujas terras estão hoje cobertas por alguns dos maiores cafezais do Brasil. Os Botocudo (Krenak, Pojixá e outros) do vale do rio Doce, pacificados em 1911 por Antônio Martins Estigarribia, cujo território tribal em Minas Gerais e no Espírito Santo é hoje ocupado por inúmeras cidades e fazendas. Os Xokleng de Santa Catarina, pacificados por Eduardo de Lima e Silva Hoerhen e Fioravante Esperança em 1914, onde prospera atualmente a região mais rica daquele estado. Os Umutina dos rios Sepotuba e Paraguai, cuja pacificação efetuada por Helmano dos Santos Mascarenhas e Severino Godofredo d'Albuquerque, em 1918, permitiu a exploração das maiores matas de poaia do Brasil. Os Parintintin, que mantinham fechados à exploração os extensos seringais do rio Madeira e seus afluentes, pacificados por Curt Nimuendaju em 1922. Os Urubu-Kaapor, que até 1928 detiveram em pé de guerra quase todo o vale do Gurupi, entre Pará e Maranhão, pacificados após dezoito anos de esforços do SPI por Benedito Jesus de Araújo. Os Xavante (Akwé) do rio das Mortes, cuja pacificação, concluída por Francisco Meireles em 1946 e que custou a vida de toda a equipe de Genésio Pimentel Barbosa, vem permitindo a ocupação das pastagens naturais da ilha do Bananal e do rio das Mortes. Os Kayapó-Kubenkranken do médio Xingu, que varavam em suas correrias guerreiras desde o Tapajós até o Araguaia, pacificados em fins de 1952 por Cícero Cavalcanti. Os Kayapó-Xikrin, que levavam seus ataques tanto às populações dos campos do Araguaia, quanto às que penetravam mais profundamente nos seringais e castanhais do rio Itacaiúna, em Marabá, e contra os Asurini, pacificados por Miguel Araújo e Leonardo Villas Boas em 1953. Um outro bando kayapó, txukahamãe ou mentuktire, da margem esquerda do rio Xingu à altura da cachoeira Von Martius, que lançava seus ataques aos seringueiros do rio Xingu e aos índios Juruna, foi pacificado no mesmo ano pelos irmãos Cláudio e Orlando Villas Boas. Os índios Parakanã, Asurini e outros grupos tupi da margem esquerda do Tocantins, que mantiveram quase interrompida a Estrada de Ferro Tocantins, entraram em contato pacífico com as turmas do SPI em 1962, orientadas por Telésforo Martins Fontes.

Para pacificá-los, o SPI teve de enfrentar provações de toda sorte, a começar pela extensão do território por eles dominado e, sobretudo, pela dificuldade de fazer face, com métodos persuasórios, a índios aguerridos como os Kayapó, que, para se defenderem dos ataques de que têm sido vítimas, conseguiram armar-se de rifles calibre 44, conquistados a seus inimigos à custa de muito sacrifício. Além disto, enfrentam sempre a hostilidade das populações brasileiras vizinhas, cheias de ódio e de ressentimento por não compreenderem por que o Governo se empenha em defender os índios que, a seu ver, são incapazes de civilização e só merecem ser mortos. Agravando estes problemas, ainda teve de enfrentar a ganância de potentados locais que, cobiçando as terras dos índios, preferem vê-los mortos.

A pacificação é, em essência, uma intervenção deliberada numa situação de conflito aberto entre índios e civilizados, movidos uns e outros por um ódio incontido e pela maior desconfiança mútua. Para o índio hostil ou arredio, o civilizado é um inimigo feroz a quem cumpre combater ou evitar. É como tal que ele encara os servidores do SPI, identificando-os com os invasores de suas terras que avançam pelas matas, afugentando a caça com armas poderosas e barulhentas, assaltando suas aldeias e dizimando os índios com que deparam.

A primeira tarefa de uma turma de pacificação consiste, pois, em convencer os índios de que eles tratam com gente diversa de todos os brancos que antes penetraram na região. E é tarefa extremamente difícil, porque deve começar pela mais ousada invasão do próprio território indígena, de modo a instalar-se muito adiante da frente pioneira mais avançada, a fim de evitar interferências estranhas e para constituir uma provocação destinada a chamar a atenção dos índios e atrair sua hostilidade.

Em suas entradas pelo sertão, à frente da Comissão de Linhas Telegráficas, Rondon desenvolveu as técnicas de pacificação que seriam, mais tarde, as diretivas do SPI em empreendimentos semelhantes. Consistem em aliciar na população local uma turma de trabalhadores, esclarecê-los sobre as tarefas que lhes serão conferidas, alertá-los sobre os cuidados que deverão ter em face da reação violenta dos índios à penetração do seu território e convencê-los da justiça e da eficiência dos métodos persuasórios. A chefia das turmas de pacificação é confiada a homens experimentados nos trabalhos do sertão e no trato com os índios. Sempre que possível, são integradas por índios do mesmo tronco lingüístico, já aculturados, para servirem de guias e intérpretes.

Constituída a turma, esta se desloca para local cuidadosamente escolhido dentro do território tribal, próximo a meios de comunicação, sejam rios ou estradas especialmente abertas, para garantir a retirada, quando necessária, e o contínuo reabastecimento de víveres e brindes. O local escolhido deve ser francamente acessível aos índios para que, uma vez descoberto, seja por eles freqüentado, possibilitando os contatos em condições previstas de segurança.

Instalado o abrigo provisório do posto de atração, abre-se uma ampla clareira e constrói-se no meio uma casa bem protegida, preferivelmente de zinco e cercada de arame farpado, para defender o pessoal dos assaltos e saraivadas de flechas que fatalmente virão. Ao mesmo tempo, planta-se uma roça de milho, mandioca, batatas, amendoins e outros produtos. Esta plantação deve servir não só para a subsistência da turma de pacificação, mas principalmente para atrair os índios. Quando se trata de tribos muito arredias, a roça deve ser plantada a regular distância do posto, a fim de que os índios possam dela se servir sem se sentirem vigiados. Durante os trabalhos de instalação evita-se o uso de armas de fogo, mesmo nas caçadas, para não atemorizar ou hostilizar os índios.

Desde os primeiros dias que se seguem à organização do posto, o encarregado da pacificação ou auxiliares de sua inteira confiança, acompanhados de intérpretes, percorrem a mata mais próxima, construindo nas trilhas e aguadas mais utilizadas pelos índios pequenos ranchos onde deixam facas, machados, foices, tesouras, terçados, miçangas e outros brindes. Sempre que possível, aproveitam taperas e abrigos de caça dos índios para colocar os presentes.

Uma vez descoberto o posto, os índios passam a vigiar constantemente a turma de atração, sem se deixarem ver, e não raro atacam um ou outro trabalhador incauto que se afasta do grupo. Luiz Bueno Horta Barbosa, que orientou a pacificação dos Kaingang de São Paulo, fez o seguinte comentário sobre o ânimo de uma turma de pacificação nos longos meses que antecederam o contato:

> Ninguém poderá jamais imaginar quanta força moral precisa um homem despender para dominar a insuportável irritação nervosa causada pelo fato de sentir-se incessantemente cercado, vigiado e estudado nos seus menores atos, por gente que ele não pode ver, de quem nem sabe o número, a quem não quer molestar nem rechaçar, mas antes agradar e atrair, e que no entanto só procura o instante propício para o assaltar e matar.[1]

A primeira fase do contato é marcada pela hostilidade aberta dos índios, que em ataques sucessivos fazem todo o esforço para expulsar os invasores. Esses primeiros ataques têm uma importância capital porque permitirão evidenciar, aos olhos dos índios, o ânimo amistoso dos pacificadores e sua firme disposição de não hostilizá-los. É indispensável, nessa fase, combinar uma atitude serena e pacífica com uma conduta rigorosa, capaz de demonstrar aos índios que o grupo conta com armas, sabe utilizá-las, está bem defendido e só não os ataca por não desejar fazê-lo. Assim se procede, disparando para o ar quando os índios se acercam demasiadamente da casa durante os ataques e ameaçam invadi-la; evitando fugir desabridamente aos seus ataques; e deixando nos tapiris, como brindes, peças de caça abatidas com armas de fogo para evidenciar a posse das mesmas e a capacidade de manejá-las.

Via de regra, os índios, depois das primeiras tentativas infrutíferas de amedrontar e desalojar os invasores, transladam suas aldeias para mais longe, a fim de colocar as mulheres e crianças em posição mais segura. Grupos de guerreiros bem armados, tocados do mais alto ânimo combativo, passam, então, a hostilizar o núcleo de pacificação com ataques periódicos, em geral desfechados pela madrugada e após alguns dias de vigilância. É nesse ambiente que muitas vezes se completa a instalação da casa fortificada, que se planta o roçado e que se provê o suprimento do posto — o que indica o quanto de valor pessoal, de serenidade e de ânimo persuasório exige a atração de um grupo indígena hostil.

Só depois de meses de esforços, os índios se convencem da evidência, contrária a toda sua experiência passada, de que aqueles brancos são diversos dos outros com que se defrontavam porque, apesar de armados e bem defendidos, jamais os hostilizam, mesmo em revide às agressões sofridas. Só então, alguns índios mais afoitos começam a aventurar-se sorrateiramente pelo roçado, servindo-se dos milharais e mandiocais ali postos à sua disposição. Embora cautelosamente, acercam-se cada vez mais e, em lugar de destruir os tapiris, para dar uma feição de saque à aceitação dos brindes, começam a deixar objetos seus em troca dos que levam. Os funcionários também se fazem mais audazes e, ao pressentirem a presença dos índios, deixam-se ver e a eles se dirigem através dos intérpretes, concitando-os à confraternização.

Convencionou-se chamar *namoro* a esta fase da pacificação em que o índio começa a aceitar os brindes e mesmo a solicitar outros, deixando nos tapiris modelos de facões ou tesouras talhados em madeira, para indicar o que desejam receber. Qualquer abuso de confiança nessa fase é extremamente perigoso, mesmo porque a maioria dos índios está ainda cheia de pavor aos brancos, que aprendeu a ver como sanguinários e traiçoeiros. Um gesto mal interpretado pode levá-los a recrudescer os ataques, perdendo-se os progressos alcançados e obrigando, às vezes, ao abandono temporário do empreendimento.

Dessa fase de *namoro* passa-se à confraternização, que pode consolidar-se rapidamente após a primeira visita à aldeia indígena ou entrar em colapso, se a desconfiança do índio ou seu temor ao branco for suscitado por algum incidente.

Para ilustrar os métodos de pacificação desenvolvidos pelo SPI, vamos tomar alguns exemplos selecionados da documentação de seus arquivos e de publicações pertinentes.

O primeiro exemplo nos vem da Comissão Rondon e reveste-se de especial importância, por ter estabelecido um padrão de conduta que, amplamente divulgado, contribuiu para configurar as normas e técnicas de pacificação do SPI. É relatado por Alípio Bandeira e refere-se aos primeiros contatos pacíficos com os índios Nambikwara, do noroeste de Mato Grosso.

> Certo dia, como se adiantassem da turma tomando uma picada para encurtar caminho, foram agredidos a flecha o ten. Nicolau Bueno Horta Barbosa e o aspirante Tito de Barros. O primeiro caiu ferido no pulmão e no braço esquerdo; o segundo recebeu igualmente dois ferimentos, mas de menor gravidade. Foi isso debaixo de uma árvore, em que ficaram encravadas uma flecha do indígena e uma bala que o tenente disparou para o ar, onde, mais tarde, a reconciliação havia de se dar.
>
> Longos dias passou o ten. Nicolau entre a vida e a morte. Assim que conseguiu restabelecer-se foi ao local, mandou derrubar e roçar em torno o mato, deixando inteiramente isolada no pequeno campo artificial aquela árvore e aí depôs vários mimos. Os aborígines compreenderam plenamente a nobreza da conduta; recolheram os presentes e, por sua vez, deixaram debaixo da árvore os de que dispunham: mandioca e flechas.
>
> O tenente volta, arrecada as prendas que lhe são destinadas e deixa novas dádivas. Voltam semelhantemente os indígenas e, dessa fei-

> ta, porque nem outra coisa demandam em seus domínios os aventureiros, deixaram eles peles de borracha, ingenuamente convencidos de que era esse o melhor dom que podiam fazer.
>
> De uma terceira vez, já não se contentavam em apreciar de longe e prudentemente ocultos a manobra fraternal do seu amigo: apareceram e confiadamente chegaram à fala. É infelizmente demasiado estranha a linguagem dos Nambikwaras; de modo que as duas partes apenas puderam trocar gestos inteligíveis de afetuosa e recíproca camaradagem.[2]

O relato de Alípio Bandeira dá justa ênfase à atuação pessoal do ten. Horta Barbosa que, no futuro, se devotaria inteiramente ao problema indígena, abandonando a carreira militar. É de assinalar, porém, que o incidente inicial não foi o único ato hostil dos Nambikwara aos membros da Comissão Rondon. O próprio comandante, depois de sofrer um ataque, conseguiu refrear a tropa, impedindo que revidasse. Os índios já se vinham capacitando, portanto, da atitude pacífica daqueles brancos atípicos, pela conduta, pelo fardamento e pela postura militar. Ademais, os esforços que se seguiram ao ataque foram dirigidos pelo tenente, como encarregado da pacificação, mas empreendidos por todo o corpo sob o comando de Rondon, que assim demonstravam uma conduta uniforme diante dos índios.

Kaingáng, Xokleng e Baenã

A primeira pacificação efetuada pelo SPI ocorreu em 1912, nos sertões a noroeste de São Paulo, até então dominados pelos índios Kaingáng. Foi conduzida, primeiro, pelo ten. Manuel Rabelo, depois, e até a consolidação, por Luiz Bueno Horta Barbosa, professor universitário e intelectual positivista que também se devotou inteiramente à causa indígena, dirigindo durante anos o SPI.

Essa pacificação processou-se em meio a violenta campanha de imprensa, promovida por grileiros que obtiveram títulos de posse das terras cortadas pela Estrada de Ferro Noroeste do Brasil, em construção, e queriam dizimar os índios. Para isto contratavam bandos de bugreiros que eram cercados do prestígio de heróis e a quem pagavam polpudos salários para "garantir" a construção da estrada e a abertura de novas fazendas de café, impedidas pelos ataques kaingáng. Esses bugreiros invadiam as aldeias indígenas, devastando roças, queimando casebres e matando homens, mulheres e crianças. Os trabalhadores da estrada, também fartamente armados, compraziam-se em atirar a esmo, mata adentro, e a espingardear qualquer índio que divisassem. Exasperados com a situação, os Kaingáng tornavam-se cada vez mais hostis, chegando a constituir um dos grupos mais aguerridos do Brasil. Faziam incursões quase simultaneamente numa frente superior a 250 quilômetros, o que dificultava a avaliação do seu número e tornava impossível descobrir onde ficavam as aldeias de onde partiam para os ataques (Neves, 1958).

Dos trabalhos de pacificação participaram casais de índios, da mesma família lingüística, que foram transladados do Paraná, onde viviam pacificamente com os civilizados havia muito tempo. A eles se juntaram alguns Kaingáng de São Paulo, aprisionados pelos bugreiros nos campos do Paranapanema em seus ataques às aldeias indígenas. Dentre estes viria a destacar-se a índia Vanuíre que — como intérprete, na primeira fase, falando e cantando na língua kaingáng e, ao final, indo ao encontro deles para confraternizar — contribuiu decisivamente para a pacificação.

Uma vez descoberto um local muito freqüentado pelos índios, perto de Ribeirão dos Patos, aí foi instalado o centro de pacificação,

> [...] fazendo-se para isso a necessária derrubada do arvoredo secular; substituindo-se o abarracamento inicial por um arranchamento de pau-a-pique e cobertura de folhas de coqueiro, destinado a servir de centro das operações que se haviam de desdobrar para o interior da misteriosa floresta, que se estendia ininterrupta para os lados do rio Feio, transpunha-o e daí se derramava até o Paraná.
>
> Para prender a atenção e o interesse dos índios em torno desse acampamento e assim evitar que eles continuassem a espalhar o ter-

> ror e a desorganização dos serviços ao longo da Estrada de Ferro, derrubaram-se quatro alqueires de mata e fez-se uma grande plantação de milho e feijão.
>
> Todos esses trabalhos prosseguiam no meio de tremendas ameaças dos silvícolas, os quais noite e dia cercavam o acampamento, ora tirando de suas buzinas lúgubres mugidos, que significavam guerra e extermínio, ora dando nas árvores, com seus terríveis porretes, pancadas que provocavam no silêncio da noite, sons pavorosos, que deixavam as almas transidas de medo à lembrança de que a cacetadas tais nunca havia escapado com vida uma única vítima dos assaltos daqueles temíveis guerreiros.
>
> E a todas essas ameaças, no meio de tantos terrores, respondiam os assediados com palavras de paz, com os cantos de festa da incomparável Vanuíre e com os sons alegres, de benevolência e de boa amizade derramados sobre a soturna floresta pela buzina que sopravam os intérpretes paranaenses, do mangrulho construído no alto de uma árvore. *(L. B. Horta Barbosa, 1913: 17-18)*

Daí partiram os servidores do SPI, tendo à frente o ten. Manuel Rabelo, à procura de taperas dos índios ou de pequenos ranchos de caçada, onde pudessem deixar brindes.

> Durante os seis meses seguintes não se deu um único tiro, nem mesmo para matar esplêndidas peças de caça que passavam quase ao alcance da mão, [...] e se ofereciam [...] reiteradas provas de paciência e amizade, traduzidas pelos brindes deixados na floresta. Graças a tudo isto, já muito se havia modificado a noção que os índios tinham sobre os moradores do Ribeirão dos Patos e começava a despontar em suas almas a confiança que os havia de conduzir a se fazerem seus amigos. Além disso, a atenção dos silvícolas, tendo sido vivamente solicitada para os acampamentos e trabalhos da Inspetoria, aí se concentrava: e eles, por isso, abandonavam outras excursões pelas quais dantes ameaçavam quase toda a Estrada Noroeste. Havia-se construído um bom acampamento e rasgado, em plena floresta virgem, uma estrada de penetração, de perto de cinqüenta quilômetros, pela qual ficavam abertas e fáceis as comunicações entre os índios e os civilizados empenhados em conquistar-lhes a amizade. (1913: 19)

Prosseguindo os trabalhos, chegaram, um dia, casualmente, a uma aldeia.

> Ao pressentirem a aproximação dos expedicionários, os índios abandonaram os seus ranchos e embrenharam-se pela mata, sem quererem atender ao chamado dos intérpretes. O pânico, como explicaria depois o chefe Vauhim, originou-se de que eles não esperavam àquela hora, em que chovia torrencialmente, a chegada da coluna exploradora e o inopinado dessa marcha, agravado pelo desordenado temor das mulheres e crianças, fez generalizar o medo até aos homens, que também correram. *(1913: 18)*

Meses mais tarde foi feita uma segunda visita a uma aldeia kaingáng. Verificou-se, então, que fora abandonada pelos índios, ainda temerosos de um ataque no estilo das chacinas dos bugreiros. Permanecera apenas, como atalaia, um surdo-mudo que fugiu à chegada dos expedicionários. Em revide à invasão, a coluna foi atacada quando regressava ao acampamento, sendo ferido um dos intérpretes. Contudo, retirou-se em ordem, sem responder à agressão, e pela primeira vez os intérpretes conseguiram entender-se com os Kaingáng, travando-se um diálogo que resultou em esclarecimentos preciosos para o prosseguimento da pacificação.

Posteriormente, um índio foi sozinho ao acampamento, descobriu nas imediações um homem que se banhava e o feriu mortalmente. Foi a única vítima que teve o SPI nos seus trabalhos de pacificação dos Kaingáng paulistas. Depois desse incidente, os trabalhos foram interrompidos por alguns meses, enquanto se substituía o contingente militar que servia no acampamento por funcionários e casais de índios trazidos do Paraná.

O abandono do acampamento de Ribeirão dos Patos fez com que recrudescessem os conflitos ao longo da Estrada Noroeste. Surge, então, um primeiro fruto dos esforços de pacificação. Um chefe kaingáng procura acercar-se de um grupo de trabalhadores da estrada de ferro apresentando-se desarmado e trazendo nos braços uma criança, como penhor de sua disposição pacífica, e é repelido a bala. Indignados, os Kaingáng preparam um ataque devastador e decisivo contra a turma mais avançada da estrada. O SPI é chamado pela direção da Noroeste a intervir e o faz por uma entrada do seu pessoal através da floresta, no ponto onde se preparava o ataque e no rumo do acampamento do Ribeirão dos Patos. O posto é imediatamente restabelecido, atraindo para lá os guerreiros kaingáng. Retomados os trabalhos,

> [...] recomeçam as vigílias; as arriscadíssimas explorações de trilhas para a descoberta de lugares próprios para neles deixarem-se brindes. À noite, era difícil conter-se o pânico das mulheres e mesmo de alguns homens, apavorados ao ouvir o estrugir das buzinas ou o reboar das formidáveis pancadas vibradas contra árvores, por braços que se adivinhavam possantíssimos; e mais o trabalho de disfarçar esse pânico com músicas de gramofone, com os cantos de paz de Vanuíre e as vozes dos intérpretes chamando os temíveis visitantes para que entrassem no acampamento a fim de receberem machados, cobertores e colares.
>
> Felizmente essa situação não chegou a durar dois meses. Um pouco depois do meio-dia de 19 de março, no alto do caminho que vem do rio Feio, apresentaram-se a peito descoberto dez guerreiros kaingáng, inteiramente desarmados e com a resolução evidente de travar relações com os ocupantes do acampamento dos Patos. A natural excitação dos primeiros momentos só durou o tempo necessário para a admirável Vanuíre dar-se conta do que se passava; então, correndo com entusiasmo incrível, foi ela resolutamente meter-se no grupo formado pelos Kaingáng e induziu-os a acompanhá-la até o recinto do acampamento. Recebidos com o carinho que é fácil de imaginar-se, esses homens foram logo vestidos e cumulados de presentes e mimos. (1913: 22-23)

Os dois ramos xokleng do grupo kaingáng que viviam nas matas de araucárias entre os estados do Paraná e Santa Catarina foram pacificados em 1914. A atração do grupo menor, realizada por Fioravante Esperança, no Rincão do Tigre, teve desfecho trágico. Os relatórios do SPI registram os fatos nestes termos:

> [...] Feita a atração dos Botocudo, passaram eles a freqüentar o posto de Rincão do Tigre, de onde as operações de atração se tinham irradiado. Ia tudo muito bem, vivendo índios e empregados do SPI na maior fraternidade. O encarregado do posto, Fioravante Esperança, era um

gaúcho valente com as armas e devotadíssimo aos seus deveres, um verdadeiro pai para os silvícolas. Mas um dia o posto foi visitado por dois fazendeiros, um dos quais, Cândido Mendes, tomara parte em anteriores ataques aos índios; estes, muito fisionomistas, o reconheceram.

Os visitantes chegaram à hora do almoço e tomaram parte na refeição que estava à mesa. Quem come junto é aliado e irmão — *canquê* na regra social dos Botocudo. Portanto, os empregados do posto deviam ser, como aquele fazendeiro, inimigos dos índios. E tudo que até então tinham esses servidores feito para agradar aos índios e beneficiá-los deveria ser traição! Num momento resolveram liquidar o assunto. Ardilosamente desarmaram os visitantes, os quais, pelo que sabiam sobre a pacificação dos seus antigos desafetos, estavam inteiramente tranqüilos e não se opuseram ao exame que os índios, com mostras de curiosidade, desejavam fazer nas suas armas.

Em seguida caíram sobre os visitantes massacrando-os e também aos empregados do posto. Fioravante, rudemente atacado, defendia-se das cacetadas com os braços robustíssimos, sempre de frente, procurando chamar os índios à razão. Foi recuando até o mastro da bandeira brasileira que diariamente se hasteava no posto; e aí seu cadáver foi encontrado mais tarde, tendo no cinto o revólver com todas as balas intatas. Caiu fiel à divisa do Serviço de Proteção aos Índios: "Morrer se necessário for, matar nunca".

Desse massacre só se salvou o cozinheiro, que de começo assistiu da cozinha, afastado e apatetado pelo inesperado dos acontecimentos, a toda a horrível cena e, muito ágil, ao receber a primeira pancada, saltou para o mato e fugiu. Contra ele os índios atiçaram os cães muito ensinados que sempre os acompanham, ferocíssimos ao cumprir as suas ordens de ataque.

Ocupados em destruir o que ainda restava no posto, não o perseguiram, certos de que as suas feras ensinadas despedaçariam o fugitivo. Mas o cozinheiro havia dado aos cães muito resto de comida e eles se lembraram disso, perseguindo-o só na aparência. Foram mais lógicos e mais constantes que os homens. E, graças a isso, o cozinheiro salvou-se para contar a tragédia e o martírio dos seus companheiros.[3]

Esse assalto desfechado pelos Xokleng de Palmas teria tido as mais graves conseqüências, não fosse a presença do SPI, porque dessa vez não morreram apenas os seus servidores ou humildes moradores locais. Os fazendeiros trucidados eram pessoas influentes e seus familiares preparavam tremendo revide, não escondendo o propósito de massacrar todo o grupo.

O SPI viu-se, deste modo, entre dois fogos: de um lado a hostilidade dos índios que o identificavam com seus antigos perseguidores; de outro, os civilizados que já não aceitavam a intervenção mediadora do serviço. Teve, pois, de fazer frente a ambos:

> [...] aos civilizados, discutindo, ensinando, demonstrando e, como última razão, opondo arma a arma; aos índios, indo novamente ao seu encontro, afrontando, como se deve imaginar, os maiores perigos no imo da mata; e, após longos meses de arriscadíssimas aproximações, conseguindo pacificá-los de novo; mas afastando-os daqueles sítios de tão tristes recordações e tão perigosos. E os Botocudo, embora nunca aludissem ao seu terrível engano, parece que tiveram dele profundo arrependimento, tão pacíficos e confiantes depois se mostraram. (op. cit.)

O ramo catarinense da tribo xokleng, mais numeroso e aguerrido que o de Palmas, foi chamado à paz por Eduardo de Lima e Silva Hoerhen depois de vários anos de esforços e, exatamente quando tudo parecia perdido, por um ataque em que os índios mataram um trabalhador e destruíram todo o posto.

Vejamos como relata os fatos o jornal *Urwaldsbote,* tristemente célebre pela sua pregação da chacina como única solução para o problema indígena:

> Parecia que desta vez se havia consumado o irremediável fracasso da tentativa pacificadora do Serviço de Proteção aos Índios e, certamente, que assim seria, se o administrador do posto, o jovem Eduardo de Lima e Silva Hoerhen, não acudisse ao local do ataque para salvar a situação com a sua atitude corajosa e intimorata.
>
> Ele chegou lá no dia imediato ao do assalto, levando um intérprete e remadores, porque se fizera transportar em canoas pelo rio. Apenas chegado saltou, acompanhado do intérprete; ambos deixaram as suas Winchester nas embarcações, sob a guarda dos que nelas permanece-

> ram. Enquanto Eduardo encaminhava-se para os escombros, ainda fumegantes, das casas destruídas, o intérprete dirigia apelos em voz alta aos assaltantes que se supunha estarem ocultos na mata e nas roças próximas. Esta suposição não tardou a ser confirmada por um berreiro infernal que se levantou detrás da cortina de vegetação, de onde emergiram alguns homens, com as flechas distendidas nos arcos, prestes a atirar.
>
> Eduardo, destemeroso, redobrava os esforços para fazer compreender àqueles homens quais as suas intenções e qual o seu desejo. Os índios pareciam abalados pela atitude do moço; mas hesitavam e recuavam a cada passo que este dava para o seu lado.
>
> Eduardo teve uma intuição: era natural que eles desconfiassem de que tudo aquilo nada mais seria do que uma cilada, destinada a colhê-los de improviso e castigá-los pela depredação da véspera. Precisava dar-lhes prova cabal de que os procurava com a alma limpa de todo pensamento insidioso. Despojou-se, pois, de quanto trazia sobre o corpo e, nu, de braços levantados, caminhou resoluto na direção dos índios que lhe estavam na frente prontos para desferirem o golpe fatal. Acompanhava-o o intérprete, que em tudo o imitava e sem cessar repetia na língua bárbara os apelos à amizade e à confraternização.
>
> À vista disto, os índios acabaram — depois de alguma vacilação e mesmo do disparo de duas flechas endereçadas ao intérprete, mas que não o atingiram — depondo as armas e assim, inermes, receberam como irmãos, os irmãos que os buscavam havia tanto tempo, através de tantos riscos e perigos.[4]

Um exemplo similar de destemor pessoal e tenacidade foi dado por Telésforo Martins Fontes em 1934, depois de vários meses de esforços para chamar à paz os índios baenã (Hãehãe) das matas do sul da Bahia, quando já esgotara todos os recursos para atraí-los. Aqueles índios constituíram, então, pequenos bandos errantes que, depois de sofrerem perseguição tenaz por parte dos brancos que os espingardeavam como caça, se especializaram em fugir e despistar, tomados de pavor pânico diante dos brancos. Sempre inquietos e temerosos, andavam na mata armando fojos e estrepes à medida que progrediam, para defender-se do perseguidor que estava sempre no seu encalço e com o qual se defrontavam em todos os lugares. As matas em que tinham seu refúgio vinham sendo invadidas por plantadores de cacau que, em ondas cada vez mais numerosas, as penetravam por todos os lados.

Desesperançado já de encontrar suas aldeias, convencido mesmo de que não as tinham, porque havia batido toda a região sem encontrar sinal delas, Fontes se via chamado de um extremo a outro da área, cada vez que alguém denunciava sinal dos índios, sem jamais encontrá-los e vendo que era impossível seguir suas pegadas, tão bem as disfarçavam e defendiam.

Afinal, uma tarde depara, por acaso, com um pequeno bando deles ao redor de uma fogueira onde assavam uma caça. Esconde-se atrás de um tronco, espreitando-os, certo de que, se o descobrissem, fugiriam imediatamente. Decide, então, demonstrar-lhes, da única forma possível, suas intenções pacíficas. Despe-se cuidadosamente e, nu, corre para o meio dos índios. Assustados com a intromissão abrupta daquele homenzinho nu, magro, de metro e meio de altura, fogem para espreitar de longe o que sucedia. Vendo-o porém, tão indefeso, cuidar calmamente do assado, voltam, ainda desconfiados, um, depois outro, afinal todos.

Assim foram pacificados os Baenã, graças a um gesto de coragem, tão sutil e tímido que deve ser tido como simbólico das qualidades morais que Rondon soube despertar e pôr a serviço da causa indígena.

Nimuendaju pacifica os Parintintin

Vejamos, agora, a pacificação dos Parintintin do médio Madeira, que constituíam provavelmente a mais aguerrida tribo com que o SPI teve de defrontar-se e cuja atração só foi possível pela firmeza e sabedoria do etnólogo Curt Nimuendaju, que a empreendeu com a ajuda de outros servidores do SPI.

A população parintintin não excedia, em 1922, 250 pessoas, contando, portanto, com cinqüenta guerreiros apenas. Mas, graças à sua extraordinária mobilidade, aliada ao gosto pela guerra e à rarefação da frente extrativista de ocupação, composta de pequenos núcleos de seringueiros dispersos numa área imensa, puderam manter sob seu domínio um território de 440 quilômetros quadrados, rechaçando índios ou civilizados que deles se acercassem.

O plano de pacificação de Nimuendaju seguiu as linhas clássicas: instalou no território indígena, pouco distante da barranca do rio onde desembarcara, uma casa fortificada, construída em meio a uma clareira, onde se plantou extenso roçado. Cuidados especiais foram tomados tendo em vista a agressividade dos índios: a casa tinha paredes e teto de zinco, era defendida por uma cerca de arame farpado e dotada de uma viseira de onde se podia ver os atacantes e falar-lhes sem correr o risco de ser flechado. Teve de ser construída rapidamente e sob vigilância na orla da clareira aberta na mata.

As aldeias parintintin, que antes da invasão dos seringais se situavam à margem do rio Maici, encontravam-se agora no centro das matas, de onde os índios acoitados saíam para os ataques. O centro da pacificação fora instalado em terreno por eles freqüentado, onde se esperava viessem ter dentro em breve, mas a tempo de os pacificadores completarem as instalações de segurança.

O primeiro encontro se deu quando, terminada a casa, ainda se trabalhava na cerca e no roçado. Um pequeno grupo de índios deparou por acaso com o casarão de zinco, quando andava ao longo do rio. Escondidos na mata, examinaram cuidadosamente as instalações e depois assaltaram a flechadas um trabalhador que se achava no terreiro. Deviam estar nervosos, pois, atirando de perto, não acertaram; fugiram em seguida para o outro lado do rio, dando gritos de guerra e imitando tiros de rifle. Nimuendaju procurou então acercar-se deles levando terçados, acenando com um lenço e gritando em língua geral: "Parentes! Por que tendes medo? Não vos faço mal! Esperai! Aqui tenho terçado para vos dar!". Mas os índios sumiram rio abaixo. A seguir, Nimuendaju tomou as flechas atiradas e respectivas bainhas protetoras que haviam deixado na clareira, atou a cada uma delas um pequeno presente e as colocou debaixo da coberta de zinco num dos postos de brindes.

Dias depois, inspecionando os postos de brindes mais distantes do acampamento, verificou-se que os índios haviam descoberto um deles, levando tudo quanto lá estava, inclusive a folha de zinco. Sua hostilidade era, porém, patente, porque armaram seis estrepes feitos de pontas de flechas em local de passagem obrigatória, na trilha que levava à coberta. Os estrepes, amarrados a novos brindes e protegidos, agora, por uma paliçada, foram colocados no mesmo lugar. Outro posto fora também descoberto e os brindes retirados pelos índios, que dessa feita deixaram intactas as instalações. Novos brindes foram colocados no mesmo local.

Quatro semanas depois ocorreu novo ataque. Os trabalhadores ocupavam-se das suas tarefas habituais quando inopinadamente irromperam os índios, atirando grande número de flechas sobre a casa, em meio a gritos de guerra e imitações de tiros de rifle. Verificou-se depois que os índios haviam retirado os brindes de uma das cobertas próximas ao cercado. Prosseguiam, pois, apesar dos ataques, a "ceva" e a aproximação.

No dia seguinte, repetiu-se o ataque com outro enxame de flechas que, atiradas de longe, não atingiram sequer o terreiro da casa. Os atacantes, uns quinze índios, fizeram novamente grande algazarra em tom de vaia antes de se retirarem, distinguindo-se, mais uma vez, os gritos com que procuravam imitar as armas de fogo. Pelo exame das flechas e pela ineficiência do ataque, Nimuendaju conjecturou tratar-se de um bando de meninotes. Novo posto de brindes foi instalado à margem do rio, no local de onde partira o ataque, depondo-se ali as flechas atiradas.

Dias depois, ao entardecer, os índios voltaram a atacar, fazendo pipocar suas flechas nas paredes de zinco da casa. Verificou-se, depois, que os brindes colocados na trilha percorrida pelos índios haviam sido retirados.

Passados mais dez dias, à hora do almoço, quando o cozinheiro chamava o pessoal para o rancho, desabou sobre eles formidável chuva de flechas acompanhada de gritos de guerra.

Passamos a reproduzir extensamente, por se tratar da melhor documentação da última fase de uma pacificação, a narrativa do ataque registrada por Nimuendaju em seu relatório à diretoria do SPI.[5]

> Subi por isso pela armação da casa e olhei por cima da parede cuja altura, do lado do sul, é uns oitenta centímetros mais baixa que o freixal, ficando, desta forma, um vão bastante grande para ver tudo e também para ser visto da beira da mata.
>
> Avistei então distintamente meia dúzia dos atacantes, dos quais três tinham saído no limpo da cerca, ficando completamente descobertos, enquanto outros atrás estavam mais ou menos escondidos pelas moitas. Alguns estavam pintados de preto, outros tinham lindas coroas de penas encarnadas e amarelas, que rodeavam toda a circunferência da cabeça; outros, ainda, traziam na nuca, caindo sobre o espinhaço, enfeites de penas vermelhas de cauda de arara.
>
> Todos se remexiam e corriam numa excitação nervosa, atirando ainda algumas flechas tardias. [...] Estou plenamente convencido de que os Parintintin, desta vez, vieram dispostos para um combate decisivo. Em nenhum dos ataques anteriores atiraram tantas flechas e com tanta insistência.
>
> As flechas vieram com uma força tão brutal que, se não fosse o posto já feito para isto mesmo, se por exemplo em lugar dele estivesse um barracão de palha, a nossa posição teria ficado insustentável [...]
>
> [...] O ataque, porém, fracassou por completo: não tiveram nem sequer a satisfação de ver alguém correr com medo das flechas, e eu imagino o desapontamento deles quando, em vez de entrarem vitoriosos no posto, atrás do "inimigo" derrotado, se viam convidados por mim, com gestos claros, para chegar e entrar!
>
> Três dias depois, em 18 de maio, pouco antes das cinco horas da tarde, o nosso cachorrinho começou a latir obstinadamente para o canto SE da cerca. Depois do sinal das cinco horas fui cautelosamente pelo lado de fora da cerca, até que pude avistar o posto de brindes daquele canto. Os presentes que eu tinha posto lá junto com as flechas do ataque de 28 de abril, e que eu tinha ainda visto de manhã,

não estavam mais. O cachorro continuava a latir, agora para o canto SW da cerca: fizemos sentinela à noite e depois fechamos a casa e o pessoal foi dormir, ficando eu ainda acordado e lendo.

Às oito e meia ouvi um ligeiro baque no zinco e o tropel dos pés de um homem que corria pelo terreiro do posto para o canto NE da cerca, onde entrou n'água, ouvindo-se ele sair na mesma margem, pouco adiante. Outros índios, dentro do igapó, falavam então em voz regular, e no pontal do igarapé viu-se agitar por um instante um tição de fogo. Ouviam-se passos dentro d'água e decorridos alguns minutos começaram os índios, numa distância de uns 62 metros, a gritar, salientando-se uma voz grossa e gutural que com entoação raivosa parecia fazer um discurso. Debalde me esforcei para apanhar uma só palavra conhecida. Respondi o que sabia, em língua torá, matanawí e tupi. Enfim os Parintintin romperam na sua gritaria de guerra de costume e depois se calaram. Por último soltaram alguns gritos pelo lado sul. Eram nove horas da noite.

Os índios, não querendo andar de noite, dormiram em distância de uns trezentos metros do posto. Ao clarear do dia seguinte, às 5h30 fomos despertados por novos gritos, mas enquanto preparei tudo para o ataque, os índios foram-se embora e não deram mais sinal.

Verificando os rastos, vi então que naquela noite dois índios tinham vindo pelo igapó, e um deles tinha entrado no cercado, rodeado a ponta da cerca na margem do rio, enquanto o outro ficou esperando, provavelmente para cobrir a retirada do companheiro. O que tinha entrado foi pela beira do terreiro até o canto da casa, atrás da mesinha onde se espantou com qualquer coisa e correu, levando uma bacia de flandres que estava encostada na parede da cozinha, do lado de fora. Para demonstrar-lhes que era desnecessário roubar esses objetos, pus uma bacia igual no posto de brindes, no canto da cerca.

Por três medidas principais eu esperava provar aos Parintintin as nossas boas intenções: pela exposição de brindes, pela proibição de tiros e pela abstenção de entradas na mata, a não ser para colocar presentes. Vejamos os efeitos que estas medidas produziram até agora:

Os Parintintin, desde que encontraram os brindes, não puseram dúvida em retirá-los, mas em vez de reconhecê-los como dádivas espontâneas e significativas, insistem em querer dar a cada retirada de brindes o caráter de uma correria de pilhagem. Parece que querem, a todo transe, salvar a aparência de que estes objetos sejam troféus de guerra. Que um povo primitivo que vive em luta ininterrupta há mais de setenta anos estime mais o troféu que a dádiva é muito natural, e nem quero mal por isto a esses guerreiros selvagens que se pintam e enfeitam com penas para virem dar combate a quem absolutamente não quer brigar com eles.

Cinco vezes já os Parintintin têm-nos atacado com flechadas e gritos de guerra, e de nosso lado só não teve mortos e feridos porque a nossa posição é regularmente boa, e vivemos constantemente prevenidos. Em nenhum desses casos temos reagido. Qual foi, porém, a conclusão que os Parintintin tiraram disto e do fato de nunca terem sido perseguidos, depois de um ataque? Em vez de reconhecer que nós não queremos fazer mal a eles, concluíram que não podemos nos defender. Erro este por demais explicável, porque decerto ninguém ainda agüentara um único ataque deles sem responder imediatamente com tiros. Mesmo Manoel Lobo assim reagiu, quando se viu atacado por eles na "maloca do Caucho". Portanto, a conclusão que os Parintintin tiraram da nossa atitude em cinco ataques só podia ser mais ou menos esta: "Eles estão mendigando as pazes porque não dispõem de armas".

Cresceu, então, naturalmente, a audácia deles: no ataque de 15 de maio apareceram a peito descoberto, já convencidos de que não havia perigo de tiros, confiando não nas nossas boas intenções, mas no suposto estado indefeso nosso. Três dias depois vieram de noite no terreiro da casa e furtaram uma bacia, sendo de notar que apenas horas antes eles tinham retirado uma igual de um posto de brindes. Também desta vez não houve do nosso lado o menor gesto de represália. Mas desde aquele momento eu reconheci que tinha cometido um erro, proibindo de todo o uso das armas de fogo, erro que felizmente ainda podia ser corrigido. O certo é que as coisas assim como iam, marchavam a passos largos para nada mais nada menos que um massacre. Com mais um ou dois dias, qualquer um de nós que tivesse necessidade de sair à noite ou teria sido assaltado ou morto — e provavelmente não só ele ou nós teríamos de massacrar os assaltantes. Seria rematada loucura se eu esperasse por este desfecho trágico para provar aos Parintintin que estamos armados. Para eles se convencerem de que não *queremos* atirar, é preciso provar-lhes *antes* que possuímos armas de fogo e sabemos manejá-las muito bem. Só então, talvez que lhes apareça a nossa atitude nos ataques anteriores, debaixo de um outro ângulo visual. Como ficou relatado acima, às 5h30 da manhã do dia 19 de maio, os Parintintin foram-se embora por essa vez. Esperei ainda doze horas para não julgarem que estivéssemos atirando contra eles e às 5h30 da tarde mandei formar o pessoal no terreiro do posto, bem à vista do ponto de observação predileto dos índios, no pontal do igarapé, e mandei dar alguns tiros a um alvo feito num mourão da cerca. Como, porém, me parecia muito provável que nessa ocasião já não tivesse mais índio nenhum em distância de poder ouvir os tiros, mandei dar outros três tiros ao alvo, no dia seguinte pela manhã, ao meio-dia e de tarde, mantendo esse regime durante seis dias. Como nesse espaço de tempo não aparecesse mais vestígio nenhum dos índios, suponho que já ouviram os tiros e, desenganados de uma vitória fácil, preferiram não se aproximar mais. Suspendi pois os tiros durante o dia, limitando-me a dar alguns à boca da noite. Novo engano meu! Os índios não ouviram tiro nenhum, pois estiveram se preparando durante todos estes dias para um novo ataque.

No domingo, 28 de maio, às dez horas da manhã, notei que os brindes dos cantos da cerca estavam retirados. Redobrei a vigilância e às 10h30, saindo da varanda rumo à porteira, vi subitamente o caminho largo que vem de dentro do mato, entupido de índios que, com as flechas na corda, corriam com toda rapidez para a porteira. Entrei depressa na varanda, onde o trabalhador Raimundo Batista estava sentado, desmontando um rifle, e dei o alarma. No momento em que nós dois dobramos o canto da casa, as flechas bateram atrás de nós. Foi o ataque mais furioso que até agora tivemos de agüentar. Por cima da parede vi os Parintintin, em número de doze, entrarem pela porteira aberta adentro atirando e gritando, enquanto outros com golpes de terçado e de pau botaram o arame da cerca abaixo, carregando os pedaços cortados. Batendo no rifle, gritei-lhes que não fizessem tal e como não me atenderam mandei o pessoal se aprontar para dar uma descarga. Neste instante, porém, os assaltantes, por felicidade, afrouxaram e se retiraram um pouco pelo caminho adentro. Chamei-os então e ofereci-lhes um machado e um terçado, o que fez parar alguns dos mais corajosos. Aquietaram e prestaram-me atenção. Saí então para o terreiro com um grosso maço de fios de miçangas na mão, chamando-os, mas não se quiseram chegar. Fui até a porteira e deitei as miçangas no chão, retirando-me em seguida. Vieram e apanharam tudo. Ofereci-lhes outra remessa, que coloquei dentro de uma bacia que vim deixar outra vez perto da porteira. Retiraram a bacia e, como os outros já tivessem ido embora, foram-se também.

Pouco depois levantaram seus gritos no pontal do Igarapé. Treparam nos galhos das árvores e atiraram algumas flechas que não alcançaram o alvo. De repente apareceram três deles na margem oposta do rio, bem em frente ao posto. Mostrei-lhes brindes e fiz-lhes sinais que viessem para a porteira, ao que responderam que eu fosse ter com eles, e um índio tirou o diadema de penas e mo ofereceu. Foi então que consegui apanhar as primeiras palavras da língua deles: ouvi que me chamava *he-mu*, o mesmo título que eu lhes tinha dado na língua geral ("meu parente, meu companheiro"). Pronunciavam a palavra *aknitara* ("diadema") e também ouvi-os dizer em português claro "bacia". Entre eles se distinguia como o mais assanhado, um rapaz de 15/16 anos, claro, com pronunciada "plica mongólica", que mesmo não tendo mais flechas fazia o movimento de atirar, gritava, batia o pé e quebrava o mato. Saiu bem na beirada e fez o gesto de cortar a cabeça e por fim me arremedou, tomando a minha posição com os braços cruzados e depois com as mãos nas cadeiras. Peguei uma bacia de flandres e fui para as árvores caídas da margem a fim de soltá-la no rio, o que desencadeou uma nova furiosa gritaria dos que estavam no pontal. Mas não me incomodei e empurrei a bacia para a correnteza e ela desceu. Quando chegou perto do pontal, um dos índios de lá se atirou n'água e foi buscá-la. Os três da margem oposta me fizeram então sinais que queriam miçangas para pôr no pescoço e nos braços, e que eu fosse levá-las. Mas como eles também pouco antes tinham atirado algumas flechas para cá, mostrei-lhes as miçangas e disse que viessem cá por sua vez. Queriam então que as botasse dentro de uma bacia e a soltasse no rio. Mandei o Raimundo Batista com a bacia e as miçangas para um pau derrubado na margem, mas, quando ele estava cuidando de empurrá-la para fora, um índio atirou de lá uma flecha que por pouco não o atingiu. Raimundo saiu então da margem e a bacia ficou presa na ponta dos galhos, do nosso lado. Convidei os índios que atravessassem o rio e viessem apanhá-la, mas por muito tempo não se resolveram. Neste meio tempo viram-se alguns outros mais atravessar o rio abaixo do posto. Enfim um deles criou ânimo, entrou no rio, atravessou cautelosamente, levou a bacia com as miçangas e saiu numa praia do outro lado, pouco abaixo do posto. Daí levaram os brindes para o pontal, voltando a maioria deles para lá e ficando em frente de nós só cinco índios.

Estes começaram novamente a pedir miçangas, oferecendo-me em troca um diadema que deitaram num toco de pau, querendo que eu fosse lá buscá-lo. Não quiseram atender ao meu convite de atravessar, rodear e vir tratar comigo pela porteira. Um deles me demonstrou que eu amarrasse as miçangas na ponta de uma vara e enfincasse esta na beira do rio, abaixo do posto. Respondi que não o faria porque eles jogariam flechas. Lançaram então mão de um meio engraçado para me dar garantia: fizeram sinal que eu não fosse colocar as miçangas, e neste meio tempo se puseram a cantar e dançar, levantando o arco verticalmente, tendo um o diadema e outro um maço de miçangas amarrado na ponta, e, dois de cada lado, dançaram para lá e para cá, cantando: *ya taipehê*, ou coisa semelhante ("nós, os Parintintin"?). Enquanto os quatro dançavam, o quinto observou os meus movimentos. Fiz a vontade deles e coloquei as miçangas no lugar indicado. Prontamente um deles atravessou, tirou-as e deixou-se ficar do lado de cá. Agora os outros quatro reclamaram o seu quinhão também: que eu colocasse novas miçangas no mesmo lugar, para eles. Encaminhei-me com Raimundo Batista para a beira, mas antes de chegar no lugar fui interrompido pelos outros sete índios que do pontal já tinham rodeado o posto e que agora, do canto NE da cerca, jogaram duas flechas com grande gritaria e bateram furiosamente com cacetes na telha de zinco do posto de brindes. Corremos para trás e eu disse aos índios que agora não botava mais as miçangas porque os outros tinham de novo atirado sobre nós. Então o que estava do lado de cá saiu bem no limpo da beira, mostrou as miçangas que tinha apanhado e deu a entender que não foi ele que atirou e sim os outros, e que estes outros já tinham ido embora. Por fim sempre coloquei as miçangas, e logo os quatro índios que estavam do outro lado atravessaram e vieram apanhá-las. Estavam eles agora inteiramente desarmados. O que sempre se tinha distinguido mais e que vou chamar o "chefe", veio para o meu lado — eu estava fora da cerca —, amarrou um diadema num pedaço de pau e atirou-o para mim; dizendo que fosse buscá-lo, o que fiz. Os outros quatro também se acercaram ficando todos numa distância de quinze metros ou menos de mim.

Começamos, então, a conversa, falando eu a língua guarani e eles a língua própria, que muito se assemelha àquela. Muitas vezes não nos compreendíamos uns aos outros, mas, mal e com auxílio de gestos, a conversa foi adiante. Ofereci ao "chefe" mais miçangas, explicando que eram para a mulher e os filhos dele, e tentei entregar-lhe o presente na mão. Ele, porém, recuou e disse "emonból" ("jogá!"). Não insisti e fiz a vontade dele. Pediram-me então mercadorias e lhes dei tudo que quiseram e mais algumas coisas. Primeiro quiseram *takihé* e *takihé-pokú* ("facas" e "terçados"). Depois dei-lhes machados, pentes, espelhos, pratos, colheres. Pediram roupas e dei-lhes para eles e para alguém a quem quisessem levar. Por sua vez me deram outro diadema. Tive de dar o meu chapéu de feltro e o trabalhador Antônio Lobato também cedeu o chapéu e a camisa de meia. Do Raimundo Batista pediram a calça, porque acharam bonitos os remendos de cor diferente, mas eu dei-lhes uma calça nova. Ao curumi valentão eu dei por duas vezes um terçado e ambas as vezes os companheiros lho tomaram. Ele se zangou e foi embora. Chamei-o de novo e dei-lhe outro terçado, explicando aos outros que este era para o rapaz.

Durante esse tempo a conversa tornava-se cada vez mais familiar. O "chefe" indagou se nós tínhamos vindo de cima ou de baixo, e como se chamava nossa terra. Disse que nós tínhamos vindo de baixo, do Caiari (Madeira) e que a minha terra ficava muito longe, do lado do sol nascente. Perguntou se Raimundo Batista era meu filho e, quando por graça, disse que deixei mulher e filhos longe, quis que eu os trouxesse para cá. Perguntou pelos pais meus e dos outros e quis saber os nomes de todos nós, repetindo-os como eu os pronunciava. Eu então perguntei se tinham talvez fome e o "chefe" pôs grotescamente a mão nas dobras da barriga vazia, fazendo uma careta muito triste. Mandei vir tigelas com farinha-d'água, farinha de tapioca e açúcar, comi um pouco de tudo na vista deles e entreguei-lhes tudo. Foi neste tempo que *pela primeira vez um Parintintin recebeu pacificamente uma coisa das mãos de um civilizado.* Não foi o próprio chefe que fez este ato de bravura e sim um mocinho um pouco escuro, mas bonito, o mesmo que me tinha dado o segundo diadema. Creio que é um filho ou sobrinho do "chefe", pois não o compreendi quando me explicou o grau de parentesco entre os presentes. Levaram a comida um pouco mais adiante e lá cantaram e dançaram outra vez,

> comeram um pouco e voltaram para pedir ainda mais algumas coisinhas, especialmente linha de pesca para entaniçar a munheca esquerda, contra o baque da corda do arco, e para amarrar o membro. Muito me custou compreender que eles queriam uma lata de querosene, que chamavam *irú*, e só fiquei ciente quando o "chefe" encheu um prato com água e o botou no ombro. Também pediram três coisas que não podia dar por não tê-las: *abati* ("milho"), uma coisa que se estica e aperta entre as mãos e que canta *ñe-ñe-ñe* ("harmônica") e uma outra que se despeja na palma da mão e se esfrega no cabelo (extrato cosmético).
>
> Por fim foram-se embora, quietos e sem gritos. A última coisa que vi deles foi um prato que atiraram no rio. Eram três horas da tarde.
>
> À boca da noite ainda mandei consertar a parte da cerca que eles haviam demolido.

O caso Parintintin é exemplar para ilustrar a pacificação de um grupo extremamente aguerrido.

Akwê-Xavante e Urubu-Kaapor

Constituem também casos clássicos de confraternização, pelo método persuasório desenvolvido por Rondon, a pacificação dos Xavante (Akwé) e dos Urubu-Kaapor. Os primeiros apresentavam dificuldades especiais, por se tratar de um grupo que contava alguns milhares de membros e que experimentara no século passado o convívio pacífico com os brancos, sabendo, portanto, o que podia esperar da civilização e tendo deliberado repelir qualquer aproximação.

Os Xavante vivem nos campos cerrados à margem esquerda do rio das Mortes, que atravessavam para atacar, a leste, os criadores de gado que procuravam instalar fazendas nos campos do Araguaia e, ao sul, os garimpeiros que exploravam ouro no vale do rio São Lourenço em Mato Grosso.

O plano de pacificação consistia em estabelecer um cerco em volta do enorme território tribal para impedir hostilidades com civilizados, que prejudicassem os trabalhos, e para obrigar os

Xavante a se defrontarem com as turmas de pacificação, em qualquer lado para que se dirigissem.

A primeira tentativa malogrou, provavelmente pela afoiteza dos pacificadores, que se instalaram à distância de apenas duas léguas de uma das principais aldeias xavante. Contando, embora, com intérpretes xerente, com pessoal experimentado e usando dos métodos de aproximação já descritos, a equipe de Genésio Pimentel Barbosa foi trucidada em novembro de 1941, vitimada provavelmente pelo excesso de confiança do seu chefe, que, tendo visto os índios retirar os brindes, julgou que estivessem dispostos a confraternizar, e se acercou demasiadamente de suas aldeias.

Segundo o relato dos que sobreviveram[6] por se encontrarem fora do acampamento no momento do ataque, Genésio Pimentel Barbosa, temendo que qualquer dos auxiliares atirasse nos índios em momento de pânico, trancara os rifles numa arca. Morreu tendo a arma no coldre e as mãos cheias de brindes que oferecia aos índios, num último esforço para chamá-los à paz. Debaixo de cada um dos cadáveres, os índios deixaram uma borduna; dezenas delas, em sinal de advertência, foram empilhadas nas imediações, provavelmente para indicar o número de guerreiros dispostos a impedir a invasão de seu território.

Logo depois de divulgada a notícia da tragédia e apurados os fatos, o SPI credenciou outro servidor para prosseguir os trabalhos. Nas instruções que lhe foram dadas recomendava-se iniciar as atividades pelo enterramento dos mortos; instalar o núcleo de pacificação a maior distância da aldeia e utilizar o local do morticínio como centro para a colocação de brindes, a fim de patentear aos olhos dos índios o ânimo pacífico com que eram procurados.

Confiaram os diretores do SPI em que, permanecendo os pacificadores na região em atitude discreta, renovando os brindes cada vez que fossem retirados, acabariam por provocar nos índios o desejo de se acercarem e dar fala, concluindo-se a confraternização.

Só muitos anos mais tarde, porém, seriam coroados de êxito os esforços do SPI conduzidos por Francisco Meireles. Dessa vez contava-se com grandes recursos, como embarcações a motor e apoio aéreo para o suprimento das turmas para convencer os índios do poderio dos brancos, não utilizado contra eles por força de uma atitude deliberadamente pacífica.

Só assim os índios Xavante do rio das Mortes se renderam, em 1946, à paz que jamais desejaram.[7]

A pacificação dos índios urubu-kaapor teve início em 1911 e se prolongou até 1928, quando os primeiros membros da tribo confraternizaram-se com os servidores do SPI, no posto de atração da ilha de Canindéua-açu no alto Gurupi, entre o Pará e o Maranhão.

A primeira tentativa de aproximação foi feita em 1911 pelo ten. Pedro Ribeiro Dantas, que, à frente de uma pequena turma de trabalhadores, se internou na mata para tentar um contato com os índios. Fracassada a tentativa por falta de continuidade, recrudesceram as lutas entre os Kaapor e a população local, formada de garimpeiros, madeireiros e trabalhadores da linha telegráfica, espalhada pelo imenso território dominado pelos índios, entre os rios Turiaçu, o Gurupi e o Pindaré.

Os Urubu atacavam sempre em represália a ofensas sofridas e, nos primeiros anos que se seguiram à tentativa do ten. Dantas, não eram hostilizadas as pequenas turmas de pacificação, que continuamente se revezavam na colocação de brindes em pontos percorridos pelos índios.

Os extratores de drogas da mata e o pessoal da linha telegráfica, contudo, assediavam continuamente os índios. Estes, sempre que sofriam baixas, revidavam com vigorosos ataques, deixando de retirar os brindes que os servidores do SPI colocavam em tapiris, nas trilhas, e chegando muitas vezes a destruí-los.

Ao tomar conhecimento de um assalto por parte dos índios, os funcionários do SPI procuravam aproximar-se dos atacantes, que retrocediam à mata sem que pudessem ser abordados. Alternadamente, pois, renovavam-se as hostilidades e as manifestações pacíficas dos índios, com a retirada dos brindes e a colocação, em seu lugar, de imitações de tesouras ou terçados feitos de madeira, para indicar o que desejavam receber.

Em 1915, à falta de recursos, a atuação do SPI exercida através do Posto Indígena Felipe Camarão, do rio Jararaca, cessou inteiramente. Esse posto atendia a índios tembé e timbira e, simultaneamente, fazia esforços de aproximação com os Kaapor.

Três anos mais tarde foi criado o posto de vigilância do Turiaçu, para impedir os conflitos entre índios e o pessoal da linha telegráfica de ligação entre São Luís e Belém do Pará que atravessava o território tribal. Este se havia especializado nas chacinas aos Urubu. Um certo João Grande, agente da linha, perseguia atrozmente os índios, organizando expedições contra suas aldeias e espetando a cabeça das vítimas, homens, mulheres e crianças, nos postes telegráficos, como advertência para que os índios não cortassem mais a linha. Os relatórios do SPI da época mencionam ataques atribuídos ora a índios urubu, ora a Timbira que, provindos do rio Caru, também se infiltraram na área, sem que pudessem ser precisamente identificados uns e outros.

No mesmo ano (1918), índios urubu atacaram o Posto Indígena Gonçalves Dias, do rio Pindaré, que assiste os índios guajajara. Era o primeiro ataque àquele posto, instalado havia cinco anos, e foi assim relatado pelo encarregado:

> Estava o índio guajajara João Totoriá pescando à margem do rio quando ouviu rumor de pisadas em folhas secas; olhando para o lado donde vinha esse rumor, viu dois vultos deitados ao comprido, no chão, e mais adiante três, de pé, e meio escondidos nos matos. Reconhecendo que tinha diante de si índios bravos, o guajajara deitou a correr em direção às casas do posto, gritando: "*Aúou, Aúou*" — o que corresponde a "índio bravo matador"! Ao alcançar o pátio

das casas, já cansado, o fugitivo tropeçou e caiu; levantou-se e nessa ocasião recebeu uma flecha na região frontal, que lhe produziu um ferimento de oito centímetros de extensão.

A esses gritos, os companheiros do assaltado, que se achavam a fabricar farinha, correram em seu socorro e, ao avistarem os assaltantes que vinham saindo do pátio do lado do rio, perguntaram-lhes o que queriam. Como resposta receberam uma descarga de flechas. Novos disparos de flechas foram feitos contra os guajajara, que tornaram a perguntar aos assaltantes o que queriam. Mas, vendo os atacados que os outros teimavam em não lhes dar resposta e iam apoderando-se do que havia pelas casas e terreiros, dispararam dois tiros para o ar, na esperança de assim amedrontá-los. No entanto, os índios bravos a nada atendiam e investiam com furor. Então, um dos guajajara fez fogo de pontaria contra o mais afoito dos atacantes, no momento em que este saía de uma casa que estivera a saquear. Nesse momento chegou ao local do conflito o encarregado do posto, que ouviu seguir-se ao estampido do tiro um grito forte e o tropel de muitas pessoas que deitavam a correr pela margem do rio; entre os fugitivos, foi o alvejado, que mesmo assim não abandonou os objetos tirados da casa saqueada.

Ano após ano, os relatórios do SPI registram incursões dos Kaapor aos estabelecimentos de coletores de drogas da mata, garimpeiros e madeireiros, bem como a canoas que trafegavam o Gurupi e a pequenos povoados locais, de que resultavam encarniçadas refregas.

A eficiência desses ataques, movidos muitas vezes pelo desejo de saque — já que os índios utilizavam metal para as pontas de suas flechas —, levou a população local a acreditar que os Kaapor eram dirigidos por criminosos evadidos dos presídios do Maranhão, do Pará e mesmo de Caiena, e por negros remanescentes de antigos quilombos. Era voz corrente, também, que aventureiros de toda ordem, atraídos pelas ricas minas de ouro do Gurupi, incitavam os índios ao saque e eram os maiores interessados em mantê-los aguerridos, para servir aos seus propósitos de traficância clandestina do ouro. A explicação servia, principalmente, para justificar as chacinas empreendidas ou tentadas contra os índios.

Versões deste gênero chegaram a ser veiculadas pela imprensa,[8] como a que atribuía a um lendário Jorge Amir a chefia dos guerreiros kaapor. Este indivíduo, que nunca chegou a ser identificado, teria negócios com o comerciante sueco Guilherme Linde, grande proprietário do Gurupi, que ali investira vultosos capitais na exploração do ouro de Montes Áureos. Outra lenda, corrente na época, descrevia os Urubu como mestiços de Timbira e negros quilombolas.

Por volta de 1920 a situação de insegurança em todo o vale do Gurupi se agravara de tal modo que as autoridades do Maranhão e do Pará foram instadas a decretar o estado de sítio em toda a região, para garantir a vida e a propriedade dos moradores civilizados.

Expedições punitivas contra as aldeias indígenas eram também periodicamente organizadas, como a de 1922, estipendiada por um deputado estadual e pelo prefeito de Peralva, composta de 56 homens fortemente armados. Dirigiram-se ao alto Turi e, após seis dias de marcha, assaltaram uma aldeia kaapor e mataram no trajeto dois homens, o que alertou os demais, possibilitando a fuga. Na madrugada seguinte, reforçados por índios de outra aldeia, os fugitivos cercaram os expedicionários, despejando sobre estes saraivadas de flechas. Provocando nova fuga dos índios quando já tinham esgotado quase toda a munição, os invasores queimaram a aldeia e destruíram as roças, antes de regressar.

Em 1927 reiniciam-se os trabalhos de pacificação dos índios urubu, com a instalação do Posto Pedro Dantas na ilha de Canindéua-açu, próximo ao local onde os índios faziam a travessia do Gurupi, da margem maranhense à paraense. O local fora escolhido por Miguel Silva, encarregado do Posto Indígena Felipe Camarão, que desde 1911 trabalhava para o SPI, na assistência aos índios tembé e timbira, do Gurupi, e na pacificação dos Kaapor.

A turma encarregada da instalação do posto era constituída de quinze trabalhadores, do encarregado-geral, Soeira Ramos Mesquita — que, medroso e incapaz, pouco influiu no empreendimento —, de um carpinteiro, de um encarregado do material flutuante, do intérprete tembé, Raimundo Caetano, morto pelos índios em 1934, e do capataz Benedito Jesus de Araújo — o que mais contribuiu para a pacificação, sendo mais tarde morto pelos índios que chamara à paz, como adiante veremos.

Construído o rancho na ilha de Canindéua-açu,[9] defronte da margem maranhense, os trabalhadores abriram uma picada de quinze quilômetros mata adentro, ao fim da qual colocaram o primeiro tapiri de brindes, na margem direita do Gurupi. Na margem paraense foi plantada uma grande roça e levantados outros tapiris para a colocação de brindes, hasteando-se em cada um deles uma bandeira branca e flechas indicando a direção do barracão central.

O primeiro tapiri foi encontrado pelos índios alguns dias depois de instalado o posto. Quebraram o jirau e quase todos os brindes, levando apenas alguns medalhões com a efígie de José Bonifácio, que o SPI fizera cunhar como homenagem ao seu patrono e para satisfazer o gosto dos índios por moedas e medalhas de metal.

Em outubro de 1927 foi flechado e morto pelos Kaapor, quando tripulava o batelão do posto, o índio tembé Manuel Guamá e, pouco depois, também foi ferido a flecha o trabalhador Raimundo Pereira.

Os principais eventos de 1928, ano em que se deu a pacificação, foram registrados no diário do Posto Pedro Dantas, através do relato cotidiano dos acontecimentos, que abaixo resumimos.

Por ele se verifica que os índios, mantendo o posto sob constante vigilância, se foram habituando a retirar os brindes. Em 30 de julho, trocaram algumas frases com o intérprete tembé, o que permitiu verificar, afinal, que falavam o tupi e não o timbira, como muitos supunham. Só no mês de outubro os contatos se fizeram mais freqüentes, até que os índios passaram a visitar o posto, como se pode acompanhar pelas anotações do referido diário:

> — Em 1º de outubro os índios retiraram todos os brindes do tapiri mais próximo ao posto, dando constantes sinais. Um índio foi visto no roçado e três outros em frente ao posto. O intérprete falou-lhes constantemente, não obtendo resposta. No dia 13, os índios atiraram algumas flechas em direção ao posto, sem contudo alvejar as pessoas que se achavam nas redondezas. Alguns índios deram sinais no local onde no ano anterior atacaram o batelão do posto e depois retiraram os brindes, deixando cascas de pau em forma de terçados e facas, para dar a entender que precisavam desses objetos, no que foram atendidos.
>
> — Em 16 de outubro, por volta do meio-dia, chegou um índio à beira do rio e pediu terçados em sua língua. Imediatamente o batelão do posto dirigiu-se para lá, levando-lhe o capataz facões e machados. O índio afastou-se pedindo que fossem deixados na praia. Assim fez o pessoal do batelão e logo que regressou à ilha de Canindéua-açu vários índios saíram da mata e arrecadaram a ferramenta.
>
> Em 20 e 21 os índios voltaram, retirando todos os brindes sem, no entanto, "dar fala". No dia 22, apareceram vários outros no mesmo local, chamando "*Catu-Camará*" e pedindo roupas e ferramentas. Este grupo era chefiado por um índio que deu a entender chamar-se Remon.
>
> Dessa data em diante voltaram novos grupos levando sempre ferramentas e roupas.
>
> — Em 1º de novembro chegou ao posto o ajudante da Inspetoria Artur Bandeira que entregou brindes a 32 índios que de longe avistaram sua canoa, chamando "*Catu-Camará*". Bandeira conseguiu trazer três deles ao posto. No dia seguinte apareceu novo grupo, que a muito custo se deixou fotografar. No dia 5 apareceu um grupo de oito índios à sede do posto, que dançaram e cantaram para agradecer os brindes que receberam.
>
> — A pedido dos índios foi construído um barracão provisório na margem onde costumam aparecer. No dia 15 de dezembro apareceu a primeira índia no posto, que até essa data havia recebido a visita de 94 índios, alguns dos quais pernoitaram na sede, permanecendo aí dias seguidos.

Daí em diante as visitas foram-se tornando cada vez mais freqüentes, quase diárias, aumentando progressivamente o número de índios que procuravam o posto com suas mulheres e crianças, nele permanecendo vários dias. Quando não havia brindes eles ficavam nos arredores aguardando a chegada do batelão que vinha de Vizeu.

Em 1929 o posto foi transferido da ilha para a margem maranhense — construindo-se um grande barracão para a sede e outro para o alojamento dos índios.

Em abril do ano seguinte, o encarregado geral do posto, Soeira Mesquita, de viagem para Vizeu, decidiu levar consigo cinco índios kaapor para provar que havia pacificado a temível tribo. De Vizeu teve de seguir até Belém, entregando os índios aos tripulantes para serem reconduzidos ao posto. Durante a viagem de volta os índios foram atacados de gripe, morrendo dois deles em ltamoari. Os outros três, em estado muito grave, acompanhados pelo capataz Benedito Araújo, chegaram alquebrados ao posto. Um dos doentes, filho do cap. Arara, apesar do tratamento que recebeu do capataz e do intérprete timbira, Marcolino, morreria dias depois. Uma turma de outros 25 índios que haviam visitado o povoado de Itamoari num gesto espontâneo de confraternização, também chegou atacada de gripe, contaminando a gente de sua aldeia. Grassava então, no Gurupi, uma epidemia de impaludismo que prostrara os próprios trabalhadores do posto e fizera vítimas entre os índios, vindo a falecer as duas esposas do mesmo Arara. Temendo as doenças, a maioria dos índios se retirou para suas aldeias, vindo a contaminá-las e provocando enorme mortandade. Narra o diário da pacificação:

> [...] Marchavam assim os acontecimentos quando fomos surpreendidos com gritos de índios urubu à margem maranhense que pediam passagem para o posto. Embarcou apenas um índio, armado de arco e seis flechas, isto contra a regra estabelecida que determinava que os índios não entrassem no posto armados. Logo ao desembarcar, deu a um dos homens que o tinham atravessado uma das flechas que trazia e em seguida dirigiu-se ao barracão chamando por Araú, nome por que era conhecido o capataz Araújo. Este, com sua conhecida

> benevolência e cega confiança, ofereceu-lhe um banco para sentar-se e passou a dirigir-lhe perguntas. O índio mostrou, então, ao capataz uma flecha de grande lâmina, dizendo ser preparada para matar Tapiira (anta) e em dado momento, assentando no arco a flecha aludida, apontou em direção ao quintal, proferindo as seguintes palavras: "*Araú Tapiira*" e brandindo o arco com toda a violência, virou repentinamente a pontaria soltando a flecha no peito de Araújo que, sem dar um gemido, caiu morto.
>
> Armado ainda de quatro flechas, saiu pela porta que dá para a cozinha, dando grandes urros, rodeou o barracão procurando outra pessoa; parou em frente de uma das janelas e brandindo com rapidez o arco soltou outra flecha atingindo o índio timbira, Marcolino, que, gravemente ferido, correu, caindo logo adiante. A seguir, Oropó — que mais tarde se veio a saber também perdera as duas esposas na epidemia e era da aldeia do cap. Arara — evadiu-se para a mata.
>
> Os outros índios, que havia dias se encontravam no barracão em atitude pacífica, apesar de não compreenderem o que levara o companheiro a praticar semelhante ato, amedrontados, também fugiram.

Nem um só tiro foi disparado em perseguição a Oropó, embora todos os trabalhadores do posto estivessem perplexos e revoltados com o atentado.

Nos outros casos de massacre de turmas de pacificação, o SPI agiu sempre assim, providenciando diligentemente para impedir o revide, da parte dos seus servidores ou da população circunvizinha, e renovando os esforços para alcançar a confraternização. Foi o que ocorreu com os Botocudo (Xokleng) do Paraná. E também em 1942, quando o funcionário do SPI Humberto Brighia e seus familiares, ao todo seis pessoas, foram vitimados pelos índios uaimiri do Amazonas, durante os trabalhos de atração. E ainda com Genésio Pimentel Barbosa e seus companheiros, abatidos a borduna pelos Xavante, e em vários outros casos.

Reiteradas vezes os esforços para refazer as relações pacíficas recomeçavam imediatamente após o ataque, por iniciativa dos funcionários sobreviventes ou das novas turmas que os substituíam. No caso dos Urubu-Kaapor, tratava-se de um movimento de reação à confraternização, provocado pela revolta que desencadeou a enorme mortalidade que sofreram ao primeiro contágio de gripe, e que o índio Oropó atribuiu aos remédios ministrados pelo pacificador.

Índios amansam brancos

O método de aproximação de tribos hostis adotado pelo SPI, conquanto arriscado para os servidores que a empreendem, teve sua eficácia comprovada cada vez que foi posto em execução com os necessários cuidados. A melhor indicação de seu acerto é, talvez, o fato de ter levado diversas tribos à convicção de que elas é que estavam "amansando" os brancos.

Após a pacificação de alguns dos grupos indígenas mais belicosos, verificou-se que eles haviam feito comoventes esforços para "amansar" os brancos. Em muitos casos, a pacificação empreendida pelo SPI foi interpretada às avessas pela tribo. Foi o que se deu com os Kaingáng de São Paulo, os Xokleng de Santa Catarina, os Parintintin e vários outros grupos que, ao confraternizar com as turmas de atração do SPI, estavam certos de que as haviam apaziguado. É que, pela primeira vez, tiveram ocasião de proceder segundo as prescrições de sua própria etiqueta, sem sofrer revide.

Os vários relatos de pacificação que fizemos atrás comprovam que aquelas tribos ou estavam sedentas de paz, ou pelo menos desejavam estabelecer relações com os brancos. Só não sabiam como aproximar-se, pois em suas várias tentativas neste sentido haviam sido recebidas a bala.

Na realidade, é praticamente impossível para um grupo tribal qualquer aproximação bem-sucedida com os brancos. Suas normas de relações com gente estranha, sua etiqueta no tratamento dos inimigos, eficazes para a abordagem de grupos pertencentes à mesma cepa cultural, não surtem efeito junto aos brancos. Basta considerar a saudação guerreira corrente em diversas tribos para se verificar a impossibilidade de uma aproximação amistosa.

A etiqueta dos Umutina, por exemplo, do alto Sepotuba, prescrevia como forma de abordagem amiga de grupos estranhos — fosse uma aldeia da própria tribo, fosse uma vila sertaneja — a simulação mais realista possível de um ataque, em que chegavam a retesar os arcos e expedir as flechas que só retinham no último momento. Obviamente, grupo algum que não participasse da mesma etiqueta poderia interpretar o ataque insólito como uma forma amigável de saudação, como o primeiro passo para o estabelecimento de relações pacíficas.

Mesmo as temidas hordas kayapó — que dizimaram diversas tribos vizinhas, como os Kuruaia, os Tapirapé, os Juruna, dentre outras, e que mantinham em contínuo sobressalto as vilas sertanejas do Xingu e do Araguaia desde o começo do século — fizeram diversas tentativas de estabelecer relações amistosas com os civilizados, enviando seus prisioneiros de guerra como embaixadores de paz e apresentando-se, a seguir, voluntária e pacificamente. Nimuendaju (1952b: 427-53) refere-se a algumas dessas tentativas, todas elas frustradas em virtude do acerbo ódio dos sertanejos contra os Kayapó, tidos como "bichos ferozes", "perversos por instinto" ou "bichos que só podem ser amansados a bala".

Os Kaingáng de São Paulo relataram a seus pacificadores os esforços envidados para amansar grupos de trabalhadores da Estrada de Ferro Noroeste do Brasil que avançavam através de seu território. Como relatamos anteriormente, numa destas tentativas, um dos chefes kaingáng caminhou desarmado ao encontro de uma das turmas, levando nos braços um filho pequenino, como penhor de seus propósitos de paz. Foi recebido com uma fuzilaria, embora gesticulasse indicando a criança e mostrando que não trazia armas. Ainda assim, repetiu-se a descarga e um tiro prostrou a criança quando ele se retirava.

Esse acontecimento antecedeu de pouco a entrada da turma de pacificação e o estabelecimento da paz, mas não impediu que os mesmos índios repetissem suas tentativas junto ao pessoal do

SPI. No caso, tinham boas razões para acreditar que haviam amansado seus pacificadores, pois foi um grupo de índios que entrou um dia voluntariamente no acampamento, estabelecendo o primeiro contato amistoso.

Balanço crítico

Este balanço crítico do indigenismo brasileiro demonstra que o SPI tem sido digno da legenda de Rondon: "Morrer se preciso for, matar nunca". Todas as tribos com que depararam as frentes pioneiras da sociedade brasileira foram trazidas ao convívio pacífico, sem que um só índio fosse tiroteado pelas turmas do SPI, embora mais de uma dezena de servidores tombasse nos trabalhos de pacificação, varados por flechas. E após a queda de cada turma, outra se levantava para levar adiante sua obra. Muito mais que do SPI, estes fatos falam das reservas morais do povo brasileiro. Nestes casos, porém, apenas se exigia heroísmo, pertinácia e capacidade de sacrifício. E sempre que eram estes os elementos necessários, o SPI os encontrou a mancheias.

Que fazer, porém, dos índios depois de pacificados? Como dirigi-los pelos caminhos da civilização, preservando o vigor físico e a alegria de viver que a existência tribal independente lhes proporcionava, malgrado todo o atraso de seus processos de garantir a subsistência? Como encaminhá-los à nova vida que terão de viver? Ensinar-lhes a plantar, quando eles, em muitos casos, tinham roças maiores e melhores que as do posto? Ensiná-los a vestir-se? Mas como dar-lhes roupas depois que aprendessem a usá-las?

Na verdade, a obra de pacificação atende mais às necessidades de expansão da sociedade nacional que aos índios. A obra de assistência, esta sim, é que atenderá às necessidades propriamente indígenas. Todavia, no campo da assistência e da proteção, o SPI falhou freqüentemente. Chamado a intervir para salvar as tribos de uma destruição fatal — caso tivessem de enfrentar, com suas próprias forças, a competição ecológica com populações infinitamente mais numerosas e mais bem equipadas culturalmente —, não consegue impedir que os índios, depois de desarmados, sejam conduzidos a condições de extrema penúria e que percam, com a autonomia, a alegria de viver.

Pacificações realizadas à custa de muitas vidas, de esforço heróico para chamar novas tribos à paz, conduziram seus executores à frustração, ao verificarem que a sua vitória era, afinal, a derrota dos seus ideais, que nem mesmo a posse da terra era assegurada aos índios e que o convívio pacífico significava para eles a fome, a doença e o desengano.

Estas observações, escritas por nós em 1957, estão, hoje, obviamente superadas. A deterioração da administração pública brasileira e, particularmente, a degradação do Serviço de Proteção aos Índios foram demasiadamente pronunciadas nos últimos anos. Nem mesmo a função de "amansadores" de índios, dentro dos ideais de Rondon, pôde ser preservada. Já em 1958, Carlos de Araújo Moreira Neto assinalava este fato:

> As pacificações ora em curso na bacia do Xingu ignoram quaisquer pressupostos básicos, apoiados nos dados da experiência, que protejam os grupos tribais dos perigos de desintegração sociocultural e dos processos depopulativos por epidemia a que se encontram expostos. Nenhuma dessas atividades prevê, como medida necessária, a garantia às comunidades indígenas da posse dos territórios que ocupam. O que se verifica então é que às próprias equipes de pacificação se associam seringalistas e exploradores de castanhais que vão imediatamente ocupando as áreas tornadas acessíveis pela atração de grupos hostis. Dessa forma, as atuais medidas pacificadoras serão não só desaconselháveis como de todo inconvenientes, se se tem em conta os mais elementares interesses e direitos dos grupos indígenas por elas atingidos. *(C. A. Moreira Neto, 1959: 61)*

Com efeito, as pacificações efetuadas após nossos registros, tanto pelo SPI como por missionários e em encontros buscados pelos próprios índios, se realizaram nas condições mais desastrosas. Sobre algumas delas existe documentação fidedigna. Uma equipe de etnólogos do Museu Nacional, reconstituindo a pacificação de algumas tribos do vale do Tocantins, fornece dados expressivos. Com respeito aos índios suruí, um subgrupo tupi de cerca de cem índios que vive no igarapé Sororozinho, Roque de Barros Laraia e Roberto da Matta (1967) assinalam que, após os primeiros contatos pacíficos alcançados pelo dominicano frei Gil Gomes, em 1952, aqueles índios se acercaram espontaneamente de um grupo de castanheiros, buscando assistência e convívio. Um deles, decidindo-se a "civilizá-los",

> [...] adotou medidas como cortar os cabelos dos homens, vesti-los, construir-lhes, com a separação das famílias elementares, habitações do tipo neobrasileiro, introduzir-lhes novas necessidades elementares, como o arroz, sal, café e o açúcar. Aproveitando-se da boa receptividade encontrada por parte dos índios, levou para suas terras mais 25 caçadores que prostituíram as mulheres, devastaram as roças, aceleraram a difusão da gripe, o que veio resultar numa letal epidemia que reduziu a tribo a quarenta índios. O fato de ter impedido os Suruí de cultivarem as suas roças, sob a falsa promessa de que ele proveria os índios do necessário, provocou no ano seguinte um período de penúria. (R. B. Laraia & R. Matta, 1967: 30)

Dois outros grupos tupi dessa região, os Akuáwa-Asurini e os Parakanã, tiveram destino semelhante. Ambos experimentaram, primeiro, sucessivos conflitos, inclusive chacinas organizadas por funcionários da Estrada de Ferro Tocantins, mas obtiveram certo amparo do Serviço de Proteção aos Índios que denunciou as violências e criou um posto de atração para pacificá-los. Em 1953, um grupo de cerca de 190 índios fixou-se no posto. Um ano depois, cinqüenta deles haviam morrido de gripe e a maioria dos remanescentes voltou à mata. Mais tarde, acossados pela gripe e pela disenteria, buscaram novamente o contato, mas voltaram logo a refugiar-se na mata. A conclusão, segundo os mencionados observadores, é a de que o contato

> [...] foi desastroso para os Akuáwa-Asurini. Hoje, estão reduzidos a 34 índios, residentes no posto, a dez dispersos entre os civilizados e a quatorze índios que estão na mata. *(1967: 35)*

Mais dramático ainda foi o caso dos índios cinta larga, pequena tribo praticamente desconhecida do vale do Ji-Paraná, que foi atingida por uma das fronteiras da economia extrativista. Uma reportagem publicada na revista *Fatos & Fotos* do Rio de Janeiro (18 de abril de 1968), descreve a selvageria com que estes índios foram abatidos pelos que queriam apoderar-se de suas terras.

> O pequeno avião monomotor já havia feito dois rasantes sobre a aldeia e agora, mais abaixo, quase tocando com as rodas nas folhas das árvores, se aproximava fazendo grande ruído. Na maloca, os índios corriam para dentro de suas palhoças e no meio do terreiro as mulheres e crianças choravam desorientadas. De repente, uma explosão levanta palha, madeira, terra e corpo de gente. Em seguida outra explosão e o avião desaparece sobre a copa de uma grande castanheira para dar mais uma volta e sobrevoar a aldeia. Ele ganhou alguma altura e desta vez vem de pique sobre o acampamento. Com o barulho do motor não dá para se escutar o ruído dos tiros, mas em suas janelas se vê o braço de um homem trepidando com o pipocar de uma metralhadora. As pessoas saem correndo das poucas casas que ainda restam e a maioria tomba a alguns metros adiante, sem alcançar o mato para se proteger. Assim foi exterminada quase uma tribo inteira de índios cinta larga, no estado de Mato Grosso, em meados de 1963. Bananas de dinamite eram jogadas sobre as malocas e os índios que conseguiram sobreviver ao primeiro ataque foram alvejados a tiros de metralhadora. Ao todo, ali viviam trinta índios, mas apenas dois puderam contar essa história. *(Reportagem de Ronald de Carvalho)*

Mas não ficou nisto, porque os chacinadores voltaram depois, por terra, para liquidar os sobreviventes. Ocorre, então, o seguinte episódio:

> Após terem metralhado um grupo de índios acampados junto a um rio, os homens da expedição ouviram um choro de criança, abafado pela mão da mãe. Para os que deviam regressar na manhã seguinte com a missão cumprida, aquele pequeno ruído mostrava que o serviço não fora perfeito. Rapidamente eles acendem as lanternas e saem vasculhando o mato. Sob dois corpos crivados de balas estavam es-

condidas mãe e filha. Os homens que as encontraram fizeram uma *festa.* Dois tentavam violentar a mulher e um beliscava a garotinha que chorava, vendo a aflição da mãe. Em volta, fechando o círculo, o grupo se divertia. Nas mãos dos dois nordestinos fortes a mulher índia se debatia. Nesse instante, aproveitando um descuido, a criança libertou-se, correu em socorro da mãe e, com raiva, mordeu a perna de um dos homens. A mulher em pânico tentava cuidar da menina e, ao mesmo tempo, livrar-se dos homens que a violentavam. O homem com a perna mordida foi substituído por outro, afastou-se da índia e com ódio começou a estrangular a criança. Alguém, querendo terminar com o espetáculo paralelo que atrapalhava o primeiro, tomou a menina das mãos do seu estrangulador e lhe deu um tiro de pistola 45 na cabeça. A testa da garotinha explodiu e o sangue salpicou a roupa dos que estavam em volta. Vendo a filha morta, a mulher não resistiu e desmaiou. Indefesa nas mãos dos chacinadores, a índia foi violentada por todos e depois retalhada a facão. (Ibidem)

7 O PROBLEMA INDÍGENA

O programa dos fundadores do SPI previa a transformação dos índios em lavradores, sua completa e pronta assimilação. A atitude de Rondon e da equipe que ele forjou, composta de jovens oficiais, quase todos de formação positivista, era a um só tempo revolucionária e romântica. Afirmava — contra a convicção geral — que o atraso dos índios não decorria de sua propalada incapacidade congênita, mas da exploração e do tratamento desumano a que vinham sendo submetidos desde a descoberta. Convencidos da unidade essencial dos homens, todos dotados de iguais aptidões para o aprimoramento e o progresso, acreditavam que, uma vez asseguradas oportunidades de desenvolvimento, as tribos desabrochariam da "condição fetichista" para etapas cada vez mais avançadas. Através desse processo se integrariam na sociedade nacional como autênticos brasileiros, mais fortes, mais honestos, mais diligentes que a caboclada com que deparavam nos seringais ou que servia na tropa.

A realidade demonstraria que, embora tendo razão quanto à potencialidade do índio, desconheciam dois fatores que poriam abaixo suas mais caras esperanças: 1) o vigor do conservantismo dos grupos indígenas, sua tenaz resistência à mudança e a força do sentimento de identificação tribal que leva estes minúsculos grupos étnicos a lutar por todos os meios para conservar sua identidade e sua autonomia; 2) a incapacidade da sociedade brasileira, particularmente das fronteiras de expansão, para assimilar grupos indígenas, proporcionando-lhes estímulo e atrativos para nela se dissolverem.

Muito cedo perceberam os indigenistas de Rondon que não se estava alcançando o objetivo assimilacionista. Os grupos pacificados ou desapareciam rapidamente, vitimados por doenças e pelas precárias condições de vida a que eram submetidos, ou, quando conseguiam sobreviver, tendiam a preservar as características culturais próprias, como a língua e os costumes compatíveis com a nova vida de participantes diferenciados da sociedade nacional.

Verifica-se, assim, entre os dirigentes do Serviço de Proteção aos Índios, uma vívida tomada de consciência do malogro de alguns de seus propósitos programáticos: desaparecem nos documentos oficiais, ou só persistem timidamente, as referências, antes tão freqüentes, "à incorporação dos índios à comunhão nacional". Típico desta redefinição é o juízo de Luiz Bueno Horta Barbosa sobre o propósito do SPI: "não incorporar párias, mas fazer do índio, um índio melhor".

Em sua atuação de base, nos postos, depois de experimentar desastrosamente aqui e ali a imposição daquela ideologia, o SPI teve de acomodar-se à resistência dos índios, compreendendo que o seu papel consistia em assegurar-lhes o direito de viver segundo seus costumes tradicionais, protegê-los contra as violências dos invasores civilizados e conduzir o processo de sua integração progressiva na vida regional de modo a garantir-lhes a sobrevivência.

Com o correr dos anos, a atuação do SPI foi-se distanciando cada vez mais de sua orientação teórica, mesmo da antiga ideologia, ultrapassada em inúmeros aspectos. Trabalhava-se cada vez mais ao sabor da improvisação e correndo o risco de mais devotar-se ao problema dos "brancos", em seus conflitos com os índios, do que aos graves problemas criados para os índios com a expansão inexorável da sociedade nacional sobre os territórios tribais.

Assim, depois de cinqüenta anos de atividades junto a dezenas de milhares de índios, impõe-se ao SPI a necessidade de formular uma nova orientação à política indigenista, com base no balanço crítico das práticas que se revelaram adequadas e também dos procedimentos que se mostraram desastrosos. O objetivo principal deste capítulo é dar uma contribuição a este esforço, apoiada em nossa experiência, adquirida em dez anos de trabalho como etnólogo do SPI.

O problema indígena não pode ser compreendido fora dos quadros da sociedade brasileira, mesmo porque só existe onde e quando índios e não-índios entram em contato. É, pois, um problema de interação entre etnias tribais e a sociedade nacional, cuja compreensão é dificultada pelas atitudes emocionais que se tende a assumir diante dele, tais como:

1. A atitude *etnocêntrica*, dos que concebem os índios como seres primitivos, dotados de características biológicas, psíquicas e culturais indesejáveis que cumpre mudar, para compeli-los à pronta assimilação aos nossos modos de vida. Esta é a atitude tradicional dos missionários que, movidos pelo desejo de salvar almas, consideram sua tarefa a erradicação de costumes, a seu ver heréticos e detestáveis, como a antropofagia, a poligamia, a nudez e outros. É, também, a atitude daqueles que julgam uma vergonha para "um povo civilizado" ter patrícios que se pintam com urucu, afiam os dentes, deformam os beiços e as orelhas, vivem em choças imundas e falam línguas ridículas. Estes se propõem lavar a nação desta mancha infamante, escondendo a existência dos índios e simultaneamente os obrigando a adotar as únicas formas corretas de vestir, comer, casar e falar, que conhecem. Apreciam a ação missio-

nária, enquanto dogmática, e exigem do SPI que se devote à incorporação dos índios a qualquer custo. Assumem, também, esta atitude os interessados nos índios como mão-de-obra ou na espoliação das terras que eles ocupam, argumentando que, em suas mãos, esses recursos seriam mais bem utilizados do ponto de vista do progresso do país.

2. A atitude *romântica* dos que concebem os índios como gente bizarra, imiscível na sociedade nacional, que deve ser conservada em suas características originais, quando mais não seja como uma raridade que a nação pode dar-se ao luxo de manter, ao lado de museus e dos jardins zoológicos. Propugnam pelo estabelecimento de "reservas" onde os índios sejam postos de quarentena, para que possam viver livres de perturbações e servir, eventualmente, de amostra do que foi a humanidade em eras prístinas. Estes se opõem ao trabalho missionário, como a uma violência contra o direito dos povos tribais de viverem segundo suas crenças e costumes; e exigem do órgão de assistência oficial uma atitude cientificista de preservação artificial das culturas tribais.
3. A atitude *absenteísta* dos que, considerando inevitável e irreversível o processo de expansão da sociedade nacional sobre seu próprio território, que a leva de encontro a todos os remanescentes das populações indígenas ainda isoladas e autônomas, postulam a inevitabilidade do contato, da deculturação e da desintegração progressiva das culturas tribais, seguidas, necessariamente, da extinção do índio como etnia e da incorporação dos remanescentes. Deste raciocínio concluem que, estando os índios condenados a viver em condições de penúria e de ignorância análogas às dos demais brasileiros pobres, de diferente filiação racial ou cultural, devem receber idêntico tratamento porque somente juntos, índios e camponeses, se redimirão, um dia, da situação de miséria em que se encontram.

O dogmatismo etnocêntrico da primeira corrente e o absenteísmo da última levam à concepção de que não existe um problema indígena específico a exigir tratamento especializado. Ambas desconhecem ou subestimam os seguintes fatos:

1. Os índios são mais vulneráveis às moléstias infecciosas transmitidas pelos brancos e, quando entram no circuito de contágio destas, sofrem tamanha mortalidade que, por vezes, são levados a completo extermínio.
2. Os índios, isolados numa concepção própria do mundo e separados dos demais brasileiros por barreiras lingüísticas e culturais, são incapazes de se desenvolver por seus próprios recursos e de interagirem de igual para igual na sociedade brasileira.
3. Os índios estão em conflito aberto com os invasores das terras que habitam, os quais procuram desalojá-los a qualquer custo, para delas se apoderarem e só admitem tratá-los como mão-de-obra servil que explorariam até o extermínio.
4. Os índios são objeto de discriminação racial por parte das populações com que estão em contato, as quais, diante da diferença de costumes, de concepções e de motivações, bem como da pobreza do equipamento indígena de luta pela vida, reagem, considerando-os tipos subumanos, desprezíveis, em quem podem atirar como se fossem animais.
5. Os índios estão vivendo dramático processo natural, desencadeado pela conjunção da cultura tribal com a sociedade nacional, que pode conduzi-los a um colapso, por perda do gosto de viver e desespero diante do destino que lhes é imposto, seguido de desmoralização e extinção.

A atitude romântica, preservacionista, reconhecendo embora a especificidade do problema indígena, exige um estatuto próprio para o índio, que o coloque à margem da sociedade nacional, em condições de estufa impossíveis de manter, inclusive porque os próprios índios contra elas se rebelariam.

O indigenismo brasileiro, superando essas atitudes extremadas, propugna por medidas que, resguardando o índio da extinção, o preparem paulatinamente para interagir em igualdade de condições com os demais brasileiros. O SPI não pode evitar que o índio assimilado ou em processo de assimilação participe do destino das massas mais pobres da população nacional. Mas, na medida em que lhe assegura a posse das terras que ocupa e um mínimo de assistência, dá ao índio um lugar privilegiado nesse quadro, atenuando a situação de penúria a que seria submetido, se lançado abruptamente no meio da única classe a que poderia ser incorporado: a mais baixa camada da estrutura social, a cujas condições de vida sucumbiria por não estar psicologicamente motivado nem culturalmente preparado para as defrontar.

Grande parte das discussões dos indianistas, etnólogos e mesmo de leigos sobre o problema indígena focaliza esta questão, indagando se devem influir no processo os que dele têm consciência, para a integração ou o enquistamento. Trata-se, a nosso ver, de um problema acadêmico. O SPI é chamado a salvar os índios de uma extinção certa, que estava se dando e continua ocorrendo, malgrado seus esforços. O que lhe cabe, portanto, é estancar a mortandade, combatendo suas causas. O destino final do índio, sua incorporação ou enquistamento, será o desfecho de um processo no qual muito pouco se pode influir.

A ideologia brasileira quer o índio — e também o negro como um futuro "branco" dissolvido pela amalgamação racial e pela assimilação na comunidade nacional. Entre os desejos, a ideologia e os fatos, medeiam, contudo, grandes distâncias — tão grandes que à propalada ideologia assimilacionista brasileira, com respeito aos índios, não corresponde uma atitude assimilativa.

Tudo indica que o processo de interação, se deixado atuar livremente, não levará à assimilação, mas à extinção dos índios e que uma intervenção adequada pode assegurar sua sobrevivência. Isto é, pois, o que cumpre fazer; tanto mais porque, em nossos dias, as compulsões de ordem ecológica, econômica, cultural e outras, que pesam sobre as populações tribais e as condenam ao extermínio, já não são condição de sobrevivência da sociedade nacional. São antes abusos despóticos de interesses locais, freqüentemente de natureza puramente mercantil, que não teriam ocasião de atuar, uma vez denunciados e postos sob a vigilância dos órgãos governamentais e da opinião pública esclarecida.

Representando apenas um em mil da população brasileira, os índios são hoje quase inexpressivos no conjunto da nação e seus problemas são imponderáveis como problema nacional. Vale dizer, qualquer que seja seu destino, este não afetará a vida nacional; mas significa também que as terras de que necessitam e a assistência de que carecem lhes podem ser concedidas sem grandes sacrifícios. A tarefa do SPI é, na maioria dos casos, impedir que sejam chacinados, que morram de fome, vitimados por doenças, ou que sejam conduzidos ao desespero e à marginalidade. Uma vez vivos, progredindo sua aculturação, é de esperar que se integrem na sociedade nacional ou até mesmo nela se dissolvam, na medida em que houver vantagens em viver a vida das populações rurais brasileiras. Hoje, ao menos, não existem estes atrativos. As condições da maioria dos postos indígenas são superiores às que prevalecem na fazenda particular ou no seringal, onde labuta a população rural brasileira.

Aqueles que só podem admitir o índio como um futuro *não-índio* devem compreender que a assimilação depende menos de uma política indigenista que das condições de vida da população total do país. Quando o lavrador gozar de maior amparo, for dono da terra que trabalha e libertar-se das condições de exploração em que hoje estiola, estará alcançada uma das condições básicas para a assimilação do índio já aculturado.

A posse do território tribal

A posse de um *território tribal* é condição essencial à sobrevivência dos índios. Tanto quanto todas as outras medidas protetórias, ela opera porém como barreira à interação e à incorporação. Permitindo ao índio refugiar-se num território onde pode garantir ao menos sua subsistência, faculta-lhe escapar às compulsões geradas pela estrutura agrária vigente, as quais, de outro modo, o compeliriam a incorporar-se à massa de trabalhadores sem terra, como seu componente mais indefeso e mais miserável.

Os casos concretos observados no Brasil de tribos que perderam suas terras e foram levadas a perambular, aos magotes, pelas fazendas particulares, como reservas de mão-de-obra, demonstram que, embora tivessem oportunidade de mais intensa interação com os trabalhadores não-indígenas e, teoricamente, por via desta comunicação e convívio, maiores chances de se dissolverem na população nacional, isto não ocorreu. Na prática, seu despreparo para as "tarefas da civilização", a conservação de idéias e motivações da cultura original e outros fatores os levaram a tamanho desgaste que estariam fatalmente condenados ao extermínio, se não fossem recolhidos a um posto de proteção.

O direito do índio à terra em que vive, embora amparado por copiosa legislação que data dos tempos coloniais, jamais se pôde impor de fato. Ainda hoje continua impreciso, dando lugar a perturbações de toda ordem, sob os mais variados pretextos ou mesmo sem eles.

No plano legal, o índio sempre teve reconhecido seu direito à terra. Esta prerrogativa data de um alvará de 1680, que os define como "primários e naturais senhores dela". Este direito é confirmado e ampliado pela lei nº 6, de 1755, e por toda a legislação posterior.[1] Entretanto, o índio, reduzido à escravidão, esbulhado de suas terras, praticamente nunca desfrutou desses direitos. Assim os encontrando, a legislação monárquica tenta remediar a situação com o decreto nº 426, de 1845, que não só reconhece os direitos estatuídos em 1680 e confirmados no regime de posse de 1822, mas ainda procura levar ao índio a assistência direta do governo, através da criação de núcleos de amparo e catequese, onde pudesse gozar das garantias facultadas em lei.

Daí em diante, porém, começam as interpretações porque a lei já não faz referência explícita aos índios. Havendo praticamente desaparecido de toda a costa e sobrevivendo apenas nas regiões mais longínquas, passaram despercebidos dos legisladores que estabeleceram, em 1850, o regime de propriedade das terras no Brasil. O regulamento de 1854 apenas confirma o direito dos índios às terras em que vivem enquanto terras particulares, possuídas a título legítimo.

A Constituição de 1891 transfere aos estados o domínio das terras devolutas, que até então eram do domínio imperial. Subsiste, naturalmente, o direito às terras possuídas em termos legalmente definidos nos regimes anteriores, inclusive, e principalmente, as dos índios. Contudo, muitos estados incorporaram ao seu patrimônio, como terras devolutas, as de legítima propriedade dos índios, em virtude da indiscriminação com que as receberam da União, em conseqüência de toda a desorganização e incúria que vinha da Colônia, no que respeita ao registro de terras, particularmente as indígenas, já então sob tutela orfanológica do Estado. A partir desse período, é no caráter de terras particulares, havidas por títulos decorrentes da legislação anterior, que se argumenta sobre os direitos dos índios às terras que habitam.

Na realidade, após quatro séculos de uma falaz proteção possessória, os índios haviam sido despojados de quase todas as terras que tivessem qualquer valor. Viviam acoitados nos sertões mais ermos e ali mesmo tinham de defender-se, à viva força, contra as ondas de invasores que procuravam desalojá-los, cada vez que suas terras começavam a despertar cobiça por se tornarem viáveis a qualquer tipo de exploração econômica.

Muito mais do que as garantias da lei, é o desinteresse econômico que assegura ao índio a posse do nicho em que vive. A descoberta de qualquer elemento suscetível de exploração — um seringal, minérios, essências florestais ou manchas apropriadas para certas culturas — equivale à condenação dos índios, que são pressionados a desocupá-las ou nelas morrem chacinados. E não são necessárias descobertas econômicas excepcionais para que os índios sejam espoliados.

As fazendas de criação, pelo crescimento natural dos rebanhos, exigem campos cada vez mais extensos, avançando sobre as terras dos índios, à medida que nelas esbarram. O mesmo ocorre nas zonas de exploração agrícola e extrativa.

Este tem sido o processo natural de expansão da sociedade brasileira, que, ainda no século XX, em muitas áreas continua a crescer à custa dos territórios tribais. Mesmo as ínfimas porções do seu antigo território, aqui e ali concedidas aos índios com toda a proteção possessória — como no caso da doação por particulares ou pelos estados —, mesmo destas têm sido espoliados quando atingem certo valor. O meio mais comum é a batida e expulsão, sob a alegação de que se trata de índios ferozes, ou simplesmente de coito de criminosos que pretendem passar por índios, ou ainda, de ladrões de gado e acusações semelhantes.

Desenvolveu-se mesmo uma série de técnicas parajurídicas, à margem da legislação, para coonestar estas alienações. Uma delas, muito utilizada no passado, era a promoção nominal da *aldeia* indígena a vila, passando, assim, suas terras a constituírem patrimônio coletivo, cuja posse podia ser concedida a particulares pelas autoridades da nova comuna. Outra era a concessão aos índios de terras em lugares distantes e sua transferência compulsória para lá, seguidas da "legitimação" da posse de seu antigo território, sob a alegação de abandono.

Referimo-nos aqui, diversas vezes, a casos de alienação de terras indígenas por inadvertência ou descaso, como ocorreu com os Krahô e Xerente por simples e pura venalidade, como no caso dos salesianos de Mato Grosso que, esquecidos de que seus catecúmenos simplesmente morreram, os dão por assimilados, loteando, para vender aos civilizados, as terras do antigo território tribal que fora registrado em nome da missão.

Poderiam ser apontados muitos exemplos de venda de terras indígenas, a título de abandono pelos índios. Para só citar a missão salesiana, recorde-se que ela fez registrar em seu nome sete glebas que constituem verdadeiros latifúndios em Mato Grosso (Água Quente, Arari, Barreira de Cima, Boqueirão, Sangradouro, Ribeirão das Malas, Macacos), algumas das quais foram posteriormente loteadas e vendidas. No Amazonas são conhecidas pelo menos três grandes propriedades fundiárias da mesma Ordem — Jauretê, Tarauacá e São Gabriel, esta última abrangendo grande parte da vila do mesmo nome, de cuja posse se revelou extremamente ciosa.

A verdade é que nenhuma missão religiosa, até nossos dias, fez qualquer esforço para submeter-se ao texto constitucional (artigo 216) que assegura aos índios a posse das terras que ocupam; ao contrário, trataram de registrar em seu próprio nome não só as terras onde foram instalar-se, embora as soubessem ocupadas imemorialmente pelos índios, como aquelas para as quais transladaram grupos indígenas.

Ainda uma outra forma de alienação das terras indígenas é sua invasão por sertanejos que procuram escapar à exploração dos latifúndios. Deste modo, a própria estrutura agrária brasileira engendra desajustamentos na massa rural que se resolvem à custa do índio, tomando as poucas terras que lhe restam. Muitas destas invasões são insufladas pelos próprios fazendeiros, que aliciam sertanejos e os estimulam ao assalto, sob a alegação de que se trata de terras do governo e, como tais, acessíveis a todos os nacionais e não somente aos silvícolas. Quando o número de invasores é tão avultado que ameaça a sobrevivência dos índios nas terras que lhes restam, estoura o conflito, dando oportunidade ao fazendeiro de apelar para a justiça, a fim de manter a ordem, e de mostrar que não se trata de índios, mas de simples criminosos que devem ser punidos. Deste modo muita fazenda cresceu no Brasil.

Esta a situação encontrada pelo SPI, e que lhe cabia remediar, munido de alguns instrumentos legais que voltavam a falar explicitamente do direito dos índios às terras em que viviam com muito menos vigor que os textos coloniais, mas igualmente desprovido de um sistema eficaz de sanções para impor sua execução e de recursos financeiros para aplicá-lo.

A legislação referente às terras dos índios, estatuída no documento de criação do SPI, bem como a posteriormente outorgada[2] a fim de melhor proteger a propriedade indígena, define como "terras dos índios":

1. Aquelas em que presentemente vivem e já primariamente habitavam.
2. Aquelas em que habitam e são necessárias ao meio de vida compatível com seu estado social: caça e pesca, indústria extrativa, lavoura ou criação.
3. As que já tenham sido ou venham a ser reservadas para seu uso ou reconhecidas como de sua propriedade, a qualquer título.

Para a restituição das propriedades indígenas que lhes foram usurpadas a qualquer tempo e a preservação da posse das terras de que estavam investidos, foi outorgada ao SPI copiosa legislação que o autoriza a:

1. Medir, demarcar e legalizar convenientemente as posses das terras atualmente ocupadas pelos índios.
2. Tornar efetivas as concessões de terras feitas aos índios nas legislações anteriores.
3. Promover a restituição das terras de que os índios foram usurpados.

4. Impedir a invasão das terras dos índios e sua usurpação.
5. Promover a cessão, por parte dos governos federal e estaduais, como de particulares, das terras necessárias à localização dos índios, para o estabelecimento de postos indígenas.

Coroando estas garantias legais, todas as constituições brasileiras posteriores à criação do SPI (1934, 1937 e 1946) asseguraram aos índios "a posse da terra onde se acham permanentemente localizados, com a condição de não a transferirem".

Do exame desta legislação decorre a afirmação insofismável, no campo do Direito, de que o índio possui um patrimônio territorial como propriedade legítima e inalienável no qual só precisaria, nos piores casos, ser investido. A realidade, porém, é que o índio continua sendo esbulhado das terras que lhe restam e o SPI é impotente para defender o patrimônio indígena, com as sanções legais e os recursos materiais de que está munido.

Depois de cinqüenta anos de esforços para garantir a cada tribo uma nesga de terra, ainda são poucos os estados que deram aos índios títulos de posse das terras em que vivem. E a grande maioria deles vazou o texto legal em linguagem tão imprecisa que dá margem a discussões cada vez que um fazendeiro ou político local se decida a lançar mão de suas relações políticas para apossar-se de terras dos índios.[3]

Duas expectativas muito claras estão implícitas nesses documentos: a de que a população indígena tende a diminuir até o completo desaparecimento e a de que os índios acabarão por integrar-se na população sertaneja, na condição de lavradores sem terra. Só isto explica os termos condicionais dos referidos documentos que quase sempre exigem uma retificação alguns anos após a concessão, a qual dependerá do número de índios. Em nenhum caso se lhes garante a posse das terras, como se faz a particulares.

A pacificação de uma tribo tem representado sempre a redução de seu território de caça e coleta, invadido por extratores de produtos da mata, agricultores ou criadores de gado, conforme a economia dominante na região. Os índios xavante, pacificados em 1946, estão perdendo suas terras para latifundiários que nunca as viram, mas especulam em sua valorização futura e zombam dos protestos do SPI, confiados no apoio do governo local e até de instituições federais. O mesmo está ocorrendo com as tribos vizinhas, como os Karajá e Tapirapé e as do Xingu, cujas terras só não foram ocupadas antes por temor aos ataques dos Xavante.

Em certos casos, como ocorreu com os Kaingáng de São Paulo, os Xokleng de Santa Catarina, os Botocudo de Minas Gerais e outros, antes mesmo de completar-se a pacificação, os territórios tribais haviam sido concedidos pelos respectivos estados a latifundiários, que só esperavam a confraternização com os índios para loteá-los e vender por cem, mil e dez mil vezes mais do que lhes havia custado a concessão (A. Bandeira, 1923: 67-8).

Nem as pequenas frações do território tribal "concedidas" aos índios, após esses loteamentos, lhes têm sido asseguradas. Em muitos casos foram reduzidas diversas vezes, acabando por constituir minifúndios onde é impraticável a vida dos índios com seus processos rudimentares de luta pela subsistência.

Estamos, como se vê, diante de um processo ecológico de sucessão, mediante o qual uma população original está sendo substituída por outra, dotada de recursos mais eficientes de controle e exploração da natureza e, sobretudo, de força para impor sua expansão. Neste sentido, toda a legislação de terras não passa de um conjunto de princípios cuja aplicação é simplesmente *desejável*, quando não vem referendar uma ocupação efetiva. Estes princípios são mantidos pelo governo central e apenas tolerados pelos governos locais, quando é impossível escamoteá-los. O SPI tem de atuar entre estas duas forças: o governo central, que representa interesses só longinquamente vinculados às fronteiras de expansão, onde se chocam índios e não-índios, e que apenas por isto o apóia, e os governos locais, que como expressão dos interesses econômicos em choque com os índios, opõem ao SPI toda sorte de dificuldades.

A situação foi sempre esta, com a diferença de que o governo central foi um dia a Metrópole distante que falava em nome de valores religiosos e, hoje, é uma República leiga que argumenta em nome do Direito. Uma e outra, porém, jamais negaram aos poderes locais os recursos mínimos de que careciam para a sua expansão e, se quase sempre houve lugar para considerações humanitárias em relação aos índios, estas nunca ultrapassaram os limites em que passariam a servir de empecilho à conquista do território nacional e sua exploração econômica.

Hoje, porém, mesmo os poderes estaduais podem defender os direitos dos índios porque quase nenhuma terra lhes resta e já não pesam na economia regional os apetites dos usurpadores de terras indígenas. Era de se esperar, nestas condições, que encontrasse ambiente propício um projeto de lei de regulamentação do art. 216 da Constituição Federal que *garante* aos índios a posse da terra em que vivem. Esta lei, que deveria unificar num só texto toda a legislação dispersa sobre terras de índios e ampliá-la, armando o SPI de um sistema de sanções legais e de recursos materiais para garantir aos índios a posse das terras que lhes fossem demarcadas, encontra-se, desde 1951, no Senado Federal. Ainda eram, portanto, no Brasil de 1968, mais fortes os interesses dos usurpadores que as razões e os direitos dos índios.

O ÍNDIO COMO CIDADÃO

Apesar da copiosa legislação que lhe diz respeito, o índio brasileiro, em face da lei, é cidadão por omissão e tem uma situação jurídica imprecisa, que dá lugar a uma série de problemas.

Até a promulgação do Código Civil Brasileiro, era o índio identificado às pessoas totalmente incapazes e sujeito à tutela dos juízes de órfãos, sempre dispostos a legalizar a retirada de crianças das aldeias, a título de adoção, e a ratificar as transações mais lesivas aos índios. A lei impossibilitava, ainda, àqueles que se destacavam do grupo, a realização de atos civis fundamentais, como a identificação, o casamento, o registro e a transmissão de propriedades.

O estatuto jurídico de capacidade civil relativa foi regulamentado em 1928, pela lei nº 5484, promulgada por iniciativa do SPI, em que o indígena é colocado sob tutela direta do Estado, representado por aquele órgão, estabelecendo-se que dela poderia emancipar-se progressivamente, até sua plena investidura nos direitos e deveres do cidadão brasileiro comum. Esta integração progressiva é prevista na lei, com a atribuição ao SPI do poder de classificar os grupos tribais em quatro categorias, relativas a diferentes graus de participação na vida nacional, a saber: os grupos *nômades*, os grupos *arranchados* ou *aldeados*; os grupos reunidos em *povoações indígenas* e, finalmente, os incorporados a *centros agrícolas* onde vivem como civilizados. Os índios das três primeiras categorias regem suas relações pelos costumes tribais. Os últimos têm assistência do SPI em suas relações com as autoridades ou perante a justiça, sendo nulos os atos firmados sem esta assistência.

A mesma lei estatui medidas de proteção às terras indígenas, define o modo de se processarem os atos civis, classifica como revestidos de circunstâncias agravantes os delitos cometidos contra índios e assegura amparo especial ao índio que cometa qualquer infração, permitindo que as penas a que forem condenados índios das três primeiras categorias sejam cumpridas nos postos indígenas, e proibindo a prisão celular para qualquer silvícola.

Diversas inovações na situação legal do índio foram introduzidas pelos atos que aprovaram o regimento do SPI e, posteriormente, o modificaram. Dentre elas, destaca-se o abandono da classificação de postos indígenas, criada pela lei nº 5484, de 1928, e sua substituição por outra que prevê os seguintes tipos de postos: de atração, vigilância de fronteiras, assistência, nacionalização e educação, criação de gado e alfabetização. A nova tipologia, não se prestando à classificação dos índios para efeito de responsabilidade civil, veio tornar ainda mais complexa a imprecisa situação jurídica do índio.

Nestas circunstâncias, impõe-se a regulamentação do Código Civil, tendo em vista condicionar o gozo dos direitos e a atribuição dos deveres correlativos tão-somente à capacidade individual do indígena para exercê-los. Emancipando o índio, como pessoa, da tutela legal, no que possa ter de limitativa, mas preservando, para a comunidade e para os índios a ela vinculados, condições especiais de amparo legal, como as asseguradas à mulher grávida e ao menor que trabalha.

Assim, por exemplo, os índios xavante, apesar de muito pouco aculturados, teriam assegurado o direito de voto enquanto cidadãos brasileiros. Este direito, porém, só se efetivaria nos casos concretos de indivíduos xavante que atendessem às exigências da lei eleitoral para a qualificação de eleitores: serem maiores de idade e alfabetizados. Desde que habilitados ao exercício do voto, estariam sujeitos às sanções legais estabelecidas para os eleitores faltosos.

Os índios terena, dos quais grande número está engajado, como grupo, família ou indivíduo, na vida urbana de diversas cidades sul-mato-grossenses — Miranda, Aquidauana e Campo Grande —, encontrariam, na sua condição de alfabetizados, reservistas e eleitores, uma equiparação efetiva com a população civilizada. Não poderiam, portanto, ser objeto de qualquer discriminação legal em virtude de sua condição de índio. Não obstante, funcionários do próprio SPI decidiram há algum tempo obstar àqueles índios o exercício do voto, declarando que, não sendo obrigados a serviço militar, não poderiam ser eleitores. Na realidade, temiam que os índios se tornassem objeto de disputa dos políticos locais, ocasionando conflitos e dificuldades (R. C. Oliveira, 1960a : 130-2 e 146-7). Dúvidas ou insídias desta ordem só podem ser sanadas com a promulgação de uma lei que defina o estatuto jurídico do índio.

A mesma revisão impõe-se quanto ao Código Penal. A experiência do SPI demonstra que a punição de crimes cometidos entre índios, bem como todos os seus problemas de delinqüência, devem ser confiados aos sistemas tribais de dissolução de conflitos e de controle social, só interferindo o agente do posto quando estes deixam de atuar ou no caso de conflitos entre índios e não-índios.

A aplicação do Código Penal aos crimes cometidos por índios pode conduzir a enormes iniqüidades. Se um índio kadiwéu, por exemplo, que por determinantes de sua cultura assassinar um médico-feiticeiro, o qual, embora inconscientemente, tudo fará para provocar o próprio assassinato — porque só assim confirmará indiscutivelmente o seu poder e o terror que infunde ao grupo, tal como ocorreu desde sempre com os *nidjienigi* mais prestigiosos — for entregue a um júri comum, terá uma condenação tão certa quanto absurda. Só o desconhecimento da lei tem permitido a ocorrência de casos como este.

Vejamos um outro exemplo. Há alguns anos foi preso um índio tukuna acusado de assassinar sua mulher numa casa de civilizados. Foi espancado e mantido alguns dias na cadeia, enquanto se preparava o processo para levá-lo a julgamento, que resultaria numa condenação unânime, tal era o consenso dos civilizados sobre a "barbaridade do crime passional". A certa altura, os responsáveis pelo processo souberam que os índios eram regidos por uma legislação especial que não permitia sua prisão, senão pelo próprio SPI, e decidiram libertá-lo. Tempos depois um etnólogo estudando aqueles índios conseguiu esclarecer a história, à custa de grandes esforços, porque os índios, aterrorizados com os rigores da justiça civilizada, nada queriam dizer. Descobriu, primeiro, que o assassino e a vítima eram membros da mesma "metade" e, por isto, não se podiam casar, o que excluía a hipótese de crime passional como fora narrado, pois não se tratava de marido e mulher. Verificou depois que eram "irmãos", segundo as regras de parentesco do grupo, o que, em vista da solidariedade interna na família, tornava muito improvável um assassinato. Por fim, descobriu que o "crime" se dera, mas toda a comunidade considerava o matador um herói. Aos olhos da tribo ele cumprira seu dever de honra, justiçando a "irmã" na defesa dos mais sagrados princípios do grupo: ela cometera incesto clânico, o que a transformara em ameaça à paz e à segurança do próprio grupo.

Como entregar este índio à justiça comum, para aplicar-lhe dispositivos de um código de castigos feito para outra sociedade e incapaz de penetrar os valores que motivaram seu comportamento? Mais justo seria entregar a punição do crime ao próprio SPI, que o examinaria com maior atenção, tendo em vista todas as circunstâncias e puniria apenas com o ostracismo e só quando o grupo já não tivesse capacidade de fazer valer seus próprios mecanismos de controle social.

A legislação protecionista propugnada pelo SPI tem em vista compensar uma condição efetiva de inferioridade do índio para competir igualitariamente com os demais cidadãos, assumir deveres e gozar dos direitos estatuídos na legislação ordinária para o membro comum da comunidade nacional. Sendo, embora, uma legislação de exceção, só o é nos limites das leis também especiais que amparam o menor e a mulher que trabalha, para assegurar-lhes garantias indispensáveis à sobrevivência na atuação competitiva dentro da sociedade nacional.

Alega-se, às vezes, que esta legislação tutelar priva o silvícola de seus direitos sagrados como cidadão. Na verdade, porém, só ela garante aos índios a liberdade de permanecerem índios e de deixarem de sê-lo, quando as condições sociais o permitam e quando eles vejam vantagem em assumir a condição do brasileiro comum. Assim, longe de extinguir seus direitos, esta legislação especial lhes dá mais oportunidades de exercê-los. Equiparado ao cidadão comum, por força de um romantismo jurídico formalista, o índio perderia as instituições assistenciais que o defendem, recebendo em troca apenas o direito nominal de apelar para instituições comuns que desconhece e que, se não atendem ao cidadão perfeitamente integrado na vida nacional, a eles atenderiam muito menos.

DOENÇA, FOME E DESENGANO

Não é somente a terra e garantias legais à sua condição de índio que o SPI deve assegurar à população indígena. Cumpre defendê-la das doenças transmitidas pelos brancos, cuja alta letalidade em populações virgens de contágio ameaça levá-las à extinção; organizar sua economia de modo a permitir-lhe ao menos o provimento da própria subsistência; e, finalmente, assisti-las no processo de aculturação, para evitar mudanças violentas que poderiam traumatizar a vida tribal, pela impossibilidade de exercer os padrões tradicionais, quando novas motivações ainda não se desenvolveram para substituí-los.

As doenças representaram sempre o primeiro fator da diminuição das populações indígenas. A história das nossas relações com os índios é, em grande parte, uma crônica de chacinas e, sobretudo, de epidemias. Cada grupo indígena que se aproximou de núcleos europeus e de seus descendentes, nestes quatro séculos, teve de pagar alto tributo em vidas às doenças que a civilização lhe trouxe. É conhecido o caso das missões jesuíticas na Bahia, que em poucos anos viram reduzidos os seus catecúmenos de quarenta mil para dois mil índios, em virtude de diversos fatores, mas sobretudo das epidemias de varíola.

A experiência do SPI ensina que as moléstias que mais afetam os índios são as pulmonares que, após os primeiros contatos com civilizados, provocam verdadeira dizimação entre eles. A gripe, a pneumonia, a tuberculose e a coqueluche têm sido as maiores responsáveis pela altíssima mortalidade dos grupos indígenas silvícolas que entram em relações pacíficas com os brancos desde a fundação do SPI.

Epidemias de varíola e sarampo também têm provocado verdadeiras dizimações nos grupos afetados, sobretudo naqueles que vivem, como os índios urubu e outros, em regiões muito remotas, difíceis de ser rapidamente atendidas pelos necessários socorros médicos.

Em certas regiões, a malária, em suas várias formas, ataca fortemente os índios, sem contudo provocar mortalidade semelhante àquelas outras moléstias. Dermatoses de várias espécies, mais ou menos graves, têm sido observadas entre nossos índios, mas alcançam percentagem muito limitada em cada tribo.

Nos grupos mais aculturados, que perderam seu sistema de adaptação ecológica, em virtude da adoção de novas técnicas e de diferentes hábitos alimentares, têm-se manifestado moléstias carenciais que não parecem ocorrer nas tribos que ainda mantêm seu modo de vida tradicional. Aliás, é ocorrência geral, em todas as tribos, o decréscimo do vigor físico, à medida que abandonam seus hábitos tradicionais e começam a adotar os procedimentos dos civilizados. Esta queda de robustez e conseqüente diminuição da população prende-se tanto a fatores biológicos como a sociais e psíquicos. Entre os primeiros, sobrelevam as doenças acima citadas e, ainda, as moléstias venéreas, a sífilis, o tracoma, diversas verminoses e a morféia.

A economia de um posto indígena é, antes de tudo, uma forma de organização da produção dos índios, com o propósito de lhes assegurar um padrão de vida mais alto. Esta interferência na vida tribal tem lugar quando sua economia auto-suficiente começa a desintegrar-se pela pressão de necessidades novas que só podem ser satisfeitas através do comércio com civilizados; quando os índios, por força dos novos hábitos de vestir-se, de comer sal e gorduras, de lavar-se com sabão, de usar armas de fogo e anzóis, de medicar-se contra moléstias antes desconhecidas etc., são compelidos a procurar um lugar na economia regional que lhes permita adquirir aqueles artigos.

Como é óbvio, estas necessidades variam segundo o grau de aculturação da tribo. São maiores para os Karajá, os Terena, os Kaiwá, que contam séculos de convívio com a sociedade brasileira. Menores para os Urubu, pacificados há pouco mais de trinta anos, e ainda mais reduzidas para os Parakanã, que acabam de ser pacificados.

O preço da satisfação das novas necessidades que criamos para os índios é sua submissão final ao nosso sistema de produção. E isto significa quase sempre a escravização do índio, sua sujeição sob as condições mais escorchantes, a desintegração da vida tribal, a desmoralização e o desaparecimento. Os Xavante e Kaiapó dão os primeiros passos nesta estrada; os Tembé, os Timbira, os Tapirapé, os Umutina e tantos outros já a palmilharam toda. Ao SPI, que assiste à extinção dos últimos, cumpre equacionar o problema, formulando novos métodos de ação que permitam salvar os primeiros.

A acusação mais severa levantada contra a Companhia de Jesus é a de que, no propósito de amparar os catecúmenos, se organizou como um conjunto de empresas mercantis, regidas pelas leis da usura, escravizando os índios, em lugar de protegê-los. O SPI e as missões religiosas enfrentam hoje o mesmo problema e a mesma ameaça. Como descuidar da economia indígena, se ela é a base de qualquer assistência? Como organizá-la sem traficar, evitando ser apenas um patrão a mais, espoliando os índios? De que forma impedir que num posto-empresa ou numa missão-empresa, os funcionários ou os missionários atendam mais ao negócio que à proteção?

A conciliação da economia tribal coletivista com o sistema de economia individual, altamente competitivo e movido pela busca de lucro, foi sempre o mais grave problema da proteção ao índio. Nos seus primeiros anos, o SPI procurou resolvê-lo, fugindo ao problema, regalando dádivas aos índios, sem exigir qualquer compensação. Muito cedo, porém, reconheceu que com este procedimento, criaria neles uma mentalidade de eternos dependentes e a idéia de que teriam direito a uma assistência permanente do Governo. Foi o que de fato ocorreu em muitos casos, impedindo a criação de um sistema de motivações para o trabalho, capaz de conduzir os índios à reorganização da economia antiga em bases novas, compatíveis com sua nova vida.

Uma das maiores esperanças dos fundadores do Serviço de Proteção aos Índios era basear a economia indígena na pecuária. Enganaram-se, porém, ao supor que, fazendo um posto indígena proprietário de um rebanho de alguns milhares de cabeças de gado, suficientes para tornar rico a um particular, assegurariam a emancipação econômica dos índios. Na prática foram insignificantes, se não antieconômicos, os resultados desta pecuária extensiva, altamente compensatória dentro de um sistema de economia individualista, mas inadequada quando aplicada a toda uma tribo que vive em regime coletivista. O gado criado nos postos dos índios kadiwéu, por exemplo, só tem proporcionado trabalho a uns quatro índios como campeiros, um pouco de leite, que eles quase não consomem, e a carne de uma ou outra rês abatida de raro em raro. Entretanto, as possibilidades de sua reserva são imensas, para exploração pecuária, agrícola e coletora, desde que se encontre uma forma de explorá-la em benefício dos índios.

No setor da indústria extrativa, como a exploração da borracha, da castanha e outros produtos da Amazônia, só em poucos casos o SPI tem sido capaz de explorar suas próprias reservas florestais, provendo os índios de modo a suprir suas necessidades mínimas de artigos de comércio e impedindo, assim, que se escravizem ao seringal, onde o trabalho mal remunerado e as condições de promiscuidade lhes são muitas vezes fatais.

No setor agrícola, só em anos mais recentes os postos localizados no sul do país alcançaram expressivo índice de produção, através do uso de maquinaria moderna no cultivo racional de milho híbrido e de trigo, a ponto de alcançarem os índios kaingáng prêmios de produtividade, competindo com núcleos de colonização nacional e estrangeira. Todavia, os benefícios para os índios foram quase nulos, porque os tratores, arados etc. em essência substituíram a mão-de-obra indígena, que, além da terra agricultável, é o único capital de que dispõem os postos. Mesmo redistribuindo racional e honestamente a produção — o que raramente ocorreu — através da expansão e melhoramento dos serviços de assistência, caía-se no regime de dádiva, com todas as suas conseqüências deletérias.

Estes, porém, foram casos de exceção. A maioria dos postos pratica uma lavoura rotineira, freqüentemente mais rudimentar que as práticas de cultivo das tribos de lavradores, como os Aruak, os Karib e os Tupi. Nas condições originais, estes grupos proviam a subsistência através de um esforço coletivo da comunidade inteira, ordenando o trabalho e a distribuição segundo o sistema social respectivo. Cada aldeia contava com extensos roçados que, através do trabalho cotidiano das mulheres e da caça e da pesca a cargo dos homens, garantiam fartura de alimentos durante todo o ano.

Nos postos indígenas, vários fatores interferem no desajustamento desta regra de produção: a redução progressiva do antigo território tribal e o seu empobrecimento, com a exploração simultânea pela sociedade nacional; a necessidade de atender, além das tarefas ligadas à subsistência, a outras, cada vez mais exigentes, destinadas a assegurar o provimento de artigos mercantis; e a conseqüente destruição do sistema social comunitário, pelo engajamento individual de cada membro do grupo na economia regional, como produtor de artigos para venda ou troca e como assalariado.

Não conhecemos um só posto indígena ou missão religiosa que hajam respondido satisfatoriamente a este desafio. Os postos, assegurando ao índio maior liberdade para manter a própria organização social, permitem mais longa sobrevivência do sistema tribal de produção; as missões, sobretudo as salesianas, investindo contra a cultura e a organização da família, para moldá-la às normas solenemente definidas como cristãs, conduziam à desorganização da economia coletiva e à crescente dependência do índio. Posto e missão defrontam-se com o problema de integrar uma economia coletiva no seio de um regime individualista.

Não obstante estes percalços, o posto indígena, enquanto reserva de terras de propriedade coletiva e inalienável, onde se assenta a comunidade tribal, defende os índios contra a exploração de sua força de trabalho, impõe obstáculos à transmissão de doenças por parte dos brancos e assegura certa assistência moral e material, além da proteção legal à condição de índio. Funciona o posto indígena, portanto, como uma estufa que protege os índios contra a interação direta e indiscriminada com a sociedade nacional. Contribui, assim, para estancar o ingresso de índios, por engajamento individual, em nossa sociedade. Sem o SPI, esse ingresso se processaria em condições da mais inumana opressão e não se daria pelo desenvolvimento paulatino do grupo como um todo, mas pela sua extinção étnica, esfacelamento e absorção de uns poucos remanescentes.

Assim, malgrado a sua ideologia assimilacionista, a proteção do SPI tem assegurado aos índios aquelas condições mínimas indispensáveis à sua preservação como grupo étnico independente, como povo. Aí estão para atestá-lo dezenas de grupos que teriam sido destruídos, não fosse a proteção do SPI, que lhes garantiu as terras que estavam sendo espoliadas e o direito de viverem segundo seus costumes e lhes proporcionou alguma ajuda contra a doença e contra a miséria. Garantida sua sobrevivência, fica também preservada a possibilidade de uma integração crescente na sociedade nacional que, de outro modo, seria impossível.

Várias causas contribuem para a marginalidade sócio-psicológica das tribos indígenas, ao entrarem em contato com a civilização. Entre outras, destacam-se como mais importantes:

1. O engajamento compulsório dos índios em nosso sistema econômico, para cuja competição não estão preparados e que só lhes pode assegurar um padrão de vida ainda mais miserável que o dos mais pobres seringueiros, lavradores ou vaqueiros; isto é, condições de vida que dariam cabo de qualquer população.
2. A traumatização da cultura tribal ao impacto com uma sociedade dotada de equipamento material esmagadoramente superior, que assume tamanho prestígio aos olhos dos índios que determina um colapso no corpo de crenças e de valores através dos quais eles explicam o mundo e seu lugar nele e encontram motivo para viver e amar a existência.

Todos sabemos que o clássico retrato do índio aculturado, o preguiçoso, o cachaceiro, o anormal, é dramaticamente verdadeiro. Mas poucas vezes nos animamos a encarar os fatos e a investigar as raízes deste decaimento moral. Muito se poderia dizer a respeito; vejamos apenas um ângulo do problema. Inquestionavelmente, uma das causas dessa decadência são o espezinhamento e a sufocação das crenças tribais. Basta que nos coloquemos no lugar destes índios para imaginar os terríveis efeitos que decorrem da negação abrupta e insofismável dos valores em que se fundamentava o respeito de uns em relação aos outros, das justificativas tradicionais para as ações que a tribo sempre teve como certas e necessárias, ou da legitimidade das sanções que recaíam sobre o comportamento tido como reprovável.

A intransigência e o fanatismo das antigas missões religiosas e das administrações civis levaram diversas tribos ao extermínio, pelas condições de marginalização e desespero que criaram. Destruíram nos índios a confiança em seus próprios valores, sem serem capazes de introduzir outros que lhes assegurassem o mínimo respeito a si próprios, indispensável para que qualquer comunidade humana possa subsistir.

Neste processo, o índio aprendeu a se olhar com os olhos do branco, a considerar-se um pária, um bicho ignorante, cujas tradições mais veneradas não passam de tolices ou heresias que devem ser erradicadas. Ora, nenhum povo poderia sobreviver a tamanha descrença em si próprio; pode-se mesmo afirmar que só a incapacidade de levar às últimas conseqüências esses esforços de desmoralização dos valores tribais permitiu a sobrevivência de alguns índios.

A principal característica da política indigenista brasileira, quando teve a orientá-la Rondon e seus seguidores, foi sempre o cuidado de não interferir violentamente na vida, nas crenças e nos costumes dos índios. Orientação que é fruto da trágica experiência brasileira sobre os efeitos das tentativas de compelir os índios a abandonar rapidamente os costumes tribais.

Contudo, no decurso de seus cinqüenta anos de atividades, o SPI também cometeu erros gravíssimos nesse campo, porque seu pessoal jamais chegou a compreender satisfatoriamente a importância funcional dos elementos culturais, sua organização interna e sua interdependência.

Na realidade, de pouco vale o princípio de respeito aos costumes tribais, quando estes não são conhecidos nem compreendidos. Alguém mal informado sobre a organização clânica de uma tribo, por exemplo, poderá ser levado aos erros mais grosseiros na imposição de comportamento às pessoas, terá grandes dificuldades em conviver com elas e, sobretudo, em dirigi-las. Só por um breve período o SPI contou com a assistência de etnólogos incumbidos de formular e fiscalizar a execução de seu programa de trabalho.

Entre os aspectos positivos da escola de Rondon, cumpre assinalar a atitude compreensiva infundida no seu pessoal, diante das diferenças culturais de tribo a tribo e a idéia de que só através de longos períodos e por métodos persuasivos seria possível mudar as culturas tribais. Esta orientação permitiu criar uma administração unificada, mas capaz de atuar de forma diversa em cada local, segundo as variações de costumes e de estágio de aculturação dos índios. Dela talvez não tenha resultado a salvação de muitas tribos, mas terá proporcionado mais felicidade a milhares de índios como seres humanos do que seria de esperar de qualquer atitude dogmática.

III A TRANSFIGURAÇÃO ÉTNICA

COLOCAÇÃO DO PROBLEMA

Na primeira parte deste livro examinamos as várias frentes de expansão da sociedade brasileira atuantes no início deste século. Na segunda parte procedemos a um balanço crítico da intervenção protecionista. Nesta terceira parte apresentamos uma avaliação quantitativa dos efeitos da expansão civilizadora sobre as populações indígenas, procurando estabelecer as instâncias mais gerais do processo de transfiguração étnica das tribos que mantiveram contato com a sociedade brasileira nos últimos sessenta anos.

O *processus*, tal como o reconstituiremos, não se aplicará em todos os pormenores a qualquer tribo tomada em particular. Em cada caso ele tende a assumir uma feição característica, decorrente das diferenças econômicas regionais, das peculiaridades das culturas tribais ou dos segmentos da sociedade nacional com que elas entraram em contato. Estas variantes lhes imprimem colorações especiais que só historicamente poderiam ser determinadas. Mas não impossibilitam seu estudo num nível teórico de análise.

Nosso procedimento metodológico consiste numa análise global dos condicionadores fundamentais da interação, seguida de uma série de sondagens, cada qual concernente a um nível conceitualmente isolável da realidade. Nestas sondagens estudaremos, primeiro, as formas e os efeitos das relações entre índios e não-índios no plano ecológico. Passaremos, depois, a um exame desta mesma interação no nível biótico, pelo exame do efeito da depopulação provocada por enfermidades transmitidas ao indígena pelos agentes da civilização. Analisaremos, em seguida, estas mesmas relações em seus conteúdos tecnológicos e sócio-econômicos. Finalmente, estudaremos as relações entre índios e brasileiros enquanto entidades étnico-culturais e sócio-psicológicas com seus corpos de crenças, valores, hábitos e costumes.

Cada uma destas sondagens não tem, em si mesma, validade histórica porque os planos em que as analisamos só existem conceitualmente. Elas consistem em artifícios metodológicos, uma vez que, no mundo das coisas, as interações ecológica e biótica ocorrem, muitas vezes, simultaneamente com a sócio-econômica e com as ideológicas. Entretanto, este é o melhor modo de compreendê-las, porque só assim se alcança uma explanação analítica que, isolando cada fator, permite determinar e avaliar a importância de cada um. E também porque em cada análise parcial nos esforçamos por alargar a discussão da relevância de cada fator causal em relação aos demais, com o objetivo de devolver as percepções alcançadas através da abstração às totalidades de que foram tomadas para assim restaurar sua concretude.

Em outras palavras, rompemos a historicidade das situações concretas de enfrentamento entre os índios e a civilização para, transcendendo delas, construir um modelo hipotético do processo de transfiguração étnica. Como o nosso interesse não está concentrado na reconstituição daquelas situações, mas sim na análise das forças que as conformam, este modelo, embora analítico, retratará melhor a realidade do que os instantâneos do próprio processo de transição detectáveis em cada caso concreto. Isto significa que a comprovação do modelo não pode ser feita por nenhum caso particular, necessariamente marcado de singularidades. E, em conseqüência, que ele não pretende explicar cada resultante particular do processo em estudo. Nestas circunstâncias, nossa ambição não pode ir além de definir sua seqüência-tipo e determinar os fatores cruciais que atuam no processo e as principais variantes das possíveis reações diante deles.

Apesar das intercorrências assinaladas, pode-se afirmar que nossas análises correspondem a diferentes níveis de emergência porque concernem a determinantes que operam em planos superpostos e acumulativos. Os fatores que atuam na conjunção bio-ecológica, afetando o próprio substrato humano das etnias, exercem um papel mais relevante ainda na determinação do seu destino. Com efeito, muitos grupos indígenas nem chegaram a experimentar relações propriamente culturais, porque sofreram tamanha redução populacional após os primeiros contatos que foram praticamente exterminados antes que tivesse início a aculturação. Sobre esta forma básica de interação, ou sobre populações já trabalhadas pelos efeitos dela, é que operam os condicionantes de ordem sócio-econômica. Estes, embora tenham um papel decisivo para o desfecho do processo, se situam num plano menos fundamental de emergência que a interação bio-ecológica e, por sua vez, mais relevante que o enfrentamento propriamente cultural. Este último se dá no jogo de fatores ideológicos e psicológicos postos em conflito e que conduz a redefinições quanto a uma realidade previamente alterada.

Com efeito, cada um destes fatores, sendo suscetível de amplas variações e condicionado por efeitos intercorrentes, é sempre "subdeterminado" pela situação conjuntural. Sem embargo, a determinação de suas potencialidades diferenciais de provocar certos efeitos é fundamental para a compreensão do processo de transfiguração étnica.

As análises que se seguem compõem uma explanação interpretativa do processo de mudança sociocultural, tal como ocorre nas situações de conjunção de sociedades nacionais com etnias tribais. Nestas situações se defrontam, essencialmente, uma única entidade étnica nacional contra uma multiplicidade de etnias tribais. A entidade nacional apresenta, todavia, certas variantes significativas, tanto temporais quanto espaciais. As primeiras são representadas pelas distintas configurações sócio-econômicas da sociedade nacional que a modelaram, originalmente, como uma formação colonial-escravista dentro de uma civilização agrário-mercantil e, depois, como uma formação neocolonial, no corpo de uma civilização industrial. Cada uma destas formações atua diferencialmente sobre as etnias tribais, em especial no sentido dos seus procedimentos particulares de conscrição da mão-de-obra (v. g., "escravista", para a colonial; e "assalariada", para a neocolonial). As variantes espaciais correspondem às configurações regionais da sociedade nacional, enquanto especializações ecológico-produtivas. Tais são as frentes de expansão extrativista, pastoril e agrícola, para citar apenas as mais genéricas, cada uma das quais opera sobre a população indígena de forma distinta.

As diversas entidades tribais que entram em contato com agentes da civilização enfrentam um movimento exógeno de expansão étnica, que se lhes apresenta como uma situação nova e inevitável. Esta situação resulta, em essência, da circunstância de haver sido o território tribal alcançado por uma etnia nacional em expansão. Uma vez estabelecido, o contato só tende a amiudar-se e a se intensificar, desafiando os índios a solucionarem continuamente os problemas que gera.

A expansão civilizadora apresenta-se à análise como um conjunto uniforme de fatores dissociativos, aos quais cada tribo pode reagir diferencialmente, mas aos quais reagirá sempre e necessariamente. Três são as reações possíveis para os indígenas. A fuga para territórios ermos, com o que apenas adiam o enfrentamento. A reação hostil aos invasores, que transtorna toda a vida tribal pela imposição de um estado de guerra permanente, em que o funcionamento de muitas instituições se torna inviável e outras têm de ser dramaticamente redefinidas. A saída final é a aceitação do convívio porque este representa, efetivamente, uma fatalidade inelutável.

Nela cairá necessariamente cada tribo, seja ao fim de longos períodos de fuga ou de prolongada resistência afinal tornada impraticável, seja como resultado de uma opção diante do inevitável, assente na esperança de controlar a nova situação.

Uma vez estabelecido o convívio e à medida que as relações se amiúdam e se estreitam, os índios se vêem submetidos a uma série de desafios, todos eles conducentes a transfigurações sucessivas no seu modo de ser e de viver. Nenhuma oportunidade lhes é dada de preservar seu substrato biológico, sua sociedade e sua cultura em sua forma original. Os desafios cruciais com que se defrontam são os de resguardar sua sobrevivência como contingentes humanos seriamente ameaçados de extermínio; o de resguardar, na medida do possível, sua identidade e autonomia étnica a fim de não se verem abruptamente subjugados por agentes da sociedade nacional, a cujos desígnios tenham de submeter seu próprio destino. E, finalmente, o de assegurar a continuidade de sua vida cultural, mediante alterações estratégicas que evitem a desintegração do seu sistema associativo e a desmoralização do seu corpo de crenças e valores. Todos estes desafios convergem para o imperativo de se transfigurarem biológica, social e culturalmente a fim de sobreviverem em novas condições extremamente tensas e sob a ameaça permanente de um colapso cultural que condenaria seus membros à anomia.

As duas principais características do processo de transfiguração étnica das tribos indígenas brasileiras fazem dele uma seqüência natural e necessária de eventos resultantes do enfrentamento entre ramos distintos e originalmente isolados da espécie humana e entre sociedades evolutivamente defasadas. O processo atua, assim, em dois níveis. Primeiro, como um enfrentamento entre populações que, configurando distintas entidades bióticas, ao entrarem em convivência se mesclam racialmente e se contagiam reciprocamente. Como são mais numerosos os fatores bióticos deletérios transmitidos pelos agentes da civilização, as populações indígenas sofrem mais fortemente seus efeitos na forma de reduções drásticas de seus contingentes demográficos. Segundo, como um enfrentamento entre sociedades evolutivamente defasadas, de que resulta uma enorme capacidade de coesão interna e de dominação por parte da mais avançada, esta logra crescer e alastrar-se rapidamente sobre os territórios e os contingentes tribais, na forma de uma nova etnia nacional.

Implantando-se como um rebento de uma matriz exógena com a qual se manterá sempre vinculada, a etnia nacional não se estrutura para si, mas como um proletariado externo posto a serviço do seu centro reitor: a metrópole colonizadora. Sua função básica será, por isto, a de órgão de recrutamento da mão-de-obra e de organização da produção mercantil de acordo com técnicas e procedimentos prescritos do exterior. No exercício desta função, toma dos indígenas, numa primeira etapa, tudo que possa deles aprender para se implantar e sobreviver na nova terra. Mas, logo a seguir, impõe-se a eles com a força redobrada da adaptação ecológica lograda, através de uma enorme capacidade de recrutar e colocar a seu serviço quantos indígenas consiga capturar e, sobretudo, de integrar na nova etnia nascente os mestiços dos cruzamentos com índias.

Uma vez constituída esta entidade étnica, servida por uma tecnologia mais avançada e vinculada a núcleos externos que regerão suas instituições, ela passa a atuar sobre as tribos indígenas como uma força irresistível de desintegração. Sua tecnologia mais alta jamais se oferece como um repertório de novos modos de fazer que os indígenas possam adotar livremente. Difunde-se, isto sim, na forma de produtos acabados oriundos de um sistema produtivo muito mais complexo, que só podem ser inseridos na vida tribal como utilidades obtidas através de relações econômicas.

No plano sócio-econômico, compele as tribos indígenas a redefinir a estrutura de suas sociedades autárquicas, de suas instituições fundadas no parentesco, para assumirem formas mais singelas de família e de sociabilidade, compatíveis com sua integração dentro de uma estrutura social classista devotada à produção mercantil.

No plano ideológico, o problema é mais complexo, dada a multiplicidade das possíveis representações mentais dos mesmos modos de existência. Ainda assim, observam-se, também aqui, uniformidades visíveis, tanto na ideologia da sociedade nacional que se expande quanto na conformação ideológica dos índios aculturados. Estes serão cada vez mais parecidos uns com os outros, enquanto índios genéricos, e cada vez mais distanciados do que eram originalmente, porque seu denominador comum passa a ser representado pelo que absorveram de uma mesma fonte externa e porque todos experimentam as mesmas compulsões e os mesmos desafios de redefinição do seu corpo de crenças e valores.

A principal característica das etnias tribais em relação à sociedade nacional reside na multiplicidade e heterogeneidade das primeiras em face da unidade e homogeneidade fundamentais da última. Em virtude dessa disparidade, cada tribo é levada a experimentar, *de per si* e desajudada, as compulsões resultantes daquela expansão e a reagir de acordo com suas características peculiares. Os estudos monográficos tendem a ressaltar estas reações divergentes, porque só elas explicam cada situação concreta. Nos estudos gerais, como o presente, cabe ressaltar, ao contrário, as situações gerais de conjunção condicionadoras dos enfrentamentos, bem como os fatores comuns responsáveis pelas compulsões e coerções exercidas sobre todas as tribos pela sociedade nacional.

Embora muito poucas destas situações gerais e destes fatores comuns digam respeito a etnias tribais, pode-se falar de determinantes externos ou exógenos, quanto às características da sociedade nacional, e de determinantes internos ou endógenos, quanto às múltiplas características dos diversos grupos tribais. Todavia, enquanto as compulsões e coerções exógenas são impositivas e uniformes, as endógenas são principalmente predisposições para reagir em consonância com o contexto cultural anterior aos contatos.

Não obstante, existem no plano sociocultural certas uniformidades concernentes aos grupos tribais que devem ser assinaladas, dado o seu valor explicativo. Primeiro, sua enorme defasagem com respeito à sociedade nacional; segundo, as diferenças de etapas evolutivas em que se encontram as diversas tribos. Essas etapas permitem distinguir pelo menos duas categorias: as tribos pré-agrícolas, representadas por pequenos grupos de caçadores e coletores, cada um dos quais com populações que raramente excedem cem pessoas. E as tribos de agricultores, que contam com um sistema de adaptação ecológica à floresta tropical — a lavoura de coivara — e que alcançam montantes populacionais muito maiores: grupos locais que às vezes excedem mil pessoas. Estas últimas, por seu grau mais elevado de evolução, ofereciam maior interesse ao colonizador como mão-de-obra aliciável através da escravidão ou de outros procedimentos.

Entretanto, mesmo esses grupos mais avançados e mais populosos encontravam-se na etapa da evolução humana em que prevalecem, na configuração das etnias, as forças centrífugas sobre as centrípetas (D. Ribeiro, 1968). A maioria delas conseguira desenvolver sistemas especializados de produção agrícola que lhes permitira alcançar níveis ponderáveis de expansão demográfica. Constituíam, sem embargo, meras Aldeias Agrícolas Indiferenciadas que não haviam originado contingentes rurais e urbanos, nem experimentado uma estratificação em classes que lhes ensejasse uma estrutura como Estados Rurais-Artesanais (D. Ribeiro, 1968). Nestas condições, eram ativadas por uma tecnologia produtiva que dava lugar a constantes incrementos populacionais. Mas, carecendo de instituições políticas integradoras capazes de possibilitar sua organização em grandes estruturas políticas inclusivas, dispersavam-se ao crescer. Prevaleciam, assim, as tendências centrífugas fazendo com que a elevação do número de membros de cada grupo local conduzisse à sua divisão em dois ou mais grupos que cada vez mais se distanciavam e se diferenciavam uns dos outros, acabando por constituir miríades de microetnias.

Multiplicavam-se, desse modo, por cissiparidade, gerando novas etnias conscientes de sua especificidade e isentas de qualquer identificação com outras. Mesmo quando reconheciam certo parentesco entre comunidades originárias de um tronco comum e que falavam dialetos mutuamente inteligíveis, isto não impedia o desenvolvimento de relações hostis. Os Tupinambá oferecem um exemplo elucidativo de tribos do mesmo complexo étnico que exerciam entre si, de preferência, os padrões guerreiros de disputa de prestígio e a antropofagia ritual, porque se tratava de atividades tão culturalmente reguladas que dificilmente poderiam ser realizadas com estranhos. E talvez também porque essas relações hostis constituíam um dos principais mecanismos de defesa contra a dispersão resultante do incremento demográfico, uma vez que tanto a guerra como a antropofagia vitimavam exclusivamente os homens.

Somente na região dos formadores do Xingu e talvez também no Guaporé e no Pará setentrional, encontramos conglomerados de tribos que, apesar de culturalmente distintos, desenvolveram sistemas normativos de relações interétnicas. Mesmo nesses casos, tais complexos estavam longe de assegurar base para a constituição de uma unidade política mais integradora que a tribo. Para isto, provavelmente seria necessário que alguns dos grupos alcançassem, em relação aos demais, condições materiais de conquista e subjugação permanente e desenvolvessem tanto as instituições políticas quanto os estímulos culturais necessários para exercer uma dominação de base territorial.

Os grupos guaikuru, com a adoção do cavalo, alcançaram aquelas condições materiais de conquista e certo estímulo para exercer o domínio. Contudo, suas instituições larvares de subjugação de cativos eram visivelmente insuficientes para implantar um Estado multiétnico. Principalmente porque os Guaikuru deviam dar este passo já em competição com duas etnias nacionais de extração européia — a luso-brasileira e a hispano-americana — que se expandiam sobre seus territórios.

É evidente a importância explicativa da defasagem evolutiva entre a sociedade nacional e as etnias tribais. Ela é que impossibilitou até mesmo a grupos indígenas do mesmo complexo étnico se unificarem em organizações operativas capazes de enfrentar o invasor europeu. A esse respeito é elucidativo o exemplo da Confederação dos Tamoios, que reuniu no século XVI diversos grupos tupi num movimento de resistência à subjugação européia quando ela ainda era possível; e a chamada "Guerra dos Bárbaros" (século XVII), em que uma aliança das tribos tapuia enfrentou por meio século a expansão colonizadora do Nordeste. A análise desses casos parece demonstrar que "[...] as populações aborígines tinham capacidade de opor resistência organizada aos intuitos conquistadores dos brancos"; mas comprova, por igual "[...] a inconsistência do sistema organizativo tribal para atingir semelhante objetivo" (F. Fernandes, 1960: 85).

Esta incapacidade de ascender da condição de estruturas tribais em diáspora às estruturas estatais é que condenou os grupos indígenas a optar pela submissão ou pela fuga, permitindo aos núcleos invasores crescerem de forma continuada e se constituírem em uma etnia nacional de dimensões e força irresistíveis, a qual, no curso de sua expansão, iria alcançar cada tribo arredia onde quer que se acoitasse.

Outras uniformidades quanto às populações indígenas dizem respeito a atitudes opostas de belicosidade ou docilidade frente ao invasor, e à predisposição conservantista ou renovadora no tocante à sua própria cultura. Uma atitude dócil ou receptiva e uma predisposição à mudança, facilitando o contato e a interação, conduz, quase fatalmente, ao extermínio do grupo pelo avassalamento. Acumulando os efeitos desagregadores e as tensões dissociativas inerentes à conjunção, esta postura impede o grupo de refazer-se das perdas humanas e restaurar os danos culturais que experimenta. Por outro lado, atitudes belicosas e esquivas, bem como rigidamente conservadoras, retardam o ritmo de interação e a sucessão de seus efeitos deletérios, abrindo maiores perspectivas de sobrevivência.

Estas características operam essencialmente como aceleradores e retardadores do processo de transfiguração étnica. Atuam, porém, dentro do enquadramento das demais características das situações de contato. Assim é que nenhuma atitude aguerrida e nenhuma predisposição conservadora garantem a sobrevivência de um grupo se ele se defronta com uma vigorosa frente de expansão (como a agrícola, por exemplo) que, impondo-lhe a coexistência com grandes conglomerados humanos, intensifica fatalmente o ritmo da transfiguração.

Uma outra ordem de uniformidades significativas, ao que parece, corresponde à singeleza ou complexidade relativas do sistema associativo das tribos indígenas. Com efeito, os grupos estruturados em unidades unilineares, como os clãs exogâmicos, parecem mais resistentes aos fatores dissociativos que os estruturados em famílias extensas. Aqui o fator causal parece residir no conservantismo a que já nos referimos. Trata-se, entretanto, de um concomitante que, somando à predisposição conservadora um fator estrutural que a viabiliza, permite opor maiores obstáculos à conscrição do indígena como mão-de-obra e preserva o sistema comunitário de organização do trabalho, retardando, assim, a degradação étnica e a descaracterização cultural.

Para além destas uniformidades gerais concernentes às populações indígenas, a análise arrisca cair em meras singularidades responsáveis por reações diferenciais. Conforme assinalamos, o processo de transfiguração assume, em cada caso concreto, uma configuração particular só explicável em termos das peculiaridades oriundas do contexto cultural indígena anterior ao contato. Em certos casos, essas peculiaridades operam como aceleradores; em outros, como retardadores do ritmo da integração. Nas duas circunstâncias, porém, atuam como fatores seletivos que deixam passar certas inovações mas obstam outras, visando sempre preservar a identidade étnica através de alterações estratégicas em sua configuração.

O próprio imperativo de construir essas novas configurações com elementos tomados das antigas e segundo valores e critérios delas provenientes permite às etnias tribais guardar certa continuidade ao longo de sua transfiguração. Preserva-se, desse modo, a identidade tribal, se não como um corpo de conteúdos uniformes, ao menos como uma sucessão particular de alterações, através das quais se mantém a singularidade de cada etnia, apesar de sua crescente homogeneização. Para essa preservação contribui ponderavelmente a predisposição inerente às etnias de desenvolver mecanismos de intensificação da solidariedade grupal e de autodignificação em face dos estranhos, seja mediante a restauração de velhos mitos, seja pela criação de novas representações do mundo.

Embora relevantes para a explicação etnológica de cada caso concreto, estas especificidades culturais não se prestam a generalizações. É o caso, por exemplo, de certos focos de interesse cultural muito variáveis, mas que marcam algumas culturas com um perfil próprio e indistinguível. É o caso da 1) religiosidade dos povos tupi, especialmente os Guarani; 2) o complexo sócio-religioso dos Bororo; 3) a vocação guerreira dos Kadiwéu. O primeiro explicável, talvez, como uma reação aculturativa que busca na conservação de tradições tribais verdadeiras ou hipotéticas a preservação da solidariedade grupal e a sustentação da auto-imagem étnica. O segundo, como um complexo de fatores que tornaram viável uma maior resistência à aculturação. O terceiro, como uma forma específica de desajustamento à situação de interação com a sociedade nacional decorrente da conservação de ideais de vida tornados inviáveis.

Em todos esses casos estamos diante de focos de integração da cultura que operam como moderadores da personalidade e como orientadores da conduta, capazes de influir decisivamente no desdobramento de um processo singular de transfiguração étnica. Ao contrário das uniformidades antes assinaladas, esses fatores tendem a particularizar-se de tal modo que dificilmente poderiam ser objeto de análises gerais. Seu âmbito de variabilidade é quase tão grande quanto o número de etnias, o que torna infrutíferas as tentativas de formular regularidades consistentes à base dessas variantes.

O relevante é que, apesar da existência desse resíduo de fatores aleatórios, irredutíveis à análise, o estudo comparativo das situações de conjunção da sociedade nacional com as populações tribais permite reconstituir o processo de transfiguração étnica como uma seqüência de efeitos de certos agentes causais que correspondem a instâncias de um processo natural e necessário que, uma vez desencadeado, conduz a resultados previsíveis. E permite também assinalar os principais desvios dessa seqüência, explicáveis como reações diferenciais dos grupos indígenas ao impacto com a civilização.

8 AS ETAPAS DA INTEGRAÇÃO[1]

O BRASIL INDÍGENA NO SÉCULO XX

Examinamos neste capítulo o comportamento dos grupos indígenas brasileiros na primeira metade do presente século, quanto ao modo e ao ritmo de conservação, descaracterização ou desaparecimento de suas línguas e culturas e das próprias tribos como entidades étnicas diferenciadas umas das outras, e quanto à etnia nacional.

Procuramos alcançar estes propósitos pela comparação sistemática da situação em que se encontravam os grupos indígenas brasileiros na passagem do século com a situação em que se encontram hoje, quanto ao grau de integração na sociedade nacional e, correlativamente, quanto à conservação ou perda da autonomia cultural e lingüística. Nossa tarefa básica consistiu na elaboração de duas relações dos grupos indígenas brasileiros, distribuídos por categorias referentes ao grau de integração em que cada um deles se encontrava em 1900 e em 1957, início e fim do período que é objeto de análise.

Um dos principais problemas com que nos defrontamos na elaboração dessas listas foi o da fixação da unidade de apuração dos dados que devíamos utilizar: se a tribo tomada globalmente, ou as subdivisões tribais mais bem caracterizadas, ou ainda os grupos locais. Verificamos de início a impraticabilidade de seguir rigorosamente um único critério, por mais que isto fosse recomendável. A própria bibliografia etnológica apresenta tantas lacunas que só para alguns poucos grupos indígenas seria possível distinguir com precisão tribos de subtribos. Por outro lado, em certos casos, uma tribo, embora dispersa por uma vasta área e dividida em diversos subgrupos, viveu essencialmente as mesmas experiências no período de meio século que devíamos examinar; enquanto, em outros casos, cada subgrupo viveu história diferente, sendo impossível tratá-los em conjunto.

Nestas circunstâncias, vimo-nos obrigados a considerar cada caso em sua complexidade ou, ao menos, tanto quanto o permitiam as nossas fontes de informação. Por tudo isto, apuramos os dados tendo em vista essencialmente a história das relações com a sociedade nacional: se era a mesma para toda a tribo, evitávamos subdividi-la desnecessariamente; se era diferenciada, registrávamos cada variante. Deste procedimento resultou que os 230 casos estudados não são de tribos ou de subdivisões tribais homogeneamente definidas, mas de grupos indígenas que viveram diferentes experiências de relações com a civilização. Assim, por exemplo, os Guarani, conquanto distinguíveis em certo número de subgrupos, foram tratados como uma unidade; já os Timbira, os Kayapó, os Kaingáng e outros exigiram um tratamento em separado para seus diversos subgrupos.

Em virtude de todas essas imprecisões que não pudemos evitar, nosso trabalho deve ser tido como um roteiro exploratório. Não obstante, o material utilizado, como se verá, é bastante amplo e representativo para garantir a validade das nossas generalizações.

O quadro 1 retrata o Brasil indígena em 1900, ou seja, a situação em que se encontravam os grupos tribais que sobreviveram até então quanto ao tipo de contato que mantinham com a sociedade nacional.

Quadro 1

SITUAÇÃO DOS GRUPOS INDÍGENAS BRASILEIROS EM 1900, QUANTO AO GRAU DE INTEGRAÇÃO NA SOCIEDADE NACIONAL

Isolados	*Contato Intermitente*	*Contato Permanente*	*Integrados*
TUPI			
AMNIAPÊ	AMANAYÉ	APIAKÁ	GUARANI
ARAWINE	EMERILLON	GUAJAJARA	KARIPUNA
ARÉ (XETA)	JURUNA	MUNDURUKU	KOKAMA
ARIKEN	KURUAIA		MAWÉ
ARUÁ	OYANPIK		
ASURINI	TREMBÉ		
AWETI	TURIWARA		
BOCA NEGRA	XIPAIA		
CANOEIRO (AVÁ)			
GUAJÁ			
GUARATEGAJA			
IPOTEWÁT			
ITOGAPUK			
JABUTIFÉD			
KABIXIANA			
KAMAYURÁ			
KARITIANA			
KAYABI			
KEPKIRIWAT			
MAKURAP			
MANITSAWÁ			
MIALAT			
MONDÉ			
MUDJETIRE			
PARAKANÃ			
PARANAWAT			
PARINTINTIN			
PURUBORÁ			
RAMA-RAMA			
SANAMAIKA			
TAKUATÉP			
TAPIRAPÉ			
TUKUMANFÉD			
TUPARI			
URUBU-KAAPOR			

Continuação

Isolados	*Contato Intermitente*	*Contato Permanente*	*Integrados*
URUMI			
WIRAFÉD			
ARUAK			
AGAVOTOKUENG	HOHODENE	KATIANA	KAYUIXANA
BARAWANA	KANAMARI	KUNIBA	KINIKINAU
IPURINÃ	KARUTANA	MANITENÉRI	LAYANA
IRANXE	KAXARARÍ	MARAWÁ	PASÉ
KULINAO	KORIPAKO	PALIKUR	TERENA
KUSTENAU	KUJIJENERÍ	PARECI	WAINUMÁ
MANDAWAKA	PAUMARI	WAPIXANA	
MAOPITYÃ	TARIANA		
MEHINAKO	WAREKENA		
WAURÁ	YAMAMADI		
XIRIANÁ	YUBERI		
YABAANA			
YAWALAPITI			
KARIB			
AIPATSÊ	APALAI	BAKAIRI (Rio Paranatinga)	GALIBI
ARARA	BAKAIRI (Rio Batovi)	PAUXI	MAKUXI
ATRUAHÍ	INGARIKÓ	PAUXIANA	PALMELA
BAKAIRI (Rio Curisevo)	KATAWIÃ		
KALAPALO	KAXUIÁNA		
KUIKURU	PURUKOTO		
MATIPUHY	SIKIANA		
MAYONGONG	TAULIPANG		
NAHUKUÁ	WAYANA		
NARAVUTE			
PARIKOTÓ			
PIANOKOTÓ			
SALUMA			
TIRIYÓ			
TSUVA			
WAIMIRI			
WAIWAI			

Continuação

Isolados	*Contato Intermitente*	*Contato Permanente*	*Integrados*
JÊ			
DIÓRE	KAYAPÓ-KRADAU	APANIEKRA	KAYAPÓ DO SUL
GAVIÃO	KRAHÔ		
		APINAYÉ	KAINGÁNG (Paraná)
GOROTIRE	KREM-YÉ (Cajuapará)	KENKATEYE	KAINGÁNG (Sta. Catarina)
KAINGÁNG (S. Paulo)	RAMKOKAMEKRA	KREM-YÉ (Bacabal)	KAINGÁNG (R. G. do Sul)
KUBENKRANKEN		KRIKATI (Araparitiua)	
KUBENKRAÑOTIRE		TIMBIRA	
MENTUKTIRE		TXAKAMEKRA	
SUYÁ		XERENTE	
XAVANTE (AKUÉN)			
XIKRIN			
XOKLENG			
OUTROS			
AIWATERI	AMAHUAC	BOTOCUDO (Itambacuri)	FULNIÔ
			KAMAKÃ
ARIKAPU	BORORO	ESPINHO	MIRÂNIA
BAENÃ	DESANA	GUATÓ	NATÚ
BOTOCUDO (Pancas)	IAWANO	KADIWÉU	PAKARARÁ
BOTOCUDO (Crenaque)	KANAMARI	KARIPUNA	PANKARARU
GUAHARIBO	KAPANAWA	KUYANAWA	POTIGUARA
HUARI	KARAJÁ	MARAKANÁ	TUXÁ
JAVAÉ	KATUKINA (Pano)	MARUBO	UAMUÉ
JABUTI	KATUKINA	MATANAWÍ	WAKONÁ
KABIXI	KAXINÁWA	MAXAKALI	XOKÓ
KREEN-AKARÔRE	KOBÉWA	MAYORUNA	XUKURU
MAKU (Auari)	KURINA	MURA	
MAKUNABODO	MARINAWA	PARAWA	
NAMBIKWARA	NUKUINI	POYANAWA	
OFAIÉ	PAKANAWAT	SAKUYA	
OTI	POKANGA	TORÁ	
PAKAA NOVAS	TUKÁNA	YUMA	

Continuação

Isolados	*Contato Intermitente*	*Contato Permanente*	*Integrados*
PAKIDAI	TUKUNA	YURI	
PATAXÓ	TUXINAWA		
TAPAYUNA	TUYUCA		
TRUMAI	WAIKINO		
TXIKÃO	WANANO		
UMUTINA	WITOTO		
URUPÁ	XIPINAWA		
WAIKÁ	YAMINAWA		
WAYORÓ			
XIRIANÁ			

Na primeira coluna — *isolados* — estão inscritas as tribos que, vivendo em zonas não alcançadas pela sociedade brasileira, só tinham experimentado contatos acidentais e raros com civilizados. Apresentavam-se como simplesmente *arredias* ou *hostis*, tendendo para esta última categoria aquelas que já se defrontavam com frentes pioneiras e haviam sofrido violências por parte dos invasores dos seus territórios. Umas e outras tiravam da região em que viviam e do seu próprio trabalho tudo de que necessitavam, mantendo plena autonomia cultural.

Nesta categoria se encontravam, por volta de 1900, 105 tribos,[2] ou seja, 45,6% do total de 230 — constituindo as mais populosas as que apresentavam maior vigor físico e as que melhor conservavam o patrimônio cultural. Em suas aldeias se podiam encontrar alguns artigos industriais, como instrumentos de metal, adornos e também, freqüentemente, animais e plantas cultivadas de origem alienígena. Todavia, estes elementos eram obtidos através de guerra ou do escambo com tribos vizinhas e, às vezes, como produtos de saque a núcleos pioneiros.

Na segunda coluna estão os grupos que mantinham *contatos intermitentes* com a civilização. Viviam em regiões que começavam a ser ocupadas pelas frentes de expansão da sociedade brasileira e o determinante fundamental de seu destino era, já então, o valor das terras que ocupavam, a critério dos civilizados, ou mesmo seu próprio valor como mão-de-obra, quando utilizável para qualquer produção mercantil. Mantinham ainda certa autonomia cultural, provendo às suas necessidades pelos processos tradicionais, mas já haviam adquirido necessidades cuja satisfação só era possível através de relações econômicas com os civilizados.

Freqüentemente tinham atitudes ambivalentes em relação aos civilizados, motivadas, de um lado, pelo temor fundamentado em toda a experiência tribal, que ensinava a só esperar desgraças do homem branco, e, por outro lado, pelo encantamento mais entusiástico pelos instrumentos supercortantes e por tudo que puderam ver de um equipamento infinitamente superior de ação sobre a natureza. Suas atividades começam a sofrer uma diversificação profunda pela necessidade de, além das tarefas ordinárias de provimento da subsistência, serem obrigados a dedicar um tempo crescente à produção extra de artigos para troca com os brancos ou a se alugarem como força de trabalho. Sua cultura e sua língua começam a sofrer modificações que refletem as novas experiências.

Nessa fase os contatos são quase sempre circunstanciais, pois, via de regra, restringem-se a um grupo especializado, seja um seringal, uma missão, um traficante ou outro agente da civilização. Em qualquer caso, um núcleo ou indivíduo que só pode revelar uma face restrita da sociedade nacional.

Nessa condição se encontravam em 1900, segundo nossos dados, 57 grupos — ou 24,8% do total de 230. A julgar pelos casos conhecidos, seu montante populacional devia estar reduzido a menos da metade do que constituíra quando isolados, por efeito das epidemias de gripe, sarampo e outros agentes mórbidos levados pelos civilizados. Haviam sofrido profundas transformações em seu modo de vida, imputáveis, porém, antes a fatores ecológicos e bióticos que ao processo de aculturação.

Na terceira coluna — *contato permanente* — foram relacionadas as tribos que mantinham, em 1900, comunicação direta e permanente com grupos mais numerosos e mais diferenciados de representantes da civilização. Haviam perdido em grande parte a autonomia cultural, uma vez que se encontravam em completa dependência do fornecimento de artigos de metal, sal, medicamentos, panos e muitos outros produtos industriais. Conservavam, porém, os costumes tradicionais compatíveis com sua nova condição, conquanto estes mesmos já se apresentassem profundamente modificados pelos efeitos cumulativos das compulsões ecológicas, econômicas e culturais correspondentes ao grau de integração. Crescera o número de indivíduos capazes de se exprimir em português, alargando assim os canais de comunicação com a sociedade nacional. A população continuava decrescendo, até chegar em alguns casos a índices tão baixos que, tornando inoperante a antiga organização social, fazem desaparecer toda uma série de instituições originais.

Chamados a participar da economia mercantil da região, desorganiza-se seu sistema de provimento da subsistência, quebrando-se os antigos núcleos de cooperação e aumentando cada vez mais sua dependência em relação à sociedade nacional. Concomitantemente com este processo de incorporação na economia regional, tem lugar uma ruptura do antigo sistema de controle social, pela desmoralização do corpo tribal de sanções e das instituições reguladoras da conduta. Desde então, o nível de preservação ou alteração da cultura tradicional passa a depender do grau de integração e das circunstâncias em que se dá o contato. Alguns grupos organizam, nessa altura, movimentos de reorganização cultural, seja procurando fugir ao contato para reorganizar a vida nas velhas bases quando isto ainda é praticável, seja mergulhando em movimentos revivalistas. Nessas condições se encontravam, em 1900, 39 grupos indígenas ou 16,9% do total de 230.

Na última coluna do quadro 1 — *integrados* — relacionamos os grupos que, tendo experimentado todas as compulsões referidas e conseguido sobreviver, chegaram ao século XX ilhados em meio à população nacional, à cuja vida econômica se haviam incorporado como reserva de mão-de-obra ou como produtores especializados de certos artigos para comércio. Estavam confinados em parcelas do antigo território ou despojados de suas terras, perambulando de um lugar a outro, sempre escorraçados. Compreendiam 29 tribos — 12,6% do total— e, entre todas, eram as que enfrentavam mais precárias condições de vida, maior dependência e miséria. Entre elas e seus ancestrais *isolados* — em alguns casos, a geração anterior — ia uma enorme distância. Pela simples observação direta, ou com apelo à memória, seria impossível reconstruir, ainda que palidamente, a antiga cultura. Muitos grupos nessa etapa haviam perdido a língua original e, nesses casos, aparentemente nada os distinguia da população rural com que conviviam. Igualmente mestiçados, vestindo os mesmos trajes, talvez apenas um pouco mais maltrapilhos, comendo os mesmos alimentos, poderiam passar despercebidos se eles próprios não estivessem certos de que constituíam um povo e não guardassem uma espécie de lealdade a essa identidade étnica e se não fossem vistos pelos seus vizinhos como "índios". Aparentemente, haviam percorrido todo o caminho da aculturação, mas para se assimilarem faltava alguma coisa imponderável — um passo apenas que não podiam dar.

O quadro 2 reflete a situação dos mesmos grupos em 1957, ou seja, os que então permaneciam *isolados*, os que entraram em contato *intermitente* ou *permanente*, os *integrados* e, finalmente, os

Quadro 2

SITUAÇÃO DOS GRUPOS INDÍGENAS BRASILEIROS EM 1957, QUANTO AO GRAU DE INTEGRAÇÃO NA SOCIEDADE NACIONAL

Isolados	*Contato Intermitente*	*Contato Permanente*	*Integrados*	*Extintos*
TUPI				
ASURINI	ARÉ (Xetá)	JURUNA	AMANAYÉ	AMNIAPÉ
BOCA NEGRA	AWETI	MUNDURUKU	GUAJAJARA	APIAKÁ
CANOEIRO (AVÁ)	KAMAYURÁ	PARANAWAT	GUARANI	ARAWINE
GUAJÁ	KAYABÍ	PARINTINTIN	KARIPÚNA	ARIKEN
MUDJETIRE	PURUBORÁ	TAPIRAPÉ	MAWÉ	ARUÁ
PARAKANÃ	URUBU-KAAPOR	TUKUMANFÉD	TEMBÉ	EMERILLON
		TUPARI		GUARATEGAJA
		WIRAFÉD		IFOTEWÁT
				ITOGAPÚK
				JABUTIFÉD
				KABIXIANA
				KARITIANA
				KEPKIRIWÁT
				KOKÁMA
				KURUAIA
				MAKURAP
				MANITSAWÁ
				MIALAT
				MONDÉ
				OIANPIK
				RAMA-RAMA
				SANAMAIKA
				TAKUATÉP
				TURIWÁRA
				URUMI
				XIPAIA
ARUAK				
AGAVOTOKUENG	MEHINAKO	HOHODENE	KANAMARI	KATIANA
BARAWANA	WAURÁ	IPURINÃ	PALIKUR	KAXARARÍ
MANDAWAKA	YAWALAPITI	IRANXE	PARECI	KAYUIXANA

Continuação

Isolados	*Contato Intermitente*	*Contato Permanente*	*Integrados*	*Extintos*
MAOPITYÃ		KARUTANA	TARIANA	KINIKINAU
XIRIANÁ		KORIPAKO	TERENA	KUJIJENERI
YABAANA		KULINA	WAPITXANA	KUNIBA
		PAUMARI		KUSTENAU
		YAMAMADI		LAYANA
				MANITENERI
				MARAWÁ
				PASÉ
				WAINUMÁ
				WAREKENA
				YUBERI
KARIB				
ATRUAHÍ	APALAI	INGARIKÓ	BAKAIRI (Rio Paranetinga)	AIPATSÊ
MAYONGONG	KALAPALO	TAULIPANG	GALIBI	ARARA
PARIKOTÓ	KATAWIÂN	WAYANA	MAKUXI	BAKAIRI (Rio Batovi)
TIRIYÓ	KAXUIANA			BAKAIRI (Rio Curiseva)
WAIMIRI	KUIKURO			NARAVUTE
	MATIPUHY			PALMELA
	NAHUKUÁ			PAUXI
	PIANOKOTÓ			PAUXIANA
	SALUMA			PURUKOTÓ
	SIKIANA			TSUVA
	WAIWAI			
JÊ				
DIÓRE	KUBENKRANKEN	GOROTIRE	APINAYÉ	APANIEKRA
GAVIÃO	XAVANTE AKUÊN	KRAHÔ	KAINGANG (S. Paulo)	KAYAPÓ
				KRADAÚ
KUBENKRAÑOTIRE	XIKRIN	RAMKOKA-MEKRA	KAINGANG (Paraná)	KAYAPÓ DO SUL

Continuação

Isolados	*Contato Intermitente*	*Contato Permanente*	*Integrados*	*Extintos*
MENTUKTIRE			KAINGÁNG	KENKATEYE
			(Sta. Catarina)	KREM-YÉ
SUYÁ			KAINGÁNG	(Bacabal)
			(R. G. do Sul)	KREM-YÉ
			XERENTE	(Cajuapara)
				KRIKATÍ
			XOKLENG	TIMBIRA
				(Areparitiua)
				TXAKAMEKRA
OUTROS				
AIWATERI	JAVAÉ	AMAHUACA	FULNIÔ	BAENÃ
GUAHARIBO	NAMBIKWARA	ARIKAPU	KAPANAWA	BOTOCUDO
				(Itambacuri)
KABIXI	TRUMAI	BORORO	KAXINAWA	BOTOCUDO
				(Crenaque)
KREEN-AKARÓRE	XIRIANÁ	DESANA	MARINAWA	BOTOCUDO
		IAWANO	MURA	(Pancas)
MAKU (R. Auari)				ESPINHO
MAKUNABÖDÖ		KADIWÉU	PAKARARÁ	GUATÓ
PAKAA NOVAS		KARAJÁ	PANKARARU	HUARI
PAKIDAI		KATUKINA	POTIGUARA	JABUTI
TAPAYÚNA		KATUKINA	TUXÁ	KAMAKÃ
		(Pano)	TUXINAWA	(Hahahj)
TXIKAO		KOBÉWA	UAMUÉ	KANAMARI
WAIKÁ		MARUBO	UMUTINA	KARIPUNA
		MAXAKALI	WAKONÁ	KURINA
		NUKUINI	XIPINAWA	KUYANAWA
		PAKANAWA	XOKÓ	MARAKANÁ
		POKANGA	XUKURU	MATANAWI
		TUKANA		MAYORÚNA
		TUKUNA		MIRÂNIA
		TUYUKA		NATÚ
		URUPÁ		OFAIÉ
		WAIKINO		OTI

Continuação

Isolados	*Contato Intermitente*	*Contato Permanente*	*Integrados*	*Extintos*
		WANANA		PARAWÁ
		WITÓTO		PATAXÓ
		YAMINAWA		POYANAWA
				SAKUYA
				TORÁ
				WAYORÓ
				YUMA
				YURI

extintos, isto é, os que desapareceram nesse meio século como grupos tribais diferenciados da população brasileira.

As mesmas categorias se prestam para caracterizar a situação dos grupos indígenas em períodos distanciados de meio século, porque elas representam, na realidade, as etapas sucessivas e necessárias do processo de integração dos grupos tribais à sociedade nacional.

As diferenças essenciais das condições de vida correspondentes em cada uma delas, de 1900 para nossos dias, decorrem da presença de um fator novo, a intervenção protecionista exercida pelo Serviço de Proteção aos Índios. Em virtude dessa interferência o processo já não opera espontaneamente como antes, mas, ao contrário, em larga medida é controlado artificialmente. Por isto mesmo, as condições de *isolamento*, de *contato intermitente* e *permanente* ou de *integração* já não correspondem precisamente à caracterização anterior.

Assim, a condição de contato intermitente mantida artificialmente pelo SPI no Xingu, por exemplo, pela necessidade de assegurar aos índios um ritmo mais lento de mudanças que não ameaçasse sua sobrevivência, é diverso da mesma condição quando alcançada e vivida livremente por um grupo indígena em contato com um núcleo qualquer da sociedade nacional. O mesmo ocorre quanto a tribos em *contato permanente* ou *integradas*, recolhidas a postos do SPI, onde um mínimo de amparo lhes é assegurado e onde podem preservar sua vida comunitária. Na verdade, graças a intervenções desse tipo, nas várias etapas de integração puderam sobreviver dezenas de tribos e milhares de índios que, sem ela, teriam desaparecido vitimados por diversos fatores dissociativos, se estes atuassem livremente.

No essencial, porém, nas zonas inexploradas do Brasil — hoje muito menos vastas que em 1900, mas ainda ponderáveis — sobrevivem diversos grupos *isolados*. E no restante do território nacional, de acordo com o grau de penetração da sociedade nacional em cada área, seus habitantes indígenas se encontram em *contato intermitente* e *permanente*, ou *integrados*, conforme retrata o quadro 2.

Uma comparação dos dois quadros demonstra que os grupos *isolados* foram reduzidos de 105 (45,6%), em 1900, para 33 (23%), em 1957; os que mantinham *contatos intermitentes*, de 57 (24,8%) para 27 (18,9%), enquanto os que estavam em *contato permanente* ascenderam de 39 (16,9%) para 45 (31,5%) e os *integrados*, de 29 (12,6%) para 38 (26,6%). O exame da última coluna do quadro 2, referente aos grupos extintos, mostra que das 230 tribos relacionadas, 87 — ou seja, 37,8% — desapareceram nestes cinqüenta anos.

A primeira observação que estes dados sugerem é que estamos diante não só de uma drástica redução no montante de tribos, mas também de uma profunda modificação na composição das remanescentes com respeito a seu grau de integração. Enquanto a maior porcentagem era, em 1900, de tribos *isoladas* (45,6%) e a menor, a de *integradas* (12,6%), em nossos dias os números quase se inverteram, sendo maior a proporção das *integradas* (26,6%) que a de *isoladas* (23%).

Apurações parciais como a da tabela 1 permitirão aprofundar esta análise. Aí se vê que as 105 tribos *isoladas* em 1900 assim se distribuem em 1957: 33 permanecem *isoladas*, 23 entraram em *convívio intermitente*, treze em *convívio permanente*, três se *integraram* e 33 foram levadas ao extermínio. Um exame da lista de tribos correspondentes a esta categoria (quadro 2) em relação à história das fronteiras de expansão econômica mostra que a conservação do grupo na condição de *isolado* ou sua entrada em convívio *intermitente* ou *permanente* depende essencialmente da dinâmica da sociedade nacional. Assim, a proporção dos grupos nas várias categorias de integração exprime antes a rapidez e o poder com que foram devassadas as áreas que eles ocupavam do que resistências ou receptividades culturais indígenas à integração.

Os 33 grupos que se mantiveram isolados perfazem, em 1957, apenas 23% do número total de grupos, em contraposição com os 45,6%, de 1900. A maior parte dos índios isolados em 1957, ou seja, 60%, vivem em áreas inexploradas. Os demais vivem em regiões já penetradas por agentes da civilização, com os quais muitos grupos se encontravam em conflitos sangrentos. Depois de 1957, alguns destes últimos entraram em convívio com a sociedade nacional, de que resultou o extermínio completo, ou em marcha, de alguns deles (Gavião, Asurini, Parakanã, Cinta Larga) e a transfiguração étnica de outros. Esses grupos indígenas, classificados como *isolados*, são distintos das tribos virgens de contato, de um passado remoto. Nenhum deles apresenta as características originais. Seu modo de ser só se explica pela contingência de uma vida de fugas, correrias e lutas que lhes foi imposta e que afetou profundamente sua forma de vida e o funcionamento de suas instituições. É improvável que subsista hoje um só grupo inteiramente indene de influências da civilização, pois mesmo aqueles ainda não alcançados pela sociedade nacional já sofreram sua influência indireta, através de tribos desalojadas e lançadas sobre eles e de bacilos, vírus ou artefatos que, passando de tribo a tribo, alcançaram seus redutos.

Tabela 1

NÚMERO DE GRUPOS INDÍGENAS QUE SE ENCONTRAVAM NAS DIFERENTES ETAPAS DE INTEGRAÇÃO À SOCIEDADE NACIONAL EM 1957 EM RELAÇÃO À DISTRIBUIÇÃO DOS MESMOS EM 1900

		1957				
Grau de integração	*Totais 1900*	*Isolados*	*Contato Intermitente*	*Contato Permanente*	*Integrados*	*Extintos*
Isolados	105	33	23	13	3	33
Contato intermitente	57	—	4	29	10	14
Contato permanente	39	—	—	3	8	28
Integrados	29	—	—	—	17	12
Totais 1957	230	33	27	45	38	87

Os 23 grupos que passaram de *isolados* à condição de *convívio intermitente* com a sociedade nacional vivem, em 1957, em áreas de ocupação recente ou economicamente marginais e por isto raramente percorridas. A maioria é formada por tribos pacificadas pelo SPI,[3] às quais aquele órgão assegurou reservas territoriais onde puderam permanecer mais ou menos livres das compulsões a que se veriam submetidas se estabelecessem contatos diretos e livres com agentes da sociedade nacional. Essas condições de estufa não impediram drásticas reduções de sua população, mas permitiram a sobrevivência e conservação da autonomia cultural a alguns grupos como os xinguanos[4] e outros que, por sua docilidade, teriam sido prontamente envolvidos e liquidados no caso de relações espontâneas.

Das 105 tribos *isoladas* de 1900, as treze que se encontram em *convívio permanente* foram todas extremamente debilitadas e a maior parte apresenta indícios de que dificilmente sobreviverá. Os três únicos casos de grupos que saltaram da condição de *isolados* à de *integrados* correspondem aos Umutina de Mato Grosso, Kaingáng de São Paulo e Xokleng, de Santa Catarina. Todos têm em comum a rapidez de ocupação das áreas em que viviam, motivada por atrativos econômicos especiais que elas ofereciam. Sua sobrevivência se explica pela intervenção protecionista que, embora não podendo impedir uma enorme depopulação, permitiu aos dois últimos resistir, enquanto etnias, à dramática experiência que representa o salto da condição tribal à de índios civilizados.[5]

Finalmente, constatamos, pelo exame da primeira série da tabela 1, que em cinqüenta anos 33 grupos passaram da condição de isolados à de extintos. Vale dizer que tiveram uma passagem rapidíssima pelas etapas de convívio intermitente e permanente, ou mesmo não viveram estas etapas, tal a rapidez de sua desintegração. A proporção é expressiva, pois representa 31,4% do total de 105 e, sobretudo, porque — excluindo-se os grupos que permanecem isolados, pois a maioria destes ainda não deparou com a civilização — representa quase o mesmo número dos que passaram a duas condições de convívio e a integrados (39 grupos). Em outras palavras, isto significa que quase metade das tribos que se defrontaram com a civilização desapareceram menos de cinqüenta anos depois e às vezes muito mais depressa.

Examinando, agora, na mesma tabela 1, a série referente aos grupos em convívio intermitente, observa-se que, dos 57 grupos que se encontravam nessa condição em 1900, apenas quatro permaneceram no mesmo estado, correspondendo a grupos karib de zonas inexploradas da Guiana brasileira; 29 passaram a manter contatos *permanentes* e dez à condição de tribos *integradas*, isto é, inteiramente dependentes da sociedade nacional e num estado de profunda descaracterização lingüística e cultural. Finalmente, catorze grupos foram levados à extinção, ou seja, aproximadamente a mesma proporção de desaparecimento que ocorreu com os grupos originalmente isolados.

Dos 39 grupos que se encontravam em convívio permanente em 1900, três permaneceram nesta categoria, oito foram *inte-*

grados, enquanto 28 — ou seja, 71,7% — desapareceram. Esta proporção demonstra quanto é elevado o número de grupos liquidados nessa etapa, ou seja, antes de alcançar a condição de integrados. Em correlação com a porcentagem de 41,3% de desaparecidos entre as 29 tribos que se encontravam integradas em 1900, estes dados indicam que, ingressando nessa categoria, alargam-se as chances de sobrevivência. Efetivamente, a integração, tal como conceituada neste trabalho, parece configurar uma forma de acomodação que, conquanto precaríssima, em certos casos abre aos grupos étnicos — à medida que se amoldam às exigências do convívio com civilizados, desenvolvem maior resistência às moléstias e se despojam de suas singularidades lingüísticas e culturais — oportunidade de sobrevivência e participação na sociedade nacional, como participantes diferenciados dela por suas origens indígenas e por sua condição de grupos étnicos.

Condicionantes da integração

Na presente análise, tratamos, até agora, a sociedade nacional como se fosse uma constante no processo de integração. Na realidade, trata-se de uma das variáveis básicas que exige exame quanto à capacidade diferencial de compulsão que cada uma das formas que ela assume pode exercer sobre as populações tribais. A sociedade nacional apresenta-se aos índios com faces profundamente diversas, conforme assuma a forma de economia extrativa, pastoril ou agrícola. Cada uma delas é movida por interesses diversos na exploração do ambiente, organiza-se segundo princípios estruturais distintos e impõe compulsões diferentes aos grupos tribais com que se defronta.

A economia extrativa mobiliza indivíduos desgarrados de suas comunidades de origem e, portanto, livres das formas tradicionais de controle social para lançá-los sobre áreas inexploradas. Aí eles atuam como bandos móveis que devassam as matas à procura de produtos de valor mercantil onde o acaso da natureza os espalhou. Quando se defrontam com um grupo indígena, sua tendência é desalojá-lo violentamente do seu território, ou, quando possível, diligenciar para colocá-lo a seu serviço: aliciando os homens para a localização de novas reservas de produtos florestais e para trabalhos como o de remeiros, carregadores e outros, e as mulheres como amásias e produtoras de gêneros alimentícios. Como este tipo de economia impõe enorme dispersão espacial da população, suas frentes de expansão que se chocam com os índios são geralmente muito ralas, o que possibilita a uma tribo aguerrida manter-se em conflito por longos anos, impedindo a ocupação do seu território e provocando o desgaste de parte a parte.

Dentro deste enquadramento básico, os grupos que vivem as etapas de contatos intermitentes e permanentes são submetidos a condições tão opressivas que levam a uma pronta desorganização da vida familial, à ruptura da unidade tribal e, finalmente, a uma forma específica de integração que conduz ao engajamento ativo na economia regional, sem qualquer participação nas instituições da sociedade nacional.

As frentes de economia pastoril são formadas por populações constituídas por crescimento vegetativo, compostas de grupos familiais, que avançam através de áreas inexploradas à procura de novas pastagens para seus rebanhos.

Agem diante do índio movidas essencialmente pela contingência de limpar os campos dos seus habitantes humanos para entregá-los ao gado e evitar que o índio, desprovido de caça, a substitua pelo ataque a seus rebanhos. A interação, nestas circunstâncias, assume com freqüência formas de conflito sangrento e raramente dá lugar a um convívio direto ou a acasalamento e mestiçagem como no caso anterior.

As frentes de expansão agrícola são geralmente constituídas por grandes massas populacionais dotadas de um equipamento muito mais poderoso. Vêem no índio um simples obstáculo à sua expansão e entram em conflitos para desalojá-los das terras que ocupam e delas se apossarem para estender as lavouras.

Provocando rapidamente uma transformação drástica na paisagem, as frentes de expansão agrícola criam condições ecológicas novas em que o sistema adaptativo tribal se torna inoperante. Em poucos anos, os índios se vêem obrigados a adotar novas formas de provimento da subsistência e envolvidos por uma população relativamente densa, a cujos modos de vida são compelidos a se acomodar para sobreviver.

Preliminarmente, devemos convir que estas categorias não são puras variantes econômicas. São etapas sucessivas de penetração civilizadora e, conseqüentemente, correspondem a graus diversos de intensidade da interação. Assim, as frentes extrativas são freqüentemente penetrações exploratórias e recentes a que se seguirá a ocupação definitiva de base agrícola. Esta última raras vezes assumiu no Brasil a forma de fronteira de expansão sobre áreas indevassadas. Via de regra, cresce sobre regiões previamente exploradas por coletores de artigos florestais. A economia pastoril, operando geralmente sobre as zonas de campos ou cerrados naturais que não oferecem atrativos para uma economia extrativista, assume sempre a forma de frente pioneira que avança sobre grupos indígenas para lançar as bases de uma economia que se consolidará mais tarde com o mesmo caráter.

Na tabela 2, os dados referentes ao grau de integração dos grupos indígenas de 1900 a 1957 foram distribuídos de acordo com os tipos de economia hoje prevalecentes nas áreas que ocupavam ou ainda ocupam. Este arranjo permite, em certa medida, verificar como se comportaram diferencialmente os grupos indígenas que se defrontaram com frentes agrícolas, pastoris e extrativas e aqueles que vivem em regiões ainda inexploradas.

Como já foi dito, as frentes extrativas, mobilizando populações extremamente rarefeitas sobre vastas áreas, equivalem a um nível de interação mais baixo que o das frentes pastoris e agrícolas.

Tabela 2

COMPORTAMENTO DOS GRUPOS INDÍGENAS BRASILEIROS QUE SE DEFRONTARAM COM DIFERENTES FRONTEIRAS DE EXPANSÃO ECONÔMICA DA SOCIEDADE NACIONAL DE 1900 A 1957

	Áreas de economia									
Graus de integração	*Agrícola*		*Pastoril*		*Extrativa*		*Inexplorada*		*Totais*	
	1900	1957	1900	1957	1900	1957	1900	1957	1900	1957
Isolados	6	—	6	—	50	13	43	20	105	33
Contato intermitente	—	—	5	2	47	6	5	19	57	27
Contato permanente	2	—	14	9	23	36	—	—	39	45
Integrados	2	4	18	19	9	15	—	—	29	38
Extintos	—	6	—	13	—	59	—	9	—	87
Totais	10		43		129		48		230	

Este fato se exprime na tabela pela porcentagem muito maior de grupos que se encontram em áreas de economia extrativa (48,9%), o que não pode ser interpretado como maior capacidade de convivência dos índios com essas frentes, mas como reflexo da circunstância de serem zonas de ocupação mais recente e de população brasileira mais rarefeita. Em contraposição, o registro de apenas 2,8% do total de tribos em áreas de economia agrícola reflete, essencialmente, seu caráter de zonas de mais antiga ocupação em que outros grupos indígenas viveram, antes do século XX, os mesmos problemas agora apreciados quanto a outras regiões.

Estas limitações não invalidam, porém, a expressividade das porcentagens de tribos que desapareceram nas diferentes áreas consideradas, apenas exigem que os dados numéricos sejam interpretados à luz de informações históricas que esclareçam seu verdadeiro sentido.

Encontramos a porcentagem mais baixa de tribos extintas entre 1900 e 1957 (18,7%), como era de se prever, para as regiões inexploradas ou economicamente marginais. A proporção cresce para 30,2% nas zonas de economia pastoril; seguem-se as áreas de economia extrativa com 45,7%, proporção expressiva da violência com que se lançaram sobre os índios os grupos de caucheiros, seringueiros, castanheiros e outros coletores de produtos florestais e das condições de vida que impuseram às tribos com que estabeleceram relações pacíficas.

Para esta alta taxa de grupos desaparecidos contribuíram principalmente as pequenas tribos que, logo após os primeiros contatos com a civilização, pouco antes ou logo depois de 1900, sucumbiram dizimadas por epidemias diversas. Só na área que fica entre a linha telegráfica aberta pela Comissão Rondon, de 1907 a 1913, e o curso do Guaporé, desapareceram em poucos anos cerca de dezoito tribos.

Todas elas eram virgens de contato até o século XX e tão alta letalidade não pode explicar-se apenas pela virulência das epidemias. Aqui parecem ter agido cumulativamente diversos fatores. Entre eles, a docilidade com que aquelas tribos se aproximavam espontaneamente dos civilizados, que viram como os detentores todo-poderosos de instrumentos de metal, das contas de louça, das armas de fogo e outras maravilhas. Após o primeiro encontro com os oficiais da Comissão Rondon, atraídas pela prodigalidade com que foram acolhidas, muitas tribos procuraram contato com seringueiros, imaginando tratar com a mesma gente. As conseqüências foram fatais; em poucos anos desapareciam, uma após outra, e as que ainda sobrevivem sofreram tamanhas reduções que hoje constituem frações ínfimas da antiga população, destinadas também a desaparecer por não contar com um montante populacional mínimo para operar sua cultura.[6]

Nas áreas de economia agrícola, deparamos com a proporção mais alta de tribos extintas, pois 60% dos grupos registrados em 1900 já não existem. Em todos estes casos, trata-se de tribos que conseguiram sobreviver isoladas em faixas de mata que até o século xx permaneceram inexploradas, próximas à costa atlântica, nos estados de Minas, Espírito Santo e Bahia. Referimo-nos aos índios Botocudo, Baenã, Pataxó e Kainakã, que se mantiveram hostis até o primeiro quartel do século, embora reduzidos a pequenos bandos apavorados e inteiramente descaracterizados por um século de choques sangrentos com os civilizados.

O estabelecimento de relações pacíficas, seguidas de contatos maciços e do cortejo de epidemias que atacam os grupos indenes, e as transformações da sua paisagem de matas virgens em zonas de pastagens ou em gigantescas plantações de tabaco, algodão, cacau, café e outros produtos deram cabo de todos eles em poucos anos.

Considerando, na mesma tabela 2, o montante de grupos que se mantêm isolados até 1957, deparamos com vinte em áreas inexploradas e com treze em zonas de economia extrativa. Estas últimas são tribos que vivem nas fronteiras da civilização, onde sofrem os primeiros impactos da sua expansão inexorável, mas ainda resistem e mantêm sua autonomia cultural e lingüística. Muitas delas foram envolvidas posteriormente em conflitos sangrentos que levaram algumas delas ao extermínio antes mesmo de experimentarem as etapas previsíveis da integração, e debilitaram outras tão profundamente que as condenarão ao desaparecimento dentro dos próximos anos. Estão neste caso alguns grupos como os Xirianá (Aruak), Aiwateri, Guaharibo e Pakidái que vivem nas cabeceiras dos afluentes da margem esquerda do rio Negro, em conflito sangrento com balateiros e coletores de piaçaba que avançam por seu território como uma onda de ferocidade. Desapareceram já vastos contingentes atruahí e waimirí do rio Jauperi que se defrontaram com extratores de pau-rósa e outros coletores, procurando defender por todos os meios a independência e o domínio de seu território. Os Pakaa novas do Guaporé, que estavam em luta contra as ondas de seringueiros que se lançam sobre suas aldeias, foram pacificados posteriormente pelo SPI, estabelecendo relações diretas com a civilização, representada por outra de suas faces que provavelmente lhes será igualmente fatal. E, finalmente, os grupos asurini e parakanã, ambos Tupi, e os Gavião, Kubenkrañotire, Mentuktire e Xikrin Dióre de língua jê, todos do sul do Pará, que constitui hoje a mais violenta fronteira de expansão da sociedade brasileira. Ali se entrecruzam três frentes de expansão, duas extrativas e uma pastoril. A primeira formada pelos seringueiros que exploram o Xingu e os vales de seus afluentes médios, trabalhando freqüentemente dois a dois, um para a coleta do látex, outro para a cobertura do companheiro contra ataques dos Kayapó. Esses conflitos são tão antigos que aqueles índios parecem ter se adaptado à vida de correrias, ataques e contra-ataques que lhes foi imposta pela colonização. Depois de experimentarem duramente a desvantagem de uma luta de tacapes, arcos e flechas contra armas de fogo, apossaram-se de algumas carabinas, exercitaram-se no seu uso e hoje um dos motivos dos conflitos é a obtenção de novas armas e munição.

O conhecimento que têm da região e as vantagens de uma adaptação especializada lhes permitem grande mobilidade, que torna possível a pequenos grupos cobrir distâncias enormes em suas correrias e manter vigilância sobre um vastíssimo território, impedindo ou dificultando a exploração dos seringais que nele existem e são cobiçados pelos civilizados.

Outra frente é formada pelos castanheiros que exploram as matas marginais do Itacaiunas, onde se defrontam com outro grupo kayapó (Xikrin Dióre), e da margem direita do Tocantins, onde se chocam com os Gavião. Estes constituíam o último grupo timbira que conservava plena autonomia cultural e lingüística porque, depois de experimentar o impacto com a civilização no seu antigo território de campos naturais do sul do Maranhão, penetraram na mata amazônica, encontrando novos campos onde puderam reconstituir sua vida nas bases antigas. Sabiam, pois, o que esperar dos brancos e até recentemente tinham evitado aproximações, exceto em circunstâncias especiais que eles próprios impuseram.

Uma terceira frente, esta pastoril, avança pelos campos de Conceição do Araguaia, chocando-se também com os grupos kayapó.

Sobre todos estes grupos atuou o SPI e, em alguns casos, também as missões religiosas, buscando chamá-los à paz. Os que aquiesceram à pacificação passaram a experimentar a mó das compulsões ecológicas, bióticas, econômicas e aculturativas que lhes deixavam poucas chances de sobrevivência. Na realidade, a autonomia era sua última defesa efetiva, mesmo porque já não representava um simples isolamento, mas um modo de relação belicosa com a sociedade nacional. Não obstante, sua adoção impusera tão profundas mudanças nos seus modos de vida que já não permitiam tratar suas culturas como o patrimônio original.

Assim se verifica nossa afirmação de que, antes de se estabelecerem contatos diretos e permanentes, os grupos tribais são profundamente afetados em seu comportamento pela civilização. E, ainda, que o determinante fundamental no destino das tribos indígenas, da conservação ou perda de suas línguas e culturas, é a sociedade nacional e até mesmo a economia internacional. A cotação da borracha, da castanha e de outros produtos no mercado de Nova York, ou as perspectivas de paz ou de guerra entre as grandes potências, é que faz avançar ou refluir as ondas de extratores de produtos florestais, permitindo sobreviver ou condenando ao extermínio as últimas tribos autônomas.

Focalizaremos, agora, na tabela 2, os grupos que mantinham contatos intermitentes com civilizados, com respeito às frentes de expansão com que se defrontavam. Como vimos, foram reduzidos de 57 para 27 entre 1900 e 1957. Dos cinco que se encontravam em áreas de economia pastoril, restam dois, os Xavante e os Javaé, unidos pela circunstância de que foi a pacificação dos primeiros em 1946 pelo SPI que permitiu aos criadores de gado de Goiás ocupar os extensos campos até então impenetráveis por temor aos seus ataques. Hoje esses criadores avançam por toda a região envolvendo os Karajá, Javaé, Tapirapé e Avá (Canoeiros), cujas condições de vida sofreram, pór isso, profundas transformações nos últimos dez anos.

Em áreas de economia extrativa existiam 47 grupos, dos quais restam seis apenas; dos demais, 23 passaram a outras etapas de integração e catorze desapareceram. Estes últimos compreendiam, principalmente, tribos da região do Juruá-Purus que haviam enfrentado nos últimos anos do século passado o mais potente movimento de expansão já experimentado pela indústria extrativa no Brasil. Referimo-nos à onda de extratores de caucho, batata e borracha que subiu aqueles rios até o Acre nos anos de mais alta cotação comercial daqueles produtos, avançando sobre os grupos tribais como uma avalanche de destruição. A rapidez e a violência dessa invasão refletem-se no fato de que essa área, tão recentemente ocupada, constitui uma das menos conhecidas tanto etnológica quanto lingüisticamente.

Nas áreas inexploradas o número de tribos em convívio intermitente ascendeu de cinco, em 1900, para dezenove em 1957, indicando que, dentro de poucos anos, se completará o devassamento do país, retirando os últimos grupos indígenas da condição de isolamento e completa autonomia de que ainda gozam.

Na coluna de grupos em convívio permanente da mesma tabela 2, merece atenção o ascenso de 23, em 1900, para 36, em 1957, dos grupos que vivem em áreas de economia extrativa. Tal ascenso se deve à passagem para esta categoria de tribos que estavam antes nas etapas anteriores e sobreviveram. O fenômeno resulta ainda mais flagrante na coluna dos integrados (29 para 38), confirmando nossa observação anterior de que as chances de sobrevivência parecem crescer à medida que os grupos progridem da condição de convívio permanente à de integrados, porquanto são muito maiores os riscos de desaparecimentos nas primeiras etapas.

O exame dos mesmos dados na tabela 3, onde foram apurados por troncos lingüísticos, nos permitirá surpreender outras uniformidades do processo de integração. É assinalável o número de representantes das várias famílias lingüísticas desaparecidas no século XX. Os Tupi, representados em 1900 por 52 grupos, foram reduzidos a 26; os Aruak, que eram 37, reduziram-se a 23; os Karib passaram de 32 a 22; os Jê, de 27 a dezoito. Os demais grupos de nossa amostra caíram de 82 para 54.

Tabela 3

COMPORTAMENTO DOS GRUPOS INDÍGENAS BRASILEIROS POR TRONCOS LINGÜÍSTICOS, DE 1900 A 1957, QUANTO AO GRAU DE INTEGRAÇÃO À SOCIEDADE NACIONAL E QUANTO À EXTINÇÃO

Grau de integração	*Tupi*		*Aruak*		*Karib*		*Jê*		*Outros*		*Totais*	
	1900	1957	1900	1957	1900	1957	1900	1957	1900	1957	1900	1957
Isolados	37	6	13	6	17	5	11	5	27	11	105	33
Contato intermitente	8	6	11	3	9	11	4	3	25	4	57	27
Contato permanente	3	8	7	8	3	3	8	3	18	23	39	45
Integrados	4	6	6	6	3	3	4	7	12	16	29	38
Extintos	—	26	—	14	—	10	—	9	—	28	—	87
Totais	52		37		32		27		82		230	

Estes dados nos induzem a indagações sobre a relevância das variantes culturais como determinantes do destino dos grupos indígenas. O exame do quadro permite apenas constatar que os grupos tupi parecem mais suscetíveis aos fatores dissociativos gerados no processo de integração, uma vez que perderam 50% de seus representantes, proporção muito maior que a dos demais. Ainda que em alguns casos essa letalidade mais acentuada se explique pela docilidade relativa desses grupos, o fenômeno talvez se explique mais cabalmente pela distância cultural, consideravelmente menor, entre eles e os integrantes das frentes de expansão com que se defrontaram. Com efeito, a sociedade brasileira, sobretudo em sua face rural, conserva uma flagrante feição tupi, reconhecível nos modos de garantir a subsistência e em diversos outros aspectos da cultura.

Essa semelhança ainda hoje surpreende cada sertanejo que se acerca de um grupo tupi, ao ver que cultivam as terras, preparam os alimentos e os consomem do mesmo modo que eles próprios, ao reconhecer o grande número de expressões comuns para designar as coisas e ao verificar que ambos participam de muitas concepções do sobrenatural. Nessas circunstâncias, mais prontamente se estabelecem canais de comunicação, acelerando-se a sucessão das etapas da integração. A acumulação dos efeitos dissociativos de cada uma delas explicaria a rapidez maior com que esses grupos se acercaram dos civilizados e foram levados ao extermínio.

Estas observações talvez possam ser estendidas aos grupos indígenas que participavam do mesmo sistema de adaptação ecológica à floresta tropical, fundado no cultivo da mandioca ou do milho e em outros traços (J. Steward, 1949-61). Com efeito os grupos "marginais" a essa forma de adaptação parecem mais arredios e mais resistentes às compulsões do processo aculturativo.

Mas os principais esclarecimentos que a tabela nos pode proporcionar são os referentes ao número de representantes das várias famílias lingüísticas que desapareceram no século XX. Já os examinamos globalmente, quanto aos quatro principais troncos lingüísticos. A eles se pode acrescentar o desaparecimento de diversos representantes dos troncos pano (oito dos dezoito), txapakúra, katukína, tukána, guaikurú e mura.

Desapareceram completamente diversas línguas alófilas de pequena expressão geográfica. Na maioria dos casos não contamos sobre elas nem mesmo com documentação satisfatória para propósitos meramente classificatórios. Estão neste caso as línguas ofaié[7] e guató do sul de Mato Grosso, os Oti de São Paulo, os Maxupi (Arikapú); Wayoró e Huari do Guaporé, Botocudo de Minas Gerais, Baenã, Kamakã e Pataxó da Bahia, e Torá, Matanawí e, provavelmente, os Mirânia do Amazonas.

Embora nossos dados só permitam apurar a conservação ou o desaparecimento das línguas pela sobrevivência ou extinção dos respectivos grupos falantes como entidades étnicas, certas inferências são possíveis quanto ao processo de descaracterização das mesmas. A língua constitui um dos elementos mais persistentes da cultura; todavia, também ela reflete forçosamente as experiências vividas pelo grupo. Assim, concomitantemente com os processos de integração e aculturação, opera uma diversificação da língua, quando menos para exprimir o novo mundo em que o grupo se vai integrando. Com o avanço daqueles processos, a língua nativa passa a sofrer mudanças decorrentes da circunstância de ser falada por indivíduos bilíngües e, em certos casos, pode entrar em competição com um novo idioma indígena ou com o português, acabando por ser abandonada.

A simples necessidade de comunicação com os representantes da sociedade nacional leva rapidamente alguns indivíduos a se esforçarem para dominar o português. Com a intensificação dos contatos cresce continuamente o número de bilíngües, de modo que, ao alcançarem a etapa de convívio permanente, via de regra todos os homens adultos já são capazes de se exprimir em português. Nos grupos integrados se observa uma verdadeira competição entre as duas línguas, tendendo a conduzir ao abandono da língua materna quando interferem certos fatores sociais desfavoráveis. Deparamos com esta situação entre os índios Guaikuru e Terena de Lalima, no sul de Mato Grosso, e os Umutina, recolhidos ao Posto Fraternidade Indígena. Levados a viver juntos e diante da dificuldade de comunicação, por falarem línguas diversas, todos tiveram de adotar o português. Nessas circunstâncias, a geração mais nova, constituída em parte por filhos de casais mistos, nem chegou a aprender a língua dos pais. Fenômenos semelhantes devem ter ocorrido com diversos outros grupos. Assim, no Nordeste encontramos a quase totalidade das populações indígenas falando exclusivamente o português, como ocorre com os Pankararu, Xokó, Xukuru, Pakarará, Wakoná e Uamué. O mesmo parece estar ocorrendo com os Palikur, Karipuna, Emerillon e Galibi, do território do Amapá, que adotaram o dialeto crioulo do francês falado na Guiana Francesa e hoje estão passando para o português.

Desde sempre tribos indígenas vêm perdendo suas línguas pela adoção dos idiomas de grupos que as dominaram. Este fenômeno, que devia ser raro nas condições originais de interação, parece ter se tornado mais freqüente em virtude da interferência de núcleos civilizados. Tal é o caso do crescente predomínio da língua tukano do rio Negro em prejuízo do aruak e outras.

Na mesma região do rio Negro encontramos ainda hoje remanescentes de diversos grupos indígenas que perderam seus idiomas para adotar uma outra língua aborígine, esta, porém, introduzida pelos civilizados. Trata-se da língua geral, variante do tupi que, adotada e modificada pelo colonizador, constituiu a língua mais falada no Brasil nos dois primeiros séculos. Em virtude do isolamento em que permaneceu até recentemente aquela região, a língua geral, completamente dominada pelo português em todo o país, ali sobrevive e ainda progride. Os grupos que se encontram nas fronteiras de expansão daquela área e só agora estão entrando em contato com a civilização, em vez de aprenderem o português, estão aprendendo a língua geral, porque este é o idioma mais corrente dos pioneiros que vão ao seu encontro e a forma básica de comunicação entre os grupos indígenas.

Em todos esses casos de perda ou obsolescência dos idiomas tribais atuam como determinantes fatores extralingüísticos. Onde não pesam pressões sociais geradas no processo de integração, as línguas indígenas conservam-se, sofrendo apenas modificações que as adaptem às novas condições de vida do grupo. Assim, a maioria dos grupos integrados, inclusive alguns que contam séculos de convívio contínuo com civilizados e dominam perfeitamente o português, continuam praticando seus idiomas originais.

Magnitude da população

A formulação de um conceito operativo de índio, aplicável aos grupos que chegaram até nossos dias, constitui requisito indispensável para a avaliação da população indígena, tanto eles se distanciam das características originais e das estereotipias em cujos termos são geralmente descritos. A tarefa não é simples, em vista da impossibilidade de utilizar os critérios raciais e culturais vulgarmente empregados para este fim.

Um critério puramente racial incluiria entre os indígenas milhões de brasileiros que, por todas as demais características, não poderiam ser definidos como tal, uma vez que em vastas regiões da Amazônia, do Nordeste e do extremo Sul predomina na população um fenótipo flagrantemente indígena. Um amplo critério de fundamento culturalista que definisse como indígenas as comunidades em que se registrasse a conservação de elementos culturais de origem pré-colombiana abrangeria outros milhões, tão grande é a massa de traços culturais aborígines incorporados à vida brasileira. Tudo isto só prova a impossibilidade de definir o índio mediante critérios estritamente raciais e culturais, num país de população formada pelo caldeamento de brancos, índios e negros e culturalmente plasmado pela confluência de diversas etnias.

Indígena é, no Brasil de hoje, essencialmente aquela parcela da população que apresenta problemas de inadaptação à sociedade brasileira, em suas diversas variantes, motivados pela conservação de costumes, hábitos ou meras lealdades que a vinculam a uma tradição pré-colombiana. Ou, ainda mais amplamente: índio é todo indivíduo reconhecido como membro por uma comunidade de origem pré-colombiana que se identifica como etnicamente diversa da nacional e é considerada indígena pela população brasileira com que está em contato.

Não obstante a imprecisão e a subjetividade de que podem ser acoimadas, estas conceituações prestam-se bem ao nosso propósito prático de distinguir os índios dos não-índios do Brasil e se aplicam com propriedade às várias condições e modalidades em que os primeiros se configuram, após quatro séculos de contatos diretos e indiretos com brancos e negros de distintas extrações étnicas.

Entre os índios assim definidos estará incluída, por exemplo, a pequena Dária, menina quase loura de olhos claros, que encontramos numa aldeia urubu-kaapor, filha de uma índia e de um branco que por lá andou. Dária não fala senão o dialeto tupi daqueles índios, vê o mundo como qualquer outra criança de sua aldeia e é por todos considerada como membro da tribo, não obstante a extravagância de sua cor. Incluiria igualmente os filhos de Luís Preto, um mulato escuro que conhecemos nas aldeias kadiwéu, casado com uma índia. Aqueles rapazes não apenas eram tidos por todos como autênticos Kadiwéu, mas também tinham as mesmas dificuldades que os demais Kadiwéu para estabelecer relações com brasileiros.

Ora, tanto Dária como os filhos de Luís Preto seriam terminantemente excluídos de uma definição baseada em critérios raciais. Na realidade, esses são exemplos individuais e extremos, mas vêm muito a propósito, porque grupos inteiros são hoje altamente mestiçados com brancos e pretos, sem deixar, por isso, de ser índios, em vista das dificuldades que encontram para se situar na estrutura sócio-econômica nacional, do conceito que se situar na estrutura sócio-econômica nacional, do conceito que têm de si próprios e do consenso da população brasileira com que estão em contato.

A definição se aplica, igualmente, a grupos nos mais diversos graus de aculturação. Inclui tanto tribos isoladas como os Canoeiro do rio do Sangue, que jamais se defrontaram diretamente com agentes da sociedade nacional e conservam toda a cultura tradicional, quanto grupos destribalizados como os Pankararu e outros grupos do Nordeste, que, tanto lingüisticamente quanto nos modos de vida, pouco ou nada diferem dos agrupamentos sertanejos circunvizinhos e apenas são indígenas por se considerarem e serem tidos como tal.

As estimativas mais autorizadas da população indígena brasileira variam grandemente, mas apresentam uma tendência constante a admitir montantes cada vez menores. Simultaneamente, tendem a elevar-se cada vez mais as avaliações das populações indígenas originárias das Américas e do Brasil (Borah, 1962, 1964; Dobyns & Thompson, 1966), indicando que o fenômeno da extinção rápida e maciça de tribos inteiras que vimos estudando vem de longa data, tendo custado o sacrifício de populações indígenas muito mais numerosas do que se supunha anteriormente. Uma das mais ambiciosas — datada de 1922 e atribuída a Luiz Bueno Horta Barbosa, antigo diretor do Serviço de Proteção aos Índios (SPI) — estimava a população indígena em 1 250 000 pessoas. Segue-se, entre muitas outras, a de Julian Steward (1949: 666), baseada em vasta documentação etnológica, que estimava uma redução da população indígena brasileira de 1 100 000 em 1500 para 500 mil em 1940. Nosso próprio cálculo (1954: 16) de 150 mil índios, baseado num inquérito oficial realizado em 1953 junto aos funcionários do SPI, em colaboração com Eduardo Galvão, foi demasiado otimista.[8]

As discrepâncias gritantes entre as estimativas referidas, que são as mais autorizadas, nos animam a tentar uma nova ava-

Tabela 4

AVALIAÇÃO DOS MONTANTES MÍNIMOS E MÁXIMOS ADMISSÍVEIS PARA A POPULAÇÃO INDÍGENA BRASILEIRA, POR CLASSES DE GRANDEZA E GRAU DE INTEGRAÇÃO, EM 1957

Classe de grandeza	*Isolados*			*Intermitente*			*Permanente*			*Integrados*			*Total*		
		População			*População*			*População*			*População*			*População*	
		mínimo	*máximo*		*mínimo*	*máximo*		*mínimo*	*máximo*		*mínimo*	*máximo*		*mínimo*	*máximo*
menos de 50	—	—	—	4	200	200	5	250	250	1	50	50	10	500	500
50 a 100	1	50	100	3	150	300	7	350	700	1	50	100	12	600	1 200
100 a 250	2	200	500	7	700	1 750	12	1 300	3 250	9	800	2 000	30	3 000	75 00
250 a 500	2	500	1 000	5	1 250	2 500	6	1 750	3 500	8	2 000	4 000	21	5 500	11 000
500 a 1000	4	2 000	4 000	3	1 500	3 000	8	4 500	9 000	3	1 500	3 000	18	9 500	19 000
1000 a 2000	1	1500	2 000	—	—	—	3	3 000	4 500	9	10 000	14 500	13	14 500	21 000
mais de 2000	2	7 000	8 000	1	2 000	3 000	—	—	—	3	9 000	12 000	6	18 000	23 000
Ignorada	21	(10 500)	(10 500)	4	(2 000)	(2 000)	4	(2 000)	(2 000)	4	(2 000)	(2 000)	33	(16 500)	(16 500)
Totais	33	21 750	26 100	27	7 800	12 750	45	13 150	23 200	38	25 400	37 650	143	68 100	99 700

sa. Mas confiamos alcançar uma aproximação maior da realidade, que sirva, ao menos, como instrumento de trabalho, enquanto não for possível dispor de dados fidedignos.

Para isto incluímos numa relação das tribos indígenas publicada anteriormente (1957) os dados referentes à população, sempre que dispúnhamos de informações dignas de confiança. Como estas mesmas apresentavam variações que freqüentemente iam do simples ao duplo e, em muitos casos, ainda maiores, decidimos utilizá-las através do registro pelas seguintes classes de grandeza: grupos de menos de cinqüenta pessoas, de cinqüenta a cem, de cem a 250, de 250 a quinhentas, de quinhentas a mil, de mil a 1500, de 1500 a 2 mil e de mais de 2 mil. A soma destes dados nos permitirá apreciar o mínimo e o máximo admissíveis, à luz das fontes compulsadas, para a população indígena brasileira em 1957.

Através do procedimento referido, conseguimos levantar dados para 110 dos 143 grupos existentes em 1957; os 33 restantes foram registrados como de população ignorada. Como entre estes últimos sobrelevam os grupos isolados (21 em 33) que apresentam média superior a mil pessoas por grupo, julgamos que, para o cômputo geral da população, poderíamos, sem qualquer exagero, atribuir-lhes uma média de quinhentas pessoas por grupo. A soma dos 110 grupos de população estimada com a média dos 33 na base referida dá um mínimo de 68 100 e um máximo de 99700 para a população indígena do Brasil em 1957. Entre estes dois números, ou deles discrepando num máximo de 10% para mais ou para menos, deve situar-se o montante real.

É provável que adiante muito pouco substituir as avaliações anteriores, altamente discordantes, ou mesmo a simples e mais segura confissão de nossa ignorância a respeito por estimativas tão desencontradas. Entretanto, isto é tudo o que se pode fazer à base da documentação disponível, razão por que nos animamos a ir adiante no esforço para determinar, ainda que frouxamente, a distribuição regional por troncos lingüísticos e por graus de integração da população indígena brasileira.

Voltando à apreciação dos 110 grupos cuja população pode ser estimada diretamente, observa-se que 52 grupos têm menos de 250 pessoas, 21 têm de 250 a quinhentas; dezoito, de quinhentas a mil; dezenove, mais de mil. Destes últimos, apenas seis excedem 2 mil pessoas e somente um talvez alcance 5 mil.

Assim, se constatam como características do estado presente da população indígena brasileira tanto a multiplicidade de grupos como a escassez de seus contingentes demográficos. Enquanto os grupos de menos de 250 pessoas, que perfazem 36% dos grupos, representam 6% a 9% da população, os que excedem mil, perfazendo apenas 13% dos grupos, englobam de 53% a 63% da população.

Pela tabela 4, que retrata os máximos e mínimos admissíveis para a população indígena, por classes de grandeza e graus de integração, vê-se que os 33 grupos isolados compreendem 24% dos grupos, englobando um mínimo de 21 750 e um máximo de 26100 pessoas, ou seja, respectivamente 31% e 26% da população indígena. Os 27 grupos em contato intermitente perfazem 19% do total dos grupos, somando um mínimo de 7800 e um máximo de 12750 pessoas, ou, respectivamente, 11,4% e 12,8% da população indígena. Os 45 grupos em contato permanente, que representam 31% dos grupos, apresentam uma população mínima de 13 150 e máxima de 23 200, ou, respectivamente, 19,3% e 23,3% da população. Finalmente, os 38 grupos integrados, representando 26% dos grupos, perfazem, segundo nossos cálculos, um mínimo de 25 400 e um máximo de 37 650 pessoas, ou seja, de 37,3% a 37,8% da população indígena total.

É de assinalar que estes 37% representam a parcela da população indígena que, tendo alcançado a condição de integração na sociedade nacional, apresenta certa estabilidade demográfica e, em alguns casos, experimenta até mesmo sensível incremento populacional. Os 63% restantes, em grau maior ou menor, ainda estão sofrendo intensa depopulação que acompanha as primeiras etapas do processo de integração. À luz destes dados podemos inferir que, salvo o caso de uma intervenção protecionista muito mais poderosa e mais bem orientada, nos próximos anos a população indígena brasileira continuará diminuindo. Em 1957 ela perfazia, na hipótese mais otimista, menos de 0,2% da população brasileira, mas é de prever que nem esta baixíssima proporção será mantida no futuro.

Entretanto, correlacionando os contingentes populacionais com o grau de integração, observamos que as médias de população por grupo tendem a cair ao passar da condição de isolamento para a de contatos intermitentes e permanentes, na proporção de mil para cerca de trezentas pessoas por grupo, e a ascender, depois, nos grupos integrados, para seiscentas. Estes dados vêm confirmar nossa observação de que, após os primeiros contatos com a civilização, os grupos indígenas perdem uma parcela ponderável de sua população, mas, se conseguem sobreviver, apresentam uma tendência a refazer ao menos parte de seu contingente populacional, podendo até mesmo superá-lo se desaparecerem ou se atenuarem as principais causas de depopulação presentemente atuantes sobre os grupos integrados.

Assim se vê que a população indígena brasileira não está condenada ao desaparecimento enquanto contingente humano e que sua sobrevivência e seu incremento estão na dependência direta da assistência que lhe for assegurada.

A tabela 5 apresenta os mesmos dados dispostos por região para mostrar como se distribui a população indígena através do país. A grande maioria se encontra na Amazônia, ou seja, 94 dos 143 grupos (65,7%) com uma população de 43 050 (63,2%) no mínimo e 62 050 (62,2%) no máximo. Seguem-se os estados de Mato Grosso e Goiás, no Brasil central, com 34 grupos (23,8%) que somam uma população de 14 850 no mínimo a 21 400 no máximo. Vêm, depois, os estados do Nordeste, Bahia e Minas Gerais com onze grupos (7,7%) que englobam uma população indígena que avaliamos entre 5900 (8,7%) e 9500 (9,5%). Nos estados do Sul encontram-se quatro grupos apenas (2,8%), com uma população indígena que deve variar entre 4300 (6,3%) e 6750 (6,8%).

Tabela 5

AVALIAÇÃO DO MONTANTE MÍNIMO E MÁXIMO ADMISSÍVEL PARA A POPULAÇÃO INDÍGENA DAS DIVERSAS REGIÕES DO BRASIL, EM 1957

Regiões	*Grupos*	*População*	
		Mínimo	*Máximo*
Amazônia			
1 - Amazonas	33	13250	19300
2 - Pará	22	10500	15650
3 - Maranhão	4	1850	3250
4 - Acre	13	5350	7250
5 - Rondônia	10	1450	2250
6 - Rio Branco	7	9750	12500
7 - Amapá	5	900	1850
Total	94	43050	62050
Brasil central			
8 - Mato Grosso	29	12750	17650
9 - Goiás	5	2100	3750
Total	34	14850	21400
Brasil oriental			
10 - Nordeste	8	4700	7500
11 - Bahia	2	1100	1750
12 - Minas	1	100	250
Total	11	5900	9500
Região Sul			
13 - Total Sul	4	4300	6750
BRASIL TOTAL	143	68100	99700

Correlacionando a distribuição regional da população indígena com o grau de integração, verifica-se que a totalidade dos grupos isolados se encontra na Amazônia (26) e no Brasil central, bem como a quase totalidade dos grupos em contato intermitente e permanente, já que apenas dois dos 72 grupos nestas condições comparecem noutras regiões. Daí se pode concluir que as reduções previsíveis da população indígena se farão sentir sobretudo naquela área, não só porque ali se encontra a maior parte desta população, mas principalmente porque ali se concentram os grupos mais vulneráveis aos efeitos letais das epidemias e a outros fatores de depopulação.

A tabela 6, que nos dá a população indígena brasileira por troncos lingüísticos, mostra que seis deles — os Tupi, os Aruak, os

Tabela 6

AVALIAÇÃO DOS MONTANTES MÍNIMOS E MÁXIMOS ADMISSÍVEIS PARA A POPULAÇÃO INDÍGENA BRASILEIRA SEGUNDO OS PRINCIPAIS TRONCOS LINGÜÍSTICOS, EM 1957

Troncos lingüísticos	*Grupos*						*População*	
	menos 250	250 500	500 1 000	*mais* 1 000	*ignorada*	*Total*	*Mínimo*	*Máximo*
Tupi	14	4	2	4	2	26	10 450	14350
Aruak	6	6	3	2	6	23	11500	16150
Karib	8	3	1	3	7	22	10250	14150
Jê	5	4	4	4	1	18	9950	15600
Pano	1	2	3	—	6	12	4600	8750
Xirianá	1	—	1	1	2	5	3600	7750
Outros	17	2	4	5	9	37	17750	22950
Totais	52	21	18	19	33	143	68100	99700

Karib, os Jê, os Xirianá e os Pano — perfazem 106 dos 143 grupos, ou seja, cerca de 70% do total de grupos e proporção equivalente da população indígena. De todos os seis troncos referidos encontram-se representantes em estado de isolamento, sendo que a totalidade dos Xirianá está nesta condição e que, dos grupos pano, nenhum parece ter alcançado a integração na sociedade nacional. Estes fatos se explicam, provavelmente, por viverem os Xirianá em área até hoje inexplorada e por se terem defrontado os Pano com uma das mais violentas frentes de expansão da sociedade nacional, os extratores de látex dos vales do Juruá e do Purus.

9 AS COMPULSÕES ECOLÓGICAS E BIÓTICAS

O IMPACTO DA PACIFICAÇÃO

A civilização atinge e afeta os grupos tribais antes mesmo dos primeiros contatos diretos com a sociedade nacional, na forma de uma competição de nível ecológico que os envolve, provocando profundas mudanças em sua vida, antes de começar a atuar o processo de aculturação.

Por força deste modo de interação não existe tribo alguma virgem da influência da civilização. A vida dos índios Tapayúna do rio Teles Pires, que ainda não tiveram contato com civilizados, é afetada pela "presença" invisível de um povo que avança lentamente no rumo de suas aldeias. Este, muito antes de alcançá-los, já se fez atuante pelas tribos intermédias que desalojou e lançou sobre o território tapayúna, pelos restos de ferramentas ou pelos animais domésticos que chegam a eles na forma de produtos de saque ou de comércio com tribos intermediárias.

Os índios Agavotokueng, das nascentes do rio Xingu, representam o passo seguinte nesta escala de contato indireto. Já tiveram ocasião de aprender muitas coisas sobre o que chamamos civilização: viram aviões sobrevoando suas matas, depararam com grupos de sertanejos navegando em canoas movidas a motor pelos rios que cortam seu território, ouviram o pipocar de rifles e experimentaram no próprio corpo o efeito de balas calibre 44. Embora eles o ignorem, o mais poderoso determinante de seu destino é hoje a bolsa de Nova York ou a paz e a guerra entre alguns Estados longínquos. A cotação internacional da borracha, da castanha e de alguns outros artigos florestais faz avançar ou refluir ondas de seringais e castanheiros que vão desalojando as tribos vizinhas dos Agavotokueng, lançando-as sobre suas aldeias.

O passo seguinte pode ser exemplificado pelos índios Asurini do rio Pacajá, em cujo território os seringueiros descobriram, há poucos anos, um veio aurífero numa ponta de mata onde os Asurini costumavam acampar durante os meses de estio, caçando varas de porcos selvagens. Agora, aquele terreno lhes está vedado, porque de uma estação para outra encheu-se de cabanas e moradores, envoltos em panos e armados de trabucos, que se ocupam em abrir enormes buracos para tirar cascalho e sujar com ele a água dos igarapés.

Uns anos atrás, pressionados pelos brasileiros que avançavam pelo norte, pelos Kayapó que os atacavam ao sul e pelos Parakanã a leste, grupos asurini atravessaram o Xingu em busca de um novo nicho mais seguro. Quando acabavam de fazer uma ponte de cipó ligando pedra a pedra do rio, numa extensão de trezentos metros, foram surpreendidos por um grupo de seringueiros que subiam numa lancha a motor e que, deparando com aqueles índios desconhecidos, entregues a tarefa tão estranha para quem sabe fazer canoas, descarregaram sobre eles suas carabinas. Mais tarde, já na década de 60, os Asurini, encurralados por toda parte, acabaram sendo atraídos por um grupo de funcionários do SPI, entrando, assim, na via da expiação e da miséria com que se defrontam todas as tribos pacificadas.

Esses são episódios da expansão inexorável da sociedade brasileira que, ano após ano, vai integrando ao sistema econômico nacional regiões que só politicamente pertencem ao país. São os últimos arrancos de um processo secular de sucessão ecológica que vai substituindo populações aborígines por uma nova população, composta dos descendentes de europóides e negróides, mesclados com remanescentes de antigas tribos. Nas zonas pioneiras, através das quais avançam os neobrasileiros contra os índios, a competição é da mesma ordem que a dos primeiros encontros da Europa com a América indígena. São povos estranhos que se defrontam, cada qual certo das disposições belicosas do outro e disposto a se impor pela força. Ali, a imposição da lei chega debilitada e, em muitos casos, não vem a tempo de salvar do extermínio tribos inteiras. Mesmo quando a intervenção oficial se antecipa a estes contatos, a fim de preservar os índios de um extermínio certo, apenas consegue adiar ou atenuar a força do impacto sofrido.

A simples confraternização é prenhe de conseqüências desorganizativas da vida tribal. Ela vem quebrar uma ordem que prevalecera durante séculos, estruturando a tribo como uma entidade autônoma que dedicava grande parte, quando não a maior parte, de suas atividades ao preparo e ao exercício da guerra. Desde cedo, as crianças eram orientadas neste sentido: aprendiam a assumir atitudes viris, a odiar todo estranho como inimigo e, à medida que amadureciam, iam compreendendo que a guerra é o destino dos homens e a mais alta fonte de prestígio. Para muitos grupos, só o heroísmo guerreiro dá acesso a uma vida desejável no além-túmulo. Neste caso as concepções do após-morte os estimulam duplamente no desempenho de papéis que lhes são atribuídos, porque fazem projetar para além da vida todas as vitórias alcançadas nela, isto é, todo o prestígio adquirido e, principalmente, o prestígio guerreiro.

Nesses grupos, em geral, os valores que movem os homens aos esforços mais árduos, que os motivam às atividades mais penosas, estão ligados à guerra. Para eles a pacificação não significa apenas abstraírem-se de combater. É muito mais — ela exige toda uma revisão do seu sistema social.

Para os índios Urubu ou Kaapor a guerra é não só a maior fonte de respeito e prestígio diante do grupo, mas também uma válvula de escape das tensões dissociativas que poderiam eclodir em conflitos dentro da tribo. Um homem qualquer em estado de *inharõ* (raiva, revolta) por qualquer causa, como a infidelidade da esposa, a morte de um filho ou simples instabilidade emocional, é deixado sozinho pelo grupo e tem o direito de fazer o que deseja. Freqüentemente quebra os potes da casa, em casos mais graves derruba a própria casa; se depois de tudo isto continua *inharõ*, só lhe resta aliciar companheiros que estejam no mesmo estado ou desejem obter o galardão de heróis e ir à guerra para roubar mulheres e crianças, ou apenas viver novas experiências contra os únicos inimigos que lhes restam após a confraternização com os brancos: os índios Guajá que vagueiam pelos cocais que orlam as matas dos índios Urubu. Os mais afoitos costumam ficar espetados pelas flechas guajá, os outros voltam marcados de cicatrizes, estropiados, mas gloriosos. Percorrem as aldeias para relatar os seus feitos com uma riqueza de pormenores e de gestos que fazem dessas narrações espetáculos de pantomima a um público compreensivo e respeitoso, do qual sairão, qualquer dia, outros guerreiros para repetir a façanha.[1]

Entretanto, mesmo os Guajá acabaram estabelecendo relações com os brancos, tornando-se, assim, inacessíveis ao ataque. Os índios Urubu viram-se, desde então, compelidos a redefinir os valores ligados à guerra ou a projetar noutro campo as motivações e as energias antes dedicadas aos combates.

O primeiro que perdeu sentido foi o virtuosismo — baseado em hábitos motores longamente assentados — que dedicavam à confecção e conservação das armas. Caíra o valor simbólico das flechas que foram a combate ou o respeito que impõem as armas de um guerreiro. Com a obliteração do comportamento guerreiro, aqueles troféus se tornam simples implementos de caçador e duplamente desmoralizados: pelo prestígio do ferro troante dos civilizados e porque já não estão ligados à figura de um herói. Essa desintegração na realidade já começou, porque os pobres bandos guajá são incapazes de dar vazão a todo o élan guerreiro dos Urubu. Os jovens kaapor procuram, por isso, um novo meio de satisfazer seu desejo de auto-afirmação e de novas experiências. Cada ano, saem aos magotes de suas aldeias para andar pelas vilas civilizadas mais próximas a fim de ver o grande mundo dos brancos. Muitos deles chegam a Belém e São Luís a pé, através de milhares de quilômetros pela mata.

Nas aldeias kadiwéu, mais de meio século depois do término do estado de guerra, ainda encontramos comportamentos e frustrações que só podem ser explicados pela pacificação compulsória. Começamos por observar que as mulheres e os velhos são os que mais trabalham; depois vimos que todos acham natural que os jovens e os homens maduros, mesmo depois de casados e pais de filhos, só se ocupem em caçadas meio aventureiras ou andanças pelas fazendas vizinhas, onde só trabalham o suficiente para comprar panos vistosos, dedicando-se principalmente a danças, cantos e festas. Eles se comportam hoje obedecendo a expectativa secular do seu povo para a gente da mesma idade: estão de prontidão e toda a sociedade trabalha para mantê-los assim, como se esperassem ser convocados a qualquer momento para uma surtida guerreira já planejada. Sua atribuição verdadeira é, ainda hoje, a guerra e o saque. Embora jamais a exerçam, não conseguiram abdicar dela nem desenvolver novos interesses que mobilizassem sua energia de homens vigorosos.

A interação que se segue aos primeiros contatos entre índios e civilizados processa-se, de início, num nível simétrico, como relação entre iguais. Em geral, a tribo ainda conserva alguma potência guerreira e é capaz de impor respeito; e os agentes da sociedade nacional — sejam funcionários do SPI, regatões ou quaisquer outros — via de regra constituem um grupo pequeno, incapaz de dominar à viva força. Paulatinamente essas relações vão assumindo as formas características da dominação. A rapidez da mudança depende, essencialmente, das proporções numéricas de índios e não-índios na região; portanto, da capacidade objetiva de um grupo se impor a outro. Deriva também de outros fatores, como a maior ou menor capacidade da organização tribal para manter-se unificada sob o impacto das novas forças que atuam no sentido de desintegrá-la. Depende, ainda, das oportunidades oferecidas aos índios de preservar o ethos tribal, ou seja, a autoconfiança que lhes dá orgulho e alento para enfrentar outros povos.

Vejamos o desenvolvimento desse processo de desintegração da imagem tribal no caso dos Kaingáng paulistas. Durante os primeiros dois anos de contato, estes índios mantiveram uma atitude altaneira — estavam certos de que haviam amansado os brancos. Vauhim, em cada visita ao acampamento, abraçava longamente o dr. Luiz Bueno Horta Barbosa, que dirigira os trabalhos de pacificação, e a seus principais auxiliares, repetindo bondosamente: "Não tenham medo, nós os protegeremos". Referia-se às outras bordas da tribo que ainda não haviam confraternizado e que o próprio Vauhim procurava manter afastadas. Sua política era servir-se da aliança com os brancos bem armados que "amansara" para se impor aos outros grupos com os quais estava em guerra. Para isto procurava convencer o inspetor de que os outros constituíam tribo diferente e inimiga, da qual só se podia esperar violência e hostilidade.

Esse é um dos efeitos imediatos do convívio pacífico: a mudança do status relativo dos grupos locais e de seus líderes. Aqueles que primeiro estabelecem relações com os invasores passam a desempenhar a função de intermediário no contato com a grande sociedade, procurando aproveitar-se da situação para se impor aos outros, muitas vezes pela guerra mais cruenta.

No caso dos Kaingáng paulistas, o bando que primeiro se confraternizou estava em guerra com os outros e, ao menos em parte, procurava estabelecer a paz com os brancos para subjugar, com a ajuda destes aliados, a sua própria gente. O pessoal do SPI, envolvido na teia das dissensões tribais, teve de desenvolver uma política habilidosa para convencer os outros bandos de que desejava a paz com eles também.

Em muitos outros casos, a pacificação de uma fração da tribo provocou a fuga das demais que estavam em conflito com aquela, porque desequilibrava as forças em disputa. Dera a um dos grupos novo alento guerreiro, novas armas e, sobretudo, a possibilidade das mais terríveis ameaças na base da hipotética aliança com a grande tribo dos brancos.

Entretanto, mesmo depois de quase dois anos de convívio pacífico, os Kaingáng continuavam a receber do inspetor as ferramentas, os panos, os adornos que ele lhes dava com a atitude de quem recebe tributos. E viviam sua própria vida, orgulhosos de seus cantos, suas danças, seus costumes. Resolveu, então, o inspetor do SPI levar três dos principais chefes kaingáng a São Paulo. O relato dessa viagem nos foi feito pelo prof. Hildebrando Horta Barbosa, que os acompanhou até a capital, juntamente com seu pai. Os Kaingáng aceitaram facilmente a idéia de embarcar no trem, mesmo porque alguns deles já haviam experimentado andar nos troles e até mesmo nas locomotivas, a convite de trabalhadores da ferrovia. Mas, até então, só tinham percorrido pequenos trechos, sempre dentro da mata que conheciam tão bem. Agora deviam fazer a viagem até São Paulo, que demoraria um dia inteiro.

Entraram no carro e tomaram assento, mostrando-se loquazes e alegres enquanto atravessavam a mata. Ao chegarem à primeira estação, observando o vaivém dos passageiros que embarcavam e desembarcavam, ainda trocaram comentários. As estações foram se sucedendo, cada qual mais cheia de gente, porque já então percorriam regiões mais densamente povoadas. Uma tristeza e um acabrunhamento cada vez maiores foram se apossando dos índios; deixaram de falar, já nem respondendo às perguntas do pacificador. Assim embasbacados, desembarcaram em São Paulo e assim fizeram todas as visitas programadas, ao governador, ao diretor do Museu Paulista — que duvidara da possibilidade de serem pacificados — e outras. E assim regressaram ao posto.

Essa experiência operou uma mudança radical na postura de cada um dos chefes, logo transmitida à tribo inteira. Agora conheciam em toda a extensão o quanto eram insignificantes diante da tribo imensa dos brancos. Era o desencanto de um povo tribal diante de uma sociedade nacional, de sua magnitude esmagadora em relação à sua pequenez. Desde então, o prestígio que atribuíam ao branco passou a ser de tal ordem que nenhum valor tribal pôde persistir. Haviam aprendido que nada podiam diante do branco, senão entregarem-se inermes ao seu domínio. Assim se quebrou o orgulho que tinham das danças, dos cantos, dos costumes peculiares e passaram a adotar cada elemento cultural que lhes era acessível: as roupas, os alimentos, os modos de comer e tudo o mais que fosse simbólico da civilização a que se submetiam.

Compreenderam que não haviam amansado branco algum, eles é que tinham sido atraídos e amansados, quando poderiam ter sido simplesmente mortos, caso o quisesse essa tribo todo-poderosa dos brancos. E, ano após ano, foi se acentuando a humildade dos Kaingáng diante do branco e, na mesma medida, foram crescendo as dissensões dentro do grupo.

Muito antes dos primeiros contatos pacíficos, os Kaingáng se preocupavam com o constante crescimento do número de brancos. Conversavam longamente sobre o cerco que se fechava cada vez mais em torno deles, estranhando que as mortes que produziam aos invasores não diminuíssem seu número, nem seu ânimo de avançar, enquanto eles próprios iam minguando pelas mortes nas lutas e, sobretudo, nos ataques de bugreiros às suas aldeias. Anos depois da pacificação, revelaram ao dr. Luiz Bueno Horta

Barbosa as preocupações daqueles tempos e explicaram que costumavam cortar a cabeça e a genitália dos brancos que matavam, por suspeitarem que voltariam a viver e a procriar se assim não fizessem. Só deste modo podiam explicar o crescimento contínuo da onda invasora que se derramava sobre seu território, porque até então não podiam crer que houvesse gente mais briosa, mais valente e mais forte que eles próprios.

É por este processo que as relações entre tribos indígenas e segmentos de sociedades nacionais progridem necessariamente para relações de subordinação. Mesmo quando a sociedade nacional se dispõe, por seus agentes locais, a respeitar os costumes indígenas e a acatar sua organização social, como ocorreu nos contatos presididos pelo SPI, não se pode evitar aquela subordinação espontânea, conseqüente das primeiras rupturas do ethos tribal. A subordinação que tem início desse modo vai se aprofundando cada vez mais, à medida que os índios são compelidos a reconhecer fronteiras morais e físicas à sua ação. O território tribal de caça, de coleta e de pesca é logo restringido pelo avanço das massas pioneiras que a própria hostilidade tribal havia condensado em suas fronteiras. Essa ocupação assume, em seguida, uma feição nova, quando gera direitos, isto é, quando extensões do território tribal são integradas no sistema legislativo nacional sob a forma de propriedades particulares. Foi o que ocorreu com os Kaingáng e com todos os outros grupos chamados ao convívio da sociedade nacional.

Já vimos que, antes mesmo do primeiro contato pacífico com as turmas do SPI, as terras dos Kaingáng haviam sido registradas como propriedade de um senador, Luís Piza, que, logo após a pacificação, começou a dispor delas como lhe pareceu mais lucrativo. A extensa área em que se assentavam as aldeias tribais, suas lavouras, seus campos de caça e de pesca, tornou-se, por um artifício legal, domínio de um senhor que jamais a vira. Não obstante, fizera-se legalmente capaz de outorgar a quem quisesse o direito de instalar-se nelas, desalojando os índios como a intrusos ou invasores.

A pacificação representava para o senador uma das mais fabulosas especulações: terras que comprara a preço inferior a dez cruzeiros o alqueire passaram a valer, após a confraternização com os índios, cem cruzeiros, 150 e, mais tarde, mil e até 10 mil cruzeiros. Pois esse senador ainda negou-se a conceder aos Kaingáng uma parcela qualquer de seu superlatifúndio, exigindo do governo que lhas concedera que as comprasse, se desejava "aquinhoar" os índios. O SPI, que pacificara os Kaingáng para os ver assim usurpados, foi obrigado a aceitar um arranjo para que estes não fossem expulsos das terras em que viviam desde tempos imemoriais. Isto foi conseguido por dois funcionários que obtiveram glebas do senador como recompensa pelos serviços prestados aos engenheiros de reconhecimento. Conseguindo o registro daqueles minifúndios como propriedade tribal, neles foram encurralados os Kaingáng.

Assim, poucos anos após a pacificação, aquela tribo viu reduzir-se o território de centenas de quilômetros quadrados que os seus vários bandos percorriam nas atividades de caça e coleta a uma fração mínima, menos de mil alqueires. Sua sobrevivência nessa área só seria possível se eles fossem capazes de improvisar um sistema de agricultura intensiva que nossa própria sociedade precisou de milênios para desenvolver.

Essa redução dos recursos de provimento da subsistência teria conseqüências fatais se os Kaingáng não houvessem sofrido, concomitantemente, a mais drástica redução demográfica. Nesse caso, o SPI teria sido incapaz de mantê-los com as roças que plantava com esse fim. Mesmo assim, os sobreviventes foram compelidos a mudanças profundas, que envolveram desde seus hábitos alimentares até a distribuição tradicional do tempo pelas várias atividades, o emprego das energias nas tarefas socialmente prescritas, a ocupação e o prestígio associados a cada segmento da sociedade, como às mulheres e aos homens, aos jovens, aos adultos e aos velhos.

Essa mó dissociativa em que foram trituradas as instituições tribais levou muitos grupos a um colapso total, pois os mesmos fatos ocorreram com cada tribo pacificada, com variantes regionais. Nas zonas de economia pastoril, a população menos densa e menos dependente dos índios não os submetia a contatos tão maciços, facilitando, assim, por mais algum tempo a conservação dos estilos de vida tribal. Mas ali também em breve lhes faltou a caça, substituída pelos rebanhos — fonte permanente de conflitos que, na maioria dos casos, provocou o desalojamento da tribo para dar lugar a novas fazendas de criação.

Nas áreas de economia extrativa, como a Amazônia, as dificuldades de acesso aos grupos indígenas e o domínio dos sistemas de transporte pelos donos dos rios, impossibilitando qualquer vigilância oficial, criaram condições para que muitos grupos fossem esmagados sem qualquer socorro. Somente nas áreas economicamente marginais, onde os índios puderam se manter independentes, foram menos severas as relações de subordinação, retardando-se a inclusão do território tribal e da própria tribo no sistema econômico regional.

Assim vemos que, através de um processo de sucessão ecológica que opera num nível pré-aculturativo, as tribos indígenas são levadas a tal grau de desorganização interna e de desmoralização que, afinal, o povo que tem oportunidade de experimentar as etapas seguintes da integração na sociedade nacional é sensivelmente diverso daquele que existia nas condições originais de isolamento. Sobre esse povo traumatizado é que irão atuar outros processos dissociativos, como os decorrentes da depopulação, antes que tenham início as coerções decorrentes do convívio direto e permanente que propiciarão as interinfluenciações de ordem propriamente cultural.

Convívio e contaminação[2]

A história das relações entre índios e brancos no Brasil ensina que as armas de conquista foram alguns apetites e idéias, um equipamento mais eficiente de ação sobre a natureza, bacilos e vírus — sobretudo vírus.

A cada população em condições de isolamento corresponde uma combinação peculiar de agentes mórbidos com a qual ela vive associada e cujos efeitos letais parecem atenuar-se por força mesmo dessa associação. Quando seus representantes se deslocam, conduzem consigo essa carga específica de germes, vírus e parasitas que, atingindo populações indenes, produz nelas uma mortalidade sensivelmente mais alta. Assim ocorreu desde os primeiros contatos entre representantes de sociedades européias e africanas e os índios do Brasil e continua ocorrendo em nossos dias com cada tribo que, ao entrar em convívio com a sociedade brasileira, se insere no seu circuito de contágio.

Não pretendemos discutir aqui os aspectos biológicos do problema, tais como as verdadeiras ou supostas resistências orgânicas que é possível desenvolver contra alguns agentes mórbidos. Nosso propósito é simplesmente estudar as doenças que foram levadas aos índios através do contato com a civilização, bem como os efeitos dissociativos da depopulação e do debilitamento por elas provocados.

Até hoje não foi rigorosamente documentada qualquer moléstia originariamente indígena que passasse à população brasileira, a não ser certas micoses de pequena gravidade e de expansão apenas regional (Fonseca Filho, 1930; Biocca, 1944 e 1945) e, provavelmente, a bouba (Duarte, 1944: 473-80). É considerável, porém, o número de entidades mórbidas levadas aos índios.

São responsáveis por maior número de baixas as doenças das vias respiratórias, a começar pela gripe, tão corriqueira entre nós, mas de efeitos fatais sobre os índios que a experimentam pela primeira vez. Uma das primeiras palavras que as várias tribos pacificadas aprenderam dos civilizados ou criaram após o primeiro contato foram os designativos de gripe: para os índios Urubu-Kaapor é catar ou catarro, como dizem os caboclos da Amazônia; para os Kaingáng é cofuro (tosse, espirro); para os Tukano é chon. Um dos bandos xokleng de Santa Catarina experimentou seus efeitos antes da pacificação, através de duas crianças que roubaram aos colonos e levaram às suas aldeias. Seu pavor, após o contágio da gripe, foi tão grande que mataram as crianças tossideiras, certos de que tinham poderes malignos.

Os Kaingáng paulistas foram reduzidos à metade pela gripe epidêmica que contagiou as aldeias nos primeiros anos após o contato. O dr. Luiz Bueno Horta Barbosa, que os pacificou e assistiu naquele período, testemunha:

> Só esse incômodo, a *influenza* ou *cofuro* como eles o denominam, pois o não conheciam antes das relações conosco, matou até agora mais da metade das crianças, mulheres e homens que existiam em princípios de 1912! Houve mesmo um grupo, o de Congue-Hui, que foi totalmente aniquilado no curto espaço de alguns dias. Isso se deu de março a abril de 1913. Quando nos chegou, no Ribeirão dos Patos, a notícia de estar o povo da aldeia daquele chefe morrendo de *cofuro*, para lá partiram os abnegados auxiliares da inspetoria; mas ao chegarem, nada mais encontraram senão ossadas à flor da terra! (*L. B. Horta Barbosa, 1954: 71*)

O relato dos índios Urubu sobre os efeitos acumulativos das primeiras epidemias de gripe nos levou a avaliar que também entre eles a mortalidade deve ter sido da ordem de 50%. O contágio se deu através de um grupo de nove índios levados a passeio até a vila civilizada mais próxima, poucos meses após a pacificação. Somente dois regressaram; um morreu logo depois, no posto, e o outro poucos dias mais tarde, na aldeia. Este contagiou a tribo, levando a morte a um milhar de índios, segundo nosso cálculo. Em conseqüência desta catástrofe, um índio assassinou o funcionário do SPI que dirigira os trabalhos de pacificação e o intérprete que fora seu principal auxiliar. Os dois eram, aliás, os civilizados mais queridos daqueles índios, os primeiros com quem trocaram presentes de mão a mão e os únicos com quem se entendiam em sua própria língua. Depois desse acontecimento, toda a tribo se retraiu, e foram necessários meses de esforços para reconquistar-lhe a confiança e restabelecer as relações, que ficaram, desde então, marcadas pelo ressentimento decorrente dessa experiência.

Junto aos Kaingáng de São Paulo e aos Xokleng de Santa Catarina, o SPI se viu obrigado, logo após a pacificação, a compelir os índios ao abandono de cerimônias tribais da maior importância (as únicas que reuniam toda a tribo, fazendo confraternizar os grupos em conflito), para evitar toda aglomeração e frustrar as oportunidades de contágio. Essas cerimônias duravam vários dias e noites, em que cantavam, dançavam e consumiam grande quantidade de bebidas fermentadas. No passado não apresentavam o menor inconveniente, mas agora pareciam predispor os índios para a gripe. Após cada uma delas, recrudesciam os acessos de gripe, muitas vezes fatais.

Em vista da gravidade dessas afecções pulmonares que vitimaram tantos índios, cabe indagar se se tratava efetivamente de casos de gripe comum. Nós os registramos como tal porque assim são designados nos relatórios do SPI e porque, indagando nos próprios locais sobre os sintomas de enfermidade tão brutal, tivemos de convir que se tratava realmente de formas comuns de gripe. Em alguns casos ficou demonstrado que a epidemia tivera início com um ligeiro resfriado que passara do pessoal do SPI aos índios, neles assumindo forma extremamente grave. Ademais, a letalidade provocada por doenças respiratórias geralmente designadas como "catarros" foi registrada pelos primeiros observadores que conviveram com os índios (Azevedo, 1941).

Uma explicação corrente para essa virulência tem sido o desconhecimento de práticas higiênicas por parte dos índios e seu costume de se refrescarem nos rios quando ardiam em febre.

Aduz-se, ainda, a dificuldade de se submeterem a dietas prescritas para essas doenças ou de se medicarem de acordo com as regras de nossa medicina. Tudo isto, entretanto, não explica tão alta letalidade, ainda mais quando se considera que a antiga farmacopéia de mezinhas e a higiene realmente praticada em comunidades rurais de hoje não apresentam grande superioridade sobre as dos índios.

Os Tukano do rio Negro, segundo observação de um missionário (Giacone, 1949: 27), desenvolveram toda uma teoria para explicar a virulência dos surtos gripais que lhes são transmitidos pelos brancos, em face da benignidade das formas de defluxo corrente entre eles. A primeira seria doença dos brancos propositadamente introduzida em suas aldeias através das mercadorias que lhes vendem; a segunda, sendo da própria tribo, não teria "veneno".

Muito mais letais foram as formas graves de gripe, como aquela que, com o nome de "espanhola", grassou por todo o país a partir de 1918, fazendo vítimas em toda a população. Os relatórios do SPI referentes àquele período mostram claramente a marcha da epidemia, que, começando pelos grupos vizinhos das grandes cidades, prosseguiu sempre com a mesma violência até alcançar tribos arredias nos confins das regiões mais afastadas. Ainda em 1922 chegavam ao SPI notícias de malocas inteiras dizimadas na Amazônia pela "espanhola", que as atingira com cinco anos de atraso.

Nos últimos anos foram observados diversos casos de tuberculose pulmonar em populações indígenas que mantêm contato direto com sertanejos. Entre os índios *Karajá* do rio Araguaia — que sofreram nos últimos cinqüenta anos uma redução comparável à das tribos acima citadas — essa moléstia foi identificada pela primeira vez, com rigor, pelo dr. Haroldo Cândido de Oliveira em 1950. Investigando a causa da mortalidade de um grupo daqueles índios, verificou tratar-se de

> [...] um surto agudo de tuberculose, apresentando este o caráter epidêmico que a doença às vezes assume ao atingir populações até então indenes de contatos bacilíferos. Afortunadamente e por causas desconhecidas, abatidas seis vítimas, a doença entrou em declínio. (*H. C. Oliveira, 1952: 490*)

Examinando os 117 índios do grupo, aquele médico não constatou nenhum outro caso. Todavia, parece que a tuberculose não é nova para os índios Karajá. Os resultados de provas de tuberculina procedidas no mesmo aldeamento em 1952 pelo dr. Noel Nutels, médico do Serviço de Proteção aos Índios, revelaram 71,1% de reações positivas com 15,8% de reações flictenulares. Estes dados mostram que a tuberculose já deve ser colocada ao lado da gripe, do sarampo, da gonorréia e de outras moléstias freqüentes entre aqueles índios como responsável pelo alto índice de mortalidade. Os mesmos testes de tuberculina aplicados nos índios Gorotíre, tribo kayapó do sul do Pará que mantém contato com a civilização há cerca de vinte anos, revelaram que eles também já conhecem a moléstia. É provável que exames mais amplos confirmem a suspeita do dr. Nutels de que a peste branca já esteja atingindo os núcleos indígenas que só nos últimos anos entraram em contato com civilizados.

Depois da gripe, o sarampo é a moléstia responsável pelo maior número de mortes. Esta doença, que grassa anualmente em todo o território nacional e constitui um acontecimento esperado e de pequena gravidade na vida de cada criança de nossa sociedade, ao atingir os índios, como que se transfigura para representar verdadeira peste que prostra adultos e crianças, matando grande número. Os Kaingáng paulistas experimentaram-na pela primeira vez em 1913, um ano depois da pacificação, levada pelos cafeicultores que invadiram a região. Alastrou-se rapidamente por todos os grupos, e o que se seguiu, segundo o dr. L. B. Horta Barbosa, que presenciou o surto,

> [...] é impossível de ser evocado por uma descrição qualquer; a mortalidade dos doentes atingiu proporções enormes e a tribo ficou reduzida e ainda se está reduzindo a uns míseros restos do que era. (*L. B. Horta Barbosa, 1954: 71*)

Gripe e sarampo foram as causas principais da mortalidade que quase exterminou os Kaingáng, reduzindo-os de cerca de 1200 pessoas em 1912 para menos de duzentas quatro anos depois.

Tivemos ocasião de assistir, em 1950, ao primeiro surto de sarampo que atingiu os índios Urubu-Kaapor, levado por um grupo que andara visitando comunidades sertanejas. Avaliamos o número de mortes em 160, o que representa uma enorme letalidade para uma população de 750 pessoas, distribuídas em duas dezenas de aldeias que não foram todas atingidas. A epidemia teve início antes de nossa chegada, alastrando-se rapidamente. Estava deserta a primeira aldeia que alcançamos. Todos os moradores tinham fugido, imaginando que a doença era um ser sobrenatural que atacara a aldeia e podia ser evitado se escapassem para longe. Fomos encontrá-los acampados na mata, fugindo da peste mas já atacados por ela. Alguns índios ao chegar ainda tiveram forças para armar abrigos de folhas de palmeira sobre a rede, mas a maioria, prostrada pela doença, estava ao relento, ardendo em febre sob a chuva. Atacados pelo sarampo e por complicações como o terçol, a forma pneumônica e a intestinal, foram levados a tal grau de depauperamento orgânico que já não tinham forças para alcançar os extensos roçados que deixaram na aldeia, a fim de conseguir alimento; nem mesmo água podiam buscar. Já morriam de fome e de sede tanto quanto da doença. Crianças enfermas rolavam pelo chão, tentando manter os fogos acesos, sob a chuva, para se aquecerem. Os pais, queimando em febre, nada podiam fazer; as mães, inconscientes, repeliam os filhos que procuravam mamar.

No Guaporé, em 1954, uma epidemia de sarampo provocou enorme mortalidade entre várias tribos. Índios arredios das tribos

Tupari, Makurap, Arikapu, Jabuti e provavelmente outros, atraídos por missionários católicos, abandonaram, a partir de 1952, seus antigos territórios nas cabeceiras dos afluentes da margem esquerda do rio Guaporé para se concentrar em torno da missão instalada no médio rio Branco, próximo ao seringal São Luís. Cada tribo armou sua maloca na mata em torno, a distâncias aproximadas de um dia de viagem. Perfaziam no total cerca de quatrocentos índios quando foram atingidos pela epidemia que matou quase a totalidade deles. Alguns convalescentes, procurando alcançar as antigas malocas onde haviam ficado uns poucos velhos que não quiseram viver junto dos brancos, morreram no caminho, sendo encontrados seus cadáveres ao longo do varadouro da mata. Segundo cálculos de Franz Caspar (1952), os Tupari, que perfaziam duzentos quando os visitou em sua maloca, em 1948, ficaram reduzidos a 65 por efeito da epidemia. As outras tribos devem ter sido reduzidas nas mesmas proporções.

A varíola e a varicela exterminaram tribos inteiras no passado; mas a primeira, jugulada em sua expansão pelas vacinas, só grassa hoje nas regiões mais remotas, atingindo raramente os grupos indígenas. No primeiro semestre de 1953 visitamos uma aldeia de 120 índios Bororo atacados de varicela. Não era o primeiro contágio que experimentavam e, embora mais de 80% do grupo estivesse atacado, morreram apenas oito. Esta letalidade relativamente baixa em vista da gravidade da moléstia não pode ser explicada por uma assistência mais eficiente que no caso dos Kaingáng de São Paulo ou dos Xokleng de Santa Catarina, atacados por moléstias muito mais benignas. Casos como esse têm sido explicados por uma resistência adquirida ou desenvolvida contra essas moléstias. A explicação baseia-se no fato, confirmado por vasta documentação, de que em populações virgens de contágio certas doenças alcançam um alto grau de letalidade no primeiro ataque, caindo depois progressivamente. Isto foi o que ocorreu, por exemplo, com os Xokleng de Santa Catarina em relação ao sarampo. Esta moléstia, que lhes custou muitas vidas quando do primeiro ataque epidêmico, em 1927, é hoje doença estacional que ataca todos os anos e raramente faz uma vítima. Quando os visitamos em janeiro de 1953, diversas crianças estavam atacadas de sarampo. Eram tratadas com remédios caseiros e as mães não pareciam preocupadas — o sarampo já não era uma doença grave, como fora anos atrás.

Outra explicação que não a imunidade ou a vulnerabilidade biológica é cabível para a alta letalidade das epidemias em grupos tribais. Pelo menos larga margem de mortalidade que se segue aos ataques de gripe ou de sarampo — doenças de fácil transmissão e extrema suscetibilidade individual — se deve à abrupta paralisação das atividades produtivas pelo acometimento quase simultâneo de toda a comunidade, o que, numa tribo indígena, representa verdadeira condenação, uma vez que ela não conta com um sistema de estocagem de alimentos que permita fazer face a tais eventualidades.

Os índios Urubu, por exemplo, têm sua principal reserva de alimentos nas roças, representada pelas plantações de mandioca. Esta, porém, para ser consumida exige um trabalho exaustivo de colheita e preparo que a comunidade não está em condições de realizar quando se encontra prostrada pelo sarampo. Efetivamente, muitos dos grupos de moribundos com que deparamos, morriam antes de fome que da doença. O sarampo, alastrando-se sobre uma população completamente virgem, prostrara quase ao mesmo tempo a totalidade dela. Seguindo seu quadro clínico normal, levou os doentes a um estado de completo abatimento físico que, agravado pela carência de alimentos e de cuidados — já que não ficara praticamente ninguém em condições de assistir aos enfermos e prover a água e a lenha —, provocou a morte de tão alto número.

Estas observações foram inteiramente confirmadas no caso de uma epidemia de sarampo que atacou pela primeira vez os índios do Xingu em meados de 1954. Ali, graças à existência de campos de pouso que possibilitaram um socorro médico quase imediato e a concentração dos doentes em locais onde puderam ser assistidos, os efeitos letais foram sensivelmente menores. A epidemia começou num grupo de índios que se encontrava em visita a uma das bases da Fundação Brasil Central, que foi contaminada por trabalhadores trazidos de avião de uma localidade sertaneja onde grassava o sarampo. Informado da ocorrência, o SPI fez transportar em avião todos os índios enfermos para o Posto Capitão Vasconcelos, onde foram tratados. Mas alguns doentes fugiram levando a epidemia às aldeias. Às mais próximas pôde chegar a assistência médica, outras não puderam ser assistidas.

No conjunto, de um total de 698 enfermos, morreram 108, sendo 61 nas bases Jacaré e Kalapalo, da Fundação Brasil Central, e 48 no Posto Capitão Vasconcelos, do SPI, e nas aldeias Waurá e Kuikuro. Estes números são mais expressivos quando se distinguem os índios assistidos dos não assistidos. Dos quatrocentos enfermos medicados morreram 28, ou seja, 7%; dos 298 não assistidos morreram oitenta, ou seja, 27%.[3] Embora se tenham usado os principais recursos da medicina moderna, como a penicilina, a estreptomicina e outros, os médicos assistentes acreditam que o principal fator para a recuperação dos enfermos foi o fornecimento de alimentação regular, o que faltou aos grupos não assistidos. Vê-se, pois, que a precariedade do equipamento de subsistência torna estes grupos mais vulneráveis aos efeitos letais das epidemias.

Karl E. Ranke (1898), que acompanhou H. Meyer em sua primeira expedição ao Xingu, em 1896, teve oportunidade de surpreender aqueles índios quase virgens de contato, pois até então só haviam sido visitados por Karl von den Steinen doze anos antes. Estudando as condições de oitocentos a mil habitantes de dez aldeias xinguanas, anotou as seguintes enfermidades: muitas fraturas curadas e uma luxação na anca, já antiga, não congênita; um caso de "pés de boto" congênito; uma micose, provavelmente *Ti-*

nea imbricata; numerosos casos de furúnculo; dois casos de idiotia; um caso de tumor no fígado de aparência parasitária; algumas afecções reumáticas articulares; enterites não violentas em crianças de peito; numerosos casos de malária, que constituía então a moléstia responsável por maior mortalidade, sobretudo entre as crianças; leucomas e estafilomas. Estes últimos generalizados, mas de origem recente.

Conforme Ranke pôde constatar, um grupo de índios Bakairi do Curisevu, que só havia quebrado seu isolamento após a expedição de Steinen, fora visitar outro ramo da tribo que eles desconheciam até então. Este grupo vivia no Paranatinga e mantinha, havia muito, contato com civilizados. Juntos foram à vila sertaneja de Rosário,

> [...] onde um deles adquiriu uma blenorragia oftálmica que depois de seu regresso à aldeia bakairi do Curisevu deu origem a uma terrível epidemia; todos os habitantes adoeceram, alguns morreram, outros saíram da doença com a perda de um olho ou com um leucoma. As numerosas conjuntivites que eu próprio vi eram todas de natureza benigna, de tal maneira que o gonococcus desapareceu de novo do Xingu. E é extraordinário não ter eu encontrado nenhum sinal, nem sequer anamnésico, de que ele tenha tido qualquer conseqüência entre os índios, mesmo nos órgãos sexuais. (*Ranke, 1898: 130*)

Era a primeira experiência das pestes da civilização, que Ranke comenta com estas palavras amargas:

> Pobre povo! Já se pode prever o teu destino! Com a nossa expedição ao Xingu, da qual estamos tão orgulhosos, abriu-se a porta que durante tanto tempo esteve fechada e dentro de pouco ou de muito tempo chegará Pandora e deixará derramarem de seu vaso as bênçãos da civilização. Aprendeste a conhecer o ferro e o cachorro e a galinha; e ainda muito animal doméstico útil e acima de tudo muita planta útil, a banana, a cana-de-açúcar, o arroz, a fava, vais aprender a conhecer; talvez até venhas a ser batizado. Mas a epidemia de blenorragia, que sobre ti veio como uma onda depois da primeira visita do irmão branco, fará vir atrás de si uma seqüela atrás da outra: lues, lepra, tubercu-

> lose, sarampo, escarlatina, varíola, febre amarela e beribéri. Na verdade não é de admirar que os povos não civilizados se extingam diante da civilização. (1948: 140)

Ranke acreditava que a malária fosse moléstia endêmica na região, conhecida dos índios desde sempre. Entretanto, suas próprias informações sobre a forma de incidência da moléstia e, sobretudo, os flagrantes que retrata da emotividade que provocam em toda a aldeia os acessos febris das crianças, bem como os esforços baldados do pajé para fazê-los cessar através de sucção e defumação, nos deixam a suspeita de que fosse moléstia recente. Talvez houvesse sido introduzida pela expedição de Von den Steinen ou, logo depois, por visitantes bakairi do Paranatinga, que, tendo contatos intermitentes, mas antigos, com civilizados, deviam conhecê-la de longa data. Esta suposição é confirmada, também, pela anotação de Ranke sobre "numerosos casos de malária e de caquexia malárica em menores de dez anos" (1898: 130). Por que apenas entre crianças ocorriam, então, os baços tumefactos? Hoje eles se observam na totalidade dos índios xinguanos, e de forma tão evidente que não podem passar despercebidos. Só a circunstância de ser uma moléstia recente, que apenas começava a marcar a população com suas formas crônicas, pode explicar tão gritante falta de referência a esta classe de lesões entre os adultos.

Os dados dos arquivos do SPI sobre a mortalidade ocasionada pela malária entre os Botocudos do Espírito Santo e os Xokleng de Santa Catarina parecem confirmar a suposição de que também estes índios desconheciam a moléstia. Ela foi responsável por tantas mortes, sobretudo entre os primeiros, que, a existir antes do contato, teria dado cabo deles.

Ao tempo da visita de Ranke, os índios xinguanos perfaziam 3 mil a 4 mil, distribuídos em 39 aldeias, segundo cálculos de Steinen e Meyer. Em 1952 eram apenas 652 (Galvão e Simões, 1965: 136-7 e 141-2), distribuídos em trinta aldeias. As principais causas da depopulação foram, além da malária, os surtos de gripe, levada provavelmente pela citada expedição e pelas que se seguiram até 1940. Naquele ano a abertura de campos de pouso na região, facilitando o acesso, inaugurou um período de contato maciço com civilizados, fazendo recrudescer êsses ataques. Somente uma epidemia de gripe que grassou em 1946 vitimou, em duas semanas, cerca de 25 Kalapalo; em 1950 outro surto gripal atingiu os mesmos índios e os Kamayurá, fazendo mais de doze vítimas. Segundo Eduardo Galvão (1953: 5), a quem devemos estes dados, "o efeito acumulativo dessas epidemias tem levado algumas tribos à quase extinção".

As moléstias carenciais — que não ocorrem, ao que se saiba, em populações isoladas — são freqüentes nos grupos em convívio com civilizados e se prendem à adoção de novos hábitos alimentares, bem como ao abandono das antigas fontes de suprimento que lhes garantiam o vigor físico. À medida que se intensificam os contatos e os índios vão adotando as práticas e os preconceitos alimentares das populações rurais, surgem os distúrbios motores, as lesões oculares e outras, que parecem devidas a insuficiências alimentares. O sintoma mais comum de desequilíbrio dietético — e este é praticamente universal nos grupos que entraram em contato com civilizados — é a queda geral da robustez e as dentaduras cariadas e malformadas que logo se perdem. Da simples comparação entre uma tribo indígena isolada e um grupo em convívio pacífico com comunidades sertanejas e já integrado nos seus hábitos, ressalta logo a diferença de estatura e resistência física, sempre favorável aos primeiros.

Devemos ao médico sanitarista Amaury Sadock de Freitas Filho (1954) algumas observações de primeira mão sobre o estado de nutrição dos Xavante, tribo que apenas inicia o convívio com civilizados e conserva ainda os hábitos alimentares tradicionais. Em seu inquérito sobre a alimentação daqueles índios, demonstra que a

> [...] vida simples, ao ar livre, aliada a uma alimentação de produtos colhidos próximo à residência e com todas as suas características nutritivas, fez com que o índio, instintivamente, tivesse seus hábitos

> alimentares de acordo com as suas necessidades nutricionais e apresentasse o tipo físico padrão, que seria o ideal do brasileiro. O Xavante mantém a sua saúde e a sua bela aparência física graças a um regime alimentar racional e instintivo, que pode ser constatado se analisarmos a sua alimentação contendo todos os princípios essenciais à vida. (Freitas, 1954)

O referido médico conclui sua análise sobre as condições de nutrição de cerca de quinhentos Xavante que examinou, com a observação de que

> [...] de um modo geral, entre homens e mulheres não foi verificado nenhum caso de deficiência nutricional. Também não foram consignadas cáries dentárias de vulto. (1954)

Cumpre salientar que estas observações se referem a uma tribo que vive em região de cerrados muito áridos, na qual, todavia, esses índios alcançaram uma tão feliz adaptação ecológica que são capazes de tirar de sua pobreza os elementos necessários à construção de corpos vigorosos. Para isto, os Xavante, como outras tribos do cerrado, aprenderam a aproveitar todas as disponibilidades alimentares, incluindo em sua dieta algumas fontes insuspeitadas de proteínas e sais minerais, como os saltões de gafanhotos e outros insetos, larvas e toda sorte de frutos silvestres.

São expressivos da decadência física dos grupos indígenas em contato com civilizados, e em confronto com estas observações sobre os Xavante, os resultados do exame clínico realizado pelo dr. Leão da Mota, em 1955, numa amostra de 1189 índios Kaiwá e Terena do sul de Mato Grosso que mantêm contatos seculares com civilizados. Desse total, 729 índios — ou seja, 60% — apresentavam sinais clínicos de anemia e subnutrição (1955).

Os arquivos do Serviço de Proteção aos Índios proporcionam uma preciosa documentação referente à morbidade e à mortalidade em várias tribos. Destacamos uma delas, os Xokleng de Santa Catarina, para um exame mais detido das principais moléstias de que foram acometidos durante os quarenta anos de contato subseqüentes à pacificação.

Os Xokleng a princípio tentaram exorcizar, como a seres sobrenaturais, as epidemias de gripe, de sarampo e de malária que os atacavam; mas prontamente aprenderam que contra elas de nada valiam as práticas tribais tão eficientes para as antigas doenças, como as dores de barriga, conseqüentes de grandes comedorias. Embora pacificados em fins de 1914, continuaram, até 1917, divididos em bandos dispersos pela mata, livrando-se assim das doenças até aquele ano. Só então foram atacados pela malária, logo seguida de uma epidemia de coqueluche que, em 1918, se alastrou por quase todos os bandos, sacudindo adultos e crianças em convulsões de tosse que os deixavam extenuados e acabavam matando a muitos. No ano seguinte foram atacados pela "gripe espanhola". Tamanha foi a mortalidade que nem se davam conta de enterrar os mortos; os cadáveres eram deixados insepultos, servindo de pasto à cachorrada da aldeia.

Experimentaram o primeiro ataque de sarampo em 1927, seguido de uma epidemia de parotidite que prostrou a todos, matando muitos. A blenorragia, que havia aparecido em alguns casos isolados, provocando a morte do doente antes de contaminar a tribo, grassou em 1939 de forma epidêmica. Foi introduzida por uma índia que andava com um grupo em trabalhos de conservação de estradas, fora da reserva. Através do sistema de relações sexuais dentro da tribo, passou a moléstia ao marido e este, a outras mulheres, contaminando por fim grande número de pessoas. Quando a epidemia foi descoberta, muitos estavam afetados de forma grave, tendo ocorrido vários casos de morte, esterilidade e cegueira. Estas foram as grandes epidemias, cada uma das quais responsável por mortes que reduziram a população de quatrocentos ou seiscentos em 1914 a 106 em 1933. Ao lado delas, doenças menos graves causaram sofrimentos, aleijões e mortes.

Desde os primeiros anos, os Xokleng começaram a sofrer infecções graves que afirmaram nunca ter experimentado antes. Entretanto, traziam no corpo cicatrizes de velhas feridas, verdadeiros lanhos abertos na carne em acidentes durante as caçadas, na coleta da pinha dos altos pinheiros e mesmo pelos facões dos bugreiros. Sua Ars Medicus prescrevia para estes males um remédio infalível: lamber o ferimento e depois polvilhá-lo com carvão. Depois do convívio pacífico com os civilizados, esta medicação passou a fracassar diante de qualquer arranhão. Eram as afecções que se iniciavam e cuja gravidade só pode ser explicada pela contaminação por germes virulentos contra os quais não tinham defesas orgânicas. Para os Xokleng de hoje, um arranhão exige cuidados rigorosos e em muitos casos resulta em infecções tetânicas que impõem tratamento específico.

As febres puerperais e o tétano do recém-nascido, antes desconhecidos, tornaram o parto uma situação de perigos críticos que não parecia constituir antes. A verminose foi outro mal que atacou os Xokleng, fazendo grande número de vítimas, sobretudo entre as crianças. Segundo seus depoimentos, eles conheciam os mesmos vermes já antes da pacificação, porém jamais os viram alcançar a gravidade que assumiram no posto, inflando o ventre das crianças e atacando-as de tal modo que não raro lhes saíam pela boca e pelo nariz. A geografia que se manifestava freqüentemente entre as crianças verminóticas assumiu caráter endêmico em 1922, reduzindo suas vítimas a um estado de extrema fraqueza, que se acentuava até matá-las, quando alcançavam o grau extremo de miséria orgânica.

As proporções da mortalidade ocasionada pela incidência de doenças levadas pelos civilizados podem ser avaliadas pelo confronto de estimativas da população de alguns grupos ao tempo dos primeiros contatos com seu número atual. Entre as maiores tribos do Brasil podemos citar os Munduruku, avaliados em 18910 pessoas em 1875 por Gonçalves Tocantins (1877: 101) e que estavam reduzidos a cerca de 1200 na década de 50 (Robert Murphy, 1954: 5); os Nambikwara, cuja população original C. Lévi-Strauss (1948a: 6) estimou em 10 mil e que hoje dificilmente alcança mil; e ainda os Karajá, que Ehrenreich (1948: 25) calculou em 4 mil por ocasião de sua visita — representando, já então, metade do seu número quando iniciaram o convívio com civilizados — e que hoje pouco ultrapassam um milhar.

Os índios Tupari do Guaporé, que entraram em convívio com seringueiros na década de 20, foram reduzidos, pelas mesmas causas, de cerca de 3 mil a 250 em 1934, e a algumas dezenas em 1954 (Caspar, 1957: 169).

Entre as tribos menos populosas recordemos os Kayapó dos campos de Conceição do Araguaia, avaliados em 2500 por frei Gil Vilanova (Gallais, 1942: 241) em 1902, quando passaram a ser assistidos pela missão dominicana, e dos quais restam hoje apenas dez, incluindo sobreviventes e descendentes. Os Kaingáng de São Paulo, pacificados pelo SPI em 1912, quando contavam cerca de 1200 pessoas, hoje estão reduzidos a 87; os Xokleng de Santa Catarina, pacificados em 1914 pelo SPI, tiveram o mesmo destino, reduzindo-se de cerca de oitocentos para 189 em nossos dias. Esses casos foram selecionados apenas em função da fidedignidade das avaliações antigas da população; muitos outros poderiam ser acrescentados.

Como se vê, é catastrófico o vulto da redução populacional que esses grupos indígenas sofreram após os primeiros contatos, principalmente em virtude da contaminação pelos agentes mórbidos referidos. Tudo leva a crer que o mesmo tenha ocorrido em todas as tribos, em todos os tempos.[4] Obviamente, vários fatores podem concorrer para que a letalidade provocada por moléstias seja maior ou menor em cada caso concreto, conforme a virulência do agente mórbido que atinge os índios e as circunstâncias no momento em que o grupo é acometido. Uma moléstia qualquer que ataque os índios Urubu, por exemplo, no período anual de penúria, quando dependem quase exclusivamente das roças para a sobrevivência, lhes causará muito maiores danos que a mesma moléstia no período de fartura, quando as matas estão cheias de frutos e as caçadas e pescarias são fartas (D. Ribeiro, 1955). Essas circunstâncias explicam as relativamente pequenas variações de mortalidade após os primeiros anos de convívio pacífico. Entretanto, essa depopulação prossegue em algumas tribos quase no mesmo ritmo, levando-as ao extermínio; e é sustada em outras, que conseguem recuperar-se, apresentando durante longos períodos o mesmo contingente populacional.

Não conseguimos documentação numérica sobre os casos contrastantes que alcançaram a estabilidade populacional referida. Mas é o que parece ocorrer com certas tribos, como os Fulniô de Pernambuco, que vêm sendo estimados nos relatórios de funcionários do SPI nestes últimos vinte anos em números que giram em torno de 1300; os Terena do sul de Mato Grosso, que foram calculados em 3 mil por Castelnau (1949) em 1845 e hoje perfazem o mesmo número aproximadamente; os Tenetehara-Guajajara do Maranhão, que, segundo cálculos de Wagley & Galvão (1961 [1949]: 4), conservaram aproximadamente a mesma população nas últimas duas décadas, e, ainda, os Xokleng, que depois de reduzidos a 106 em 1933, cresceram para 189 em 1953. Os dois primeiros grupos receberam nesse período contingentes indígenas que com eles se fundiram depois de perderem o território tribal. Ainda que estejam sofrendo uma redução, ela não se compara à das tribos anteriormente citadas, que decresceram sensivelmente de ano para ano.

Estes dados, embora precários, indicam que, após as reduções maciças que se seguem aos primeiros contatos, alguns grupos indígenas alcançam uma acomodação que lhes permite sobreviver, enquanto outros continuam diminuindo até o desaparecimento. Que fatores influem no processo, condenando algumas tribos ao extermínio e permitindo a outras retomar um certo equilíbrio de-

Tabela 1

DISTRIBUIÇÃO DAS PORCENTAGENS DE INDIVÍDUOS POR CLASSES ETÁRIAS EM TREZE TRIBOS INDÍGENAS BRASILEIRAS

Classes de idade	*Goro-tire*	*Kuben-kran-ken*	*Parin-tintin*	*Xingu*	*Tenete-hara*	*Karajá*	*Urubu-Kaapor*	*Xo-kleng*	*Kain-gáng*	*Kui-kuro*	*Kadi-wéu*	*Cane-la*	*Bororo*
	%	%	%	%	%	%	%	%	%	%	%	%	%
Mais de 40	5,2	4,7	8,7	13,4	13,6	14,9	17,1	20,1	18,4	19,3	18,2	27,3	31,3
30 a 39	12,4	12,2	20,4	11,8	11,5	10,9	10,8	9,0	10,34	9,1	13,0	16,1	25,9
20 a 39	23,5	28,2	29,1	19,2	19,5	18,6	19,8	13,7	18,4	21,3	19,0	15,6	24, 4
10 a 19	31,4	29,6	28,2	24,6	20,0	21,6	21,2	20,6	18,4	15,2	17,8	16,5	10,5
menos de 9	27,5	25,3	13,6	31,0	35,4	34,0	31,1	36,6	34,4	35,2	32,0	24,5	7,9

Figura 1

SÉRIE COMPARATIVA DA COMPOSIÇÃO PERCENTUAL DA POPULAÇÃO DE TREZE TRIBOS INDÍGENAS BRASILEIRAS

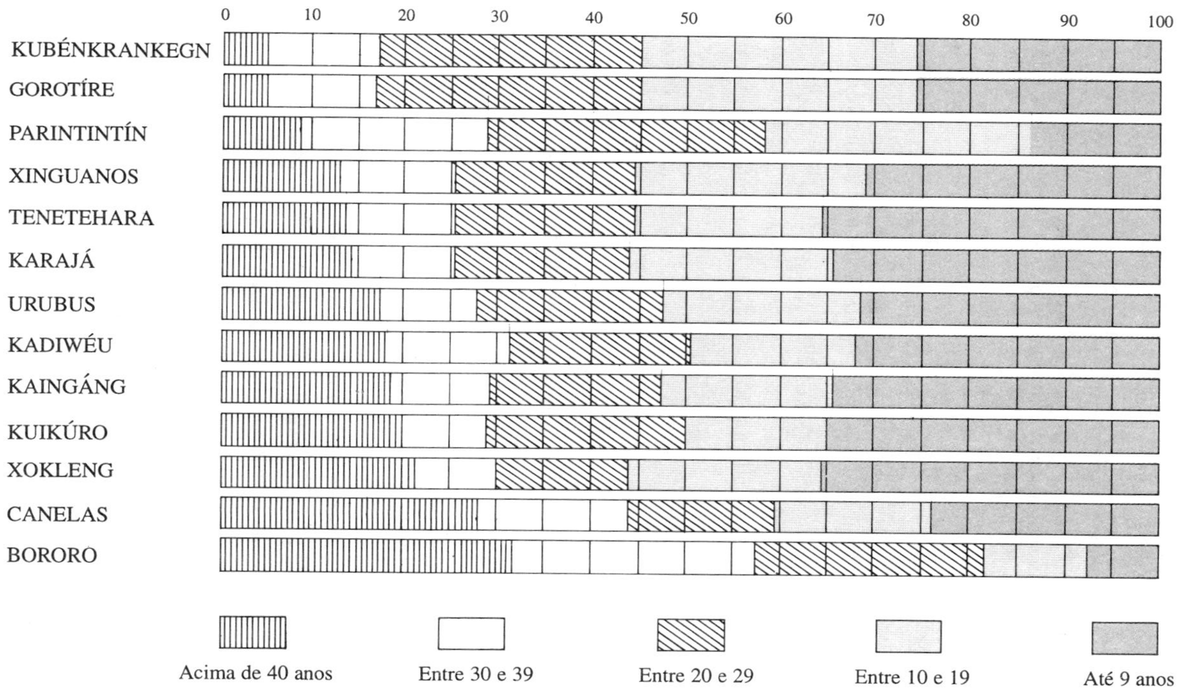

mográfico que lhes assegure a sobrevivência? Tantos elementos circunstanciais podem atuar para modificar o processo em cada caso concreto que só historicamente ele poderia ser explicado. Entretanto, ao menos em alguns casos, é cabível explicar a sobrevivência ou o extermínio pela atuação de condições estruturais e funcionais anteriores ao contato.

O estudo destas condições impõe, inicialmente, a análise do comportamento das estruturas demográficas em face dos acontecimentos que se seguem ao convívio pacífico, particularmente com referência aos fatores de depopulação. Para isto dispomos de dados significativos sobre a estrutura demográfica de treze tribos que diferem no grau de contato que mantêm com civilizados e também em suas formas de adaptação ecológica. Não pretendemos que nossas amostras representem as populações indígenas brasileiras, mesmo porque elas revelam tão grandes discrepâncias que, rigorosamente, só valem para a tribo que retratam e no momento em que foi surpreendida. As aproximações estruturais que sugerem não se explicam, porém, por tipos de adaptação ecológica: algumas tribos que vivem no mesmo ambiente e possuem quase idênticos sistemas adaptativos — como os Urubu e os Tenetehara — apresentam pirâmides inteiramente diversas. Também não se explicam inteiramente pelo grau de integração na vida das populações brasileiras, uma vez que tribos como os Kuikuro, que têm vivido em condições de isolamento, apresentam flagrantes aproximações estruturais com os Kaingáng de São Paulo, ilhados entre fazendas numa das regiões de mais alta densidade demográfica do país. Elas representam algumas das conjunturas correntes nas populações indígenas e, como tal, podem contribuir para esclarecer o comportamento das estruturas demográficas respectivas em face do impacto com a civilização. Têm o valor de instantâneos da vida tribal, no momento em que foram recenseadas, proporcionando um quadro mais realístico da estrutura demográfica tribal num dado momento do que se poderia obter por qualquer outra técnica.

A comparação das várias composições percentuais das classes de idade dessas treze populações indígenas revela três padrões estruturais distintos. O primeiro, caracterizado pela baixa longevidade que se exprime na reduzida porcentagem de maiores de quarenta anos e pelo predomínio de jovens na população total. O segundo, por classes etárias proporcionalmente equilibradas e com altas porcentagens de menores de nove anos, indicativas de grupos em condições de crescimento; o terceiro, finalmente, pelo predomínio de indivíduos maduros, o que revela uma população estabilizada. O exame das pirâmides permitirá aprofundar esta análise.

A pirâmide demográfica dos índios kubenkranken do sul do Pará, que, no momento da observação, contavam pouco mais de um ano de convívio pacífico com civilizados, constitui a amostra que mais se aproxima da estrutura demográfica de tribos virgens de contato. Todavia, somente é válida para representar grupos indígenas que viviam em condições de guerra permanente e, mais ainda, o padrão de tribos de cultura adaptada às condições ecológicas do planalto brasileiro. A restrição é assinalada em vista das variações que podem e devem sofrer essas tribos em sua estrutura demográfica em relação aos grupos que gozavam de paz, que eram mais sedentários ou apresentavam uma adaptação cultural às condições ecológicas da floresta tropical.

A primeira observação que suscita a pirâmide Kubenkranken é a baixa expectativa de vida, expressa numa porcentagem de apenas 4,7% de indivíduos maiores de quarenta anos. O grosso da população tribal encontra-se entre os vinte e os quarenta anos, e perfaz 40,4%. A população infantil, por sua vez, alcança 25,3%, porcentagem que, em condições tribais de existência, mal dá para assegurar a reprodução do mesmo contingente populacional. Aqui temos, como se vê, um grupo humano em condições precárias, no qual cada criança nascida tem estreita possibilidade de chegar à idade madura e uma chance quase nula de alcançar a velhice. A mesma pirâmide proporciona um exemplo de condição estrutural desfavorável que pode tornar uma tribo antecipadamente vulnerável aos efeitos letais que deverá experimentar em conseqüência do convívio com civilizados. Fatores de dinâmica social interna predispõem-na a sofrer mais duramente as conseqüências das epidemias de gripe, sarampo e outras, quando, integrada em nosso sistema de contágio, for atingida por aquelas moléstias. A baixa expectativa de vida prevalecente nessas estruturas demográficas, associada ao índice relativamente baixo de fertilidade ou de sobrevivência das crianças e agravada por novos fatores de crescimento, poderá levá-las à extinção. Tudo isto indica que, se os Kubenkranken tiverem de enfrentar os mesmos fatores letais e nas mesmas condições que as tribos que os antecederam no convívio pacífico com a civilização, serão das que desaparecem e não daquelas raras que conseguem retomar o equilíbrio, após os primeiros embates, e sobreviver.

Os índios Gorotire, outro subgrupo da mesma tribo kayapó a que se filiam os Kubenkranken, porém com cerca de trinta anos de convívio com civilizados, apresentam quase idêntica composição estrutural. As vicissitudes do convívio pacífico que os reduziram de cerca de oitocentos índios em 1937 a apenas 153 (Nimuendaju, 1952b: 429) não se exprimem tão vigorosamente em sua pirâmide demográfica, certamente porque a alta mortalidade ocasionada por moléstias como a gripe e o sarampo atingiu quase igualmente as várias classes de idade, conservando intocada a composição etária total. Por outro lado, os Gorotire não apresentam diferença alguma em relação aos Kubenkranken que possa ser explicada por condições de existência impostas pelo convívio pacífico. Revelam uma proporção levemente acrescida de indivíduos com mais de quarenta anos, mas, por outro lado, muito menor proporção de maiores de sessenta. Embora seja um pouco mais alta a porcentagem de menores de nove anos, continuam mais numerosos os indivíduos da segunda década de vida que os da primeira, o que não deixa dúvidas sobre o desequilíbrio estrutural prevalecente.

Tabela 2

DISTRIBUIÇÃO POR SEXO E IDADE DA POPULAÇÃO GOROTIRE (1952), KUBENKRANKEN (1952), DE UM GRUPO PARINTINTIN (1928) E DE DOIS GRUPOS BORORO (1932)[5]

Classes de idade	*Gorotíre*		*Kubenkranken*		*Parintintin*		*Bororo*	
	Masc.	*Fem.*	*Masc.*	*Fem.*	*Masc.*	*Fem.*	*Masc.*	*Fem.*
Mais de 60	—	1	3	2	1	1	10	12
de 55 a 59	—	—	—	2	1	1	4	1
de 50 a 54	—	—	—	—	1	1	18	14
de 45 a 49	1	1	3	1	1	2	7	4
de 40 a 44	3	2	—	2	—	—	17	12
de 35 a 39	1	4	13	4	10	5	22	22
de 30 a 34	5	9	10	7	3	3	27	11
de 25 a 29	11	5	16	30	12	10	24	24
de 20 a 24	9	11	9	23	2	6	11	18
de 15 a 19	16	12	10	31	10	12	5	3
de 10 a 14	11	9	24	17	4	3	13	12
de 5 a 9	9	4	14	8	9	3	6	5
de 0 a 4	13	16	24	24	1	1	9	5
Totais	79	74	126	151	55	48	173	143
	153		277		103		316	

As duas pirâmides demográficas exprimem, portanto, antes de tudo, condições peculiares que as fizeram especialmente vulneráveis ao impacto com a civilização. Na configuração dessas estruturas demográficas deve ter influenciado desastrosamente sua condição de povos guerreiros, cercados de tribos inimigas com as quais viviam em luta e, sobretudo, o avanço dos civilizados sobre seu território. Essas duas tribos, cada qual a seu tempo, foram tidas como as maiores ameaças à sobrevivência das populações pioneiras mais próximas de seu território. Todavia, a julgar pelas respectivas pirâmides, eram elas as vítimas dessas lutas, que só podiam manter à custa do sacrifício da própria população e em proporções tais que já não lhes permitiam sobreviver.

Figura 2

PIRÂMIDES DEMOGRÁFICAS REFERENTES À TABELA 2, REGISTRANDO-SE OS HOMENS À ESQUERDA E AS MULHERES À DIREITA

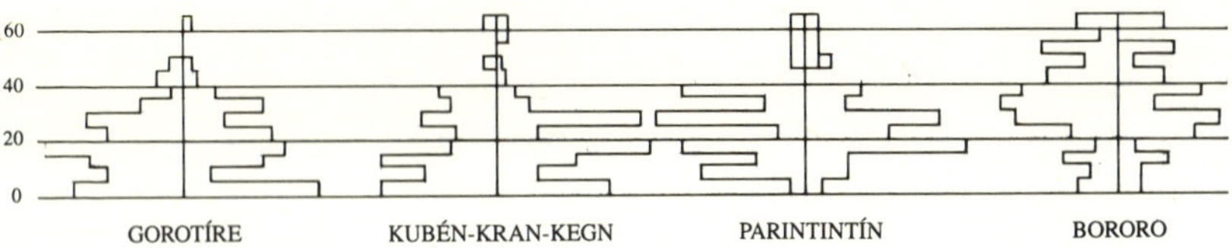

A pirâmide demográfica de um grupo parintintin, pacificado no rio Madeira em 1922 e que sobrevivia em 1928, apresentava graves desajustamentos estruturais que, ao contrário das tribos kayapó, acima descritas, só podem ser explicados como conseqüências do convívio pacífico. Para uma expectativa de vida levemente mais alta, pois alcançam 9% os maiores de quarenta anos, contam com uma população juvenil sensivelmente mais baixa, representada por apenas 13,6% da população total. Denotam ainda mais gritante desproporção relativa dos indivíduos de cada década sucessiva, pois, para os 13,6% de menores de nove anos, apresentam 28,2% na segunda década e 29,1% na terceira.

Os segmentos etários variam tanto e tão arbitrariamente que apenas retratam um aglomerado humano em processo de desaparecimento ou os restos de uma população que se nota ter sido consideravelmente maior e mais bem estruturada. A pirâmide deste grupo parintintin é um retrato das condições dramáticas que enfrentou logo depois do convívio pacífico e às quais estava sucumbindo no momento da observação.

Outro exemplo de vulnerabilidade excepcional aos efeitos letais do convívio pacífico encontra-se no caso dos índios Bororo. Sua pirâmide demográfica, baseada num recenseamento realizado pelo SPI em 1932, nos dois principais agrupamentos da tribo, reflete as condições de extrema desorganização e de intensiva depopulação. As proporções de suas classes etárias contrastam fortemente com as amostras examinadas até aqui, por uma porcentagem excepcionalmente alta de maiores de quarenta anos (31,3%) que, ao contrário dos casos correntes, não indica estabilização demogenética, mas as últimas etapas de um processo de extinção.

Semelhanças fundamentais unificam os Bororo e os Parintintin como estruturas em profundo desequilíbrio. Em primeiro lugar, a desproporção das classes etárias que nos dois casos resultam em pirâmides aparentemente invertidas, nas quais maiores são os segmentos da cúpula que os da base. Para 7,9% Bororo menores de nove anos deparamos com 10,5% na segunda década de vida, 24,4% na terceira, 25,9% na quarta e 31,3% maiores de quarenta anos. Em segundo lugar, as duas tribos representam os exemplos extremos, na amostra de que dispomos, de baixa porcentagem de crianças.

Estamos diante de povos que já não são capazes de compensar pela natalidade a alta mortalidade que vêm sofrendo. No caso dos Bororo combinam-se, para agravar as ameaças à sobrevivência, a ocorrência de práticas abortivas e infanticídio e uma altíssima mortalidade infantil. Segundo cálculos baseados numa amostra de 25 mulheres da missão salesiana, levantada por Herbert Baldus (1937: 124-5) em 1934, a mulher bororo apresentava uma média de 3,3 partos que, sendo já muito baixa para condições tribais, era ainda comprometida por uma mortalidade que apenas permitia sobreviver 1,9 filho por mulher.

Da análise da pirâmide de população parintintin ressalta nitidamente a interrupção abrupta de natalidade nos anos que se seguiram à pacificação, que se exprime graficamente pela supressão do segmento de base da pirâmide. Observamos o mesmo fe-

Tabela 3

Idade da mãe	*Mulheres*	*Filhos*		*Total*	*Média*
		Vivos	*Mortos*		
Menos de 20	7	5	1	6	0,85
De 20 a 30	4	8	2	10	2,50
De 30 a 40	5	11	10	21	4,2
Mais de 40	10	26	23	49	4,9
Totais	26	50	36	86	3,3

nômeno em outras populações indígenas, como os Kaingáng paulistas e os Xokleng de Santa Catarina, cujas pirâmides apresentam idênticos estrangulamentos nas classes etárias correspondentes aos indivíduos nascidos nos anos que se seguiram à pacificação e também na pirâmide da população urubu, embora nesta se manifeste menos vigorosamente.

Semelhantes reduções ou mesmo interrupções de natalidade foram observadas em muitos outros povos tribais que entraram em contato maciço e se viram subjugados por sociedades européias. No Brasil o fenômeno foi documentado por Luiz Bueno Horta Barbosa, que, estudando as causas da redução demográfica dos Kaingáng paulistas, que haviam caído de cerca de 1200 (L. B. Horta Barbosa, 1954: 70)[6] em 1912 para apenas duzentos em 1916, assinala, em primeiro lugar, as epidemias de gripe e sarampo que assolaram a tribo e, em seguida, como outra causa, a interrupção da natalidade, que permitia ao grupo refazer os claros abertos.

> Note-se que eu não digo diminuição ou insignificância do número de nascimentos, mas sim ausência de nascimentos. E assim me expresso porque de 1912 até hoje (1916) não se deram em toda a população kaingáng de São Paulo mais que três nascimentos e ainda estes de resultado nulo, porque as crianças morreram logo. (*1954: 72*)

A seguir, Horta Barbosa mostra que tal interrupção não podia ser explicada pelas condições de existência, uma vez que os índios desde a pacificação gozavam de alimentação melhor e mais farta, de vida mais tranqüila e segura, porque estavam livres de muitos dos atropelos em que viviam quando independentes. Atribui o fenômeno a fatores psicológicos, com o grande abalo moral que sofreram ao entrar em convívio com seus inimigos tradicionais. No estudo dos efeitos dissociativos da depopulação voltaremos a analisar o problema; o que cumpre assinalar desde logo é sua influência sobre a composição demográfica, expressa por verdadeira mossa nas pirâmides demográficas.

As pirâmides de idade dos Kaingáng de São Paulo e dos Xokleng de Santa Catarina retratam suas populações após quarenta anos de convívio com a civilização, e a pirâmide dos índios Urubu apresenta-os 24 anos depois de pacificados. Nos três

Tabela 4

DISTRIBUIÇÃO POR SEXO E IDADE DAS POPULAÇÕES KAINGÁNG DE SÃO PAULO (1953), XOKLENG DE SANTA CATARINA (1953), URUBU (1950) E KUIKURO (1954)[7]

Classes de idade	*Kaingáng*		*Kokleng*		*Urubu*		*Kuikuro*	
	Masc.	*Fem.*	*Masc.*	*Fem.*	*Masc.*	*Fem.*	*Masc.*	*Fem.*
Mais de 60	—	1	2	4	3	1	—	—
de 55 a 59	1	4	1	2	5	3	2	2
de 50 a 54	—	2	3	2	2	3	5	5
de 45 a 49	1	6	6	2	9	5	2	1
de 40 a 44	—	1	11	5	8	11	7	4
de 35 a 39	—	2	7	7	8	9	5	—
de 30 a 34	2	5	2	1	7	8	3	5
de 25 a 29	3	4	4	17	12	12	7	12
de 20 a 24	5	4	6	9	20	14	6	6
de 15 a 19	6	1	10	11	10	23	7	5
de 10 a 14	4	5	9	9	14	15	7	3
de 5 a 9	8	6	12	12	20	16	16	10
de 0 a 4	9	7	26	19	35	20	12	13
Totais	39	48	99	100	153	140	79	66

Figura 3

PIRÂMIDES DEMOGRÁFICAS REFERENTES À TABELA 4, REGISTRANDO-SE OS HOMENS À ESQUERDA E AS MULHERES À DIREITA

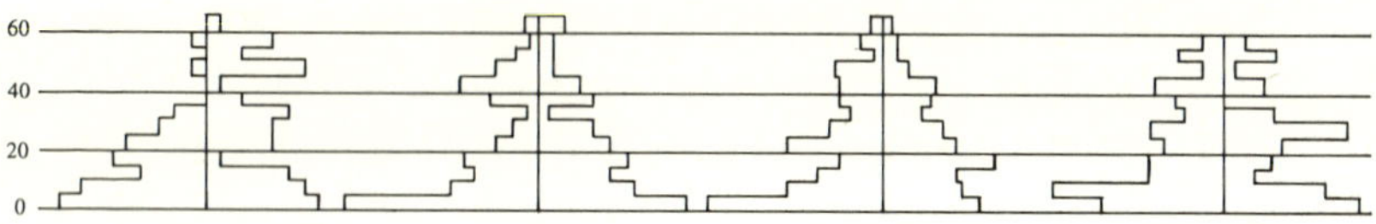

casos, deparamos com proporções de grupos de idade que, se interpretadas com os critérios usados para as sociedades nacionais, seriam indicativas de populações em crescimento. É de assinalar que os índios Kaapor apresentam uma composição etária global idêntica à da população brasileira em 1940 (Castro Barreto, 1951: 221), considerada exemplar como expressiva de incremento. Todavia, sabemos que aquela tribo, longe de estar em crescimento, vem sofrendo drásticas reduções. O que ocorre com ela, conforme indicamos ao analisar a população gorotire, é que a mortalidade, distribuindo-se igualmente por todas as classes de idade, reduz a população total sem subverter completamente sua composição etária.

A profunda depopulação nelas operante só se inscreve nas respectivas pirâmides de idade através de irregularidades de seus segmentos, que ora se ampliam, ora se estrangulam, indicando os mortos e os poupados em cada geração. Na composição total por idade apresentam certa consistência que justifica tratá-las como populações em condições de crescimento. A amostra da população urubu de que nos servimos apresenta 17,1% de indivíduos maiores de quarenta anos, 30,6% entre vinte e 39 anos, 21,2% de dez a dezenove e 31,1% de menores de nove anos. Os Kuikuro, da região dos formadores do Xingu, que só nos últimos dez anos experimentam contatos intensos com civilizados e cuja pirâmide é igualmente expressiva de condições de incremento, como se pode ver pela figura 3, na realidade não estão aumentando, mas, ao contrário, vêm sofrendo profunda redução.

Nos quatro casos defrontamos com populações preparadas para crescer, desde que sejam anulados os atuais fatores de depopulação. Vale dizer, nenhuma delas padece de condições estruturais desfavoráveis ao incremento. Ao contrário, todas apresentam tão alto grau de fertilidade que, apesar da mortalidade infantil em geral extremamente elevada, contam com altíssimas porcentagens de jovens. Os Kuikuro apresentam 33,8%, os Urubu 31,1%, e esses altos índices de natalidade é que lhes permitem fazer face à mortalidade geral e à mortalidade infantil, igualmente altas.

As quatro populações em foco nos mostram também que não se pode atribuir à mortalidade infantil a depopulação que vêm sofrendo as populações indígenas brasileiras, nem mesmo responsabilizá-la pelo não-crescimento dessas populações. No momento atual das estruturas demográficas analisadas, a mortalidade infantil é mero fator de estabilização populacional, que nem chega a pesar ponderavelmente como fator de depopulação, em vista do ônus enormemente maior representado por outros fatores que ceifam indivíduos de todas as idades. Demograficamente, ela nem consegue exprimir-se, pois, como vimos, as pirâmides são todas indicativas de altas proporções de crianças e jovens na população total.

São muito precários os dados disponíveis sobre natalidade e mortalidade infantil. Devemos nossas únicas indicações, neste campo, ao dr. João Leão da Mota, médico do SPI que realizou algumas observações diretas sobre estes problemas entre os índios Kuikuro, em 1954.

Analisando a fertilidade de trinta mulheres daquela tribo de 145 indivíduos, verificou que 27 delas tiveram pelo menos um

Tabela 5

Partos	*Mães*	*Nascimentos*	*Mortes*	*Sobreviventes*
1	6	6	2	4
2	2	4	2	2
3	5	15	7	8
4	3	12	5	7
5	4	20	12	8
6	1	6	5	1
7	4	28	20	8
8	—	—	—	—
9	2	18	10	8
Totais	27	109	63	46

filho vivo e que das três nuligestas duas eram menores de vinte anos e ainda podiam reproduzir.

Como se vê na tabela 5, a fertilidade kuikuro não é muito alta, embora entre as trinta mulheres de todas as idades que serviram de base ao cálculo preponderem, naturalmente, as jovens; elas geraram 109 filhos, ou seja, uma média de 3,63 partos por mulher adulta. A taxa de mortalidade é, porém, calamitosa: eleva-se a 56,4%, já que das 109 crianças sobreviveram apenas 46.

Em face da proporção de 35% de menores de dez anos na população kuikuro, como explicar a altíssima mortalidade calculada acima? Como pode uma população sofrer tamanhas baixas nas primeiras idades, conservando uma pirâmide indicativa de crescimento? O alto índice de natalidade explica por si só este saldo ou estaremos diante de uma taxa de mortalidade inflacionada nos últimos anos por uma letalidade especialmente elevada?

O problema só poderia ser resolvido se dispuséssemos de dados sobre a estrutura demográfica desses índios antes do contato, para comparação. Eles não existem, mas talvez possamos usar proveitosamente algumas indicações proporcionadas pelos estudos demo-

Tabela 6

Idade da mãe	*Mulheres*	*Nascimentos*	*Média*
Menos de 20	10	6	0,6
de 20 a 30	22	57	2,59
de 30 a 40	19	67	3,53
Mais de 40	24	128	5,33
Totais	75	258	3,44

gráficos de Karl E. Ranke (1898), realizados na mesma região em 1896, quando os índios apenas começavam a sofrer os efeitos das epidemias levadas pelos brancos. Estudando um grupo de 86 mulheres casadas de cinco aldeias indígenas xinguanas, Ranke constatou que elas geraram 360 crianças, ou seja, uma média de 4,1 filhos por mulher, sensivelmente mais elevada que a média encontrada pelo dr. Leão da Mota em 1954. Sobre uma amostra de 75 mulheres casadas, cuja idade pôde avaliar, ele colheu os dados da tabela 6, que exprimem a ascensão gradual do número médio de crianças por mulher, na medida em que crescem os anos de acasalamento.

Comparando os resultados com dados referentes à mulher alemã, então das mais prolíferas da Europa, Ranke mostra que a fertilidade da mulher xinguana nada ficava a lhe dever. Assinala, ainda, que a ascensão das médias de fertilidade por classes de idade é também muito parecida nas duas populações. Das 360 crianças da amostra de Ranke, sobreviviam 141 no momento da observação, o que representa um índice de 39,2% de sobrevivência ou uma mortalidade de 60,8%, sensivelmente superior à encontrada pelo médico do SPI, que foi de 56,4%. Assim, vemos que nascem hoje menos crianças no Xingu que ao tempo de Ranke, mas estas têm, apesar de tudo, maiores oportunidades de sobrevivência.

A julgar por estes dados, tanto os índices de fertilidade como os de mortalidade infantil kuikuro exprimem as condições naturais de estrutura demográfica tribal e não meros efeitos depopulacionais das primeiras etapas de convívio pacífico. Hoje, como no tempo de Ranke, as tendências de crescimento vegetativo e de decrescimento por morte nas primeiras idades se equilibram, permitindo a sobrevivência de elevadas porcentagens de menores na população total, ou seja, de 31% com menos de dez anos, segundo Ranke, e 35,2% em nossos dias.

O mais significativo contraste entre a população kuikuro estudada por Roberto e Gertrudes Carneiro em 1954 e as populações xinguanas surpreendidas por Ranke encontra-se na proporção relativa de suas classes etárias. Nas escalas de Ranke, os componentes de cada década eram proporcionalmente menores que os da anterior, ou seja, de 3,1% na primeira para 24,6% na segunda, 19,2% na terceira, 11,8% na quarta e 13,4% para os que excediam quarenta anos. Já na pirâmide kuikuro deparamos com 35,2% na primeira década, que caem para apenas 15,2% na segunda, ascendem a 21,3% na terceira, para novamente cair a 9,1% na quarta. O fato de a proporção de indivíduos entre vinte e 29 anos ser maior que a de indivíduos entre dez e dezenove se explica, aqui, pela presença nas aldeias kuikuro de um avultado número de pessoas vindas de outras tribos por casamento e que se encontram naturalmente naquela classe etária, provocando a desproporção. É de observar que, ao tempo de Ranke, esses casamentos eram raros, pois ele encontrou apenas um caso nas duas aldeias estudadas. Seu aumento deve-se à dispersão de várias tribos xinguanas que, tendo diminuído drasticamente de número, não puderam manter-se independentes, o que obrigou seus membros a procurar cônjuges fora do grupo. Voltaremos ao assunto ao tratar dos efeitos dissociativos da depopulação.

Cumpre examinar, agora, a estrutura demográfica de algumas tribos que há mais de um século mantêm convívio direto e, em alguns casos, maciço com populações rurais brasileiras. Todas elas venceram o teste de sobrevivência e, embora ainda con-

Tabela 7

DISTRIBUIÇÃO POR SEXO E IDADE DAS POPULAÇÕES KADIWÉU DO SUL DE MATO GROSSO (1948), KARAJÁ DE GOIÁS (1952), TENETEHARA DO MARANHÃO (1939 E CANELA DO MARANHÃO (1939).[8]

Classes de idade	*Kadiwéu*		*Karajá*		*Tenetehara*		*Canela*	
	Masc.	*Fem.*	*Masc.*	*Fem.*	*Masc.*	*Fem.*	*Masc.*	*Fem.*
Mais de 60	—	2	5	7	16	21	22	21
de 55 a 59	4	5	4	5	7	6	9	6
de 50 a 54	3	—	2	5	7	9	6	5
de 45 a 49	5	6	3	3	14	7	19	19
de 40 a 44	10	7	8	5	16	14	10	18
de 35 a 39	13	7	11	7	24	19	28	13
de 30 a 34	6	4	6	10	28	29	16	22
de 25 a 29	15	10	18	15	42	42	23	24
de 20 a 24	4	15	11	15	42	40	21	9
de 15 a 19	18	10	16	23	34	50	15	13
de 10 a 14	8	5	13	15	47	39	28	25
de 5 a 9	15	15	28	27	77	63	24	27
de 0 a 4	29	19	30	26	80	81	38	31
Totais	130	105	155	163	434	420	259	233
	235		318		854		492	

Figura 4

PIRÂMIDES DEMOGRÁFICAS REFERENTES À TABELA 7, REGISTRANDO-SE OS HOMENS À ESQUERDA E AS MULHERES À DIREITA

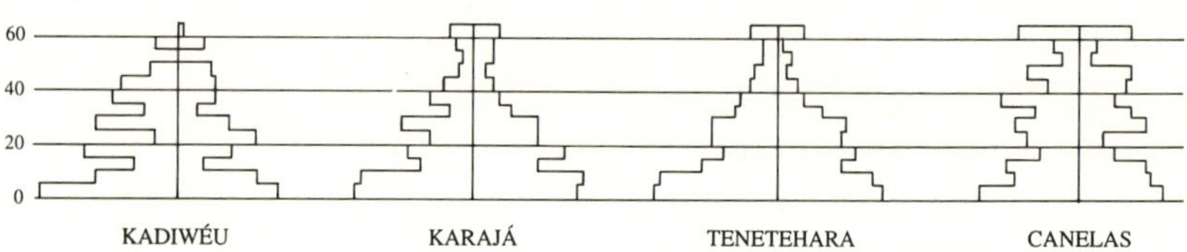

tinuem decrescendo em número, este declínio já se faz menos dramaticamente e todas indicam tendência à estabilidade demográfica, quando não a um incremento efetivo. Estão neste caso os Tenetehara-Guajajara das matas do Maranhão, os Canela da região de campos daquele mesmo estado, os Karajá da ilha do Bananal, em Goiás, e os Kadiwéu dos campos do pantanal no sul de Mato Grosso.

Os Tenetehara e os Karajá, apesar das profundas diferenças culturais e do tipo de vida, apresentam proporções muito semelhantes de classes etárias. Os Karajá contam 14,8% de indivíduos maiores de quarenta anos, 29,9% de indivíduos entre vinte e 39 anos, 21,1% entre os dez e dezenove anos e 24,9% de menores de dez anos. A longevidade relativamente baixa ainda exprime o ônus pago por esses índios às moléstias da civilização. O mais notável, porém, em sua pirâmide demográfica é a reação que ela exprime aos fatores de decrescimento através da longa base indicativa de populações em crescimento.

Um exame mais detalhado da composição etária nos mostra que, para cada cem menores de dez anos, as populações examinadas apresentam 60,4 indivíduos entre dez e dezenove anos, 53,1 na década seguinte e, daí em diante, 30,6; 17,1; 14,4, e, por fim, 10,8 para os que ultrapassaram os sessenta anos. Nenhuma das populações que foram vistas até aqui apresenta uma progressão que apenas se aproxime desta, como indicação de vigor demográfico. É de salientar que, segundo cálculos do dr. João Leão da Mota, os Karajá apresentam 3,71 partos por mulher adulta, média que só pode sustentar sua larga população jovem graças a uma mortalidade infantil menos rigorosa que a usual entre as populações indígenas estudadas.

Esses índios experimentaram as grandes epidemias e hoje elas não lhes causam os mesmos danos que no passado; estão encontrando também uma acomodação mais satisfatória à economia regional e, a prevalecerem estas condições, é de prever que a próxima geração seja mais numerosa que a atual. Tudo isto irá depender, naturalmente, da continuidade da assistência oficial que lhes tem sido assegurada e, também, de que não sucumbam à moléstia levada mais recentemente às suas aldeias, a tuberculose, que já lhes custou algumas vidas.

Nos Tenetehara, encontramos uma proporção infantil levemente superior e uma pirâmide que, pela maior regularidade do decrescimento dos vários segmentos de idade, exprime uma população mais organicamente estruturada e menos vulnerável aos fatores de depopulação. O prognóstico esperançoso que fizemos para os Karajá é válido para ela, portanto, com melhores razões. Aqui não se trata, como parece ocorrer com os Karajá, dos efeitos de uma assistência médica e social cuidadosa por parte do SPI, mas da reação da própria tribo, que depois de séculos de convívio pacífico acabou encontrando por si mesma uma acomodação satisfatória. Nos dois casos estamos diante de tribos que, não sendo tolhidas em seu incremento por fatores estruturais ou funcionais, conseguiram retomar o ritmo de crescimento depois de uma acomodação dramática às condições de vida que lhes foram impostas com o convívio pacífico.

Vejamos, agora, duas tribos que parecem lutar com os referidos fatores de retenção do crescimento, os Kadiwéu e os Canela. A pirâmide canela contrasta com todas as examinadas até aqui, pela mais alta expectativa de vida registrada. Sua composição etária constitui exemplo típico de uma população estabilizada, com natalidade relativamente baixa, refletida nos 24,4% de indivíduos menores de nove anos e com a mais alta longevidade encontrada entre as tribos estudadas, que se revela pelos 27,4% de indivíduos maiores de quarenta anos e, sobretudo, porque, para cada cem menores de nove anos, 35,8 ultrapassam os sessenta anos.

As duas tribos apresentam um padrão estrutural próprio, caracterizado pelo predomínio de indivíduos maduros e velhos na população total. Os Canela apresentam 59% de maiores de vinte anos e os Kadiwéu 50%. Semelhante predomínio só foi observado no caso dos Bororo e Parintintin, que também apresentam, respectivamente, 81,6% e 58% de maiores de vinte anos. Mas ali se tratava, obviamente, de grupos em processo de extinção provocada pela violência do impacto com a civilização, e essas altíssimas proporções de adultos exprimiam uma quase-ausência de crianças. No presente caso, esta explicação não é aceitável em vista do equilíbrio estrutural que apresentam as respectivas pirâmides.

Ao que parece, estamos diante de povos que conseguiram sustar o declínio após sofrer os efeitos daquele impacto, mas que, em vez de voltar a crescer no sentido de reproduzir o antigo montante populacional, estabilizaram-se em volta do número dos que sobraram depois de jugulada a depopulação. No caso dos Canela, o fenômeno deve estar ligado às condições de existência que lhes são impostas hoje pelo verdadeiro cerco de fazendas de criação instaladas em torno de suas aldeias e que reduziram a uma fração ínfima o antigo território de caça e coleta do qual tiravam a subsistência. Obviamente, esse grupo não poderia voltar ao contingente populacional ou às condições estruturais antigas simplesmente pela anulação das causas biológicas de decrescimento. Para isto seria necessária toda uma revolução no seu sistema adaptativo que os habilitasse a competir com as populações sertanejas e lhes propiciasse novas fontes de subsistência capazes de substituir as antigas, hoje muito reduzidas ou completamente esgotadas.

A mesma explicação não se aplica aos Kadiwéu, porque estes ainda detêm uma riquíssima reserva, capaz de assegurar a sobrevivência de um número muito maior que o atual, mesmo dentro das limitações de sua tecnologia. Tal não se explica também pela precariedade das condições de integração que alcançaram na economia regional, porque suas necessidades de consumo são ainda muito reduzidas e podem ser satisfeitas com uma pequena produção mercantil combinada com breves períodos de trabalho assalariado nas fazendas vizinhas. Aqui parecem operar certos fatores da dinâmica interna, que cerceiam seu crescimento hoje como já o faziam antes do convívio pacífico, mantendo estagnada a população.

Vasta documentação, embora toda ela indireta, nos mostra que as tribos indígenas brasileiras raramente apresentavam populações em incremento nas condições originais de isolamento. Cada uma delas, de modo próprio, parece ter alcançado um equilíbrio entre o sistema tecnológico, as condições ecológicas e certas práticas de contenção demogenética que só lhes permitiam reproduzir aproximadamente o mesmo contingente populacional. Esta é uma inferência direta, baseada no fato de serem muito raros os casos de populações que tenham crescido a ponto de exercer pressão sobre outros grupos, movidas pela necessidade de maior espaço vital. Os movimentos tribais de expansão documentados historicamente, mesmo as migrações tupinambá e o expansionismo guerreiro dos Guaikuru propiciado pela adoção do cavalo, comportam outras explicações que não a simples pressão por incremento da própria população. Por outro lado, conhecemos inúmeras tribos que, gozando de longos períodos de paz em vastos territórios não disputados por quaisquer outras, onde suas aldeias poderiam multiplicar-se, não o fizeram. Em nenhum caso encontramos a saturação das potencialidades demogenéticas de um território tribal, mesmo consideradas todas as limitações impostas pelos respectivos equipamentos tecnológicos. Tudo indica que atuavam certos fatores no sentido de impedir o crescimento das populações indígenas ainda quando viviam em condições de isolamento.

Entre os fatores de estabilização das populações indígenas está, em primeiro lugar, a incapacidade de seu equipamento tecnológico para fazer face aos ocasionais períodos de penúria provocados por secas ou outros cataclismos que eliminam, periodicamente, parcelas da população, frustrando possibilidades de crescimento. Talvez se possa explicar por fatores desta ordem o estrangulamento que revela a pirâmide demográfica dos índios

Kadiwéu na classe de idade correspondente aos nascidos entre 1934 e 1938, porque em nossa pesquisa junto àqueles índios não se revelou a incidência de doenças, emigração ou outra causa que possa justificar tão sensível redução.[9]

Mais que esses fatores, parecem pesar na estabilização demográfica certas práticas de restrição voluntária da natalidade, como a anticoncepção, o aborto e o infanticídio, copiosamente documentados em diversas tribos. Entre os índios Urubu, observamos que estas práticas estão associadas à impossibilidade de a mãe cuidar de mais de uma criança ao mesmo tempo, em virtude de pesar sobre a mulher uma série de atribuições às quais não pode esquivar-se e que ocupam todo o seu tempo. A mãe urubu-kaapor é obrigada a conduzir o filho durante todo o dia, carregando-o sempre a tiracolo, enquanto desempenha todas as tarefas, acompanha o marido pela mata, colhe alimentos na roça, apanha ou traz água; e o tem sempre sob suas vistas enquanto trabalha em casa. Nestas circunstâncias, é praticamente impossível cuidar de uma criança enquanto a primeira não se liberta da mãe, integrando-se no grupo de brinquedo da aldeia, o que só ocorre depois dos quatro anos. Assim, as próprias exigências do atendimento aos imaturos imprimem uma periodicidade quase obrigatória, de cerca de quatro a cinco anos, entre os filhos, a qual, projetada sobre a idade fértil das mulheres, que vai dos vinte aos quarenta anos, resulta no estabelecimento de um limite máximo de quatro a cinco filhos. Mesmo este máximo, porém, raramente se realiza, em virtude das freqüentes frustrações das gestações desejadas e consentidas; dos abortos casuais e da considerável perda ocasionada pela mortalidade infantil. Para evitar novos filhos, enquanto o último ainda está muito dependente de seus cuidados, a mulher kaapor utiliza desde processos anticoncepcionais, como o coito interrompido, até processos abortivos, tanto mecânicos como químicos. Os últimos pela ingestão de infusões de ervas ou macerações de raízes tóxicas.

Em algumas tribos, essas práticas de contenção demogenética alcançaram tamanho desenvolvimento que não apenas estabilizaram, mas provocaram verdadeira diminuição voluntária da população.

O caso dos Mbayá-Guaikuru, a que se filiam os Kadiwéu, é provavelmente o melhor documento.[10] Diversas fontes referem-se à extensão que alcançou entre eles a prática do aborto e mesmo do infanticídio, provocado quando aquele fracassava. O fenômeno, neste caso, parece estar ligado ao desenvolvimento de uma aristocracia ciosa de seus direitos sobre a camada servil formada por crianças tomadas de outras tribos. Rodrigues do Prado, que conviveu com eles nos primeiros anos após a confraternização com as populações brasileiras, relata que,

> [...] conhecendo 22 capitães que terá cada um perto de quarenta anos de idade e sendo todos casados, só um tinha uma filha, razão que me faz supor que esta nação vai acabar-se. (*Prado, 1908: 26*)

Efetivamente, naquele período os Mbayá-Guaikuru haviam praticamente substituído pelo roubo de crianças de outras tribos a própria procriação, como processo de manter e aumentar a população tribal. Segundo Ricardo Franco de Almeida Serra (1845: 211), de um total de 2600 Mbayá-Guaikuru que se instalaram por volta de 1803 perto do Forte Coimbra, que ele comandava, apenas duzentos seriam "verdadeiros guaikuru", todo o resto sendo um composto de índios Guaná, Xamacoco, Bororo e muitos outros por eles subjugados e integrados na tribo. Muito depois de perderem seu domínio senhorial sobre as outras tribos e verem desaparecer, assim, a oportunidade de conservar o corpo tribal através do rapto de crianças alheias, aqueles índios preservaram as práticas abortivas. Ainda em 1947-8, pudemos observar que elas continuavam atuantes e que o grupo apenas começava a suspeitar das racionalizações em nome das quais justificava o aborto e o infanticídio.

Analisamos, páginas atrás, uma amostra da população bororo colhida em 1932, quando contavam cerca de quarenta anos de convívio pacífico. Assinalamos, então, a extremamente baixa porcentagem de crianças (7,9%), que já permitia prever uma drástica redução da tribo, a qual efetivamente se verificou. Atribuímos o fenômeno, em parte, às práticas de contenção de natalidade, como a anticoncepção, o aborto e o infanticídio, várias vezes documentado entre aqueles índios (Steinen, 1940: 633; Colbachini & Albizetti, 1942: 45-6; Baldus, 1937: 120-3; Maciel de Souza, 1941). Os relatórios mais recentes dos funcionários do SPI que atuavam junto aos Bororo descrevem os esforços que faziam, sem qualquer resultado, para pôr fim a essas práticas. É provável que no curso do convívio pacífico essas práticas tradicionais tenham sido intensificadas. Entretanto, mesmo que se conservassem em nível igual ao do passado, afetariam mais rigorosamente a estrutura demográfica, porque agora viriam atuar sobre uma população onerada por uma mortalidade acentuadamente mais alta. Assim, de um mecanismo de estabilização demogenética da antiga conjuntura, essas práticas passaram a constituir novos fatores de depopulação.

Charles Wagley (1951: 95-103), comparando a reação de duas tribos tupi de sistema adaptativo muito semelhante — os antigos Tenetehara do Maranhão e os Tapirapé de Mato Grosso — ao impacto da civilização, explica o decrescimento da última, que se encontra em vias de extinção, e a relativa estabilidade demográfica da primeira pela ocorrência de certas práticas de restrição voluntária da natalidade. Assim, os Tenetehara, que não conheciam práticas abortivas ou o infanticídio e constituíam uma população em expansão, puderam fazer frente, com uma altíssima natalidade, à letalidade provocada pelas doenças e pela queda do padrão de vida, conseqüentes da integração na economia civilizada. Os Tapirapé, que praticavam o aborto porque suas mulheres não se permitiam ter mais que três filhos, entram em declínio demográfico.

Vemos, assim, que as crises da economia de subsistência, certas práticas de contenção demogenética e outras que constituíam, na vida tribal isolada, mecanismos de estabilização demogenética, continuando a atuar após o convívio com civilizados — quando cresce a letalidade —, passam a agir como fatores de depopulação. Isto condena a tribo a uma extinção irremediável, porque já recai sobre uma população depauperada pelas moléstias epidêmicas e pelas condições precárias de existência. A análise das estruturas demográficas tribais nos ensina, pois, que certas condições socioculturais podem predispor uma população ao extermínio por efeito do contágio de epidemias.

No primeiro padrão estrutural examinado, representado aqui por dois grupos kayapó, pelos Parintintin e pelos Bororo, deparamos com povos que já antes do convívio pacífico padeciam de condições desfavoráveis, as quais, agravadas depois por efeito das epidemias, comprometeram suas chances de sobrevivência, anulando quaisquer oportunidades previsíveis de recuperação.

No segundo padrão, compreendido na amostra dos Kaingáng paulistas, Xokleng, Kuikuro e Urubu, encontramos condições de incremento populacional, obliteradas pelo altíssimo ônus pago às epidemias e outras causas. Essas tribos terão, a julgar por suas estruturas demográficas, maiores chances de sobrevivência que as anteriores, uma vez juguladas as causas de depopulação.

Finalmente, no terceiro padrão, representado pelos Karajá, Tenetehara, Kadiwéu e Canela, nos defrontamos com populações escapes dos mais graves efeitos depopulacionais das epidemias, com possibilidades para progredir no sentido de uma estabilização ou de verdadeiro incremento. Isto dependerá, em primeiro lugar, da presença ou ausência de práticas de contenção demogenética que possam anular suas potencialidades de crescimento; em segundo lugar, das oportunidades que lhes forem oferecidas de desenvolver um novo sistema adaptativo, capaz de propiciarlhes mais satisfatórias condições de vida.

Nos dois casos estamos diante de fatores que deverão ser estudados nos capítulos seguintes, porque já não operam no nível de interação ecológica e biótica de que tratamos aqui.

Efeitos dissociativos da depopulação

Cumpre examinar agora os efeitos dissociativos da depopulação, que continuam operando muito depois de passadas as primeiras epidemias que a ocasionaram. Eles se fazem sentir desde os primeiros momentos, impondo profundas mudanças na distribuição e nas inter-relações dos vários grupos locais, no sistema associativo, na forma de família, de casamento, de todas as instituições tribais.

Encontramos exemplos típicos desses efeitos dissociativos nas tribos do vale do Gurupi, que corre entre o Pará e o Maranhão, na orla oriental da floresta amazônica. Essas tribos sofreram no século atual o impacto da civilização que avançou, ali também, armada principalmente de bacilos. As matas do Gurupi representaram, no fim do século passado, o papel de condensador das populações indígenas que fugiam ao contato com os civilizados; os Timbira vieram dos campos de Imperatriz, expulsos pelos criadores de gado; os Tembé e Amanayé do vale do Pindaré; os Urubu do vale do Acará, todos desalojados de seus nichos por extratores de drogas da mata.

São muito precários os dados de que dispomos sobre o montante da população indígena do Gurupi, mas eles dão uma idéia eloqüente de sua espantosa diminuição. Segundo Gustavo Dobt (1939), que fez um levantamento do Gurupi em 1872, os Tembé perfaziam então 6 mil almas e os Timbira quatrocentas ou quinhentas; já o recenseamento de 1920 nos mostra que estavam reduzidos, os Tembé a mil e os Timbira a duzentos; hoje, restam 120 dos 6 mil Tembé e apenas dez dos quinhentos Timbira (Krem-yé).

As aldeias que Dobt e Arrojado Lisboa (1935) viram tão numerosas e cheias de gente na segunda metade do século passado, vieram extinguindo-se desde então, dizimadas pelas epidemias e pelos esforços para se adaptar ao nosso sistema de produção. Periodicamente se juntavam os remanescentes de várias delas, já muito reduzidos, criando uma nova aldeia com população suficiente para manter uma economia comunal e certa vida social. Anos depois, esta, já incapaz de se manter independente, fundia-se às restantes. Assim, das 26 aldeias que existiam em 1910, restavam catorze em 1920, onze em 1930 e hoje sobram apenas três com cerca de vinte pessoas cada uma. As demais se dispersaram pelas barrancas do rio. Resta, pois, praticamente, uma única tribo no rio Gurupi: os Urubu, que vêm pagando um preço tremendo pelo convívio pacífico com os brancos e que, embora terrivelmente debilitados pelas constantes epidemias que periodicamente assolam suas aldeias, ainda conservam sua cultura original.

Com os índios Tapirapé do Brasil central, estudados deste ponto de vista por Charles Wagley (1942), ocorreram os mesmos fenômenos. Aquela tribo, que vivia em regiões da mata e tinha sua subsistência baseada na lavoura de mandioca e de milho, foi praticamente exterminada no curso deste século por doenças levadas pelos brancos. Tiveram seus primeiros contatos com civilizados por volta de 1909, mas antes disto já tinham sido atingidos por uma epidemia de varíola (1895) que lhes custara toda a população de uma aldeia e outra de gripe que desbaratara uma segunda, obrigando os remanescentes a se recolher às três aldeias restantes. Após o contato com os brancos, duas outras aldeias se extinguiram, ainda por efeito de doenças, inclusive a febre amarela e a gripe espanhola. Em 1935, todos os Tapirapé — cuja população era originalmente de mil pessoas, aproximadamente — somavam apenas 147, vivendo numa só aldeia.

Esta depopulação catastrófica prosseguiu depois de 1935, reduzindo os Tapirapé em 1947 a cerca de cem indivíduos (Baldus, 1948: 138) incapazes de se manter independentes por não poder fazer frente aos ataques dos Kayapó e porque, assim reduzidos, não poderiam viver segundo os moldes tradicionais. Hoje, a tribo conta cerca de quarenta pessoas, a maioria das quais enfraquecida pelos efeitos acumulativos das várias moléstias que experimentaram e, portanto, com baixa expectativa de vida.

Charles Wagley demonstra que tão devastadora redução de população afetou toda a vida social dos Tapirapé. Começou por diminuir o número de aldeias até restringi-las a uma, frustrando, assim, todo o elaborado sistema de relações intergrupais que mantinham antes; depois, desarticulou a unidade social mais operativa, que era a família extensa, pela inclusão de remanescentes de aldeias extintas; desintegrou os segmentos sociais que controlavam as atividades coletivas, econômicas e cerimoniais; e, ainda, afetou os arranjos matrimoniais, criando dificuldades para a obtenção de cônjuges.

Como se vê, a depopulação tem conseqüências específicas sobre o funcionamento da vida social, independente das mudanças culturais ocasionadas pela adoção de novos elementos, como ocorre no processo de aculturação. É que um sistema social qualquer, mesmo o mais simples, só pode operar à base de um número mínimo de membros, o qual, uma vez diminuído, impossibilita a vida social dentro dos moldes tradicionais.

Quando se trata de grupos estruturados de forma altamente complexa, como as tribos Jê, por exemplo, este mínimo pode ser rapidamente atingido, gerando problemas de redefinição de valores e readaptação de instituições que podem levá-las a um colapso. Esse é o caso dos Kaingáng paulistas, que tinham uma organização social baseada em metades patrilineares, exógamas e não localizadas; essa divisão dual era completada por um sistema de subdivisões clânicas que regulavam a atribuição dos nomes pessoais, tinham certas incumbências cerimoniais e regulamentavam o casamento. Os membros de uma metade designavam-se *kai-kê*, que significa parente ou pessoa com quem não se pode casar; os da metade oposta eram *getukê*, ou casadoiros. Assim, duas pessoas só se podiam casar quando, além de pertencer a metades opostas, ainda fossem filiadas a certos segmentos destas. Não só o casamento, como todo intercurso sexual entre membros da mesma metade ou de certos segmentos de metades opostas, era tido como incestuoso e punido com a morte. Em alguns casos concretos, que nos foram relatados pelos Kaingáng paulistas, o casal incestuoso foi morto pelos próprios parentes clânicos: cortaram-lhes as juntas dos braços e das pernas de modo a fazê-los esvair-se em sangue.

A enorme mortalidade provocada pelas epidemias atingiu desigualmente os vários segmentos da organização social kaingáng, de modo que, poucos anos depois da pacificação, alguns deles estavam muito reduzidos e outros haviam desaparecido completamente. Nessas circunstâncias, alguns indivíduos se viram impossibilitados de obter cônjuges, porque haviam morrido todas as pessoas com as quais podiam casar-se segundo as prescrições tribais. O sistema começou a desorganizar-se, mas guardou seu poder de impor sanções até muito depois de se ter tornado impraticável; e os primeiros casais que procuraram romper as regras de incesto, não pelo casamento mas por simples relações ocasionais, foram justiçados segundo prescrevia a tradição.

O dr. Horta Barbosa, que dirigia o posto onde viviam aqueles índios, compreendeu logo o problema e se viu obrigado a manter severa vigilância sobre os jovens que mostravam tendência a se acasalarem, a fim de transferi-los para outro posto onde viviam índios Guarani. Foi considerável o número desses Kaingáng exilados devido à concepção tribal de incesto e que só depois de vários anos de acasalamento puderam voltar ao convívio da tribo. Lentamente o sistema foi perdendo seu poder de impor sanções capitais. A simples pena de morte foi substituída por espancamentos aplicados nas mulheres incestuosas e, por fim, o grupo conseguiu estabelecer uma acomodação. Os casais incestuosos podiam viver junto do próprio grupo, mas apresentavam-se como "irmãos" e não se permitiam procriar. Essa foi uma das causas da queda de nascimentos, que depois chegou a uma ausência total durante vários anos. Os casais incestuosos viviam numa situação de compromisso mantida pelo consenso geral da tribo. Todos "ignoravam" sua situação de acasalamento e se negavam até mesmo a admitir que gerassem filhos. Quando chegava a ocasião do nascimento, a mulher rumava para a mata com o marido, conforme sempre se fizera para o parto, mas agora dizendo que iam à caça; voltava descansada e sem a criança. Conhecemos em 1953 um desses casais incestuosos que se apresentavam como primos ou irmãos, explicando que apenas moravam juntos. E naquele caso se tratava de um parentesco puramente conceitual, porque a irmandade clânica fora socialmente atribuída à mulher, que era uma Ofaié apanhada quando criança durante um conflito entre as duas tribos, mas fora atribuída à mesma metade do seu atual "marido" ou "primo".

O sr. Érico Sampaio, que dirigiu por mais de vinte anos o posto onde vivem os remanescentes da tribo Kaingáng, conseguiu romper o impasse apresentando-se como primo de sua esposa e explicando que não havia mal em que parentes se casassem e procriassem. Só depois de convencer o velho líder Kaingáng de então, os casais começaram a voltar da mata trazendo as crianças que geravam.

A depopulação teve conseqüências semelhantes sobre os índios Urubu-Kaapor, que têm uma organização social muito mais simples que a dos Kaingáng. Encontramos em suas aldeias diversos homens que não haviam conseguido esposas e muitas mães que, preocupadas com o casamento de seus filhos, rememoravam toda a parentela, a fim de procurar uma moça que pudessem pleitear como nora.

O sistema de parentesco é que regula entre esses índios a maior parte do comportamento recíproco, estabelecendo uma regulamentação mais ou menos rigorosa das relações sexuais. Designam os parentes afins pelos mesmos termos que os consangüíneos, de modo que uma certa relação de consangüinidade equivale a uma possibilidade atual ou potencial de intercurso sexual e de casamento.

Os irmãos do pai e da mãe do mesmo sexo que estes são também chamados *pai* e *mãe*; aos de sexo diferente, designam por termos também aplicados ao *sogro* e à *sogra*; e aos filhos destes, designam por termos que equivalem a *cunhado* e *cunhada*. Correspondendo às diferenças de terminologia, o comportamento para com esses *sogros* e *cunhados* potenciais é inteiramente diverso daquele que dão aos parentes biológicos equivalentes, designados como *pais* e *irmãos*. No primeiro caso mantêm um tratamento evitativo, refratário a motejos sempre que tal parentesco seja abertamente revelado; enquanto, no último, é mais expansivo e muito semelhante ao que mantêm com os pais e irmãos verdadeiros.

As mesmas regras se aplicam aos filhos dos avós, bem como aos parentes de sua própria geração e da geração dos filhos e netos. Assim, normalmente, um indivíduo deveria ter diversos parentes aos quais chamaria sogros, cunhados e genros, vale dizer, várias pessoas que podiam pleitear como cônjuges próprios ou dos filhos, já que o casamento com eles é considerado ideal. Com a redução drástica sofrida pela tribo, muitas pessoas perderam suas parentelas, vendo reduzir-se, assim, suas oportunidades de obter cônjuges. O casamento com pessoas não aparentadas é teoricamente possível, mas é muito difícil para um índio Kaapor encontrar na própria tribo indivíduos com os quais não tenha qualquer relação de parentesco. E, mesmo quando isto ocorre, não resolve seu problema porque essas pessoas provavelmente terão seus próprios parentes, que têm preferência para tomá-las como cônjuge.

O número de homens e mulheres entre os índios Urubu está ainda equilibrado, mas diversos homens têm mais de uma mulher. As mulheres geralmente são, entre si, mãe e filha, ou irmãs; e algumas moças continuam solteiras, embora tenham ultrapassado a idade comum de casamento. Somente o efeito dissociativo da mortalidade sobre o sistema tribal de regulamentação do casamento pode explicar essa situação e, também, os pré-casamentos que se vão tornando comuns entre homens maduros e meninas impúberes. Através dessa forma de casamento, o homem assegura para si imediatamente um cônjuge, que normalmente só poderia obter anos mais tarde, evitando que outro se adiante, apelando para um parentesco mais remoto. Os cônjuges dessa ordem que conhecemos viviam em casa dos pais das meninas, numa condição de grande dependência em relação aos sogros, e, ao menos teoricamente, não deveriam manter intercurso sexual com suas pequenas esposas até que estas chegassem à puberdade.

Trata-se de um arranjo através do qual os homens que não conseguem obter uma verdadeira esposa resolvem o problema capital de ter quem lhes prepare os alimentos, supra a casa de farinha, água e lenha e execute toda uma série de outras tarefas indispensáveis atribuídas às mulheres. Essa solução lhes proporciona também uma forma de viver mais cedo o papel de homem, para cujo desempenho a sociedade os preparou sem lhes dar oportunidade de fazê-lo: passam a ter um lugar entre os homens maduros e responsabilidade na manutenção de uma casa.

Como conseqüência da primeira epidemia de gripe, os Xokleng perderam duas instituições da maior importância: o cerimonial que reunia anualmente toda a tribo para furar os lábios dos meninos e dotá-los de botoques, emblema principal da tribo, e a cremação dos mortos. O primeiro porque, em vista do abatimento em que caíram, não tinham ânimo para festanças; e o próprio SPI procurava impedi-las, como no caso dos Kaingáng paulistas, a fim de evitar grandes aglomerações, sempre seguidas de fatais ataques de gripe. E a cremação porque se tornara impossível fazer grandes piras fúnebres para tantos mortos.

Outra conseqüência imediata dessa mortalidade foi a orfandade de grande número de crianças. O SPI procurou fazer com que casais aparentados as tomassem para criar; mas eles mostravam pouco interesse e alguns até se negavam a aceitá-las. Nessas condições, embora contrariando as diretrizes do serviço, o posto foi obrigado a organizar um orfanato para criar e educar essas crianças, cujo número alcançava duas dezenas. Assim, ao lado da tribo e em íntima associação com ela, constituiu-se um grupo que viria a representar um papel capital em seu destino, porque teria oportunidade de assimilar mais profundamente os modos de fazer, de pensar e de sentir da sociedade em que a tribo era chamada a integrar-se.

Até mesmo o parto, que constituía um ato fisiológico normal, ocupando apenas o casal interessado ou alguns parentes que cuidavam do nascituro enquanto a mãe se lavava, tornou-se um acontecimento dramático. Ouvimos do pacificador desses índios o relato de partos antigos e atuais, e a distância que vai de uns a outros é espantosa. Aqui parecem ocorrer dois fenômenos: um, cultural, pois a mulher xokleng aprendeu a sofrer as dores do parto e a aguardá-lo como uma provação; outro, fisiológico, constituído pelas complicações que sobrevêm freqüentemente, como a febre puerperal que agora a ameaça, não obstante vários cuidados higiênicos antigamente desconhecidos e impossíveis.

Ao tempo da pacificação, a mulher tinha seus filhos no descampado, junto da aguada ou num abrigo especialmente armado para isto, se estivesse acampada junto a grupo numeroso. Ajoelhava-se, sentada sobre os calcanhares, e fazia força; quando sentia que a criança começava a nascer, suspendia os joelhos do chão e tomava o nascituro nas mãos. Criança e placenta eram expelidas sem interrupção, podendo a mãe ou a ajudante, quando havia, cortar o umbigo já fora do corpo. Usava-se para isto a lâmina de uma flecha comum do marido e depois dava-se um nó na porção do umbigo presa à criança.

Após o parto, a mãe ia ao córrego lavar à criança, voltando à casa ou ao rancho especial, quando existia. Nos dias seguintes era recomendável que tanto a parturiente como o pai comessem carne de bugio ou outro macaco, sendo que o homem os devia caçar. Mas nem sempre isto era possível, o que não constituía grave problema. Não havendo outra mulher que lhe trouxesse a lenha e a água necessária à casa, ela própria ia buscá-la e não interrompia seus misteres de cozinheira.

Os Xokleng de hoje nascem na cama entre gritos lancinantes; a parturiente é rodeada pela família e pelas amigas, todos certos de que ela vai viver momentos de terrível sofrimento. Algumas índias, depois de se espremerem, ajudadas pelas comadres, e de gemerem bastante, agacham-se no chão e têm o filho segundo o velho processo, de que se envergonham muito, pois deste modo "parem os bichos e não gente". O nascituro exige hoje cuidados especiais para defendê-lo contra o tétano de umbigo que fatalmente sobreviria se tratado com os antigos processos.

Outra mudança da mesma ordem afetou profundamente os Xokleng. As jovens da tribo, embora mantivessem relações sexuais livremente desde muito antes da menarca, prosseguiam, depois desta até o casamento, sem que resultasse em fecundação. Os velhos índios asseveram que não se tratava de práticas anticoncepcionais ou abortivas, simplesmente elas não concebiam. Alguns anos após a pacificação, essas relações pré-maritais tornaram-se fecundas, e a tribo viu com verdadeiro escândalo meninas de doze e treze anos engravidarem e terem filhos. Suas novas condições de vida afetavam também a intermitência dos partos. Enquanto viviam em bandos nômades pela mata, as mulheres só voltavam a engravidar quando a última cria já tinha três ou quatro anos; hoje, o intervalo se abreviou para dois e até mesmo para um ano apenas.

Os índios Umutina do rio Sepotuba, norte de Mato Grosso, pacificados em 1918, foram igualmente reduzidos em número por uma epidemia de sarampo que os atacou dois anos depois. A primeira conseqüência foi ficarem órfãs muitas crianças, obrigando o SPI, como ocorrera junto aos Xokleng, a criar uma instituição para educá-las. Com essas crianças, alguns casais umutina que manifestaram o desejo de abandonar a vida tribal e algumas famílias pareci marginalizadas, o SPI fundou o Posto Fraternidade Indígena, onde as crianças foram criadas em companhia de sertanejos, integrando-se nos estilos de vida da população rural mato-grossense. O restante da tribo conservou-se na mata, vivendo de acordo com a tradição tribal, mas ali mesmo foi atacado, anos depois, por uma epidemia que vitimou principalmente as mulheres, obrigando os sobreviventes a se recolher ao posto pela impossibilidade de manter, sem elas, uma vida independente.

Os índios submetidos a esse processo de extinção e desorganização tomam perfeita consciência dele. Nos relatórios do SPI surpreendemos diversas passagens em que eles incriminam seus pacificadores pelo logro que representou o convívio pacífico, para o qual foram tão manhosamente atraídos e que lhes custou um preço tão alto.

O pacificador dos índios Umutina, que viu definhar e quase extinguir-se em poucos anos o povo altivo e vigoroso que tirara da mata, ouviu deles queixas amargas. Quando levava à aldeia socorros tardios e insuficientes, após a epidemia de sarampo que reduzira o grupo de trezentas para duzentas pessoas, os encontrou "como espectros de cadáveres e não como os valentes Barbados que pacificara". O líder da tribo, ao deparar com ele depois de ver expirar a própria esposa, vitimada pelo sarampo, perguntou: "De que serve tanta farinha e roupa, se morremos das moléstias que vocês nos passaram?".

Eduardo de Lima e Silva Hoerhen, pacificador dos Xokleng de Santa Catarina, dizia-nos que, se pudesse prever que iria vê-los morrer tão miseravelmente, os teria deixado na mata, onde ao menos morriam mais felizes e defendendo-se de armas na mão dos bugreiros que os assaltavam. Esse homem, depois de uma vida inteira dedicada a pacificar os Xokleng e encaminhá-los para a civilização, os ouviu dizer que ele era o único culpado de suas misérias:

> Fizeste-nos descer para junto de ti, só para nos matar com tantas doenças. Antigamente nos matavam a bala, mas nós também matávamos. Agora, tu nos matas com *kozurro* (gripe), sarampo, malária, coqueluche e outras doenças. Os *zug* (brancos) são culpados da desgraça em que caímos.

Em diversas ocasiões, esses desabafos não foram simples lamentos, mas ameaças de acabar com o pessoal do SPI e voltar às matas para guerrear os brancos, o que já era impossível, quando mais não fosse porque só junto aos civilizados encontrariam remédios para as pestes que os matavam.

Sobre a eficiência da medicina dos brancos, em relação aos recursos de que antes dispunham, algumas tribos desenvolveram toda uma teoria. Encarando as doenças como seres sobrenaturais, que podiam ser evocados ou exorcizados, diziam que só os remédios dos brancos podiam curar a gripe, o sarampo e outras moléstias, porque elas eram provocadas pelos próprios brancos. Como argumento indiscutível mostravam que essas moléstias só faziam vítimas entre eles.

Não fosse o risco de transformar este livro num catálogo de casos, poderíamos multiplicar os exemplos não só da ocorrência das várias moléstias citadas em outras tribos como da amarga atitude dos índios para com aqueles que os chamaram à paz, após o ataque das epidemias, quando se tornaram conscientes do preço que pagam pelas ferramentas supercortantes, pelos panos com que começam a cobrir uma velha nudez da qual ainda não aprenderam a envergonhar-se e pelo sal que faz mais apetecida uma comida cada vez mais escassa.

10 AS COERÇÕES SÓCIO-ECONÔMICAS

Examinamos até aqui o processo de sucessão ecológica e interação biótica a que são submetidos os grupos indígenas alcançados pelas fronteiras de expansão da sociedade brasileira, antes mesmo que se estabeleçam contatos diretos e contínuos entre índios e civilizados. Simultaneamente a esse processo opera um outro no nível sociocultural, determinando uma intensificação da interação e dando lugar a profundas mudanças que acabam por afetar toda a vida tribal.

Vimos como as tribos indígenas são subjugadas e desorganizadas através da imposição do convívio pacífico, da restrição do território tribal, da subjugação étnica, e dos efeitos dissociativos da depopulação e do debilitamento físico conseqüente de moléstias. Cumpre examinar, neste capítulo e no seguinte, o processo através do qual os índios, em muitos casos tornados inermes por aquelas compulsões, são integrados nos estilos de vida e na estrutura econômica da sociedade nacional, como consumidores, como produtores ou como reserva de mão-de-obra. Aqui veremos como elementos culturais estranhos, tais como os instrumentos de metal e outros, uma vez introduzidos no equipamento tribal de ação sobre a natureza, atuam de duas formas sobre a cultura: criando necessidades cuja satisfação imporá relações de subordinação com agentes da civilização e provocando mudanças culturais mais ou menos profundas.

O equipamento civilizador

O índio vê o civilizado que avança sobre sua aldeia como representante de uma tribo poderosa e cruel, mas também como o detentor de um equipamento que lhe impõe o maior respeito e é motivo da mais viva cobiça. São as armas de fogo, os instrumentos supercortantes, os panos, os adornos e uma série de outros bens que vão sendo revelados aos índios à medida que se estreitam os contatos. Em todas as pacificações esse equipamento desempenhou papel capital. Foi "cevando" os índios, acostumando-os a um suprimento fácil e regular desses bens, que o Serviço de Proteção aos Índios realizou suas espetaculares pacificações. Em muitos casos os índios já conheciam alguns desses elementos, obtidos indiretamente, o que facilitou a aproximação graças ao prestígio que os detentores de tais maravilhas adquiriam aos seus olhos, malgrado toda a experiência tribal que ensinava a encarar gente tão bem aquinhoada como feroz e traiçoeira.

Eduardo de Lima e Silva Hoerhen ouviu dos Xokleng uma narração meio mística, meio histórica referente ao primeiro encontro da tribo com representantes da civilização, a qual ressalta a importância do instrumental de ferro. Aqueles índios viviam nas matas ricas de pinhais do estado de Santa Catarina, tirando sua subsistência da caça e da coleta exclusivamente. Essa economia primária exigia a cobertura de áreas enormes, que as várias hordas de cerca de quarenta indivíduos percorriam continuamente, acampando num lugar enquanto houvesse frutos a colher e até que decidissem ir adiante, em perseguição a um bando de porcos selvagens ou em busca de outra caça. Periodicamente desciam ao longo dos rios que demandavam a costa, provavelmente para comer ostras e mariscos.

Numa dessas andanças um bando deparou, com enorme espanto, uma estrada diferente de todas as que tinha visto até então: uma simples picada; porém tinha de extraordinário a forma como os arbustos haviam sido cortados. Em vez do simples torcimento — que era o único modo que eles conheciam de afastar os ramos que vedavam a passagem — ali os ramos estavam decepados de uma maneira nova. Juntaram-se para comentar o fato, fizeram conjecturas e prosseguiram, com cuidado, à procura dos responsáveis por aquela obra. Adiante, na mesma picada, encontraram algo mais extraordinário: uma árvore de porte regular tombada pelo mesmo processo. Examinaram detidamente o corte, conjecturaram novamente com maior fantasia e foram para a frente, com cuidados redobrados. A picada ia ter na praia, mas antes de alcançá-la viram um rastro ainda mais estranho que os cortes — que animal o teria deixado? Na praia admiraram vários deles impressos recentemente na areia. Aumentaram a cautela e puseram-se a pesquisar; as pegadas tanto se dirigiam para o oceano, parecendo ir mar adentro, como se espalhavam pela costa. Só podiam explorar estas últimas, mas, temendo fazê-lo a descoberto, procuraram a orla da mata e prosseguiram, vagarosamente, atentos, prontos para o encontro. De vez em quando um deles se destacava mais para ver se as pegadas continuavam pela praia afora. Ao entardecer, foram chegando a um lugar muito marcado de rastros e logo depois divisaram uma casa de pano, vendo de muito longe estranhos bípedes andando em torno dela. Discutiram longamente quando deveriam atacar e, decidindo pela madrugada como a hora mais propícia, puseram-se a esperar.

Mas a noite era longa demais para conter a curiosidade em torno daqueles seres e seus instrumentos supercortantes. Avançaram antes do amanhecer, e era ainda noite quando rodearam a barraca e mataram todos os seus ocupantes. Em seguida puseram-se à procura dos instrumentos supercortantes, tateando toda a barraca; logo um deles encontrou um machado que, experimentado ali mesmo, mostrou suas qualidades; outros encontraram facões e facas. Aguardavam com igual ansiedade o amanhecer para examinar os cadáveres e melhor vasculhar o abrigo. Por fim, às primeiras luzes da manhã puderam ver a gente barbada e cabeluda que haviam matado. Despiram os cadáveres para examinar com todo o cuidado cada palmo dos corpos e, não satisfeitos com isto, os colocaram de pé, sustentando-os com varas para olhar de mais longe o aspecto que tinha gente tão estranha. Examinaram detidamente o toldo, os panos em que estavam envoltos os corpos e as bolsas que escondiam os pés tão delicados, responsáveis por aqueles rastros estranhos. Exploraram todo o acampamento e acharam panelas feitas do mesmo material que os machados e facas. Essas, não lhes parecendo ter utilidade, meteram medo e foram quebradas. Levaram somente os machados, os facões, as facas pequenas e outras facas longas, finas, provavelmente espadas não cortantes que quebraram em pedaços para afeiçoá-las aos seus misteres. Depois, esfacelaram o crânio dos mortos para que não tornassem a viver, puseram fogo em tudo e se dirigiram ao mato mais próximo para pôr à prova a nova riqueza conquistada. Experimentaram demoradamente os instrumentos em toda sorte de madeiras, cada vez mais encantados com sua eficiência. Pareciam dotados de uma força extraordinária e nunca se cansavam de usá-los. Todo aquele dia os índios passaram cortando, cortando sem cessar.

Dali voltaram a toda a pressa para onde estava o grosso da tribo, levando a grande notícia e as provas de sua façanha. Em breve, todos os bandos desciam ao longo dos rios que demandavam o mar, para conhecer o local do encontro e, talvez, conquistar também algumas daquelas maravilhas. A essa altura já não estavam vivos e ilesos todos os conquistadores de tão extraordinários troféus. Guerreiros mais fortes sentiram-se com mais direito a eles e fizeram valer suas convicções. Durante muito tempo mantiveram-se na costa, explorando toda a extensão que podiam alcançar, à procura de novos encontros. Outros brancos vieram, novas lutas se travaram e mais instrumentos supercortantes foram conquistados.

Por essa época, começou a acirrar-se o ódio entre os diferentes bandos e os conflitos tornaram-se mais freqüentes e mais sangrentos. A cada ataque correspondia uma vindita, aprofundando ainda mais os ressentimentos. Agora, para a guerra aos estranhos ou aos irmãos de tribo, além do estímulo de alcançar o galardão de herói e de aprisionar as mulheres dos vencidos, surgira um novo: tomar-lhes as ferramentas supercortantes conquistadas ao estranho povo de pele branca coberta de pêlos. As peças de metal, obtidas por apropriação direta e sem a mediação de contatos propriamente culturais, levaram a formas próprias de adoção e afeiçoamento dos instrumentos de corte. Assim é que os índios Xokleng, antes da pacificação, já estavam armados de guarantas, que eram pesados tacapes dotados de enormes lâminas de aço numa das extremidades, e usavam flechas com ponta de metal. Supriam-se desses materiais atacando civilizados, principalmente os colonos alemães aos quais tinham sido entregues as terras daqueles índios.

Em muitos casos, a conquista de utensílios de metal alcançava um valor de troféu de guerra que chegava quase a superar a sua utilidade. Isto se deu com os índios Parintintin do rio Madeira, que se supriam de ferramentas atacando os seringueiros. De tal modo valorizavam essa espécie de troféus que, embora as turmas de pacificação do SPI se esforçassem por ofertar-lhes ferramentas a mancheias, faziam todo o possível para dar um aspecto de combate aos encontros, a fim de que esses bens tão cobiçados tivessem o caráter de presas de guerra e não de meros e prosaicos brindes.

Em seus relatórios, Curt Nimuendaju narra os ingentes esforços despendidos para dissuadir os Parintintin de seu empenho em dar um aspecto de pilhagem ao simples recolhimento de brindes. Durante os primeiros meses de trabalho, os jiraus pejados de ferramentas e outros bens, dispostos nos pontos de passagem daqueles índios, eram acintosamente assaltados em meio a correrias barulhentas. Embora não tivessem dúvidas sobre seu caráter de dádivas espontaneamente ofertadas, os Parintintin preferiam um facão ou um colar de miçangas "conquistado" em combate ao inimigo que as mesmas peças caritativamente doadas.

Para esses grupos indígenas hostis ou arredios as ferramentas tinham um duplo valor: sua inigualável utilidade e troféus dos mais apreciados. Cada objeto de metal que conseguiam era usado até um ponto que pareceria impossível a um civilizado. O bem mais precioso de um pequeno bando paim em guerra com o grosso da tribo parintintin e com os civilizados, quando foi pacificado pelo SPI, em 1929, era uma estreita lâmina de aço de 1,5 polegada de comprimento, engastada em cera, que o dono trazia pendurada ao pescoço. Sem ter jamais alcançado a metalurgia, esses índios vieram a conhecer os metais e se tornaram tão carentes deles que estavam dispostos a qualquer sacrifício para obtê-los.

Encontramos nas aldeias urubu algumas lâminas de flechas que haviam sido fabricadas a partir de grossas chapas de aço e até de velhos machados. Isto significa que foram necessários meses de árduo trabalho para dar a forma desejada, pois os Urubu o faziam simplesmente martelando as peças de metal uma sobre a outra e polindo-as com pedras. Deste modo conseguiam transformar um machado, uma foice ou uma enxada numa lâmina longa e cortante, com a forma aproximada de suas antigas flechas de taquara.

Outros implementos industriais eram disputados pelos índios por seu mero valor simbólico, independente de qualquer vantagem que lhes pudesse trazer. Mais de um viajante encontrou, em aldeias remotas, balas de carabina 44 enroladas em enormes novelos de fibras e que lhes foram exibidas com a maior reverência, como quem mostra o que há de mais precioso e mais raro. E esses índios não tinham armas com que deflagrar as balas tão cuidadosamente conservadas.

Os índios Xikrin, pacificados pelo SPI em 1953, fornecem outro exemplo dessa tendência. Assim que se apresentaram no posto de atração, manifestaram um desejo veemente de obter tesouras, preferindo-as a facões, machados, facas e tudo o mais que lhes era oferecido. Pediam e exigiam tão insistentemente que foi necessário mandar por avião uma carga de dúzias de tesouras de todas as formas e tamanhos para satisfazê-los. Hoje devem ser o grupo humano percentualmente mais rico desses implementos. Como explicar tão decisiva preferência? Conjeturamos que durante anos só possuíram uma ou tão poucas tesouras que sua posse deve ter emprestado ao dono um prestígio muito maior que a sua utilidade para cortar cabelos, único uso que lhes dão. O que desejavam, nesse caso, não era simplesmente a tesoura-instrumento, mas o prestígio de que fora investida e que a pacificação desmoralizaria com uma verdadeira inflação de tesouras. Esses índios tinham algumas armas de fogo, facões e outras ferramentas e contavam com um meio mais ou menos satisfatório de obtê-las, que era a guerra aos seringueiros e castanheiros, mas o que lhes movia o coração eram as tesouras, peças raras na carga dos sertanejos com que se defrontavam.

Um bando da mesma tribo, os Kubenkranken, obteve em 1935 a primeira carabina, deixada por um missionário em troca de uma criança destinada à catequese. O menino fugiu do primeiro pouso, mas a arma multiplicou-se. Hoje têm dezenas delas e sabem utilizá-las à perfeição. Para esses índios, envolvidos por um cerco invasor que dia a dia se fechava e avançava à força das mesmas carabinas, obtê-las a qualquer custo era uma questão vital. Sua fonte de suprimento tanto das armas como das munições foi, até recentemente, a guerra contra os seringueiros, que assumiu, desta forma, o caráter de um empreendimento econômico, pois não tinham outro modo de obter aqueles artigos tornados essenciais. Os índios da região do rio Xingu exemplificam uma situação particular em que tribos de cultura homogênea recebem instrumentos de metal e os integram ao seu patrimônio com pequenos reajustamentos. Segundo o testemunho de Eduardo Galvão e Mário Simões,

> a introdução de ferramentas de ferro trouxe aos xinguanos um aumento de produtividade, reforçando uma economia de subsistência que, pelas observações de Steinen, já era bem equilibrada naquela época. Por outro lado, determinou o desaparecimento no comércio intertribal do monopólio mantido pelos Trumai e Suyá da fabricação de machados de pedra, obrigando aqueles a lançar mão de outro produto de troca, como o "sal", também fabricado pelos Waurá. Idêntica alteração ocorreu com a cerâmica utilitária das tribos Aruak (Waurá e Mehinaka), pois, com exceção das grandes panelas para manipulação da mandioca, as demais têm sido substituídas por recipientes de folha-de-flandres e alumínio. Essa importação de implementos de ferro e alumínio alterou o comércio intertribal dos artigos de pedra e barro, o qual proporcionava aos Trumai, Waurá e Mehinaka um certo acúmulo de riquezas e prestígio.
>
> Ao mesmo tempo nota-se um enfraquecimento no artesanato indígena no que se refere às peças de adorno, não obstante a solicitação crescente promovida pelas visitas de forasteiros. Assim, colares de conchas, capacetes de penas, braçadeiras, bancos de madeira zoomórficos, panelas e vasos zoomórficos, que antes constituíam importantes elementos no comércio intertribal, hoje deixaram de ser especialidade de alguns grupos tribais, para passar a ser artesanato individual de determinados representantes dessas tribos. Tais artefatos não mais funcionam como produtos de troca ou escambo entre as aldeias, e sim entre esses indivíduos e elementos de fora. Isso provocou ainda uma reformulação nos valores tradicionais desses elementos de troca, porquanto se trocavam no comércio intertribal arcos, panelas e outros objetos, à base do elemento de maior valia naquela época, que eram os colares de conchas fabricados pelas tribos karib, hoje superados inteiramente pelas miçangas de origem européia ou por armas de fogo. Conseqüentemente, redundou no fato de todo o artesanato ficar fora do poder aquisitivo do índio, passando a ser do índio para o visitante de fora. (Galvão & Simões, 1966: 47)

A aquisição de ferramentas representa para os índios uma vantagem objetiva imediata, simplificando e tornando menos cansativa uma série de tarefas que antes deviam executar com instrumentos de pedra, ossos, dentes, conchas etc. O trabalho de derrubar, cortar, serrar, alisar, que se apresenta desde a confecção dos artefatos mais simples até a construção da casa e a derrubada da mata para o roçado, torna-se incomparavelmente mais fácil.

Os poucos reajustamentos que a adoção desse instrumental exige são feitos sem dificuldades. Algumas técnicas desaparecerão, tais como a de confeccionar os antigos instrumentos de pedra. Artesãos especializados nesses misteres perderão alguma parcela do prestígio que o virtuosismo lhes assegurava aos olhos de sua gente. Mais graves conseqüências advêm, entretanto, da alteração do ciclo anual de atividades, provocada por esse instrumental mais eficiente. Com ele, a derrubada da mata, por exemplo, que devia ocupar meses de árduo trabalho, se realizada com machados de pedra, passa a ser feita em alguns dias apenas, fazendo anteceder largamente o tempo da colheita. No caso de tribos cujas atividades agrícolas estejam intimamente relacionadas com um ciclo cerimonial fixado no tempo através de fenômenos cosmológicos (como o aparecimento das Plêiades), essa mudança pode exigir readaptações mais profundas, que atingirão eventualmente os valores religiosos. Tais casos, se ocorreram, devem ter sido extremamente raros.

Herbert Baldus, analisando os efeitos da introdução dos implementos de ferro, assinala seu papel na alteração da divisão do trabalho entre os sexos:

> Com os instrumentos de ferro, o homem consegue hoje em poucas horas o mesmo para que, antigamente, necessitava dias e semanas; enquanto que os trabalhos da mulher não são de maneira alguma influenciados por eles. E desde que não existe mais necessidade de o homem estar sempre pronto para a luta contra vizinhos inimigos, ainda mais a divisão de trabalho entre os sexos tornou-se absurda. Em

tais situações culturais perturbadas, os homens aparecem muitas vezes como indolentes e as mulheres como a única parte trabalhadora ou a parte que tem o trabalho mais pesado. (*Baldus, 1937: 102*)

Apesar desses efeitos dissociativos ocasionais, as disponibilidades de tempo criadas pelo uso de ferramentas mais eficientes não chegam a constituir problema, porque elas se anulam prontamente nas novas tarefas que se apresentam ao grupo, a começar por aquelas necessárias à obtenção do próprio instrumental.

Contudo, cada elemento cultural adotado encerra exigências específicas de reajustamento e se elas não são muito traumatizadoras no caso das ferramentas, por exemplo, porque suas vantagens objetivas em relação ao equipamento anterior compensaram os desajustamentos, o mesmo não ocorre com outros elementos menos úteis, ou mais impregnados de valores, ou mais difíceis de conciliar no contexto da cultura tribal. E nenhum grupo indígena se contentou com os instrumentos de metal; todos foram adiante, adotando vasilhames, panos, condimentos, excitantes, adornos e uma série de outros bens da indústria civilizada, além de novas formas compulsórias de organização social para a produção de bens e novas idéias sobre o mundo e sobre si próprios.

Vejamos o caso das vestimentas. Para um grupo que vive no trópico elas não representam conquistas importantes, como proteção ao corpo. Quem visitar um grupo recém-pacificado pode constatar que as roupas são para eles meros símbolos de prestígio. É o envoltório do povo todo-poderoso que eles adotam como ornamento e como extravagância. A princípio aceitam e até pedem panos como qualquer outro adorno e os usam de acordo com a moda tribal. Assim, podem-se ver velhos líderes indígenas que se despojam da dignidade de sua nudez para amolecer em camisas-de-meia, sem calças; mulheres que se envolvem em camisolões mas de momento a momento as arregaçam até a cabeça, para amamentar os filhos, ou simplesmente para se coçar.

Só aos poucos as idéias de pudor associadas à vestimenta vão abrindo caminho. Alguns grupos só depois de décadas de convívio aprenderam a se envergonhar, diante dos brancos, de uma nudez que sempre lhes pareceu natural. Mas, via de regra, ainda então faltam certos elementos do complexo vestimenta, como as técnicas de limpeza e conservação. Acostumado a banhar-se amiudadamente, o índio parece imaginar que, uma vez vestido, pode dispensar as abluções, ou, o que é mais freqüente, usar as roupas até que literalmente se esfarrapem, uma vez que não sabem como lavá-las. Um meu amigo urubu tinha grande desejo de ganhar uma calça listrada que eu usava na sua aldeia; dei-lhe a calça, que dias depois estava irreconhecível, porque ele fizera pregar sobre a fazenda imitações de remendos feitos com retalhos de cores vivas. Para ele, uma calça remendada como a dos carregadores que viajavam comigo oferecia maiores atrativos. Durante os meses seguintes tive ocasião de vê-lo com a calça cada vez mais suja, contrastando com seu busto vigoroso, primorosamente pintado de vermelho e preto segundo os cânones tribais. E sob a calça jamais deixou de usar o arranjo de decoro dos homens da tribo — um amarrilho na ponta do prepúcio, que mantém parte da glande escondida dentro do saco escrotal. Em verdade, por este amarrilho e não pelas calças é que se sentia vestido.

A nova geração urubu-kaapor está aprendendo a usar calças de forma mais adequada, porque estas peças assumiram para os jovens o sentido que têm para os civilizados. Muitos deles nem chegaram a adotar os arranjos tribais de decoro, negando-se a deixar que um tuxaua lhes amarrasse o prepúcio na cerimônia a que antigamente se submetia cada jovem e era a experiência mais marcante da passagem da adolescência à vida adulta. Hoje, o jovem kaapor, ao sentir que lhe irrompem os pêlos e diante dos comentários chistosos dos adultos que falam em preparar-lhe o arranjo de decoro, adquire um par de calças e esconde sob elas "sua vergonha", escapando assim aos ditos jocosos com que os adultos importunam os jovens nessa quadra de transição.

A adoção de vestimentas leva os índios ao abandono das pinturas de corpo que, em muitos casos, estão associadas a certos valores assim invalidados. Este é o caso dos Bororo e das tribos jê, cujas pinturas de corpo, altamente elaboradas, simbolizam a filiação clânica. Os Kaapor acreditam que suas pinturas lhes foram ensinadas pelo herói cultural Maíra, e seu abandono vale como um enfraquecimento desse núcleo de intensificação da solidariedade tribal graças à idéia de uma origem divina e de uma ancestralidade comum. Na maioria dos casos, porém, se os índios não são compelidos pelos agentes da civilização com que estão em contato, jamais chegam a interiorizar as idéias de pudor associadas à vestimenta. Só diante dos brancos se apresentam vestidos com roupas; quando sozinhos na aldeia, se despem delas e se portam como seus antepassados, conservando suas próprias regras de decoro. Assim fazem os Karajá, os Timbira, os Bororo e muitos outros, depois de séculos de convívio com civilizados e de esforços para fazê-los adotar o hábito de cobrir a nudez com os trapos que podem adquirir. Um jovem bororo recusou, certa vez, meu convite para um banho no rio porque, segundo disse, "estava nu debaixo da calça". Ou seja, não tinha o bá posto, que para ele era o arranjo de decoro que o fazia sentir-se "vestido".

A aquisição mais deletéria para os indígenas foi, seguramente, a aguardente de cana. Neste caso, ao fascínio exercido sobre diversas tribos, como bebida muito mais forte que as suas, soma-se a propensão à embriaguez, quase fatal no caso de grupos humanos submetidos a tensões e frustrações como as experimentadas pelos índios no curso da aculturação. Acresce ainda que a aguardente, devendo também ser obtida dos brancos, foi largamente utilizada como o principal aliciante para induzir os índios a trabalhar para estranhos; e, nas etapas mais avançadas da desagregação moral, para obter favores das mulheres indígenas.

Outros elementos que invadem as aldeias indígenas logo após os primeiros contatos são o sal,[1] a gordura e o açúcar, seguidos de alguns alimentos novos que, aos poucos, se fixam em hábito, mudando a dieta do grupo. Entre estes últimos, contam-se algumas plantas cultivadas, como a banana; e alguns animais domésticos, como os cães e as galinhas, que se adiantaram aos próprios brancos, passando de tribo a tribo. Essas mudanças são quase sempre seguidas da redução da disponibilidade de certos alimentos, antes obtidos através da caça e da recoleta, que se tornarão cada vez mais raros, resultando em desvantagem, como se pode constatar pela perda de vigor físico que se segue à adoção dos novos hábitos alimentares. Neste campo, como nos demais, influem fatores psicológicos que nada têm a ver com as características dietéticas dos alimentos. Nos relatos dos viajantes, missionários e até etnólogos, encontram-se comumente referências às comidas repelentes dos índios e descrições enojadas do hábito de muitas tribos de comer rãs, lagartos, larvas, gafanhotos e outras coisas que parecem repugnantes ao observador.

Um ilustre oficial brasileiro, que foi dos primeiros brancos a visitar os Akwé-Xavante recém-pacificados, nos contou penalizado que, quando se viu pela primeira vez diante de Apoena, o principal líder da tribo, este trazia uma cesta cheia de gafanhotos e de momento a momento levava alguns à boca e mastigava gostosamente. O oficial, condoído da miséria que levava aquele índio a comer gafanhotos torrados, mandou trazer uma lata de biscoitos cream cracker, abriu-a e ofereceu a Apoena. Este experimentou uma ponta de biscoito e incontinenti os jogou fora, passando os gafanhotos para a lata. Continuou a mastigá-los gostosamente. Para Apoena, a boa comida era o gafanhoto e só a lata brilhante tinha para ele algum valor.

Os Xavante, como os Nambikwara e outros grupos que vivem em regiões de cerrados áridos, têm nesses insetos uma de suas principais fontes de alimentos protéicos durante certos meses do ano. O hábito de comê-los, bem como a uma série de outras coisas que o civilizado jamais incluiria em sua dieta, é que lhes garante o admirável vigor físico que apresentam, numa região onde dificilmente outro grupo humano poderia sobreviver. A maior parte das "histórias de índios" contêm referências a "extravagâncias alimentares". Todavia, nesse campo, o único critério de julgamento é o resultado biológico de seu uso — se com essa comida é possível construir corpos sadios e bem desenvolvidos —, porque gosto e até requinte de paladar são matérias muito controvertidas.

Não obstante, as idéias dos civilizados sobre a qualidade desses alimentos acabam afetando os índios, em virtude do prestígio e do poder de quem as defende. Assim, o índio aprende a ver o que sua gente sempre comeu como o símbolo mesmo de sua inferioridade, como "comida de bicho". Daí ao abandono das velhas fontes de alimento vai apenas a distância necessária para a obtenção de outras fontes, escolhidas não segundo seu valor dietético, mas de acordo com o prestígio que a civilização lhes atribui. Deste modo, são abandonados ou evitados alguns alimentos, sem substituição possível nas condições tribais e no ambiente ecológico em que se assenta a tribo. Os índios Ofaié do sul de Mato Grosso, que tinham uma de suas principais fontes de proteínas nas larvas que faziam crescer nos troncos podres, chegaram a se envergonhar tanto desse alimento que só o consumiam quando sozinhos, embora lhes parecesse um petisco raro.

Os Xokleng de Santa Catarina e os Kaingáng do Paraná, que vivem junto aos grandes pinheirais, têm nos pinhões sua principal fonte de alimento nos meses em que amadurecem. Consomem-nos de preferência sob a forma de um bolo fermentado que preparam imergindo sacos cheios de pinhões em água corrente, durante dias. Os velhos continuam comendo esses bolos, mas eles já não apetecem aos jovens, que se envergonham dessa "fedorenta comida dos bugres".

O estilo da casa e sua forma de utilização são também afetados após os contatos com civilizados; espontaneamente em alguns casos, compulsoriamente em outros. Do primeiro caso, tivemos uma experiência ilustrativa. Depois de percorrer várias aldeias kaapor vendo os casarões amplos e bem adaptados que constroem, chegamos a um grupo, exatamente o mais isolado, que jamais havia sido visitado por civilizados ou mesmo por índios Tembé, que são os principais intermediários da civilização para aqueles índios. Exatamente ali deparamos com as construções mais esdrúxulas: uma palafita armada em terreno alto e seco e um miserável casebre com paredes de barro sustentado por uma armação de varas. Ambas me foram exibidas com o maior orgulho pelos donos, que, aliás, mal se acomodavam nelas. A palafita era provida de uma escada rangente, feita de varas amarradas com cipós, e ameaçava ruir cada vez que a obesa dona da casa entrava ou saía. A casa de barro era úmida e sombria porque lhe faltavam janelas, e as paredes tinham buracos em vários pontos, à altura do chão, para dar livre passagem aos cachorros e xerimbabos.

Indagando da origem das inovações, soubemos que dois índios daquele grupo haviam empreendido uma viagem de cerca de mil quilômetros a pé no rumo de São Luís do Maranhão para conhecer o grande mundo dos brancos e, de volta, resolveram construir casas iguais às que viram para mostrar à sua gente e para experimentar o conforto que proporcionavam. A palafita fora vista nos arrozais dos campos alagadiços do Pindaré, onde constitui a única residência praticável para os sertanejos pobres; a choça barreada era uma versão kaapor das casas vistas nas vilas maranhenses. A novidade interessava a todos, mas não fazia adeptos; provavelmente ficará naquelas amostras.

Em outros casos, tribos que contavam com meros pára-ventos ou simples abrigos de folhas contra a chuva, após os primeiros contatos com a civilização aprenderam a construir casas melhores e se afeiçoaram a elas. Naturalmente, esta transição importa reajustamentos às vezes difíceis. Os Kaingáng de São Paulo, que receberam do SPI boas casas de tijolos e telhas, viveram por anos ao lado delas, amontoados em ranchos, até que se habituaram a morar ali dentro. Não obstante, souberam sempre que aquelas casas eram melhores que as suas e punham o maior empenho em se manter em sua posse, ainda que adiando a ocasião da mudança definitiva para dentro delas.

O contrário também ocorreu. Comparando a casa em forma de colméia dos Nambikwara, documentada por Roquete Pinto, com os pára-ventos, em que encontrou aqueles índios 26 anos após aquela visita, Luís de Castro Faria observa que a ruptura do equilíbrio econômico levou esses índios a uma mobilidade maior, o que os fez abandonar um tipo de habitação denunciadora de certo sedentarismo para adotar os pára-ventos construídos nos eventuais pousos de caça e coleta (Faria, 1951: 24).

Já fizemos referência às soberbas malocas do rio Negro, que constituíram um dos objetivos prediletos do fanatismo salesiano na Amazônia. Aquelas construções cobriam áreas de vinte por trinta metros, por oito a dez de altura, representando excelente adaptação à floresta tropical. Eram solidamente construídas, sua cobertura oferecia toda a garantia contra o mais violento aguaceiro e proporcionavam um ambiente fresco e agradável. Sob a alegação de que eram focos de promiscuidade, os salesianos obrigavam os índios a destruí-las para passarem a viver em choças, cada uma delas para uma família conjugal. O resultado foi a destruição da unidade sócio-econômica fundamental daqueles índios, que era o clã local unificado pela ascendência comum registrada unilinearmente. Com a queda das soberbas malocas, subverteu-se a organização tribal, desorganizando-se suas formas tradicionais de cooperação e lançando os índios indefesos nas mãos de seus exploradores. Entretanto, eram casas excelentemente construídas, que ofereciam condições de higiene muito superiores às choças que as substituíram por uma razão inexistente: evitar uma promiscuidade que jamais se praticava, porque em cada maloca vivia um clã exogâmico, isto é, um grupo de pessoas que não podiam casar nem manter intercurso sexual umas com as outras (Nimuendaju, 1950 e Galvão, 1959).

Ainda mais graves parecem ter sido as conseqüências da interferência dos salesianos na forma da aldeia bororo, na qual a posição relativa de cada casa estava de tal modo enquadrada na organização social que se tornou impraticável a vida social em casas arruadas ou amontoadas arbitrariamente, como as que lhes deram as missões.

Estas interferências desastrosas apenas antecipam alterações que ocorreriam fatalmente com o tempo. A construção de grandes malocas representa um esforço enorme, só praticável por grupos que conservam seu sistema de trabalho coletivo. E sua utilização só tem sentido enquanto subsistir o sistema social tribal. Uma vez compelidos a integrar-se no sistema econômico regional, como coletores de drogas da mata, como lenhadores ou assalariados, desintegram-se as antigas instituições sociais fundadas no parentesco e as antigas formas de cooperação, para dar lugar a famílias nucleares isoladas, só capazes de construir e utilizar choupanas miseráveis como as dos estratos populacionais mais pobres em que se inserem.

A tralha civilizada que invade mais rapidamente as aldeias é o vasilhame de metal e de vidro; são as latas e as garrafas que vão substituindo os trançados e a cerâmica de fabricação tribal. Em qualquer aldeia, mesmo a mais remota, pode-se ver essa tralha e, à medida que se estreitam os contatos com civilizados, ela cresce até superar as indústrias tribais e, com elas, grande parte da oportunidade de manifestação estética com que contava o grupo.

O que mais distancia o equipamento doméstico de uma tribo isolada do de uma aldeia de índios civilizados ou duma palhoça de sertanejos é a ausência ou a pobreza, nos últimos, de objetos que indiquem uma preocupação estética. No nível tribal, essa vontade de beleza pode exprimir-se em campos muito diversos, mas quase sempre está presente em algum ramo do artesanato.

Muito embora não se possam considerar como altas expressões artísticas da humanidade as produções estéticas dos índios silvícolas, não podemos ignorar sua importância para eles próprios, como oportunidade de criação estética e como motivo de orgulho tribal. A manufatura de um vaso de barro, de um arco e flecha, de uma rede ou de uma esteira é presidida por uma vontade de beleza que torna a tarefa muito mais custosa. Em geral, nelas é empregado muito mais trabalho e esforço do que o exigido para que cumpram sua função de utilidade (Ribeiro & Berta G. Ribeiro, 1957).

Só quem viveu numa aldeia indígena isolada pode avaliar a importância que os índios atribuem ao virtuosismo técnico, o orgulho com que exibem suas obras-primas, que afinal constituem toda a sua riqueza e a fonte do alto prestígio que desfrutam seus melhores artífices. A atitude de desprezo do civilizado diante dessas indústrias, tidas como "coisa de bugre", sua curiosidade leiga, incapaz de apreciar a mensagem artística que contêm, e a retribuição irrisória que lhes dão quando objeto de troca quebram um dos valores fundamentais da cultura indígena. Depois disso, é difícil conseguir do índio vontade de perfeição em qualquer outra tarefa. Seu espírito estará quebrantado em algum aspecto recôndito, mas fundamental. Sem embargo, a vida "civilizada" não só lhe negará a oportunidade de exercer qualquer vontade de beleza — porque ela não tem lugar no seringal ou na fazenda —, mas também desestimulará a antiga produção artística, como futilidade.

Alguns desses elementos, entretanto, conservam-se por seu valor de troca, passando a representar uma fonte de renda. É o caso dos cestos e peneiras trançadas, das raladeiras de mandioca e das redes de dormir dos índios do rio Negro, bem como das bonecas de barro dos índios Karajá, dos colares de conchas do Xingu, dos adornos plumários kaapor. Quando os índios são colocados em contato com correntes de turismo ou têm oportunidade de conviver com camadas da população mais capazes de apreciar sua arte, ainda que como exotismo, todas essas peças artesanais passam a insuflar seu orgulho e podem, por isso, sobreviver. Não obstante, também essa receptividade degrada a arte indígena, afeiçoando-a ao gosto do civilizado e industrializando-a. Lembro-me dos esforços de uma velha Karajá para me impingir uma boneca de ancas anêmicas, que ela conformara imitando uma de nossas bonecas, quando eu procurava licocós esteatopígicos, que são as estilizações mais altas do ser humano na cultura karajá (D. Ribeiro, 1959).

Os grupos tribais têm o caráter de sistemas culturais autônomos, resultantes do esforço por organizar formas coletivas de adaptação especializada a determinados ambientes. Quando a mudança cultural desses grupos se processa através da aculturação intertribal provocada pela conjunção de dois ou mais destes sistemas autônomos, os respectivos patrimônios culturais se fundem, ou se selecionam os elementos que cada qual deseja adotar. Uma vez adotados, porém, cada grupo é sempre capaz de produzi-los com seus próprios recursos, sem estabelecer relações de subordinação. Mesmo nos casos em que um complexo cultural uniforme se dissemina entre várias tribos de uma área contígua ou que um grupo assume atribuições produtivas específicas para atender aos demais através do escambo, preserva-se a autonomia étnica de cada tribo. Este é o caso do complexo do curare, no alto Amazonas, ou da uniformização cultural seguida da especialização de algumas tribos em certos artesanatos convertidos em objetos de troca, como ocorre na área do alto Xingu. Mesmo nesses casos de interdependência econômica e complementaridade, cada grupo conta com um equipamento consistentemente organizado e ajustado à exploração da natureza circundante, cuja mudança, tanto por inovações internas como por adoção de traços estranhos, é sempre introduzida para melhorar sua adaptação e ressalvar sua autonomia.

No caso da conjunção de culturas tribais com a sociedade nacional, entram em jogo os poderes de compulsão da cultura dominante, enormemente mais evoluída, e uma série de co-fatores tendentes a impor condições de subordinação e de dependência às tribos que se integram na economia regional. Essa dominação será mais rápida ou mais demorada segundo a maior ou menor receptividade dos grupos indígenas à adoção da inovação, segundo o caráter dos agentes de contato que atuam como intermediários, e segundo a face da sociedade nacional que é apresentada aos índios, isto é, sua variante agrícola, extrativa ou pastoril. Em todos os casos, porém, desemboca na subordinação que acaba por anular o caráter de sistema cultural autônomo das etnias tribais para convertê-las em modos de participação diferenciada na sociedade nacional.

Conquanto seja óbvio que, para qualquer grupo humano, o enriquecimento de seu equipamento de ação sobre a natureza represente um progresso efetivo, o modo como se incorpora esse equipamento e a forma de supri-lo ulteriormente pode ter importância crucial na determinação do destino posterior do grupo receptor. Uma coisa é um grupo humano adquirir uma nova técnica, como a cerâmica ou a metalurgia, com os prazos necessários para experimentar as alterações estruturais que sua adoção impõe. Outra coisa é tornar-se dependente de um grupo estranho, provedor desses bens. No primeiro caso, temos um processo de aceleração evolutiva, que faz um povo subir um degrau numa escala de evolução técnico-produtiva com seus concomitantes sociais e ideológicos. No outro caso, trata-se de um processo de incorporação ou atualização histórica, processo que tornou acessíveis aos

Xavante, por exemplo, os frutos de uma tecnologia metalúrgica ao preço de engajá-los num sistema econômico regional como reservas de mão-de-obra.

Em certos casos, a adoção de inovações foi francamente positiva, como ocorreu com a introdução de novas plantas cultivadas, de animais domésticos, que proporcionam alimentação mais farta e abundante, além de toda uma série de outros elementos. Entre muitos outros casos, os cavalos permitiram aos grupos guaikuru ampliar suas atividades de caçadores e coletores seminômades, dotando-os, ao mesmo tempo, de uma arma de guerra que propiciou o domínio de muitas outras tribos. Para qualquer grupo caçador, os cães representam uma aquisição preciosa e uma confirmação disto se encontra no fato de terem eles "conquistado" a América mais rapidamente que os brancos; passando de tribo a tribo, atingiram regiões só muito mais tarde alcançadas pelas sociedades nacionais.

A adoção de elementos culturais estranhos não é dissociativa em si mesma. Qualquer cultura representa o resultado, em certo lugar e em certo momento, de um sem-número de mudanças que se processaram tanto por adoção como por descoberta, invenção ou redefinição de antigos elementos. Toda cultura, mesmo a mais estável, está permanentemente envolvida nesta substituição de valores, técnicas e equipamentos, tornados arcaicos no próprio desenvolvimento da vida social. Entretanto, conforme vimos, essa substituição deve fazer-se livremente e com tempo suficiente para que os novos elementos sejam experimentados pela competição com os que antes preenchiam os mesmos fins e para que o grupo receptor tenha oportunidade de selecionar o que convém adotar e aprender a supri-los ele próprio. Só nessas circunstâncias os membros de uma sociedade podem adestrar-se no uso, aquisição ou expressão do novo elemento, de modo que o trabalho de redefinição em termos dos valores tradicionais e de conciliação com o contexto cultural se faça progressivamente.

Entretanto, nas condições de conjunção entre povos muito defasados em seu nível evolutivo, o processo natural de mudança cultural tende a complicar-se — por ser induzido por desígnios alheios à sociedade tribal —, dando lugar a uma traumatização pela impossibilidade de conciliar os valores em choque e de proporcionar aos indivíduos as motivações indispensáveis para o exercício de seus papéis na vida social. É o que parece ter ocorrido com certos grupos indígenas submetidos a uma multiplicidade de mudanças impostas pelas situações de conjunção que afetaram ao mesmo tempo diversos setores da cultura. Geram-se, assim, sérios traumas, quando os elementos introduzidos são incompatíveis com o contexto antigo e exigem drásticas redefinições nas formas de comportamento preexistentes e em impulsos solidamente estabelecidos. Em nenhum caso concreto, porém, o colapso da vida tribal e o desaparecimento do grupo podem ser explicados por esta causa somente. Todavia, não cabe dúvida de que a acumulação de desajustamentos desta ordem contribuiu ponderavelmente para a desagregação de muitos grupos indígenas. Sobretudo quando às compulsões de ordem propriamente cultural se somam as sócio-econômicas, como veremos no capítulo seguinte.

Assim é que a aquisição maciça de novos elementos, independentemente de sua eficiência, pode dar lugar a dificuldades e, naturalmente, contribuir para um colapso cultural. Por isso mesmo, de um ponto de vista prático, assistencial, devem-se distinguir nos elementos adotados um valor operativo, que é sua capacidade de contribuir para uma ação mais eficiente sobre a natureza, e um valor funcional, isto é, sua capacidade de combinar-se com o contexto cultural anterior sem afetar setores capitais da vida social. É o caso da adoção, imposta por missionários, de uma forma de casa que, a seus olhos, era melhor porque construída mais solidamente e de qualidade superior como abrigo. E, como vimos, essa casa "melhor" pode levar a um desajustamento fatal da vida social, determinando dificuldades no funcionamento das unidades sociais através das quais o grupo provia a subsistência e garantia a procriação e o adestramento das novas gerações.

Assim, podemos considerar como efeitos positivos e negativos da mudança tecnológica aculturativa e da sua influência sobre outros aspectos da cultura, os seguintes:

1. Proporciona maior eficiência nas tarefas produtivas, principalmente na agricultura e na caça, pesca e coleta, mas gera condições de dependência econômica fatais para a autonomia cultural.
2. Aumenta a eficiência pessoal, tornando os indivíduos independentes das formas coletivas de trabalho, desfazendo, assim, antigas unidades como os clãs unilineares e a família extensa.
3. Cria disponibilidade de tempo para o lazer, em virtude da eficácia do instrumental para a consecução das tarefas produtivas tradicionais, mas logo depois os absorve em novas tarefas, sobretudo na produção mercantil.
4. Obriga a especialização dos indivíduos, principalmente dos homens, minando o sistema tradicional de divisão do trabalho por sexo e agravando a posição social da mulher.

A esses efeitos diretos se acrescentam vários outros, indiretos, conducentes, todos, à desintegração dos grupos tribais como sistemas econômicos autônomos e ao engajamento dos indivíduos no sistema produtivo regional, na condição de produtores e consumidores. Dentre esses efeitos simultâneos, não explicáveis pelas inovações tecnológicas tão-somente, mas também inexplicáveis sem a sua concorrência, destacam-se:

1. A individualização decorrente do incremento das relações de dependência para com os agentes da civilização e, correlativamente, de independência em face do grupo.
2. O desenvolvimento de atitudes racionalistas e competitivas nas relações intergrupais em prejuízo dos antigos sistemas de sanções e recompensas.

3. A estratificação étnica pela diferenciação das funções e retribuições dadas aos índios em relação aos agentes da civilização.
4. A desorganização social, decorrente da multiplicação das pessoas desocupadas e em conseqüência da difusão do alcoolismo e da delinqüência.
5. O predomínio progressivo de uma visão mais objetiva do mundo, mediante a aprendizagem de novos e mais completos sistemas de mensuração e de novos sistemas de troca e retribuição, principalmente o uso da moeda.
6. A introdução do conceito de propriedade e de herança, com a conseqüente quebra de todo o sistema coletivista em que se assentava a economia tribal.

Até que ponto é legítimo presumir que uma etnia pode ser levada ao colapso por força de impulsos de mudança que ocorrem nesse nível? Os efeitos aqui estudados se combinam e se acumulam com os da competição ecológica e com a interação biótica já estudados e com as coerções que passaremos a analisar: a integração econômica e sócio-psicológica. Operando em conjunto é que eles podem conduzir a colapsos em cada etapa do processo integrativo, conforme a combinação particular de fatores deletérios e dissociativos que se conjuguem em um dado grupo. Em qualquer caso, as forças compulsórias decorrentes da inovação tecnológica são, sozinhas, suficientes para provocar profundas alterações no modo de ser e de viver dos grupos indígenas. E são também suficientemente diferenciadas para que se justifique tratá-las como uma instância do processo de transfiguração étnica através do qual o índio tribal é levado à condição de índio genérico, como integrante diferenciado da sociedade nacional.

Engajamento compulsório

A maior parte dos estudos de aculturação se circunscreve à análise da difusão e adoção seletiva de traços culturais estranhos por parte dos grupos indígenas, salientando as conseqüências de sua integração nos contextos culturais originais. Entretanto, esta é apenas uma face do problema das relações de povos em nível tribal com sociedades nacionais e, seguramente, não constitui sua feição fundamental. A principal falha desta abordagem é falsear a realidade por tratar os traços culturais como realidades independentes, só passíveis de análise em suas peculiaridades ergológicas e em seus atributos funcionais. Pode ter utilidade em si mesmo um estudo da adoção da indumentária européia ou dos instrumentos de metal pelos povos indígenas do Brasil, como o que acabamos de fazer. Mas a soma dos estudos de difusão e adoção desses traços culturais e de seus efeitos não nos proporciona uma visão realística do processo de integração das etnias tribais na vida nacional.

Na realidade, esses traços culturais passam de um contexto a outro através das relações entre os homens. E essas se processam entre homens enquadrados em sistemas econômicos específicos. O que mais importa, pois, para a compreensão daquele processo é o estudo das relações entre a estrutura econômica tribal e a nacional. Mais relevante que a análise das peculiaridades de um traço cultural é o estudo do mecanismo econômico através do qual ele se introduz na vida tribal e suas conseqüências sobre as relações sociais dentro da tribo, e entre esta e a sociedade nacional.

A introdução de instrumentos de metal representou, como vimos, um papel da maior importância na vida dos grupos indígenas, revolucionando sua tecnologia. Constituiu um elemento novo no equipamento de produção da tribo, diferente de todos os anteriores por suas qualidades específicas, mas sobretudo porque não podia ser produzido pelo grupo. Seus efeitos fundamentais foram a criação de novas necessidades que só podiam ser satisfeitas pelo comércio com os civilizados, o que obrigou, desde muito cedo, os grupos indígenas a diversificar a economia tribal, a fim de produzir artigos para troca ou a se alugarem eles próprios como mão-de-obra assalariada. Menos como fatores culturais e mais como mercadorias é que aqueles instrumentos atuaram sobre os indígenas e contribuíram para configurar o seu destino.

O processo básico constituiu, portanto, uma violentação da vida econômica tribal e resultou na sua subordinação a uma economia mais ampla de caráter mercantil. Desde que tem início esse trânsito da autarquia à dependência, o destino das tribos passa a ser regido por uma vinculação externa tendente a se consolidar e a se tornar cada vez mais opressiva. A isto é que chamamos engajamento compulsório para salientar seu caráter de dominação e sua natureza coercitiva.

Aparentemente, seria um progresso a passagem do nível de economia tribal fechada e auto-suficiente para um sistema econômico mais aberto, de caráter mercantil, dotado de meios de produção incomparavelmente mais eficientes. Como se explica, então, que esse ascenso no tipo de economia resulta em condições de vida mais precárias? Obviamente, a causa de tantos males não pode ser encontrada na passagem, em si mesma, de uma etapa cultural mais singela para outra mais complexa. Encontra-se, efetivamente, na forma particular de contingenciamento dos índios ao novo sistema econômico, no seu caráter compulsório e, sobretudo, no tipo de relações que se estabelecem entre índios — como segmento especial e autônomo das forças produtivas — e os demais segmentos da estrutura social total. A diferença fundamental entre os dois tipos de economia e de cultura, a tribal e a nacional, quanto às condições de vida que criam não reside na diferença entre a capacidade teórica de ação sobre a natureza peculiar a cada uma delas, mas na forma de produção e de distribuição dos produtos do trabalho; ou seja, na participação dos trabalhadores no produto por eles criado. A principal fonte de traumas na vida tribal não vem do desajustamento provocado pelas dificuldades de conciliar novos elementos em velhos contextos, mas dos obstáculos que se opõem ao ajustamento dos índios — com seus ideais, valores e expectativas — ao papel de pequenos produtores de artigos de comércio ou de assalariados.

É verdade que estamos diante de uma das formas de transição da economia tribal auto-suficiente para a economia mercantil. Entretanto, no caso concreto que examinamos, esse processo opera de modo completamente diferente daquele através do qual uma sociedade qualquer, respondendo a impulsos internos ou externos, realiza transformações autônomas em sua estrutura econômica, mas conserva sua autonomia étnica. No nosso caso, trata-se antes da integração de um grupo tribal em certos estratos do sistema econômico nacional como consumidor e, portanto, também como produtor especializado e como reserva de mão-de-obra. O caráter capitalista-mercantil da economia nacional em face do qual se encontra o índio assume, portanto, uma importância maior que a peculiaridade dos elementos que essa economia encerra. Nessas circunstâncias, os fatores determinantes passam a ser: a natureza de mercadoria dos elementos culturais que transitam de uma sociedade para a outra; a instituição da propriedade privada, que possibilita a apropriação legal dos territórios indígenas; e as formas de engajamento da população indígena na força de trabalho, seja como escravos, seja como serviçais sem direitos, seja como assalariados do tipo mais elementar.

Quando se fala do avanço da civilização em face dos grupos indígenas, o que se tem em mente, em geral, é a enorme distância entre a técnica e o equipamento de domínio da natureza de uma tribo silvícola e de uma nação industrial moderna. Assim, a "civilização" pareceria um destino desejável para qualquer tribo, porque representaria o acesso a toda a "herança social da humanidade".

Na prática, porém, para uma tribo qualquer — para os índios Kaapor, por exemplo — a civilização que lhes é acessível representa coisa bem diversa do progresso industrial e dos requintes da ilustração. Para eles, civilizar-se é ser engajado na vida famélica do seringueiro, do castanheiro, do remador; é ser brutalizado pelo guante do patrão. É perder a fartura da aldeia, com seus extensos roçados, suas caçadas e pescarias coletivas, suas horas de lazer após cada trabalho extenuante, seu gosto de viver, proporcionado pelo convívio com uma centena de pessoas que vêem o mundo como ele próprio e cultivam uma rica fantasia para interpretálo alegoricamente. Civilizar-se é viver a vida do seringueiro, isolado com a mulher e os filhos em sua choça num braço de rio, vendo as mesmas pessoas que sempre vêm na mesma canoa para lhe trazer os mesmos mantimentos e levar a mesma produção de borracha. Suas oportunidades de gozar os benefícios da civilização são praticamente nulas.

Para os índios da Amazônia, civilização é a condição de seringueiro, de castanheiro, de remador, como para outros índios é a do mais pobre vaqueiro nos campos do rio Branco, ou do ervateiro no sul de Mato Grosso, ou do lenhador no Paraná, do sertanejo na Bahia, no Nordeste, do caipira de Minas e de São Paulo, e do matuto do Sul.

Mas os índios Kaapor, como todos os outros, morrem de amores pelas bugigangas da civilização. Quarenta anos de convívio pacífico já lhes custaram mais de quatro quintas partes da tribo; começam a suspeitar do mau negócio que fizeram confraternizando-se com os brancos e já se nota o ressentimento em um ou outro índio. Com o tempo o rancor vai crescer, mas então já será tarde demais, porque não poderão prescindir das ferramentas, dos panos, do sal, e para obtê-los será preciso encontrar um lugar na economia regional, um lugar de seringueiro, talvez.

O fundamental não é, pois, o atraso do índio em face do progresso do branco, ou seja, a disparidade objetiva do equipamento civilizador, mas as oportunidades que o sistema econômico nacional realmente lhe oferece de participar das vantagens da civilização. Para a compreensão do destino dos grupos alcançados pela expansão da sociedade brasileira, o que importa não é a diferença de nível tecnológico, mas o sistema de estratificação em que serão engajados.

Na vida tribal, a unidade econômica é a borda, a aldeia ou a família extensa em que cooperam todos os seus membros para o provimento da subsistência do grupo. Esse sistema se fundamenta na utilização coletiva das matas onde caçam, plantam e coletam, dos rios onde pescam e de toda a natureza circundante, como fonte comum dos materiais com que o grupo cria os artigos de que necessita. O ritmo de trabalho e de lazer obedece às necessidades do grupo e é mais ou menos intenso nas várias estações do ano, conforme as dificuldades que se apresentam para a consecução de tarefas socialmente determinadas.

Cada membro é habituado desde a infância a operar dentro desse sistema, como integrante igual a todos os outros quanto ao direito às fontes de subsistência oferecidas pela natureza ou criadas pelo trabalho coletivo. Não somente é adestrado na realização das tarefas produtivas, mas também estimulado a realizá-las com perfeição porque sua posição social, seu prestígio aos olhos do grupo decorrem em grande parte do virtuosismo que demonstre no domínio das técnicas tribais. Ao lado das tarefas coletivas, há lugar para as individuais. Assim, cada membro deve fabricar seus objetos de uso pessoal, desde as armas até os adornos que lhe pertencerão duplamente, tanto por serem fruto do próprio trabalho como por exprimirem sua personalidade, seu estilo pessoal. Numa aldeia indígena, cada pessoa é capaz de distinguir, pelo simples exame de uma flecha ou outro artefato o seu dono — isto é, quem a fabricou —, tal como nós podemos reconhecer a caligrafia das pessoas conhecidas.

O sistema econômico das sociedades pioneiras que avançam sobre território onde vivem tribos arredias e hostis tem sua unidade na empresa, que tanto pode ser o seringal como a fazenda ou o criatório que se organizaram sobre o território tribal; ou o barracão, aos quais os índios devem servir como assalariados ou levar sua produção para trocas. Em qualquer de suas formas, a empresa é movida pelo interesse de obter lucros, fazendo produzir o máximo de artigos destinados a um mercado distante. Para isto investe todos os recursos humanos de que pode dispor, apenas deixando margem à produção dos artigos de consumo mais indispensáveis à reposição da energia dispendida. Comumente nem assegura esse mínimo, exaurindo progressivamente o grupo que lhe está sujeito.

A transição da economia tribal para a nacional se processa, na realidade, dentro desses quadros. É a passagem da vida cooperativa da aldeia, toda voltada para a criação de condições de sobrevivência do grupo, para a economia do barracão, orientada para produzir lucros em função de necessidades alheias e com o desgaste da força de trabalho que consegue aliciar. Isto equivale não só à degradação da unidade tribal, ao engajamento de seus membros na massa de dependentes da empresa, mas também na sua consumição como uma espécie de combustível humano usado no mecanismo empresarial.

Exemplifiquemos com casos concretos como esse engajamento se processa, que forças levam o índio a abandonar a segurança relativa da vida tribal pela aventura no estranho mundo dos brancos.

Alguns grupos indígenas desenvolveram, ainda em nível tribal, os germes de uma produção mercantil. É o caso, já examinado anteriormente, das populações indígenas da região dos formadores do rio Xingu. Trata-se de várias tribos, lingüisticamente distintas, que se concentraram há séculos naquela área, provavelmente fugindo ao choque com as fronteiras de expansão da sociedade brasileira ainda no período colonial e com outras tribos por ela deslocadas. Isolados naquele refúgio comum, estiveram a salvo de contatos com a civilização até o último quartel do século passado. Nesse período, se interinfluenciaram profundamente, de modo que chegaram a estandardizar seu equipamento cultural, conservando, todavia, a independência étnica de cada tribo.

Mercê dessa homogeneidade cultural, os índios xinguanos desenvolveram um sistema de trocas baseado na especialização de cada tribo no fabrico de certos produtos. Assim, os índios Waurá produzem a cerâmica usada por todos os outros, trocando-a pelos arcos kamayurá, pelos colares de conchas dos Kalapalo e diversos produtos com que outras tribos concorrem, como as canoas de casca e as pontas de pedra para os propulsores. À força de comerciar, essas tribos acabaram estabelecendo uma tabela de valores relativos dos vários artigos, de modo a regulamentar as trocas. Assim, por exemplo, um índio Kalapalo que precisa de uma canoa sabe de antemão quantos colares ou que comprimento de colar deve preparar para obtê-la.

O escambo se faz em reuniões periodicamente organizadas para esse fim, durante as quais, ao lado das trocas, realizam jogos esportivos, tão impregnados da hostilidade guerreira que ainda os separa que até parecem mecanismos de redução das tensões que se poderiam exprimir de forma realmente dissociativa (veja Galvão, 1953; Lévi-Strauss, 1942).

Os índios xinguanos tiveram maiores facilidades de estabelecer comércio com civilizados porque já possuíam regras culturalmente prescritas para disciplinar as trocas. Neste sentido, os artigos da indústria civilizada representaram para eles apenas uma nova mercadoria, que passou a ser oferecida por um branco ou por um índio, nas reuniões destinadas a escambo ou em outra ocasião qualquer. Durante os primeiros anos de contato, essa nova mercadoria alcançava altíssimas cotações que vieram caindo com o aumento das disponibilidades e a satisfação das necessidades. Praticamente só as miçangas de vidro não alcançaram um limite de saturação e ainda representam papel de moeda porque podem ser trocadas por qualquer objeto.

Mas os índios xinguanos são um caso excepcional de elaboração do escambo; as outras tribos, em geral, tinham formas muito mais simples de trocar bens e serviços. Mesmo para eles, porém, o aspecto menos dissociativo das relações mercantis se explica principalmente pelo isolamento em que são artificialmente mantidos, e pela proteção oficial orientada criteriosamente pelos irmãos Villas Boas, com base na compreensão dos riscos que importaria qualquer intensificação dos contatos. Ainda assim, como vimos capítulos atrás, a introdução de instrumental estranho mediante a troca conduziu a uma supervalorização de artefatos e adornos tribais, antes disponíveis para todos os índios e hoje só fabricados para o comércio com estranhos.

Entre os índios Urubu, alguns homens e mulheres são conhecidos e reverenciados pelo virtuosismo que alcançaram em certas técnicas. Os objetos por eles fabricados são muito disputados, mas passam de uma pessoa a outra como regalos. Há, entretanto, a expectativa de que aquele que recebe um presente o retribua de alguma forma no futuro, o que dá ao costume de presentear um caráter de troca com retribuição retardada. Ao entrar em contato com civilizados para obter os objetos que desejavam, aqueles índios só podiam comportar-se segundo essas normas tribais, as únicas que conheciam. Vale dizer, só podiam pedir, prometendo implicitamente uma retribuição futura. E assim procederam realmente. Os relatórios da pacificação estão cheios de referências aos esforços daqueles índios para retribuir os objetos que ganhavam com outros de sua própria indústria, geralmente trazidos mais tarde, mas entregues sempre pela pessoa que recebera um brinde àquela que o havia oferecido. Com a intensificação das relações e o aumento da quantidade e variedade de objetos trocados, novas formas de escambo surgiram, estas já tendo em vista o valor do objeto trocado. Mas, ainda hoje, para um índio Urubu é extremamente constrangedor ouvir pedidos insistentes de alguns caboclos que os visitam porque, segundo as tradições tribais, quando alguém realmente deseja um objeto, este lhe deve ser dado. Ora, logo depois dos primeiros contatos, aqueles índios verificaram que seu sistema não era aplicável aos caboclos que lá apareciam uma vez e jamais voltavam, frustrando toda possibilidade de retribuição futura.

Hoje, os índios Urubu mantêm ativo sistema de trocas, que já é mais importante como forma de obtenção de artigos industriais que as doações do SPI, pois estas vêm sendo sistematicamente restringidas. O principal artigo de troca são as flechas com ponta de metal, as quais, aliás, já não são fabricadas pelos Urubu há vários anos. Não obstante, por todo o vale do Gurupi — cuja população, mesmo civilizada, costuma pescar com flechas — se encontram exemplares delas. Colecionadores também andaram pelas aldeias arrecadando vultosas coleções para museus, alguns com um exagero criminoso, pois chegaram a despojar dessas flechas todos os homens das aldeias que percorreram, trocando-as por miçangas, anzóis e outras miudezas. Essas trocas se processaram sem qualquer relação com o valor dos objetos ou pelo menos com a quantidade de trabalho neles investido. É comum ver caboclos do rio Gurupi trocarem com os índios Urubu-Kaapor parelhas de arcos e algumas flechas — inclusive as de ponta de metal — por calças e camisas velhas que, para um grupo que vive nu, só têm valor simbólico.

Tamanha disponibilidade de flechas para comércio se deve, em primeiro lugar, à enorme depopulação que deixou aos remanescentes maior quantidade de flechas do que poderiam utilizar, desvalorizando-as, portanto, em vista do prestígio dos objetos oferecidos em troca. Em segundo lugar, à cessação da principal frente de guerra — a luta contra a penetração dos civilizados —, uma vez que aquelas flechas, embora usadas para a caça, se destinavam principalmente à guerra. O desfalque, porém, já se faz sentir; e os índios Urubu hoje exigem mais pelas flechas que lhes restam.

O segundo produto de troca são os adornos plumários, que constituem o principal campo de atividade estética dos índios Urubu. Destinam-se ao uso por ocasião das cerimônias e somente essas motivações tribais são capazes de estimulá-los a fabricar aqueles adornos. Depois de usá-los nas cerimônias estão quase sempre dispostos a trocá-los, mas é extremamente difícil conseguir que façam um diadema ou outro adorno dos mais elaborados, especialmente para troca. Novos campos de atividades estão se abrindo para esses índios, agora por força da necessidade de obter ferramentas, panos, sal e outros artigos que hoje constituem utilidades vitais. Para isto trabalham na roça do posto do SPI, coletam breu e resinas e estão muito interessados em aprender os métodos de preparar outros produtos florestais, como óleos vegetais. Apesar disso, a distância entre uma economia de consumo e uma economia mercantil está longe de ser superada pelos índios Urubu. Argumentam eles freqüentemente com o pessoal do SPI (que não recebe mais objetos para doar, mas tão-somente para comerciar) que trouxeram pouco ou nada para trocar, mas precisam muito. E ainda se comportam segundo os velhos padrões, aceitando comumente retribuição desproporcionada ao que produzem, quando suas principais necessidades já estão satisfeitas, a fim de que sejam atendidos outros mais necessitados.

Mas já vão surgindo certos comportamentos típicos de uma atitude assimilacionista. Conhecemos um velho líder Urubu, extraordinariamente inteligente, artista exímio na confecção de adornos plumários, que tinha uma mala cheia de panos, vários terçados, machados e facas. Com essas riquezas iniciou uma atividade inteiramente nova na vida da tribo: conseguiu que índios de aldeias distantes, menos aquinhoados, lhe viessem fazer uma casa e uma roça em troca de algumas daquelas riquezas. Este é o elemento novo na vida dos índios Urubu-Kaapor, a atitude individualista e mercantilista que gradativamente atingirá todo o grupo, frustrando o funcionamento do sistema tradicional de relações dentro da tribo. Isto ocorrerá à medida que forem crescendo suas necessidades de artigos de nossa indústria. Então só lhes restará aumentar a produção de drogas da mata em que se estão iniciando. Para isto terão de dedicar menos tempo às suas roças, às caçadas e pescarias coletivas, ao fabrico de artefatos e adornos, o que significa que comerão menos e serão mais pobres. Mas todo esse sacrifício ainda não será suficiente e um dia se verão obrigados a alugar sua força de trabalho. Aliás, vários rapazes urubu já se mostram desejosos disto, invejando os jovens tembé que perambulam pelo grande mundo dos brancos. Por enquanto é um simples desejo que não corresponde a qualquer necessidade econômica. É apenas uma tentativa de ocupar de alguma forma o tempo que a cessação da guerra deixou livre e de substituir, por outra ordem de experiências, o desejo de autoafirmação que ela satisfazia.

Dia chegará, entretanto, em que aquilo que hoje parece aventura será uma compulsão, cujo preço é fácil adivinhar, porque muitos povos indígenas já o pagaram. Será a desorganização do sistema tribal de satisfação de necessidades fundamentais; o engajamento numa economia mercantil em que terão de investir mais energias do que poderão recuperar com o produto do trabalho. O passo seguinte será o estabelecimento de relações mercantis dentro do próprio grupo, a troca ou venda de produtos dentro da própria aldeia, o que subverterá inteiramente a ordem antiga. Assim se passará de um sistema tribal regulamentado pelo parentesco e por outros poucos tipos de associação e classificação de pessoas para um sistema inteiramente novo, em que as pessoas são tratadas como coisas, valem pelo que produzem ou pelo que possuem. Ou, em outras palavras, um sistema baseado no controle dos bens, que estratificará o grupo em segmentos de pobres e ricos ou pelo menos de detentores dos bens indispensáveis, em quantidade maior do que a que podem usufruir, e indivíduos inteiramente carentes desses mesmos bens.

A autoridade hoje em mãos dos chefes de parentelas e de líderes de aldeia será desmoralizada e substituída por tutores estranhos, detentores dos bens de que necessitam, e cuja força sobre os membros da tribo crescerá cada vez mais. Com a queda dessa autoridade que governa baseada no prestígio da tradição, mais do que no seu próprio, todo o sistema de controle social estará roto. Já ninguém saberá o que esperar dos outros, em situações antes perfeitamente definidas. Proibições tribais começarão a decair e se verá que a força de sanção de que eram dotadas não passava de uma ilusão, desmoralizando assim o corpo de valores que motivam a conduta.

No mesmo vale do Gurupi, vivem os índios Tembé, vizinhos dos Urubu, que progrediram mais ainda nesse caminho comum da integração no sistema econômico nacional. Além de ferramentas, panos, linha, agulhas e sabão, que já constituem necessidades para os índios Urubu, os Tembé têm necessidade de outros artigos: chumbo e pólvora, para umas poucas armas de fogo que são sua grande riqueza, fósforos, panelas e vasilhames de metal, querosene, aguardente, chapéus, anzóis e algumas miudezas mais.

Os Tembé do rio Gurupi formam com os Guajajara do vale do Pindaré uma só tribo que designa a si própria como Tenetehara. Os primeiros contatos da tribo com civilizados se deram há mais de três séculos, quando foram vítimas de descimentos tanto para as missões jesuíticas como para a escravização em mãos dos colonos. Desta época data provavelmente o deslocamento dos Tembé para as matas a oeste, e a divisão da tribo. Assim, encontramos em torno do vale do rio Gurupi três tribos de filiação lingüística e cultural tupi: os Urubu-Kaapor, que estiveram em guerra com os civilizados até 1928; os Tembé, que desde há mais de um século se viram submetidos a contatos, primeiro intermitentes, depois contínuos, com agentes da civilização; e, finalmente, os Guajajara, que, alcançados e envolvidos mais cedo pela expansão da sociedade brasileira, vivem há um século em contato com os vilarejos do sertão maranhense. Uma quarta tribo, os Guajá, habita a mesma região, porém vive ainda acoitada, fugindo a contatos tanto com sertanejos quanto com os outros índios.

As relações dos Tembé com civilizados foram estabelecidas pelos célebres regatões da Amazônia, cujo negócio consiste em acercar-se de tribos arredias, criar nelas necessidades e se pôr depois a explorá-las como intermediários entre as fontes de produção e as de comercialização. Assim, os Tembé não passaram pela fase inicial em que ainda vivem os Urubu; desde os primeiros contatos foram compelidos a diversificar sua economia para produzir artigos de troca. Já em princípios do século constituíam um segmento especializado do sistema econômico regional: a principal reserva de mão-de-obra do alto e médio curso do rio Gurupi. Eram e ainda são os remeiros de todas as embarcações que descem e sobem o rio, conduzindo regatões com suas bugigangas para trocar com o que produziam os núcleos tribais independentes.

Como remeiros, os Tembé trabalham continuamente dez e até catorze horas, só interrompidas por breves paradas, conduzindo a remo e a vara tudo que transita pelo rio. Esse trabalho, além de extenuante pelas suas próprias exigências, faz-se ainda mais exaustivo porque em cada dia de viagem só se pára geralmente uma vez, o tempo mínimo para preparar as refeições sempre deficientes. E sobretudo porque, para atender aos esforços exigidos pelos patrões, os índios são habituados a consumir estimulantes, como aguardente e maconha. Essa forma de levar o remeiro tembé do rio Gurupi, como o Guajajara do rio Pindaré e tantos outros na Amazônia, à extenuação de suas forças, em sucessivas etapas de trabalho redobrado, através do uso de estimulantes, já se generalizou de tal forma naquelas regiões, que a ração de pinga e de maconha é parte indispensável e insubstituível na carga das canoas.

Considere-se, agora, que os índios submetidos a esse regime são os escapos das epidemias que logo após os primeiros contatos grassaram entre eles, matando muitos, estropiando vários e enfraquecendo a todos. Por isso mesmo, aqueles que conhecem esses remeiros da Amazônia observam que eles constituem uma população extremamente jovem. Raramente se encontra um remador com mais de trinta anos e estes mesmos quase sempre trabalhando ao leme. Esta tarefa é mais leve, embora exija aptidões especiais, além de um perfeito conhecimento de todo o curso do rio, para desviar a embarcação de cada pedra submersa e conduzi-la seguramente através das perigosas corredeiras, que só podem ser transpostas por certos canais. A juventude dos remeiros indígenas espelha as exigentes condições de trabalho a que são submetidos; depois de alguns anos dessa árdua labuta, envelhecidos precocemente, recolhem-se à aldeia, encostados como incapazes para as tarefas da civilização.

Outra fonte de trabalho para os Tembé foi, durante vários anos, o engajamento nos grupos de madeireiros que se internavam nas matas da margem do Gurupi para procurar madeiras de lei, derrubá-las e fazer carreiras por onde as pudessem arrastar até a barranca e conduzi-las através do rio até a foz. Essa indústria — bem como a exploração da borracha e do óleo de copaíba, que foi considerável no passado — desapareceu em grande parte, porque deu cabo da mão-de-obra com que se contava para operá-la. Hoje já não há mais índios Tembé em número suficiente para empreitadas dessa ordem. Eram trabalhos tão exigentes em energias, tão pouco compensadores quanto o de remeiro, e de conseqüências ainda mais funestas porque, enquanto o remeiro trabalha sozinho, deixando a mulher junto à aldeia onde pode garantir sua subsistência e a dos filhos, o madeireiro desvinculava-se da aldeia, levando consigo a mulher. No local de trabalho ela é desrespeitada por quantos homens sozinhos ali se encontrem, a começar pelo patrão. No último desses barracões que encontramos no Gurupi, em 1950, pertencente a um L. Tavares, regatão que se dedicava também à extração de madeira de lei, vimos duas jovens tembé, suas amásias. E naquele ano, para uma população de 120 Tembé do Gurupi havia apenas dezenove pessoas em idade de casamento, sendo quatro mulheres, exceto as de L. Tavares, para quinze homens. Ocorre, ainda, que as atividades dos madeireiros, bem como a de outros núcleos da indústria extrativa, coincidem com o período de plantio das roças, de modo que os índios nelas aliciados se vêem privados de sua principal fonte de alimento e ficam ainda mais dependentes do patrão. O índio geralmente se vê obrigado a aceitar aquele trabalho para pagar dívidas de compras de panos, sal e outros artigos, manhosamente oferecidos pelo regatão. Uma vez engajado, não pode mais sair, porque a conta antiga — mais a nova do fornecimento de ferramentas e outros artigos necessários ao próprio trabalho e à sua subsistência, inclusive alimentos — jamais se salda segundo as anotações do patrão.

São extremamente limitadas as oportunidades de trabalho oferecidas ao índio da Amazônia. Têm de entregar-se ao patrão mais próximo da aldeia, quase sempre o único existente, que se apossa da foz do rio e lá mantém, presa pela violência física e pelas descidas forçadas, toda a população. As alternativas de trabalho ou de produção e venda de artigos produzidos pelo índio enquadram-se num sistema montado para explorá-lo até a exaustão. Este sistema restringe a possibilidade de escolha de trabalho, quase sempre impondo um único, assim como artigos que pode adquirir, entre os poucos que lhe são oferecidos. Estes são selecionados pelo patrão, tendo em vista a sua capacidade de motivar o índio, tal qual ele é, sem lhe facultar qualquer progresso. Entre esses artigos destacam-se os instrumentos para a consecução das tarefas encomendadas: aparelhagem de pesca e coleta, para os grupos ribeirinhos; instrumental de recoleta, para os índios seringueiros e coletores de piaçaba; roupas, artigos de "luxo" como brilhantina, perfume, fitas coloridas, batom, miçangas e, sobretudo, aguardente, o estímulo por excelência.

O desconhecimento, pelo índio, das técnicas de coleta de drogas da mata, mesmo as mais rudimentares já dominadas pelo civilizado, faz com que sua produtividade seja inferior à do caboclo. Só é capaz de executar as tarefas mais simples, auferindo um salário irrisório que mal dá para saldar as dívidas do barracão. As próprias empresas da floresta tropical são, em sua maioria, deficitárias e mantêm-se à custa da mais desenfreada exploração do índio e do trabalhador nacional que conseguem aliciar. Este só as procura em último caso, fugindo de hecatombes como as secas do Nordeste. O lucro do seringal é auferido pela extrema compressão dos gastos indispensáveis à recuperação da energia despendida por seus trabalhadores. Apesar de tudo, esta atividade extrativista só se mantém graças a subsídios oficiais e empréstimos de favor, destinados a ativar a única atividade econômica da região.

O Serviço de Proteção aos Índios nunca teve uma organização capaz de controlar o trabalho assalariado dos indígenas na Amazônia. Para isto precisaria de uma rede de postos que abrangesse todo o território, cercando cada seringal. Porém, o ódio que lhe votam os patrões naquela área bem demonstra quanto ele os tem controlado. Pioneiro pela imposição da lei em vastas regiões desassistidas, único órgão do governo a impor a legalidade para brancos e para índios — impedindo a escravização, obrigando o pagamento de salários, controlando as contas, quebrando monopólios sobre regiões inteiras —, a reação contra ele tem sido a odiosidade, os ataques e até os assassinatos de agentes do SPI. Não faltam, infelizmente, os casos em que os funcionários do SPI se convertem, eles próprios, em exploradores desenfreados da mão-de-obra indígena ou em intermediários na sua submissão aos patrões vizinhos.[2]

Nesse processo de engajamento compulsório, não só se rompe o sistema econômico tribal, mas toda a vida social se subverte. O grupo perde seu poder de polarizar os membros e controlar suas atividades. Surgem tensões entre as gerações e entre os sexos com a queda dos princípios que regulavam suas relações. A família extensa decompõe-se em famílias conjugais (porque agora já não se depende dela para a subsistência) e a unidade econômica transfere-se da aldeia para o barracão com o qual cada indivíduo se relaciona diretamente. Assim cai por terra a autoridade dos chefes de família, dos chefes de aldeia, dos líderes tribais. A autoridade cabe agora a quem controla os bens, a vida econômica e mercantil, e não a quem comanda na guerra, preside os ritos de passagem ou rege os cerimoniais religiosos. Desaparece a divisão de trabalho baseada em atribuições perfeitamente definidas para as pessoas de sexos e idade diferentes. Muitas das tarefas da civilização, como a condução da carga, o cuidado das roças, a confecção de certos artefatos, eram antes atribuições femininas. Agora os homens são aliciados para realizá-los, somando à exploração a humilhação que sentem por ter de aceitá-las.

As experiências das várias gerações tornam-se tão diversas que todo entendimento entre elas é precário. O passado é para os mais velhos uma época que eles alcançaram, em que a tribo vivia independente, orgulhava-se de seu valor e proporcionava a todos os seus membros um corpo de crenças e valores coerentes que lhes permitia cooperar com eficácia. Para os homens maduros, o passado não vai além dos primeiros anos de contato com os civilizados, época em que viram sua gente morrer como moscas, atacada por epidemias, e presenciaram toda a desmoralização e todos os desajustamentos decorrentes das violentas transformações operadas nos modos tradicionais de viver. Para os mais jovens, a realidade atual é a única experiência. Foram educados sem grandes ilusões, sabendo que são índios diante dos civilizados e que todo um mundo de diferenças os separa. Por isso, desde cedo desenvolveram uma atitude de amarga reserva para com os brancos.

É neste mundo sem leis, sem normas, que os Tembé e outros grupos caem completamente na desmoralização e, incapazes de reação, abandonam-se nas mãos dos dominadores. Todavia, concomitantemente com esse processo de desorganização, que alcançou um ponto extremo no caso dos Tembé, registram-se esforços de reorganização da vida tribal. Aqui já não se trata do fato de que toda adoção de elementos estranhos seja presidida por um esforço de interpretação, na base dos valores tradicionais, e de conciliação no contexto cultural. Trata-se, agora, de esforços essencialmente autodefensivos, que operam não apenas a partir do contexto cultural primitivo e no sentido de preservá-lo, mas como ingentes tentativas de encontrar modos de sobreviver num mundo em que a existência tribal se tornou impraticável e a expectativa de fusão na sociedade nacional, como parcela dela indiferenciada, se viu obliterada.

Os Guajajara do vale do Pindaré avantajaram-se aos Tembé nessa reação autodefensiva. Dependem ainda mais que estes últimos da indústria dos civilizados, e sua integração na economia regional é mais orgânica. Sua vida já se marca por períodos de crise ou de relativa largueza, segundo caiam ou subam as cotações do coco babaçu — sua principal produção para comércio — no mercado internacional. Enquanto os Tembé ainda se permitem andar nus em suas aldeias mais remotas, os homens guajajara sempre usam roupas, falam o português fluentemente e ganham a vida pelos mesmos processos dos sertanejos vizinhos, comprando nas vendas dos vilarejos os mesmos artigos. Todavia, barreiras intransponíveis os separam daqueles sertanejos.

Quando visitamos a região em que vivem esses Guajajara, em 1952, indagando — como fizemos em relação aos Tembé —, nas vilas sertanejas secularmente habitadas por eles, sobre seus descendentes civilizados, apenas nos puderam indicar uns quantos netos de mulheres índias, antigas amásias de brancos. Não existia nem um exemplo do que procurávamos: famílias e grupos locais guajajara que deixaram de ser índios para se identificar como caboclos.

Ao revés, entre os índios Guajajara das aldeias do rio Pindaré, tivemos ocasião de conhecer mais de um "indígena" desajustado no esforço frustrado de alcançar a assimilação no mundo dos brancos. É o caso de um filho de índia com branco que vivia no Posto Indígena Gonçalves Dias. Recolhera-se ali pedindo abrigo depois de toda uma vida de remeiro no Pindaré, de que restou um reumatismo agudo que mal lhe permitia andar. Era em tudo semelhante aos caboclos: na linguagem, nos hábitos, nas aptidões, exceto pela comunidade de origem. E esta diferença marcou seu destino. Por ser identificado como índio, jamais pôde obter uma mulher cabocla para casar-se e envelheceu sozinho. Seus irmãos, filhos do mesmo pai com uma mulher tida como cristã, viviam nos vilarejos, casados e considerados por todos como iguais. Mas mesmo eles o tinham na conta de índio e, portanto, de imaturo, de dependente, não o aceitando como igual. Esses Guajajara, que após percorrer todo o caminho da aculturação, quando já quase nada os distingue do não-índio, esbarram com os obstáculos imprevistos da assimilação não reconhecida. Então, só têm um caminho: a conservação da identificação tribal e o retorno à vida da aldeia, única que lhes proporciona um tratamento simétrico e um sentimento de grupo.

Como se vê, o exame das condições de vida e de trabalho dos índios Tembé e Guajajara de nossos dias repete a análise que fizemos da situação dos índios da Amazônia, nos alvores do século XX. Realmente, eles vivem ou morrem hoje como aqueles índios há meio século, como tantos outros há dois, três e quatro séculos. O processo foi o mesmo através de todas as zonas pioneiras. No passado, essas fronteiras corriam pela costa, onde hoje se assentam as grandes cidades brasileiras; daí avançaram até atingir os Tembé, os Urubu e avançam ainda hoje sobre outros grupos que serão, por sua vez, chamados a reviver o mesmo drama.

Existe, porém, uma diferença fundamental. Os Tembé e Guajajara contam com um posto do SPI para o qual, bem ou mal, podem apelar a fim de não serem aprisionados e escravizados por dívidas. E contam com um território tribal, onde sempre se podem recolher para plantar suas próprias roças e viver independentemente. Ocorre que o regatão dispõe de outras armas: é o fornecedor da aguardente e da maconha, que são as mais altas motivações para o Tembé e o Guajajara civilizado. Embora a vida de remeiros — perambulando pelo rio, tão livres para se embriagarem como para serem explorados até a exaustão — já não atraia como uma aventura, os jovens tembé vêem nela a única fuga possível à monotonia da aldeia, de cultura rota, com os valores desmoralizados diante do prestígio e da força que a civilização tem a seus olhos. E privá-los dessa liberdade, embora ela lhes seja fatal, seria impor-lhes um paternalismo opressivo e igualmente odiável. Por outro lado, o controle do regatão exigiria a transformação do sistema econômico da Amazônia e isto exorbita das forças do SPI.

Como vemos, o processo de integração dos Tembé na sociedade nacional não foi apenas a passagem da economia tribal à mercantil; foi principalmente sua inclusão nas camadas mais pobres da população do Gurupi, para cuja vida eles não estavam preparados, nem biológica, nem culturalmente. Por esta razão, seu destino é hoje o mesmo das massas de trabalhadores da indústria extrativa da região. E ainda pior, por ser menor sua capacidade de defesa, conseqüente de sua integração incompleta no sistema sócio-econômico, devido à conservação de costumes, hábitos, lealdades e associações emocionais que os vinculam à tradição tribal. Já não lhes é aproveitável a copiosa legislação que deveria ampará-los como índios; e a legislação social que lhes garantiria direitos, enquanto trabalhador nacional, não os atinge. Estão nas fronteiras da civilização, em regiões demograficamente semidesertas onde a vida não se disciplina pela lei porque ainda não foram alcançadas pelo aparelho legal e jurídico do Estado. Do mesmo modo o caboclo, que é a configuração amazônica do brasileiro rural, se encontra entregue à sua própria sorte sob o domínio desse patronato primitivo.

Não é somente a circunstância de estar em contato com frentes pioneiras de economia extrativa que explica o destino dos Tembé e Guajajara. A relativa facilidade com que foram engajados se deve, em grande parte, à semelhança cultural entre estes índios e os caboclos com que se defrontam. E este fato pode ser observado ainda hoje nas aldeias kaapor. Embora esses índios conservem praticamente toda a sua cultura, um caboclo amazonense não encontrará grandes dificuldades de viver entre eles. Ambos têm a alimentação baseada na farinha de mandioca, que é cultivada e preparada pelos mesmos processos. Além dessa semelhança, aquele caboclo identificaria vários outros elementos comuns: chamaria pelos mesmos nomes diversas plantas e animais, temeria os mesmos entes sobrenaturais e se valeria de muitas formas rituais comuns para controlar aqueles seres. As divergências que mais avultam são as motivações para a ação, as práticas cerimoniais e certos usos, como a couvade. Nessas condições, desde os primeiros contatos, índios e caboclos dispõem uma ponte que lhes permite estabelecer relações e logo depois manter convívio. Essas relações não conduzem, todavia, à assimilação, mas à fixação de um modus vivendi amargo que mantém o índio aculturado na condição de "índio genérico", sem lhe ensejar, jamais, a incorporação na sociedade nacional.

Vejamos, agora, as condições em que vivem o destino dos "índios civilizados" outros grupos do extremo oposto da Amazônia: as tribos do rio Negro. Curt Nimuendaju, de quem colhemos os elementos para essa caracterização, visitou aqueles grupos indígenas em 1927, deixando uma preciosa exposição sobre as suas condições de vida e as relações com a população civilizada.[3] Relatando suas dramáticas tentativas para estabelecer relações cordiais com as tribos do rio Negro, Nimuendaju traça o perfil do índio civilizado, pondo a nu o resultado de dois séculos de civilização e catequese:

> [...] mais do que em qualquer outra parte do Brasil por mim conhecida, achei no Içana e Uaupés as relações entre índios e os civilizados — os brancos como ali se diz — irremediavelmente estragadas: um abismo se abriu entre os dois elementos, à primeira vista, apenas perceptível, encoberto pelo véu de um modus vivendi arranjado pelas duas partes, mas mostrando-se logo em toda sua profundidade intransponível assim que se trata de conquistar a confiança dos índios e de penetrar no íntimo da psique deles. Claro está que a maioria dos civilizados, não compreendendo nem precisando de nada disto, nun-

> ca chega ao conhecimento desse abismo, dando-se por muito satisfeita com o modus vivendi e o apresentando muitas vezes orgulhosamente como resultado dos seus processos civilizadores.
>
> O índio de hoje vê em qualquer civilizado com que depara o seu algoz implacável e uma fera temível. É trabalho perdido querer conquistar sua confiança por meio de um tratamento fraternal e justiceiro. Mesmo os atos mais desinteressados ele atribui a motivos sujos, convencido de que só por uma conveniência qualquer o civilizado disfarça ocasionalmente a sua natureza de fera. Para mim pessoalmente, acostumado à convivência íntima com índios das tribos e regiões mais diferentes, a permanência entre os do Içana e Uaupés foi muitas vezes um verdadeiro martírio, vendo-me sem mais nem menos e com a maior naturalidade tratado como criminoso perverso e bruto. Muitos civilizados consideram esse tratamento como manifestação da brutalidade inata da raça primitiva, mas basta observar uma vez o trato que os índios se dão entre si, para reconhecer em semelhante explicação uma daquelas calúnias com que o "branco" costuma envilecer a sua vítima. Sempre notei com inveja a urbanidade com que eram recebidos os índios meus remadores assim que eu entrava com eles numa maloca: o dono da casa os cumprimentava na entrada, oferecia-lhes assentos e trocava com eles cerimoniosamente as frases de estilo. Para mim ele tinha apenas um olhar cheio de medo e desconfiança, depois do que me virava as costas na certeza de não encontrar da parte do "branco", devasso e brutal, a menor compreensão para um tratamento cortês. E por isso, mais de uma vez, enquanto mulheres e crianças fugiam pelos fundos, o dono da casa, encolhido num canto, deixava a recepção do "branco" aos cachorros do terreiro. Aos meus remadores, a dona da casa trazia a panela de quinhapira e beijus, mas, salvo raras exceções e já por aviso dos meus companheiros índios, nunca me convidavam, porque se o fizessem com qualquer outro, este com certeza repeliria com indignação o "desaforo" de ser assim igualado aos índios.

Essas relações amargas são apresentadas com orgulho, pelos regatões, como provas da eficácia dos seus métodos de "civilização" dos índios. Eles se têm na conta de paladinos do que chamam progresso, incumbidos da nobre tarefa de amansar o índio, tirá-lo de uma vida "inútil e improdutiva" para integrá-lo na economia regional. E não só os traficantes e coletores de drogas da mata mas toda a população que vive em contato imediato com os índios estão imbuídos dessa autodestinação de "civilizadores" que, a seus olhos, justifica todas as intervenções na vida dos índios.

Nessas condições, desenvolveram-se verdadeiras técnicas de amansamento de índios, que vão desde o ataque e a subjugação da tribo até os processos mais sutis da ceva, através dos quais os acostumavam a certos artigos — a começar pela aguardente —, cujo fornecimento posterior se faz através de trocas, cada vez mais escorchantes. Voltemos ao relatório de Nimuendaju, que ilustra tão bem as condições de vida dos índios, não só do rio Negro mas de toda a Amazônia:

> Distribuí na minha viagem, sempre que chegava numa aldeia, alguns pequenos presentes, mas em caso nenhum a minha liberalidade contribuiu para melhorar as relações, antes pelo contrário. Se eu tivesse maltratado os índios, mesmo fisicamente, eles provavelmente pouco caso teriam feito, na convicção de que o modo do branco tratar índios é esse mesmo. Fazer ao índio, porém, um presente é quase sempre o meio mais seguro para afugentá-lo. Como ele não acredita em atos desinteressados do "branco", fica logo atemorizado pela idéia de que novos planos ocultos e traiçoeiros não esteja tramando a respeito de sua pessoa e que despropósito não irá exigir mais tarde em troca do tal presente, e evita, daí em diante, aparecer-lhe. Quis tirar a prova disto, e durante minha visita à aldeia *Caruru* não dei o mínimo presente a ninguém: o desembaraço dos índios desse lugar foi notavelmente maior do que o dos Yutuca, onde eu adotara ainda a praxe de liberalidade. Só uma família em Caruru mostrou-se retraída, escondendo-se de mim o mais possível. Foi aquela com que já me tinha encontrado em viagem no Ayarí, tendo-lhe feito alguns presentes por essa ocasião.

Quando a acumulação de compulsões chega ao ponto de desfazer as formas originais de organização da vida tribal, impõe-se, imperativamente, a criação de novos mecanismos capazes de coordenar as atividades interna e externa, pela fixação de um tipo qualquer de autoridade. Nas primeiras etapas, essa autoridade é às vezes fundada na própria tradição tribal com a utilização de caciques ou tuxauas na função de "capitães", seja como agentes de imposição do domínio externo sobre a tribo, seja para coibir formas de ação tornadas indesejáveis, como as guerras intertribais, seja para aliciar índios a serviço de um patrão.

Os Urubu-Kaapor, que viam ruir suas antigas formas de controle societário quando visitamos suas aldeias, já pediam que se lhes indicassem "capitães", isto é, chefes que servissem de intermediários entre eles e os brancos. Pediam-no, porém, os indivíduos mais atilados que buscavam força numa atribuição externa de poder para desfrutar de prestígio dentro do próprio grupo. E compreendiam "culturalmente" a nova forma de autoridade, já que, interpretando a palavra portuguesa "capitão" como *akang-pitang* (cabeça vermelha), o que desejavam eram bonés de pano vermelho que os definissem aos olhos dos forasteiros como "capitães" — pelos quais estes sempre perguntavam — e que os destacassem, dentro da tribo, como eleitos pela enorme tribo dos brancos.

Curt Nimuendaju verificou entre os Tukuna que uma posição de liderança apoiada na tradição — os te'ti, antigos cabeças de clãs ou famílias — foi utilizada pelos seringalistas para a conscrição dos índios para o trabalho. Mais tarde, desmoralizados talvez pelo exercício dessa função, os velhos te'ti foram substituídos por tuxauas ou curacas escolhidos por suas qualificações para serem utilizados como instrumentos de dominação da tribo.

> Esses pobres-diabos eram condenados a mentir a seus subordinados para agradar a seus senhores, e a mentir a estes últimos para não serem completamente desprezados pelos companheiros. (*Nimuendaju, 1952a: 64-5*)

Anos mais tarde, Roberto Cardoso de Oliveira, estudando a mesma tribo, registra que

> [...] a importância do tuxaua para a manipulação da situação interétnica era tal, que desse tipo de líder não dispensou o próprio Serviço de Proteção aos Índios ao se instalar em Tabatinga. (*R. C. Oliveira, 1964: 87*)

Generalizando sua afirmação, aquele etnólogo mostra como tais atribuições de autoridade são prática comum da intervenção protecionista que, necessitando agentes tribais para exercer sua influência, não tem dúvida em designá-los e legitimá-los com base em sua autoridade.

Os Munduruku do rio Cururu, no alto Tapajós, estudados por Robert Murphy (1954, 1960), oferecem um exemplo de consolidação de uma nova forma de chefia tribal numa primeira etapa da transfiguração étnica, posteriormente alterada. A estrutura original era um complexo sistema de clãs locais, organizados principalmente em função da guerra e da caça de cabeças, e regida por chefes de guerra. A primeira transfiguração consistiu, essencialmente, numa reestruturação da família que, de patrilocal, passou a matrilocal, com o desenvolvimento de uma economia de produção de farinha de mandioca para o mercado. Nessa fase, os Munduruku alcançaram certo equilíbrio, instituindo uma autoridade tribal que coordenava as atividades produtivas de sua parentela e realizava a comercialização, retribuindo cada pessoa de acordo com critérios fundados na tradição. A incorporação posterior dos Munduruku à economia extrativista, como produtores de borracha, rompeu esse equilíbrio porque as novas tarefas, já não podendo ser realizadas pelas antigas unidades familiais extensas, tiraram a base de sustentação das chefias. Simultaneamente as famílias extensas se atomizam e desaparecem as chefias locais, à medida que os produtores passam a se vincular diretamente aos agentes externos da economia extrativa, como trabalhadores individuais a serviço do "patrão" do seringal. Tanto o SPI quanto a missão religiosa que atuam junto aos Munduruku procuraram preservar as antigas chefias, mas em face de sua inviabilidade, tiveram, eles também, de agir como "patrões" na regência da economia extrativista dos índios que permaneceram sob seu controle.

A integração do indígena na sociedade nacional importa, portanto, na ruptura dos larvares sistemas de poder que operavam durante a existência tribal independente. Incapazes de prosseguir desempenhando seu papel, porque doravante são chamados a regular relações de exploração, desaparecem as antigas formas de liderança. As novas são necessariamente estranhas, como é o caso do funcionário do SPI, do missionário, do patrão; ou, mesmo sendo tribais, tiram seu poder dessas autoridades externas e o exercem para servi-las e para atender a seus desígnios de dominação.

O engajamento compulsório que acabamos de examinar conduz o índio tribal à condição de índio genérico, através de uma série de compulsões inelutáveis. Na primeira fase de contatos predomina a tendência desorganizativa, em virtude da atitude receptiva e até entusiástica dos índios diante de uma sociedade esmagadoramente superior. Mas, à medida que os contatos prosseguem, começam a surgir esforços reorganizativos, na forma de reações contra-aculturativas de retorno às instituições tribais. Estas raramente alcançam sucesso e, mesmo neste caso, só por breves períodos. É que as primeiras experiências da civilização os marcam tão profundamente que jamais voltam a ser o que eram como povo, por mais que se refugiem num conservantismo hostil a toda mudança, e por mais que se esforcem por reorganizar a vida em novas bases, mantendo sua autonomia étnico-cultural.

Finalmente, quando os índios tomam consciência do lugar e do papel que lhes cabe na grande sociedade dos brancos e do caráter inexorável da interação com esta, se definem atitudes de fatalismo, de reserva e de precaução que, por vezes, tendem a crescer até impregnar todas as ações do grupo, configurando-se como um modus vivendi amargo, mas viável.

Muitas tribos, traumatizadas nesses primeiros passos do engajamento, são levadas a tamanha desorganização sociocultural que jamais conseguem recuperar-se. Desaparecem como povo sem deixar marcas na população que as sucede, a não ser alguns genes em filhos de índias e pais brancos, que se identificam com o pai e, na realidade, apenas geneticamente seriam meio indígenas. Outras tribos, passada a primeira fase de intensa confraternização e dissolução e a segunda fase de reação contra-aculturativa, recuperam-se para viver o destino de "índios civilizados". Estes continuarão repetindo sempre, embora cada vez menos entusiasticamente, ingentes esforços de assimilação inexoravelmente barrados por uma série de fatores. No capítulo seguinte veremos como operam as forças constrictoras do engajamento ocupacional que conduzem o indígena àquele amargo modus vivendi.

A incorporação na força de trabalho nacional

As fronteiras de expansão avançam dando lugar a regiões econômicas que se articulam cada vez mais organicamente na vida nacional. São cortadas por estradas e a população civilizada aumenta e se estrutura em bases mais estáveis e mais policiadas. Os remanescentes das populações indígenas que conseguem manter-se na posse de suas terras se vêem ilhados em meio a um mundo estranho e hostil. Esta é a situação dos índios de língua kaingáng do sul do país; dos grupos timbira do sul do Maranhão e oeste de Goiás; dos Maxakali do nordeste de Minas Gerais; dos Karajá do rio Araguaia, em Goiás; dos Bororo do centro de Mato Grosso; dos Kadiwéu, Terena, Guarani do sul de Mato Grosso e de muitas outras tribos, todas elas já distantes das primeiras fases de confraternização, em que tudo que simbolizasse a civilização tinha, a seus olhos, o maior prestígio. Superaram, há muito, as fases de "namoro" e a seguinte, de abandono diante do civilizado, que tem lugar quando a vida tribal é traumatizada pela adoção de elementos culturais incongruentes e incompatíveis com a existência tradicional. Nesta terceira fase, alguns grupos procuram voltar atrás, em movimentos contra-aculturativos. A maioria, porém, assume uma atitude de resignação e de amarga reserva para com a civilização.

Este é o caso das tribos acima citadas. O que melhor as caracteriza é o esforço consciente de reorganização da cultura, de conciliação do novo com o tradicional, de conservação de todos os aspectos do velho patrimônio tribal suscetíveis de sobrevivência em sua condição de "índios civilizados", quase sempre recolhidos em postos de proteção do governo e vivendo sob tutela. Oferecem um exemplo dessa capacidade de auto-recuperação os índios Timbira, em particular os Canela ou Ramkokamekra da aldeia do Ponto, no vale do Itapicuru, no sul do Maranhão. São tribos lingüisticamente filiadas aos Jê e de cultura especializada para a vida nos cerrados entrecortados de matas em galeria e extensos palmares de buriti situados nos limites da floresta amazônica e da caatinga do Nordeste.

Os Canela viviam da caça e da coleta, praticando uma agricultura incipiente, mas própria, baseada no cultivo de certos tubérculos e de um cipó cuja parte alimentícia não são as raízes, mas o próprio caule, formado por uma massa rica em fécula. Como não tinham cerâmica nem canoas, foram tidos pela etnologia clássica como povos mais rudes que os Tupi da floresta tropical, quando de fato se tratava apenas de culturas especializadas. Graças aos estudos de Nimuendaju, sabemos que aqueles grupos desenvolveram uma organização social altamente elaborada, muito mais complexa que a dos grupos tupi, por exemplo. Confinados a um hábitat de cerrados, tinham uma adaptação comparável à do esquimó e do fueguino nas geleiras glaciais. Dele tiravam a subsistência, ostentando um vigor físico admirável. Embora desprovidos de cerâmica, da lavoura de mandioca, da canoa e de outros elementos culturais, constituíam grandes grupos com extraordinária capacidade de resistência ao branco, num ambiente em que não sobreviveria nucleado em grupos compactos o próprio sertanejo com suas técnicas agrícolas, sua cerâmica e suas canoas. Seu hábitat é que os obrigou a abrir mão de qualquer equipamento mais pesado, de qualquer tralha que lhes atrasasse a marcha em busca do alimento. Quando se consideram seus notáveis trançados — campo a que deram maior atenção por ser o mais útil em sua vida de recoletores —, pode-se compreender a relatividade do progresso cultural nesse patamar prévio ao desenvolvimento da civilização e a impropriedade de escalonar a evolução dos povos tribais segundo um critério absoluto, de presenças e ausências de certos elementos de cultura material, sem considerar os fatores ecológicos.

Os índios Canela foram alcançados pela expansão pastoril na primeira metade do século passado, por ela envolvidos e avassalados depois de longo período de guerra a que já nos referimos. A paz que sobreveio a essas lutas jamais passou de um modus vivendi impregnado de hostilidade recíproca que apenas permite relações formais. Índios e vaqueiros tratam-se como "compadres", mas uma barreira intransponível os separa como gente que se considera reciprocamente diversa e imiscível.

Vitimados pelas doenças e pela miséria resultante da redução de seu território de caça e de coleta, os Timbira diminuíram tanto que nem puderam manter as terras que lhes restaram quando da pacificação. À custa de tramóias, de ameaças e de chacinas, os criadores de gado usurparam a maioria das terras em que eles viviam, obrigando-os a juntar-se a outros grupos que ainda conservavam parcelas do seu território original, todas insuficientes para o provimento da subsistência à base da caça, da coleta e da agricultura rudimentar praticada por esses índios. Mesmo essas parcelas, porém, uma após outra, lhes foram sendo tomadas, e diversos grupos timbira se viram compelidos a mudanças constantes. Onde quer que se estabelecessem eram alcançados pelos criadores e renovavam-se os atritos, as acusações de roubo de gado e de produtos das roças e, por fim, o choque, a chacina.

De trucidamentos, chacinas e uma vida diária de opressão consiste a crônica de todos os grupos timbira. Quem quer que tenha observado as relações desses índios com os sertanejos maranhenses, paraenses ou goianos com que convivem, não pode ter dúvidas de que um abismo intransponível os espera, tornando impossível qualquer confraternização maior que as palavras de saudação, quase sempre eivadas de ironia e preconceito. Essa a situação que suscitou a Sílvio Fróes Abreu estas palavras sombrias:

> Raros são os que vêem neles representantes do mesmo gênero e da mesma espécie. Acham que não são brasileiros, são índios. Talvez fosse ainda oportuno apregoar a bula de Paulo III (1537) explicando aos cristãos que os indígenas da América são também filhos de Deus! (*1931: 177*)

Provavelmente em nenhuma outra região brasileira haja tão grandes ressentimentos entre índios e não-índios como nessa zona de campos ocupados por uma economia pastoril. Embora convivam intimamente, uma muralha de preconceitos os separa, impedindo que formem juízo objetivo uns dos outros. Em cada vila próxima de aldeias indígenas, pode-se ouvir um enorme repertório de anedotas sobre os índios, em que são descritos como bichos, mais que como gente, como perversos, vingativos, covardes, traiçoeiros, desconfiados, dissimulados, brigões, violentos, preguiçosos, ladrões, mendigos, estúpidos, ignorantes, infantis, mal-agradecidos, nojentos, cachaceiros, indecentes, dissolutos etc. Através desses casos é que cada pessoa aprende a ver os índios. Por isso mesmo, qualquer procedimento de um índio que discrepe das normas habituais é interpretado segundo esse juízo.

Esse consenso acaba afetando o índio; e muitos deles, criados por civilizados, aprendem a se considerar desse ponto de vista, perdendo todo o respeito por si mesmos. Como esses estereótipos são irrecorríveis, ninguém cogita ajudar os índios a lutar contra a embriaguez ou a se familiarizar com os padrões de comportamento tidos como desejáveis. Um ou outro índio submisso parece constituir exceção, sendo considerado "tão bom que nem parece índio". Mas esses mesmos somente o são enquanto se deixam explorar sem qualquer queixa e se colocam invariavelmente no papel que lhes atribuem, de bicho arredio, infantil, que só presta para trabalho grosseiro. A menor reação desse índio "bom" a um abuso de qualquer quilate é vista como uma confirmação dos estereótipos. Ninguém jamais cogita saber se, nas suas aldeias ou quando viviam independentes, eles eram preguiçosos, brigões, cachaceiros, mendigos ou ladrões, ou qualquer outro de tantos qualificativos que lhes aplicam referentes a defeitos que realmente alguns deles chegaram a adquirir, porém somente depois do convívio com os brancos. Para os sertanejos, o índio ou é bravo — e neste caso um animal feroz que deve ser tratado a bala — ou manso, e então preguiçoso e ladrão que só trabalha à custa de castigo ou estimulado pela promessa de uma garrafa de cachaça.

A tantas vezes proclamada capacidade da expansão pastoril para assimilar populações indígenas, integrando-as em seu sistema como vaqueiros, não encontra confirmação nos dados disponíveis. Assim, todas as tribos de regiões ocupadas por criadores, cuja história ficou registrada, ou foram desalojadas à custa de toda sorte de violências para dar lugar ao rebanho e sobrevivem nos terrenos mais inóspitos, ou se extinguiram à margem das fazendas. Nessas zonas de campos, os índios — acoitados nos restos de seu território que o SPI consegue defender — saem, às vezes, para trabalhar como peões nas fazendas, mas sempre se conservam vinculados ao núcleo tribal, suportando a pressão constante sobre as terras que lhes restam e toda a carga do preconceito e da predisposição unânime contra sua simples existência.

Conforme vimos, a população pastoril brasileira, como uma expansão secundária a partir das primeiras matrizes, desenvolveu-se vegetativamente. Já nos primeiros séculos constituía núcleos relativamente organizados que contavam com mulheres, não precisando tomar as dos índios. A expansão pecuária não se fez, portanto, com homens faltos de mulheres, como ocorreu com as protocélulas brasileiras da costa e os núcleos extrativistas e mineradores. Estes, sim, dependiam dos índios como mão-de-obra para a empresa predatória e da índia para a procriação.

Assim a expansão pastoril comporta-se em face das tribos com que depara, movida principalmente pelo interesse de limpar os campos de seus moradores humanos para entregá-los aos rebanhos. Correspondendo a esse motor econômico, desenvolve-se uma atitude de hostilidade e preconceito contra o índio, que serve pelo menos para racionalizar as chacinas. Essas barreiras resultam em parte, conforme demonstramos, da distância cultural entre os caboclos — com sua cultura de base essencialmente tupi — e os Timbira, com sua adaptação especializada à vida nos campos. Basta comparar o conservantismo dos Canela, após quase um século de convívio com a civilização, com a receptividade dos Urubu, só pacificados em 1928, para se aquilatar os efeitos dessa barreira. Hoje, apesar de toda a pressão aculturativa que sofreram, os Canela vivem a vida de seus antepassados, naquilo que lhes é possível conservá-la. A organização social ainda atuante daqueles índios é um exemplo desse conservantismo extremado.

Habitam aldeias circulares de cerca de trezentos metros de diâmetro que, vistas de cima, parecem uma enorme roda de carro, devido aos caminhos radiais que partem de cada casa para o pátio central. Têm uma organização social altamente complexa, baseada numa divisão dual composta de duas fratrias exogâmicas, cada qual subdividida em sete clãs matrilineares, cuja disposição na aldeia obedece a regras de orientação de acordo com os pontos cardeais. Esta estrutura se complica, ainda, com um critério classificatório que divide não só a tribo, mas todo o universo em duas bandas distintas: uma delas domina o sol, o fogo, a terra, o este, o vermelho; à outra pertencem, a lua, a noite, a lenha, a água, o oeste, o preto. Mas não é só. Os Canela reconhecem, ainda, quatro classes de idade que constituem, provavelmente, a estrutura mais operativa de sua organização social. Essas quatro classes, divididas em pares, uma do nascente, outra do poente, são formadas pelos grupos de homens que foram iniciados juntos. A iniciação prolonga-se através de dez anos, durante os quais instrutores especialmente destacados ensinam aos jovens tudo que um Canela precisa saber para bem desempenhar as atividades que será chamado a exercer durante a vida. É um processo formal de educação que inclui o ensinamento tanto das técnicas como do complicado cerimonial da tribo. Desse modo, cada uma dessas classes inclui indivíduos de idades que variam até dez anos. Cada dez anos, uma nova classe, integrada por indivíduos de quinze a 25 anos, entra na vida ativa da tribo, ocupando na parte norte do pátio da aldeia um lugar onde permanecerá durante vinte anos. Para isto, desloca outra classe para a parte sul, e esta, por sua vez, toma o lugar da mais antiga, cujos remanescentes se recolhem ao centro do pátio. São os aposentados que, depois de permanecerem quarenta anos no pátio, se retiram das atividades econômicas e guerreiras para se dedicar apenas ao governo da aldeia, como um senado.

Esse complexo sistema social continua regendo a vida dos Canela civilizados, depois de mais de um século de convívio com sertanejos. Foi reajustado em muitos aspectos para se adaptar à sua existência atual, mas conserva praticamente tudo quanto se possa exprimir em comportamento nos quadros de sua vida de índios civilizados (veja Nimuendaju, 1946; Crocket, 1961).

A aldeia do Ponto é hoje uma ilha cultural no mar montante de fazendas de criação dos campos do Itapicuru. Às vezes, um Canela se emprega como assalariado numa delas para ganhar algum dinheiro, mas só o faz quando é de todo inevitável, embora seja cada vez mais difícil sua vida de caçadores sem caça, de coletores reduzidos a uma nesga de terra incrustada entre latifúndios, onde pouco se pode encontrar. Mesmo tendo roupas, os Canela preferem andar nus; só as mulheres usam uma tanga em volta da cintura, que despem por ocasião das cerimônias. Homens e mulheres usam cabelos longos aparados de acordo com a tradição, pinturas de corpo e adornos de palha. Os homens ainda furam as orelhas e distendem os lóbulos para levar o adorno tribal mais característico: um disco de madeira que às vezes alcança dez centímetros de diâmetro. A maior parte da alimentação é hoje tirada da lavoura, mas ainda têm no cupá o seu prato preferido; comem-no assado sobre um monte de pedras aquecidas que cobrem com terra. Há uns trinta anos os Canela mantêm uma população entre trezentos e quatrocentos índios, com pequenas variações para mais ou para menos. É quanto resta de uma tribo numerosa. Mesmo assim reduzidos, conservam, na medida do possível, a cultura tradicional.[4]

Outro grupo indígena timbira, os Krahô, exemplifica uma situação de interação mais satisfatória com seus vizinhos, fundada na propriedade incontestada de sua reserva territorial e num respeito maior por parte da população circundante imposto pela autoridade do SPI. Paradoxalmente, esses dois fatores se devem a uma chacina ocorrida em 1940 e que, chamando a atenção do governo para aqueles índios, propiciou a demarcação do seu território e certas sanções contra os chacinadores. J. C. Melatti, que estudou a interação entre os índios Krahô e o contexto da economia pastoril em que estão imersos, assinala que

> na tentativa de sobreviverem, os Krahô lançam mão de tudo aquilo de que se podem valer pelo fato de serem índios. Isso significa que, malgrado toda a hostilidade e os preconceitos com que os vêem os regionais, em certas circunstâncias é proveitoso afirmarem-se como índios. [...] [Os civilizados,] embora de má vontade, reconhecem o território como pertencente aos índios. O Posto Indígena ali instalado representa uma contínua ameaça para o sertanejo que nele levanta sua casa clandestinamente, pois pode ser convidado a retirar-se do território a qualquer momento. Os indígenas sabem que eles são os verdadeiros proprietários daquelas terras e disso tentam aproveitar-se. [...] [Os Krahô] permitem que os regionais plantem em suas terras, criem gado, mediante pagamento em dinheiro, em reses, em produtos vegetais, em certos favores ou mesmo em troca de permissão de caçarem fora do território tribal. (1967: 132-3)

Desse modo, a intervenção protecionista assegura aos Krahô vantagens objetivas que não apenas lhes permitem escapar do destino de mendigos e dependentes a que estariam condenados se não tivessem terras, mas também lhes possibilitam desenvolver uma ordenação das relações com o mundo dos brancos que lhes é mais favorável. E, ainda, lhes assegura condições de manter sua autonomia étnica, o que, de outra forma, seria impraticável.

Nos índios Xokleng de Santa Catarina, temos um exemplo de um processo de aculturação e dos esforços de assimilação de um grupo que se encontrou com uma frente agrícola das fronteiras da civilização em circunstâncias completamente diferentes daquelas já examinadas. Do mesmo modo como os Bororo e os Timbira, esses índios estavam separados da população civilizada pelas distâncias de uma cultura completamente diferente. A peculiaridade no caso xokleng consiste em que, após a pacificação, eles se viram envolvidos por uma população tão densa que, para cada lado em que se moviam, deparavam com moradores civilizados.

Os Xokleng falam uma língua da família jê, mas, ao contrário das tribos da mesma filiação que viviam nas zonas de cerrados do Brasil central, tinham seu hábitat nas matas frias do Sul onde crescem os pinheirais do Paraná e de Santa Catarina. Viviam da caça e da coleta exclusivamente, não dispondo de canoas nem de técnicas de pesca, embora seu território fosse cortado por vários rios caudalosos que eles eram obrigados a atravessar freqüentemente. A tribo dividia-se em diversas hordas de trinta a quarenta pessoas, aparentadas umas às outras.

Embora hostilizados pelos brancos que durante décadas mantiveram tropas de bugreiros armados para exterminá-los, esses bandos xokleng jamais se unificaram. Ao contrário, viviam em constantes lutas uns com os outros. A onda invasora que avançou sobre suas terras era constituída principalmente de imigrantes alemães, italianos e poloneses, aos quais o território da tribo havia sido concedido para colonização. Após a pacificação, esses índios tiveram de vencer sérias dificuldades para estabelecer relações econômicas com os civilizados, sobretudo porque nada produziam que pudesse ser utilizado diretamente pelos colonos. Ao contrário, o modo de ser de uns e outros era tão discrepante que não dava lugar a qualquer entendimento. Só muitos anos depois da pacificação aqueles índios puderam realizar as primeiras trocas com seus vizinhos. Isto ocorreu depois de aprenderem, no Posto Indígena Duque de Caxias, do SPI, a plantar roças e cuidar do gado e a realizar outros trabalhos, mas sobretudo quando seus hábitos alimentares e outros já os aproximavam dos vizinhos brancos. Sem a interferência do SPI, isto é, contando apenas com seus próprios recursos, é provável que os Xokleng jamais conseguissem estabelecer relações que permitissem obter pacificamente as ferramentas de que necessitavam, as quais, a seus olhos, constituíam a única coisa útil que a civilização lhes podia oferecer.

Nessas circunstâncias, a unidade tribal pôde ser mantida por um longo período em que todos os índios trabalhavam coletivamente nas roças do posto, recebendo cada qual aquilo de que necessitava para sua subsistência, além de roupas e outros artigos. Foi este, não obstante, um processo lento que os relatórios daquele posto documentam passo a passo. Por eles se verifica que só foi possível introduzir a agricultura depois de longos períodos de vigilância, a fim de impedir que produtos como a batata, o amendoim e outros fossem retirados e consumidos pelos índios, logo após o plantio. Mais de uma vez, os Xokleng cavaram com as mãos o terreno cultivado de amendoins, batatas e macaxeira para comer as sementes. O mesmo ocorreu com a criação de gado, uma vez que esses índios, sendo caçadores, estavam mais predispostos a abater as reses, a modo de caça, do que a cuidar delas para mais tarde obter pela reprodução leite (que não consumiam) ou carne (Henri, 1942: 78).

Outras dificuldades decorreram da peculiaridade da organização social e da divisão de trabalho da tribo. Cabendo às mulheres a tarefa de conduzir carga, os homens se negavam a fazê-lo, por mais que o exigissem os trabalhos do posto. Como a elas competisse igualmente a coleta, os homens julgaram que todo o trabalho agrícola deveria ser tarefa feminina. Mas, acima de tudo, convencidos de que eles é que haviam "amansado" os brancos, faziam exigências descabidas, negando-se a cooperar — mediante toda sorte de ameaças ao pessoal do posto — na derrubada da mata e no preparo dos roçados. Muito lentamente, porém, se foram acostumando às fainas agrícolas e à criação de gado. Na realidade, só se submeteram inteiramente a elas depois que se quebrou a soberbia tribal; quando compreenderam que lhes era impossível voltar à vida antiga, ou mesmo cumprir suas ameaças de extermínio, por se terem, afinal, compenetrado de sua própria insignificância em relação à enormidade da tribo dos brancos. Só então foi possível ao Serviço de Proteção aos Índios impor sanções, determinando que quem não participasse dos trabalhos agrícolas não receberia as rações diariamente distribuídas. Contribuiu ponderavelmente para esse desenvolvimento aquele grupo de meninos órfãos a que já nos referimos, criados no posto e cujas lealdades, ao menos nos primeiros anos, pendiam mais para os funcionários do SPI que para a própria tribo.

Entretanto, mal se organizaram os trabalhos coletivos e a produção começara a ser satisfatória, permitindo comerciar uma parte a fim de adquirir artigos de que os próprios índios necessitavam, surgiu outra ordem de problemas. Acostumados já a andar pelas redondezas visitando os núcleos coloniais, os índios começavam a ser convidados para neles realizar as tarefas em que o posto os adestrara. A partir de então, pareceu-lhes mais atrativo esse gênero de trabalho, em troca de salário e com a independência para aplicar o dinheiro no que quisessem, sobretudo em aguardente, na qual já tinham sido iniciados pelos colonos.

Algum tempo depois o posto já não conseguia manter as grandes lavouras coletivas que haviam sustentado a tribo durante vários anos. A conseqüência imediata foi uma queda substancial do padrão de vida dos índios: passaram a comer menos e a vestir-se pior, mas nada os faria abandonar a liberdade de aplicar o tempo conforme o indicasse sua própria vontade. Só então, acossados pela penúria em que se viram submersos, iniciaram um movimento de retorno, voltando a aceitar a liderança do posto naquelas tarefas. Para isto concorreu também o fato de que a avidez de confraternizar — com que acorriam ao chamamento de cada *zug* (branco) — fora tantas vezes repelida com a mais clara hostilidade, que acabou fazendo-os tomar consciência da barreira que os separa dos brancos.

Atualmente mantêm comércio com os civilizados, vendendo o produto de suas lavouras. Mas esse comércio assume, muitas vezes, a aparência de uma operação marcada de hostilidade. É uma acomodação entre dois grupos opostos em que cada qual procura lesar o outro de todas as formas. Na realidade, esse modo de comerciar lhes foi ensinado pelos brancos, sempre prontos a comprar os artigos dos índios por preços irrisórios. Hoje eles agem da mesma forma, sempre que surge uma oportunidade, e comentam depois com o maior gosto o logro que passam nos *zug* (brancos). Como exemplo, vejamos o caso que nos foi narrado: a um comerciante que lhes comprara uma safra de milho, eles "venderam" outro tanto, com um simples expediente: quando o comprador mandava que eles próprios depositassem no paiol o milho já pesado e pago, simplesmente derramavam o saco, tornavam a enchê-lo e voltavam para vender.

Numa única ocasião puderam aplicar na prática o que aprenderam sobre a forma de patrões tratarem os assalariados. O fato se deu com uma trupe italiana que tocava nas festas da colônia. Encantados com os bailes que haviam visto, os Xokleng convidaram os músicos para ir à aldeia tocar para eles. Antes se haviam cotizado para pagar. A trupe chegou num sábado à tarde e entrou logo em função, tendo de continuar tocando noite adentro até o amanhecer e prosseguir pelo domingo afora enquanto lhe sobrou alento. Cada vez que falavam em parar ou descansar eram rodeados por um magote de índios ameaçadores que lhes repetiam as frases de xingamento que tantas vezes tinham ouvido dos que empregavam os seus serviços: "Trabalha preguiçoso, nós pagamos, trabalha".

Os mecanismos da integração sócio-econômica que vimos examinando constituem o capítulo indígena e brasileiro de um processo muito mais amplo: o da expansão da Europa ocidental, sua transfiguração em macroetnia brasileira e o avanço desta ao encontro de índios arredios ou hostis de regiões inexploradas. Para os índios, a civilização significa a passagem da vida de aldeia à canoa do regatão ou ao barracão de um bando explorador de produtos tropicais, ou à de peão das fazendas de criação. É o choque entre uma cultura autônoma, adaptada à vida em certas regiões, com aglomerados humanos desvinculados de suas matrizes originais, deculturados e incorporados à força de trabalho de uma economia regulada pela bolsa de Nova York, pelas fábricas de pneus de São Paulo ou pelos estaleiros ingleses.

Embora a civilização nas zonas de fronteira seja algo tosca e desconjuntada, é sempre a civilização ocidental que avança através da sua encarnação na sociedade brasileira. O que oferece aos índios não são, naturalmente, as conquistas técnicas e humanísticas de que se orgulha, mas a versão degradada destas, de que são herdeiros os proletariados externos dos seus centros de poder. A civilização que se apresenta ao índio é a que configurou os brasileiros como um povo que não existe para si, mas para servir à prosperidade de minorias locais e de núcleos longínquos, ao custo de seu próprio desgaste. E, se aos próprios brasileiros ela confere essa posição subalterna, aos indígenas que experimentam a expansão civilizadora a partir deles condena a tamanho desgaste que mal permite a sobrevivência física de uns poucos.

O encontro do Brasil nação com o Brasil indígena, na forma em que realmente se efetua, não representa nem mesmo um progresso reflexo, como o experimentado pela sociedade nacional através da atualização histórica. Representa, ao contrário, uma acumulação de compulsões que os leva à simples degradação: biológica, porque transmite doenças que minam os organismos ou impõe condições de trabalho que conduzem ao esfalfamento, ao envelhecimento precoce e à morte; econômica, porque resulta num engajamento na força de trabalho nacional que só representa maior miséria e fome; moral, porque ensina o índio a olhar a si próprio do ponto de vista do branco, isto é, como um pária, semi-animal.

Na verdade, foi esse o processo pelo qual se produziram as próprias frentes neobrasileiras que avançam sobre as aldeias: a deculturação que desenraizou os escravos negros e índios de suas tradições; e a aculturação posterior numa protocultura simplificada ao extremo para servir a um objetivo central — condicioná-los ao trabalho, primeiro como mão-de-obra escrava, depois como trabalhadores ditos livres.

Que vantagens objetivas tiveram as tribos que escaparam à escravização dos primeiros séculos e só agora enfrentam a mó da civilização? A vantagem única foi poderem manter por algum tempo mais a sua autonomia étnica, antes só praticável pelo isolamento ou através da fuga. Quando as antigas formas de contingenciamento da mão-de-obra, como o escravismo, se tornaram obsoletas, surgiram novas, igualmente eficientes. Na prática, o resultado é o mesmo: a formação de novos contingentes da população brasileira mediante o desgaste de povos tribais e o aproveitamento como genes daqueles poucos que chegam a incorporar-se à macroetnia nacional como parte dela indistinguível. Com uma diferença: agora, mercê da intervenção protecionista ou mesmo sem ela, um grupo indígena pode sobreviver, tanto fisicamente como enquanto etnia, criando os filhos na tradição dos avós, padecendo por serem índios, mas ao menos sobrevivendo para alcançar um futuro que talvez lhes abra melhores perspectivas.

Com efeito, são o caráter capitalista do sistema econômico vigente e a ordenação sócio-política a ele correspondente que lançam a sociedade nacional contra as etnias tribais. São também essas características que a fazem incapaz de implantar-se, de operar e de crescer em áreas onde sobrevivam grupos indígenas sem condená-los à desagregação e à extinção. Tais características são, fundamentalmente: a nucleação das atividades produtivas em empresas privadas destinadas a gerar lucros e não a preencher as condições de existência da mão-de-obra que alicia; a forma individual de apropriação da terra e dos instrumentos de produção; e, finalmente, a exploração dos produtos do trabalho alheio com uma atitude de completa irresponsabilidade do patrão para com seus assalariados.

Enquanto perdurar esse sistema, o indígena só poderá sobreviver se lhe for assegurado um amparo especial, compensatório de suas carências, para a livre interação dentro do ambiente conflitivo, impessoal e brutalizador das economias mercantis privatistas. Esse mesmo amparo compensatório, porém, importa para o índio num agravamento de suas condições de desajustamento social e psicológico, como veremos a seguir.

11 REAÇÕES ÉTNICAS DIFERENCIAIS

Resta-nos analisar, agora, como opera o processo de transfiguração étnica que vimos estudando no plano ideológico. Ou seja, como interagem as culturas tribais e a nacional, enquanto representações conceituais do mundo e enquanto corpos de crenças e de valores que motivam a conduta. Aparentemente, só nesse plano deparamos com formas puramente culturais de interação, sem intercorrências ecológicas, bióticas e sócio-econômicas. Entretanto, mesmo essas relações, apesar de essencialmente simbólicas, são mediatizadas pela ação prévia ou concomitante daqueles fatores.

Jamais uma cultura indígena e a nacional se confrontam — com suas qualidades culturais intrínsecas — como elementos livremente comparáveis e intercambiáveis. Os índios, compelidos a redefinir suas crenças, não o fazem atentos ao discurso do missionário que procura convertê-los; ou às razões do funcionário chamado a protegê-los e que lhes quer impingir suas próprias concepções; e nem mesmo às idéias dos neobrasileiros com que passam a conviver. Essas diversas representações não se oferecem ao índio como alternativas racionais dentre as quais ele deva ou possa optar, mediante a crítica de suas concepções anteriores e a adoção da que lhe pareça mais acertada ou mais adequada.

Na verdade, cada um desses corpos ideológicos, assim como aquele que o próprio indígena traz dentro de si, é a cristalização de uma mentalidade, de uma consciência que se desenvolveu e se alterou condicionada por certas circunstâncias peculiares e que só dentro desse contexto alcança significação. Tais circunstâncias extremas não só condicionam a consciência, estabelecendo os limites de sua veracidade e autenticidade, mas também a instrumentam para servir a propósitos de auto-afirmação dos grupos em confronto. No caso do índio, essa consciência será autêntica se atender à própria experiência grupal e se motivar o indivíduo para a defesa de seus interesses. Será espúria se for induzida de fora, pela interiorização de elementos da consciência do "outro", e, portanto, se operar não para servir ao grupo, mas para justificar a sua dependência.

Isto significa que a transição de uma mentalidade para a outra só pode processar-se através da transição simultânea de uma condição a outra. Mas significa também que esta mutação é intencionada pelos agentes da civilização para impor e perpetuar seu domínio sobre os índios. A consciência do índio, como sua representação do mundo e suas fontes de motivação e de explicação, é, por isso, irredutível, enquanto ele permanecer indígena. Pode ser adornada com elementos estranhos, adotados como excentricidades ou como explicações para experiências novas, mas permanece íntegra no seu cerne, dentro do qual os motivos e os temas estranhos são redefinidos antes de adotados.

Entretanto, quando um indígena passa da condição de índio tribal — em que sua consciência é seu ethos específico — para a condição genérica de "índio civilizado", a antiga consciência começa a ruir e a se decompor para dar lugar a uma nova forma que permanece sendo étnica, mas já corresponde, como mentalidade, à sua nova condição. Colocado na sociedade nacional como um estamento dela diferenciado, o índio constrói a consciência desse estamento com os cimentos e tijolos da velha herança tribal e com os novos elementos apreendidos no convívio ou criados para exprimir a especificidade de sua experiência existencial. Essa consciência será crescentemente alienada, porque mesmo os conteúdos auto-afirmativos já não a definem como uma etnia, mas a figuram também como um estamento da sociedade nacional. E será necessariamente espúria, pela absorção fatal de imagens denegridoras de si própria e justificatórias de sua dominação e exploração. Nessas circunstâncias, cada um dos corpos ideológicos apresentados ao índio é uma consciência "do outro" que busca minar a consciência do índio em suas bases de sustentação.

Dois etnólogos, trabalhando nas fronteiras da civilização, nos deixaram flagrantes dos contrastes entre a autoconcepção e a concepção do "outro" existentes entre as populações que ali se defrontam. Roberto las Casas, estudando o vale do Tapajós, relata que:

> À medida que nos aproximamos dos grupos tribais, a designação "caboclo" passa a ser mais restrita. Na "classe alta" de Santarém, o termo "caboclo" é genericamente aplicado às populações pobres das várzeas e margens do rio. [...] À medida que penetramos o interior e entramos em contato com outras camadas populacionais, a mesma designação é aplicada em sentido mais restrito. Passa a ser usada por comerciantes do interior como designativo dos "mestiços" de índios e brasileiros e, finalmente, por estes, já na área de contato propriamente dita, em relação aos indígenas. Em certas ocasiões, até mesmo índios já integrados na estrutura do seringal usam a designação "cabloco", excluindo-se da mesma e aplicando-a apenas às populações ainda não destribalizadas. (*1964: 16-7*)

Temos aqui um mesmo conceito, sempre aplicado ao "outro", dentro de uma série de oposições frontais. Para o citadino, o termo "caboclo" tem o sentido em que o empregamos aqui para designar a população neobrasileira da Amazônia, mas dele se exclui. Para aqueles a quem os citadinos chamam "caboclo", o termo se aplica ao índio civilizado; e até este encontra modos de transferi-lo ao indígena tribal preso à sua cultura original e ainda não engajado no sistema econômico da região.

Estas observações podem dar a falsa impressão de que estamos diante de um verdadeiro gradiente que seria o trânsito da condição de indianidade à de brasilidade. Trata-se, contudo, de percepções locais que confundem posições socioculturais distintas, expressando-as pelas mesmas designações. Com efeito, às posições polares que designamos como "caboclo" e "índio" correspondem duas consciências opostas, porque armadas ambas de formas de auto-sustentação e de hostilidade recíproca. O termo "caboclo" concerne aos neobrasileiros de remota origem indígena, inseridos individualmente na população nacional depois de sua completa destribalização. O termo "índio" aplica-se aos redutos de indianidade que sobrevivem, sempre e inexoravelmente índios porque assim se concebem e assim são concebidos.

Roque de Barros Laraia e Roberto da Matta, observando as frentes de expansão da economia extrativista no Vale do Tocantins, mostram que tanto os índios Gavião, então recém-pacificados, quanto os caboclos paraenses com que estão em contato desenvolveram "folclores do contato" que, retratando suas respectivas experiências, se opõem frontalmente. Em cada uma dessas representações, o "outro" é figurado como o seu oposto, com o qual toda identificação e confraternização é impossível.

Os índios vêem os civilizados na imagem de "um caçador que andava com uma matilha de cães, caçando e matando os Gavião, que, após serem assassinados, serviam de repasto aos animais". Ou através do episódio de "um velho chefe indígena que foi recebido a bala por castanheiros quando tentava estabelecer com eles relações pacíficas". A contrafação dessa imagem, fixada nas histórias contadas pelos caboclos, retratava "o caráter traiçoeiro do índio e sua maldade inata. Os Gavião não são gente, eis a mensagem dessas lendas" (Laraia & Matta, 1967: 92-3).

Como se vê, o conhecimento recíproco e a convivência pacífica, em vez de levarem a uma compreensão mútua, conduzem ao levantamento de barreiras ideológicas, perpetuando, na forma de preconceito, o antigo conflito aberto. Nessas condições, só indivíduos isolados, cuja vinculação tribal seja desconhecida, podem chegar a ser "não-índios". Ainda assim, à custa de enormes frustrações, porque isso importa na negação de si mesmo, como condição vil e indesejada, e a adoção mistificada do ser ao "outro" que é seu alterno e seu inimigo.

Estudaremos, a seguir, alguns aspectos fundamentais do processo de transfiguração étnica no nível ideológico, tal como ele se reflete nas concepções místicas e nas formas de conduta religiosa. Levaremos, depois, a análise ao nível das consciências individuais mediante estudo de alguns casos exemplares de marginalidade cultural. Finalmente, examinaremos as formas e os efeitos da interação entre índios e brasileiros naquelas esferas da conduta que, estando mais carregadas de valores, como o intercurso sexual, são mais explicativas do papel do preconceito na regulação das relações recíprocas.

Ruptura do ethos tribal

Cada grupo indígena, como de resto toda comunidade humana, conta com um conjunto de crenças que explica a origem do universo e da própria comunidade, bem como o caráter do vínculo que a unifica internamente e a contrapõe a outros grupos humanos e a toda a natureza. A mais alta expressão dessas crenças se encontra na mitologia que dramatiza, através da ação alegórica dos heróis, os temas básicos do ethos tribal e suas respostas aos problemas que se propôs.

Muitos desses corpos míticos apresentam alta consistência, proporcionando aos grupos onde se desenvolveram uma representação dramática de sua especificidade de povo distinto de todos os outros, pela origem e pela destinação e, mais do que isso, de povo dileto pela preferência com que foram tratados por certos personagens míticos. Nesses mitos o grupo encontra, ainda, a justificação de certas formas de comportamento, por sua congruência com as normas míticas e a garantia de eficácia dos ritos e cerimônias, bem como o da legitimidade das instituições graças à referência direta ou indireta aos mesmos episódios narrados pelos mitos. Essa visão unificada do mundo está quase sempre impregnada de emoção, de modo que os mitos não são meras explanações; são elementos de fé, e nisto se distinguem das lendas ou contos, que são simples narrações.

Como o caráter dinâmico da cultura é igualmente válido para os mitos, eles estão sempre se refazendo, num esforço permanente de explicar uma realidade em mudança. Num grupo relativamente homogêneo e que não sofreu mudanças violentas durante um longo período, a congruência interna do corpo mítico indica que esse trabalho de atualização progressiva conseguiu imprimir-lhe uma certa consistência com toda a cultura. Ao contrário, num grupo submetido a transformações violentas encontram-se, com freqüência, temas tornados arcaicos por já não corresponderem aos fenômenos da vida social que propunham explicar e justificar; e por igual temas novos que buscam não só representar como interpretar as experiências recentes.

Várias causas podem abalar o corpo mítico tribal: uma migração que conduza a tribo para um hábitat completamente diferente; a dominação por parte de um outro grupo ou qualquer outra transformação de igual violência que pode invalidar setores inteiros da mitologia, obrigando o grupo a redefini-la a fim de que possa continuar atuante. Infelizmente, neste campo é muito pobre a documentação de que dispomos, em virtude do preconceito que levou tantos estudiosos a desprezar os textos míticos mais expressivos do ponto de vista que aqui nos interessa. Durante muito tempo a etnologia só se interessava pelos mitos como documentos psicológicos de eras muito remotas, verdadeiros "fósseis do espírito humano" que apenas tinham valor quando se apresentavam puros, livres de qualquer influência estranha na temática ou na forma. Só nos últimos anos esse preconceito vem sendo superado com a mudança do foco de interesse das análises etiológicas para o esforço de compreensão do valor de atualidade das tradições míticas.

Entre as causas da redefinição das tradições míticas, ressalta o impacto com a civilização porque, ao transformar todas as condições anteriores de existência, ela impõe a elaboração de novas explicações do mundo, a adoção de novas categorias de pensamento e de novas pautas de valores. Face à imperatividade dessa imposição, o que mais surpreende é a capacidade revelada pelos grupos indígenas de preservar grande parte de suas tradições míticas, apesar de estarem em flagrante contradição com a realidade. Por isso mesmo, ao estudar a mitologia, cumpre atentar para o caráter intrinsecamente ambíguo das construções ideológicas. Elas não são meras referências conceituais à realidade percebida. São, isto sim, corpos de representações cuja função consiste menos em explicar racionalmente o mundo do que em motivar os homens para viver e amar a vida. Assim, admitem qualquer grau de incongruência e de irrealismo, porque sua lógica não está na coerência formal dos textos, mas nas relações destes com a vida social.

Acresce, ainda, que os textos míticos de todos os povos parecem ser, em larga medida, variações sobre certos temas elementares. Cada povo os encarna em personagens seus e os ativa em episódios marcados com suas singularidades culturais. Assim, ao impacto com a civilização, o pensamento mítico, desafiado a ativar-se para responder a novas indagações, passa a buscar nas crenças dos invasores os temas de sua própria mitologia. Como facilmente os encontra, dá-se a fusão de personagens míticos e a adoção de variações sobre temas comuns que oferecem respostas paralelas às mesmas indagações fundamentais. Mais tarde, tem lugar a redefinição de temas originais para neles incluírem-se heróis e episódios explicativos das suas novas experiências. Por fim, ativa-se a própria criatividade para produzir novos mitos.

Nos estudos de caso, podem-se surpreender essas três ordens de reativação do pensamento mítico através de textos distintos e, como é inevitável, a coexistência de mitos "defasados" e "contraditórios". Essa ambigüidade é que permitiu a tantos etnólogos registrar larga documentação sobre os mitos tribais "autênticos", sem nela incluir nada que revelasse um esforço de redefinição da consciência indígena em face do impacto com a civilização. Essa mesma ambigüidade permitiu que, mais tarde, etnólogos mais preocupados em compreender a função dos mitos do que em reconstituir suas formas pretéritas encontrassem vasta documentação sobre aqueles esforços.

Estudando a mitologia de algumas tribos brasileiras (D. Ribeiro, 1950, 1951b, 1957c) dentro desta perspectiva, às vezes tivemos a sensação de estar diante de repertórios alternativos, sujeitos a tantas variações quantos fossem os informantes. Entretanto, apesar dessa inconsistência, era visível o elemento de fé que caracteriza o mito e sua função de motivador e legitimador da conduta. Tais elementos, no entanto, em lugar de cristalizar os mitos em textos fixos, geravam uma atitude indagativa, pronta a responder, com novas perguntas, as mesmas perguntas subjacentes no mito antigo. Por isso, cada vez que "duvidávamos" de uma versão, ou indicávamos aparentes contradições entre versões, nossos informantes simplesmente perguntavam: "E vocês, os brancos, que sabem disto, como foi mesmo... ?".

Vimos, também, repetidas vezes, índios que estávamos estudando forçarem nossos acompanhantes sertanejos à busca de respostas a perguntas como: "De onde vieram os brancos?"; "Quem é o dono do ferro?"; "Quem faz os fósforos?"; "Como apareceu o sal?". No caso, estávamos diante de duas mentalidades distintas e quase opostas. A do indígena, aberta à indagação, cheia da mais viva curiosidade e segura de que as coisas eram explicáveis. E a do sertanejo, correspondente à mentalidade de um estamento rústico e mistificado de uma sociedade cuja cultura é bipartida em conteúdos eruditos e vulgares. O sertanejo não só demonstrava menor curiosidade como jamais se propunha tais questões. E, sobretudo, estava seguro de que essas coisas não eram explicáveis no seu nível de compreensão. Por este motivo respondia: "Pergunte ao doutor". E raramente se preocupava em ouvir a resposta.

O índio é chamado a se integrar nesse estamento social e a adquirir a mentalidade que lhe corresponde — o que se lhe pede é que se satisfaça com a insciência. Ao mesmo tempo ele se frustra ao ver tornados inviáveis seus modelos utópicos de ação e desmoralizadas as explicações inscritas em sua antiga tradição. Sua reação é, por isso, manter — redefinindo ou não — seu corpus mítico e dele tirar o sumo que acaso tenha para situar-se no mundo e, se possível, amar a existência.

Registramos essa mesma atitude por parte de índios assistidos por missionários dispostos a convertê-los por meio de discursos. Ouviam-nos com extrema atenção quando relatavam temas da mitologia cristã. E depois os crivavam de perguntas, muitas delas relativas a seus heróis míticos, que deveriam ter sido contemporâneos ou talvez parentes dos personagens bíblicos. Vale dizer, buscavam pontes de comunicação entre as duas concepções do mundo, naturalmente muito mais interessados nas histórias sobre a Arca de Noé ou o Paraíso Perdido do que nas explicações sobre a origem do sarampo ou do fósforo. Assim como a mitologia bíblica compendiada pelos hebreus continua tendo sentido para imensas camadas do mundo civilizado, também os corpos míticos tribais continuam inspirando os índios, apesar de sua incongruência e ambigüidade — ou em virtude delas — e das alterações que lhes são seguidamente impostas pela reinterpretação.

Um exemplo de redefinição do corpo mítico para que ele possa continuar explicando uma realidade em mudança nos é dado pelos índios Kadiwéu. Julgamos ter demonstrado em nosso trabalho (D. Ribeiro, 1950) sobre a religião e a mitologia daquela tribo que às transformações ocorridas na sociedade e na cultura num período de cerca de dois séculos corresponderam redefinições dos mitos que os ajustaram às novas situações da vida. O exemplo mais característico é o do mito de origem, do qual cotejamos diversas versões, colhidas com diferença de cinqüenta anos umas das outras.

A primeira foi registrada em 1795, quando a tribo apenas iniciava sua carreira de "índios civilizados", conservando ainda intata a atitude e a soberbia de povo dominador que subjugava todas as tribos vizinhas, obrigando algumas delas a lhe pagar tributos e outras a lhe fornecer servos. Segundo essa versão, o herói cultural, depois de criar todos os povos e distribuir entre eles as riquezas, lembrou-se de criar os Kadiwéu (Mbayá) e, como nada sobrasse para eles, ordenou que "andassem sempre errantes sobre o território alheio, fizessem sem cessar a guerra a todas as outras nações, matassem todos os machos adultos e adotassem as crianças e as mulheres para aumentar seu número" (Azara, 1809). Outras versões colhidas no mesmo período são vazadas na mesma linguagem, realçando a predestinação dos Kadiwéu ao domínio de outros povos; eles seriam o povo preferido do criador e teriam vindo ao mundo para subjugar os demais. É, como se vê, uma óbvia justificação do saque por parte de uma tribo que fizera da rapina um de seus meios de vida. Nos anos seguintes, à medida que experimentavam os efeitos do convívio pacífico que lhes reduziria o número, poria fim à sua suserania sobre outras tribos e os submeteria ao inteiro domínio pelo branco, o mito se foi transformando até que, na versão colhida por Kalervo Oberg (1949) em 1947, toda a arrogância já é humildade e a alegoria da distribuição de riquezas só pretende explicar sua condição de pobres caçadores nômades.

O drama da destribalização reflete-se igualmente na concepção de herói cultural, ao qual os Kadiwéu atribuem sua origem e a de todos os bens de cultura. O demiurgo que surge nos primeiros textos como uma divindade tribal arbitrária e vigorosa perde, nos textos míticos que colhemos, sua superioridade para ser descrito como um "homenzinho" ou "um homem que vem às vezes ver como os pobres dele estão vivendo" e nessas ocasiões por pouco escapa de apanhar dos fazendeiros, tal como pode suceder aos Kadiwéu contemporâneos cada vez que saem de sua aldeia.

Outro exemplo nos é proporcionado pelo exame da mitologia kaapor.

A Maíra, seu principal personagem mítico, eles atribuem a criação dos homens, da mata, dos rios, da caça, da pesca, de toda a natureza, além de um grande número de bens de cultura. Na maioria dos textos é concebido à imagem de um índio Kaapor, usando os adornos plumários, as pinturas de corpo, o corte de cabelo e o arranjo de decoro dos homens da tribo. Esse herói vive em algum lugar onde pode ser alcançado tanto pelos espíritos dos mortos como por índios vivos que se disponham a arrostar os perigos da empreitada. Outros textos míticos que colhemos daqueles índios revelam diversas inconsistências, que só podem ser compreendidas como um esforço para explicar a presença dos brancos, a realidade de sua dominação e a superioridade de seu equipamento. Diversos fragmentos da cosmogonia fazem referência especial aos brancos, tentando esclarecer por que Maíra lhes ensinou a fabricar ferramentas, armas de fogo e panos, deixando a eles próprios, à sua gente, apenas os arcos e as flechas. Hoje há dúvida, por exemplo, sobre a cor de Maíra; se seria moreno como os Urubu ou branco e careca como o descreve um fragmento que ouvimos, segundo o qual esse Maíra europeizado viveria numa cidade constituída de casas iguais às dos civilizados e se vestiria de panos brilhantes como espelhos.

Malgrado as inconsistências, o corpo mítico tradicional continua atuante para os índios Urubu. Bem ou mal, ele explica e justifica a seus olhos o modo de ser de todas as coisas. E ainda é capaz de movê-los a ações cuja fundamentação só se pode encontrar numa profunda confiança nos valores míticos.

Há poucos anos um acontecimento veio confirmar a consistência interna desse corpo de valores referendado pela mitologia. Um índio que perdera um filho apelou, desesperado, para uma das soluções prescritas pela sua cultura para situações críticas. Pintou-se de preto e vermelho, paramentou-se com o diadema de penas amarelas de japu e os outros adornos e armas concedidos por Maíra à sua tribo e foi ao encontro de Maíra. Levou consigo esposa e dois filhos. Segundo a tradição, a morada de Maíra fica no rumo nordeste, onde hoje se encontra a cidade de São Luís, capital do Maranhão. Depois de alguns dias de marcha, o capitão Uirá — era este o seu nome — alcançou a orla da mata onde viviam alguns sertanejos. Prosseguiu, sempre nu, levando os emblemas tribais e a farinha de mandioca que lhes permitiriam identificar-se como índios Kaapor diante de Maíra. Alguns caboclos, encontrando na orla da mata aqueles índios que pareciam avançar para o vilarejo, imaginaram tratar-se da vanguarda de uma tropa de índios que vinha atacá-los. Cercaram Uirá, moeram-no de pancadas e mantiveram-no preso alguns dias. Depois, como não aparecessem os outros índios para o ataque esperado, vestiram-lhe uma calça e deixaram-no ir. Mal se encontrou sozinho, Uirá tirou a roupa, refez tanto quanto possível a paramentália do herói e seguiu para receber adiante, noutra vila, a mesma acolhida. Não obstante todos esses percalços, Uirá avançava confiante, mesmo porque a hostilidade dos sertanejos confirmava a tradição tribal, cheia de exemplos das provações que devem enfrentar todos os que se decidem a ver Maíra; ele sabia que só os fortes conseguem suportá-las e se fazia forte. A mulher não compreendia essa atitude e instava para que ele voltasse; Uirá, irritado com sua insistência, a espancava e aos filhos.

O pior, segundo nos contou a mulher, veio depois, quando alcançaram zonas mais povoadas. Viram-se então cercados de sertanejos que falavam, falavam sem que eles pudessem entender nada; depois vieram os brancos que escrevem. Estes falavam muito tempo, como quem pergunta — às vezes com calma, mas quase sempre com raiva —, depois escreviam. Ninguém queria deixar Uirá nu, muitos lhe quiseram tomar as armas e os adornos, o que o deixava desesperado. Numa das vilas Uirá foi preso, pois, segundo entendiam os sertanejos, não era possível deixar solto um índio louco, que andava nu no meio das famílias, espancando horrivelmente uma mulher e duas crianças que o acompanhavam. Na cadeia, seu desespero chegou ao auge, as grades lhe fechavam toda esperança de chegar ao reino de Maíra. Ali o encontraram funcionários do SPI: tinha a cabeça partida e os dentes quebrados, tanto pelas pancadas como pela violência com que procurava livrar-se da prisão. A mulher e os filhos, do lado de fora, choravam.

Uirá foi levado para o Posto Indígena Gonçalves Dias, no Pindaré, na orla das matas de onde poderia procurar o caminho de casa. Lá, uma madrugada, ele entrou naquele rio que tanto apavora os Kaapor, por ser infestado de piranhas e piraques, e mergulhou para ser comido vivo por elas. Ouvimos essa história, pela primeira vez, no local onde se deu a morte de Uirá. Segundo a explicação que nos foi dada pelos caboclos, Uirá era um grande chefe de sua tribo que saíra para confraternizar-se com os brancos, mas fora espancado e humilhado tão barbaramente que não podia regressar para junto de sua gente levando tamanha vergonha. Por isso se suicidara. Depois, na aldeia onde ainda viviam a mulher e os filhos de Uirá, ouvimos a versão dos índios: Uirá fora ao encontro de Maíra, ainda que pela morte.[1]

Em 1950, observamos numa aldeia kaapor um outro episódio significativo do ponto de vista que nos interessa aqui. Fomos atraídos para aquela aldeia pelo estado de tensão em que os índios se encontravam em virtude de rumores de que era iminente o fim do mundo. Indagando as origens da exaltação, verificamos que partiam de um índio Tembé que, nos havendo acompanhado no ano anterior àquelas aldeias, como intérprete, nelas se fixara como pajé. Este índio redefiniu, com base em uma visão cataclísmica do mundo corrente entre os Tembé, uma série de informações desconexas sobre a civilização e estava apavorando os Kaapor. Dizia que o fim do mundo era iminente (tal como o anunciavam tais e quais mitos tribais) e que o desastre viria pelo lançamento de bombas pelos aviões que ocasionalmente sobrevoam as aldeias. Tendo vivido entre civilizados e falando um dialeto do mesmo idioma dos Kaapor, aquele Tembé tinha, aos olhos destes, dupla autoridade, porque tanto se referia a personagens míticos comuns aos dois povos como relatava experiências citadinas que demonstravam seu conhecimento do mundo dos brancos. Desse modo, investia-se de um prestígio cada vez maior. Mas esse prestígio só crescia na medida em que ele apavorava os Kaapor com suas profecias cataclísmicas. A pregação daquele índio Tembé, embora fantasiosa, era bastante persuasória porque exprimia exotericamente observações sobre riscos reais. E, sobretudo, porque se dirigia a índios extremamente traumatizados pelas compulsões resultantes do convívio com a civilização e, por isso, predispostos ao pavor e ao desespero.

Anos mais tarde um outro episódio confirmaria, no plano do desengano, a reação dos Kaapor à desagregação do seu mundo cultural. Ele nos foi narrado por João Carvalho, encarregado do posto do SPI que vive há muitos anos com aqueles índios e nos serviu de intérprete durante a pesquisa. Trata-se do "suicídio" de Kosó, um índio de menos de trinta anos, vigoroso, que conhecemos bem porque ele, a mulher e o filho foram os personagens centrais de um documentário cinematográfico que fizemos em sua aldeia. Kosó era filho e neto de tuxauas e, como tal, tuxaua também ele. Ou seja, chefe guerreiro cuja tropa seria formada principalmente pelos homens que, na juventude, tivessem recebido dele a primeira atadura de decoro. Acreditamos que poucas vezes Kosó terá exercido essa função, porque a maioria dos jovens que conhecemos nas aldeias, em lugar de adotar o arranjo de decoro tribal, já preferia usar um calção obtido no posto. Segundo o relato de João Carvalho, Kosó caiu em grande prostração depois de perder a mulher e o filho único, vitimados por uma epidemia. E um dia, estando perfeitamente sadio, ao voltar de uma caçada, teria dito que encontrara seu defunto pai e que ele lhe teria dito: "Venha, Kosó, onde estamos é bom". Kosó, depois de contar o encontro, deitou-se em sua rede, não falou mais com ninguém e no dia seguinte estava morto. A gente de sua aldeia, inquirida por João Carvalho, explicou-lhe simplesmente que Kosó estava cansado, já não queria viver.

Episódios semelhantes de desengano, registrados na Melanésia (W. H. Rivers, 1922), é que tornam verossímil esse relato de uma morte advinda por ato de vontade ou provocada pelo simples desgosto de viver. Nada existe, porém, de mais expressivo do desengano em que podem cair as tribos indígenas, após os desastres resultantes do impacto com a civilização, do que essa forma de suicídio e a naturalidade com que ela foi narrada e explicada pelos próprios índios.

Os casos examinados no tocante aos índios Kaapor referem-se a reações individuais, ainda que fundadas em certas tradições culturais e em certas vicissitudes coletivas. A natureza dessas compulsões torna-se, porém, mais clara pelo estudo dos movimentos messiânicos em que encontramos grupos inteiros mobilizados em ações coletivas, na esperança de reconstituir misticamente seu mundo cultural perdido. Em todos os casos deparamos com dois elementos: as condições de penúria e desorganização impostas pelo impacto da civilização e a expressão, através da conduta, de prescrições culturais próprias ou adotadas, geralmente insertas nas tradições mítico-religiosas que anunciavam a vinda de salvadores ou admitiam formas místicas de acesso a um mundo melhor.

Numa outra tribo, também de filiação lingüística tupi — os Apopocuva-Guarani das matas do rio Paraná, que participam do mesmo corpo mítico —, fenômenos semelhantes foram estudados por Curt Nimuendaju (1914) e por Egon Schaden (1945). As promessas míticas de salvação que levaram Uirá, em desespero, a procurar a morada do herói cultural transformaram-se para os Guarani em caminhos de fuga altamente elaborados. Desde o século XVI, grupos inteiros da tribo, levados ao desengano pelo impacto da civilização, deslocam-se rumo ao mar, guiados por líderes religiosos que prometem conduzi-los vivos à "terra sem males". Para alcançá-la, devem seguir uma série de prescrições, entre as quais evitar todo alimento, roupa ou qualquer outro artigo que recebam dos civilizados. Esperam ingressar no paraíso mítico através de cantos e danças que tornarão seus corpos tão leves a ponto de subir pelo ar. Mas essas danças devem ser praticadas em determinado lugar da costa, de onde se possa avistar o mar.

Nos primeiros estudos efetuados sobre esses surtos messiânicos, Egon Schaden (1945) mostrou que o fundamento do messianismo guarani estava na penúria a que se viram lançados num mundo dominado pelos brancos. Entretanto, essa expressão do seu desespero só se tornara possível porque propiciada pela tradição mítica tribal. Num mundo onde não existe lugar para eles, diante da opressão de um dominador que os escraviza, sem lhes ressalvar sequer o direito de serem eles próprios, os Guarani se voltam para as alegorias do passado e as projetam no futuro.

Assim, o mito da criação transformou-se em promessa de cataclismo que destruirá a Terra e a vida.

> Hoje a Terra está velha, nossa gente não quer mais aumentar. Devemos rever todos os mortos. Por fim cai a noite [...] Não somente a tribo guarani está velha e cansada, mas toda a natureza. Os pajés,

> quando em sonhos, estavam com Ñanderuvuçu, ouviam muitas vezes como a Terra pedia: "[...] tenho devorado cadáveres demais, estou farta e cansada, põe um fim, meu pai". Assim clama a Terra ao criador que a deixe descansar; o mesmo pedem as árvores que fornecem lenha e material e toda a natureza restante. "E se espera de um momento para outro que Ñanderuvuçu atenda a súplica de sua criação." (Nimuendaju, 1914)

Em estudos posteriores, Schaden (1965) assinala que provavelmente aqui se combinam múltiplos fatores, como o revigoramento das tradições míticas tribais conducentes ao messianismo, por sua fusão com concepções cataclísmicas auridas da tradição cristã e aprendidas no período da catequese jesuítica. Neste caso, a exacerbação mítica dos Guarani, que em certas ocasiões parece ser motivação suficiente para desencadear movimentos messiânicos — independentemente das condições de privação —, seria um efeito retardado da construção de sua consciência, a partir do trauma de sua experiência com as missões. Assim se explicaria seu misticismo exacerbado, que os conduz a sucessivos movimentos messiânicos diante da iminência do fim do mundo, mas que também sustenta sua indianidade, porque lhes permite fecharse sobre si mesmos, obliterando a comunicação cultural e, deste modo, uma desintegração étnica acelerada. Egon Schaden (1965: 286-7) mostra que

> o aspecto trágico da situação dos Guarani se resume, afinal de contas, na impossibilidade de abdicarem de seu espírito místico enquanto ainda se reconhecem por índios e, portanto, etnicamente diversos da população que os rodeia. E não deixam de reconhecer-se por índios enquanto a sua consciência se nutre dos valores da ideologia nativa. Incapazes de assimilar-se, mas incapazes também de realizar o ideal de vida que a cultura lhes propõe, tornam-se inexoravelmente vítimas da "apatia elegíaca" já tão bem caracterizada por Nimuendaju. Não obsta que procurem compensar esse pessimismo pela valoração etnocêntrica da religião tribal, atitude que predomina hoje nos grupos em vias de desintegração.

Alguns movimentos messiânicos ocorridos no rio Negro oferecem interesse especial para nossa análise porque sua motivação ideológica parece ter se originado ainda mais claramente da adoção e ativação de concepções cristãs. Isto ocorre tanto pela redefinição das antigas concepções míticas, através do sincretismo religioso, como pela encarnação do papel de profetas de estilo bíblico. Desses sincretismos nos dá um registro muito expressivo Eduardo Galvão, sobre a concepção da divindade entre os índios Baniwa.

> Relata-se num mito que "Cristo" limpava o suor com uma folha de tabaco, a qual guardava num jirau, proibindo que sua mulher nela tocasse. Esta, desobedecendo, passou a folha em seu corpo. Ficou grávida. Mas a criança não podia nascer, a mulher não tinha vagina. Cristo levou-a até o rio onde pescou um aracu e o botou entre as pernas da mulher. O aracu mordeu mas abriu um buraco muito pequeno.Pescado um jamundá, este abriu um corte maior. Nascida a criança, sua mãe a escondeu, somente mostrando a Cristo os outros filhos que vieram depois. Quando Kowái (Jurupari) lhe foi apresentado, já estava crescido. Mas não podia falar, não tinha boca. Cristo indagou da criança de onde vinha e quem era. Falou o nome de todos os bichos conhecidos sem resultado. Somente quando mencionou Jurupari, o menino acenou com a cabeça. Cristo rasgou então uma boca no rosto de Jurupari, mas o fez no sentido vertical. Achou que não estava bom, costurou e rasgou nova boca, tal como a temos hoje. A cicatriz da primeira boca se mostra, em nós, no sulco que vai da base do nariz ao lábio. (*1959: 46*)

Na região habitada por esses índios desde o século passado, ocorreram sucessivos movimentos messiânicos liderados por índios que se apresentam como Cristos. Esses "Cristos", segundo Eduardo Galvão,

> [...] combinando elementos de sua religião tribal com outros, cristãos, surgem como salvadores dos Baniwa oprimidos e escravizados pelos brancos. A princípio, o movimento se restringe a aliciamento de seguidores. O Cristo desloca-se de aldeia a aldeia, reunindo núme-

> ro gradualmente maior de discípulos que, fanatizados, tendem à agressividade, sobretudo para prover a subsistência, passando a depender das roças alheias. O processo termina por intervenção policial. O último movimento ocorreu por volta de 1950, liderado por um Baniwa colombiano. [...] Personificando Cristo, batizava seus seguidores nas águas do rio, e os fazia beber o "sangue" de Cristo, prometendo-lhes uma vida melhor. Seguido de numerosos prosélitos, alcançou a boca do Içana, depredando no caminho todas as capelas católicas que encontrou. Alarmados, os sitiantes do rio Negro recorreram às autoridades, tendo uma turma do Serviço de Proteção aos Índios aprisionado o Cristo. Seu bando debandou sem resistência. (*1959: 54*)

O último desses messias apresentava a particularidade de ter sido convertido por uma missionária protestante do New Tribes Mission, que anos antes ali estivera em missão de catequese e traduzira para o baniwa trechos do Evangelho.

Nessas "santidades" do rio Negro se combinam nitidamente duas tradições revivalistas: as de origem indígena e as oriundas da mitologia cristã. Uma vez mescladas, elas se confirmam e se revigoram. E dão lugar a movimentos de caráter ambíguo, orientados tanto para a contra-aculturação como para a integração. Efetivamente, já é como "profetas" de uma religião co-participada com os brancos que esses "messias" indígenas aliciam crentes e os conduzem a ações desesperadas. Por outro lado, é como indígenas que reagem, movidos pelos conflitos gerados no processo de aculturação. As suas ações predatórias se dirigem contra as capelas dos padres católicos, numa rebelião evidente contra a autoridade que a civilização lhes impôs, representada pelos padres salesianos.

Essas características ambíguas manifestam-se ainda mais claramente no messianismo tukuna. Trata-se de uma tribo de 4 mil a 5 mil índios que vive na região fronteiriça entre o Brasil, a Colômbia e o Peru, conservando sua língua e alguns costumes originais, mas inteiramente dependente da economia regional dominada pelos seringalistas, que rompeu sua antiga estrutura de clãs locais patrilineares.

Os *Tukuna* experimentaram neste século diversos surtos messiânicos estudados por Curt Nimuendaju (1952a). Um outro surto, por seu caráter ambíguo, oferece especial interesse para nossa análise. Segundo o registro de Maurício Vinhas de Queiroz:

> Nos primeiros dias de 1946 uma onda de pânico se apossou dos Tukuna que habitavam as margens dos igarapés Tacana, Belém e adjacências. Previa-se para breve uma enchente de água fervendo que mataria todas as plantas e todos os viventes. Do cataclismo só escapariam as terras do Posto Indígena de Tabatinga. Cerca de 150 índios, em 29 de janeiro do citado ano, abandonaram casas e roças, carregaram nas canoas tudo que podiam transportar e, viajando dia e noite no meio das enxurradas, através dos furos e ao longo das praias inundadas, dirigiram-se ao lugar onde esperavam salvação.
>
> Levavam tão-somente a farinha que tinham preparada, pois estavam certos que antes da catástrofe um navio grande, enviado pelo "governo" e abarrotado de gêneros, atracaria em Tabatinga. Desse modo ficaria garantida a subsistência dos índios enquanto durasse a enchente terrível. O navio haveria de trazer ainda ferramentas, manivas e rebentos de bananeira. Passado o grande perigo, teriam assim os Tukuna com que plantar e viver fartamente. Mas só o poderiam fazer nas terras do posto; noutra parte, nada mais nasceria. (1963: 47)

Trata-se, como assinala Queiroz, de um cargo-cult semelhante aos observados principalmente na Melanésia (Lantemari, 1962; Worsley, 1957), em que se combinam concepções cataclísmicas, esperanças messiânicas e representações desvairadas sobre o sistema econômico em que aqueles índios estão integrados e sobre a estrutura de poder de que dependem. O resultado desse complexo são movimentos religiosos de caráter tão cruamente subversivo quanto o dos sertanejos brasileiros (cf. M. I. P. Queiroz, 1965), não porque se proponham lutar contra a ordem vigente, mas porque encontram uma forma de se negar a atuar dentro dela, gerando levantes que, caso se generalizassem, paralisariam todas as atividades produtivas. Em ambos os casos, uma consciência alienada orienta para falsos alvos o desespero a que foram levadas essas populações, devido às condições de penúria que suportam. Em um e outro caso, também os responsáveis pela manutenção da ordem não duvidam do caráter insurrecional desses movimentos e se abatem contra eles a ferro e fogo. Em ambos os casos, finalmente, é a inserção dentro do mesmo sistema econômico e a participação nos mesmos corpos de crenças que geram as tensões dissociativas e conferem a estas uma linguagem religiosa para exprimir seu desespero.

Os índios Bororo nos proporcionam um exemplo luminoso dessas reações contra-aculturativas e dos mecanismos de defesa que vimos examinando. Neste caso, porém, em lugar de se exprimirem por movimentos messiânicos ou revivalistas, tomam a forma de um desesperado esforço de retenção da autonomia cultural. Herbert Baldus, que visitou suas aldeias em 1934, nos dá o seguinte depoimento de suas condições de vida:

> Sangradouro era inteiramente obra dos padres (salesianos), que edificaram junto ao seu estabelecimento uma fileira de pequenas casas de tijolo para os índios. Na missão Meruri, porém, a aldeia bororo conservou, em parte, a forma tradicional. Tinha, ainda, malocas para alojar, cada uma, várias famílias, ao passo que as casas de Sangradouro davam, em geral, só para o marido, a mulher e os filhos. Trabalhando para a missão nas oficinas, nas construções ou no campo, o Bororo ganhava o mesmo que o trabalhador branco ou preto na região, podendo, além disso, adquirir parte do sustento pelos meios tradicionais, isto é, pela caça e coleta de frutos silvestres e pequenos animais. Recebia, porém, dos brancos, a maioria dos víveres. Gostava do fumo e do álcool, mas os salesianos não os forneciam. Embora não mais fabricasse todos os objetos da antiga cultura material, era de admirar como, depois de dezenas de anos de contato com os padres, conservava, ainda, o grande cuidado e a habilidade de antes em manufaturar redes de pescar, trançados e tecidos, arcos e flechas, bem como múl-

> tiplos enfeites. Em presença dos padres, esses Bororo se vestiam à européia; mas os homens usavam ainda, por baixo da calça, o estojo peniano, e as mulheres, por baixo do vestido em forma de camisola, seu antigo traje de cortiça. Os rapazes tinham o cabelo cortado à moda dos brasileiros: os adultos preferiam a cabeleira tradicional. Os meninos e meninas trabalhavam, nos dias úteis, alternadamente, na escola e no campo. Para decorar rezas e histórias cristãs, repetiam-nas em coro inúmeras vezes. Moravam em internato, podendo estar na cabana dos pais somente das onze horas até à uma e meia. Todos haviam recebido nome cristão além do indígena. Os padres levavam os alunos de manhã e à noite à igreja, e os adultos educados nas missões iam à missa todos os domingos e feriados. Resumindo: os salesianos procuraram influenciar tanto na cultura material como na espiritual. (*H. Baldus, 1962: 31-2*)

A importância da experiência bororo nesta discussão reside no fato extraordinário de que estes índios possam ter mantido, após mais de meio século de coexistência com civilizados e de ação missionária e protecionista, certas formas de conduta religiosa francamente opostas às concepções cristãs.

Tivemos ocasião de assistir, em junho de 1953, na maior aldeia bororo que fica no Posto Indígena General Dantas Carneiro, a um cerimonial fúnebre que conserva todas as linhas essenciais dos antigos e que constituiu uma comprovação irrefutável desse conservantismo. O cerimonial destinava-se a homenagear o último grande chefe reconhecido pela tribo inteira, Cadete, vitimado por uma epidemia de bexigas que também atingira e vitimara diversos índios. Assim, a cerimônia complicou-se pela multiplicidade de mortos, mas também se simplificou porque muitos índios não puderam comparecer ao enterramento, menos por temor ao contágio do que por estarem igualmente enfermos. As danças foram executadas por menor número de dançarinos do que em qualquer tempo no passado, porque muitos índios se limitaram a assistir a elas. Alguns dos dançarinos usavam calças sob as máscaras rituais e até mesmo camisas de malha que ficaram vermelhas do sangue das escarificações. No mais, o cerimonial obedeceu rigorosamente à tradição bororo.

Cumpre recordar que a morte não se apresenta como uma expectativa apavorante para os Bororo. Quando supõem que alguém vai morrer, o adornam com seus melhores enfeites, pintam seu corpo e começam a chorar desesperadamente. Se a agonia se prolonga, põem-lhe um fim, sufocando o moribundo. Segundo sua visão das coisas, o mundo dos vivos e o dos mortos formam uma só unidade, coexistente no mesmo espaço, mas o que representa coisas mortas para os vivos, são vivas para os mortos e vice-versa. Somente o *aroe-tawa-rari* (um líder religioso especial) vê e se comunica sempre com as duas comunidades, a dos vivos e a dos mortos. Dentro dessa concepção, a morte é uma transição indesejável, porém mais suportável que a infelicidade e a dor, sobretudo para quem já teve a alegria de participar de muitas danças e cerimoniais. Apesar disso, ou em função disso, esses índios elaboraram extremamente seus rituais fúnebres, tendo neles os seus momentos de mais alta emotividade e aproveitando-os para a realização de outros cerimoniais, como a iniciação masculina.

Assim que alguém acaba de morrer, as mulheres se juntam, choram e gritam de modo lancinante e se sangram abundantemente com cacos de garrafas (em lugar dos antigos escarificadores), deixando o sangue escorrer sobre o cadáver. Depois enrolam o morto numa esteira e o conduzem ao baíto, onde transcorre um ritual que varia conforme o sexo do falecido, sua idade e sua filiação clânica. Essas cerimônias se prolongam por toda uma noite, durante a qual o *aroe-tawa-rari* canta, acompanhado de um coro de homens e mulheres, uma série de litanias fúnebres. No dia seguinte, o cadáver é levado para enterramento numa vala de dois a três palmos apenas, no limite externo do pátio de danças (bororo) ao lado da casa cerimonial. Nessa ocasião as mulheres sangram novamente o corpo e, se o morto é importante, também os homens se escarificam e as mulheres arrancam os cabelos a ponto de ficarem com a cabeça completamente pelada. Este é o enterramento primário. Aí ficará o defunto durante uns quinze dias no correr dos quais se vão concentrando índios de todas as aldeias para participar dos diversos cerimoniais. Um destes inclui uma caçada de onça, que deve obedecer a prescrições rituais e cujo couro terá um papel nas cerimônias seguintes. Decorrido o prazo necessário para que as carnes se liqüefaçam, processo que é apressado regando-se diariamente a sepultura, preparam-se para o enterramento secundário.

Realizam-se, então, as cerimônias a que presenciamos, as quais, no caso de Cadete, duraram três dias e incluíram diversos ciclos de danças de máscaras e uma série de cantos rituais. Ao término dessas cerimônias, os índios retiraram os ossos de Cadete da sepultura provisória, descamaram-nos das aderências restantes, lavaram-nos e conduziram ao baíto debaixo de cantos e danças, a que cada clã compareceu com todos os seus respectivos adornos. Ali o crânio e os ossos foram pintados e recamados com penas de cores diferentes, de acordo com rigorosas prescrições.

Nessa ocasião realizou-se fora do baíto um outro cerimonial de máscara, durante o qual alguns adolescentes da tribo foram iniciados e incorporados à vida de adultos através de uma experiência catártica. Estes jovens viram então, pela primeira vez, o zumbidor, cujo som rouco e vibrante os Bororo fazem crer às mulheres e às crianças que seja produzido por um monstro aquático. Aqueles adolescentes foram arrancados das respectivas casas por grupos de mascarados — com os quais lutavam freneticamente para escapar — e levados à beira do rio, transidos de pavor. Ali alguns dos mascarados tiraram simplesmente o barro que lhes cobria a cara para se deixarem ver: eram tios dos jovens os fantasmas que tanto temeram. E os seus roncos apavorantes eram produzidos por simples plaquetas de madeira vibradas em círculos no ar, para manter as mulheres e as crianças disciplinadas e dominadas pelos homens. De volta à aldeia, aqueles mascarados, juntamente com os jovens recém-iniciados, queimaram todos os pertences do defunto. Enquanto isto, no baíto, os ossos de Cadete eram adornados e colocados num cesto novo. Nessa ocasião ocorreram as mais violentas sangrias e os mais lancinantes cantos chorosos. Depois, o cesto foi fechado e o cerimonial dado por encerrado. No dia seguinte, os ossos de Cadete foram levados por um grupo de homens para um lago sombrio, onde os enterraram sob a água, marcando o lugar com uma estaca.

Um episódio do cerimonial fúnebre merece especial destaque. Dentre os mortos contava-se uma menina, filha de um Bororo criado nas missões salesianas. Esse índio havia cursado alguns anos de ginásio em Cuiabá enquanto era uma das esperanças dos padres de fazer um índio missionário. Quando o vimos, ele já não se distinguia dos demais índios: nu, pintado, escarificado. Mas se destacava por sua reserva e seu recolhimento. Não chorava a Cadete, mas a sua filha, cujos ossos descamara e estava recamando, sozinho, com plumas coloridas. Quando nos acercamos dele, verificamos que cantarolava uma ladainha em latim.

Sumariamos os cerimoniais fúnebres dos Bororo com o propósito de indicar sua complexidade e seu caráter profundamente divergente e até oposto aos cerimoniais cristãos. Apesar disso, os Bororo de hoje (que ganham a vida principalmente como vaqueiros, pescadores e derrubadores da mata para roçados nas fazendas vizinhas do posto) continuam realizando essas cerimônias. E não somente as realizam, mas têm profundo orgulho delas, porque, a seu ver, melhor que qualquer outro tipo de conduta, elas exprimem o modo de ser Bororo, como gente diferente de todas as demais, pela língua e pelos costumes. Essa convicção e esse orgulho é que os levaram a pedir ao general Rondon — único civilizado com quem se identificaram e que respeitaram acima de qualquer líder tribal — que viesse morrer junto deles, porque, a seu ver, só os Bororo seriam capazes de realizar um cerimonial fúnebre à altura de Rondon.

Esses cerimoniais e o xamanismo foram os aspectos da cultura bororo mais violentamente combatidos pelos missionários durante seus cinqüenta anos de ação junto da tribo. No caso dos xamãs, foram também combatidos pelo próprio SPI durante alguns anos, porque se supunha que aqueles líderes religiosos eram responsáveis pelos abortos e infanticídios praticados pela tribo. Não obstante toda essa pressão — ou em virtude dela —, que valorizava suas tradições mais específicas, os Bororo não somente as conservam mas têm nelas um dos aspectos mais vivos e atuantes da cultura tribal.

Para isto contribuiu, naturalmente, o relativo isolamento em que vivem, o próprio amparo oficial ou missionário que os resguardou do convívio maciço com a população regional e, provavelmente, também a complexidade de sua própria estrutura social, que tornava muito mais difícil para eles substituir seus clãs exogâmicos e totêmicos por famílias nucleares, capazes de viver independentemente.

Destribalização e marginalidade

Nos capítulos anteriores, tratando de outros problemas, apresentamos vários exemplos da ruptura do núcleo de valores tribais que fundamentam o comportamento, por efeito dos contatos com a civilização. Em alguns casos, aqueles valores, embora atuantes, foram obliterados pela total impossibilidade de expressão, como ocorreu com os padrões ligados à guerra ou a certas cerimônias que a tribo foi obrigada a abandonar. Em outros casos, o próprio ethos tribal se viu desmoralizado diante de situações que evidenciaram sua falsidade. Isto ocorreu, por exemplo, com os Kaingáng paulistas ao perceberem a enorme potência que era a sociedade civilizada em relação à sua própria tribo. A simples compreensão de que esses valores motivam e justificam o comportamento, fundamentando a trama de expectativas em que se baseia a vida social, dá uma medida da importância de sua perda.

Vimos, no exame daqueles casos concretos, que a ruptura desses sistemas de valores afeta a vida tribal, gerando conflitos mentais, tanto por não proporcionar aos indivíduos a oportunidade de exprimir em comportamento as ações que lhes foram ensinadas como desejáveis e justas como por obrigá-los a ações contrárias ao que aprenderam a ver como certo e bom. Esse quadro de conflitos é que caracteriza a destribalização como processo psicológico. Frustrando cada indivíduo, lança uns contra os outros e contra a própria tribo, pela perda do consenso em relação ao corpo de valores que antes disciplinava a conduta, sem que possam desenvolver novas compreensões co-participadas capazes de substituir as antigas.

As gerações que alcançam a tribo dividida por esses conflitos refletem, necessariamente, em sua personalidade a mesma desintegração, tornando-se incapazes, em certas circunstâncias, de distinguir o bem do mal, o justo do injusto. O bem, que é o culturalmente prescrito como desejável, torna-se ambíguo a seus olhos, porque o próprio grupo não é capaz de definir padrões de comportamento congruentes com as necessidades de seus membros. Cria-se, desse modo, um vazio moral em que os índios se vêem atraídos simultaneamente para valores opostos: os da velha tradição ainda capazes de comovê-los, mas já inviáveis; e os novos, surgidos nas situações de contato que importam na negação de si mesmos como índios.

Assim, nos casos de destribalização decorrentes do impacto com a civilização, ao processo de desintegração da cultura corresponde a dissociação das personalidades, que conduz a diversos tipos de desajustamentos. O principal deles é a marginalidade cultural, ou seja, os conflitos mentais decorrentes da interiorização de valores não somente diferentes, mas opostos uns aos outros: os valores e normas tribais e os da sociedade nacional.

A coexistência desses valores em choque dentro da consciência conduz, por um lado, à exacerbação do apego à tradição e, por outro, a renegar tudo que seja simbólico da condição de indianidade. E também a esforços reiterados de "passar" da identificação tribal à nacional, bem como a sucessivas frustrações decorrentes de uma assimilação desejada, mas não reconhecida.

Um caso de marginalidade cultural foi magnificamente documentado por Herbert Baldus (1937) e analisado por Florestan Fernandes (1960b) entre os índios Bororo. É a história de Tiago Marques Aipobureu, criado nas missões salesianas e que se tornou sua grande esperança como "figura de propaganda das missões". Aos doze anos foi retirado da tribo, a fim de freqüentar um colégio em Cuiabá, onde teve esmerada educação. Três anos depois foi mandado para a Europa, onde permaneceu mais dois anos, ao fim dos quais pediu para voltar. De regresso à tribo, Tiago inicia uma carreira de professor junto à missão, passando depois a outros trabalhos, aos quais não se adapta bem, entrando em conflito com os padres, desiludidos com seu fracasso. Muda-se, então, para uma aldeia mais isolada e lá procura voltar à vida tribal, tomando mulher e tentando viver a existência de um caçador bororo. Mas ele não tinha sido preparado para isto, toda a sua educação fora orientada para a vida civilizada. Em breve, os conflitos que tivera com os missionários, por comportar-se como índio, repetiam-se com estes por não ser índio. A mulher o abandona, alegando ser mau caçador, incapaz de sustentar a família.

Assim, Tiago se vê entre dois mundos que o atraem e o repelem. Para sua gente é um estranho e para os civilizados continua sendo um índio, malgrado todas as suas aptidões, que o colocam acima da maioria da população sertaneja com que convive.

Vejamos, agora, o caso da índia Korikrã ou Maria Gensch, que foi motivo de uma monografia escrita por seu pai adotivo, um médico de Blumenau, Santa Catarina, dr. Hugo Gensch, em que é relatada sua "domesticação" e posterior educação. A história dessa índia xokleng nos foi narrada pelo pacificador da tribo, Eduardo de Lima e Silva Hoerhen, quando de nossa visita àquelas aldeias, em 1953. Seu valor explicativo reside na imagem que retrata do índio que consegue "passar" a não-índio. Essa conversão foi tornada possível graças a circunstâncias muito particulares, sobretudo o romanticismo do pai adotivo de Korikrã. Entretanto, para conservar sua nova personalidade, Maria Gensch tinha de negar os valores mais caros ao seu protetor e provocava a reação mais hostil em outro romântico, que era o pacificador dos Xokleng. Transcrevemos, a seguir, a história, tal como está registrada em nosso diário de campo.

> Eduardo conheceu Maria Korikrã falando alemão e francês — não falava o português —, tocando piano e discorrendo familiarmente sobre capitais européias. Morreu aos 42 anos de tuberculose, solteira, pois toda a sua educação e riqueza não foram capazes de suprir o que falta a um índio para casar-se com um alemão catarinense.
>
> Vimos duas fotografias dela, a primeira tomada do grupo de bugreiros com suas presas: duas mulheres xokleng, Korikrã e outras crianças ao saírem da mata; outra, dela sozinha, vestida como qualquer mocinha de Blumenau, cabeleira muito bem arranjada, sob um chapéu de rendas vaporosas, cintura fina e um corpo esguio, difíceis de imaginar numa índia.
>
> Antes da pacificação, Eduardo, que aprendera alguma coisa da língua dos Botocudo no trabalho publicado pelo dr. Hugo Gensch (1908), procurou falar com ela sobre sua gente. Conseguiu a custo uma entrevista, mas não lhe pôde tirar nada, embora estivesse certo de que ela conhecia a língua, pois saíra do grupo aos doze anos. Nessa ocasião, Maria reagiu à sua insistência, primeiro com uma expressão de má vontade que não deixava dúvidas sobre seu desgosto de falar no assunto. Por fim, interrompeu a entrevista, dizendo-lhe: "Será que não podemos falar de outro assunto? Não quero falar só sobre os bugres".

Sem dúvida ela preferia comentar saraus de Paris e Buenos Aires. Eduardo tentou encontrar Maria outras vezes, mas nunca conseguiu. Isto mostra com que horror ela procurava afastar-se de tudo que a identificasse como índia. Em outras palavras, com que vigor havia aceito os conceitos e preconceitos dos brancos sobre os Botocudo, isto é, sobre ela própria.

Eduardo recorda com detalhes o primeiro encontro de Korikrã com seus pais, depois da pacificação. O velho Gensch, que, ao lado de todo o seu amor a Maria, tinha um grande orgulho de sua origem índia, pois era a maior graça da filha exótica, demonstrara o desejo de visitar o posto desde os primeiros dias da confraternização. Só em 1919, porém, surgiu a oportunidade para o encontro. Eduardo levara cento e tantos Botocudo a Blumenau para convencer os colonos da realidade da pacificação. Apresentou-se, assim, a ocasião para o suspirado encontro de Maria com seus pais. Depois de muita espera, chegou a manhã do encontro. Eduardo dispôs os índios, colocando à frente o pai de Korikrã, o mais prestigioso líder xokleng, uma tia, irmã de sua mãe, e três irmãos, recomendando que tratassem bem os visitantes e, sobretudo, que não os rodeassem o tempo todo. Depois, foi buscar o dr. Gensch, sua ilustre esposa e Maria, trazendo-os morro acima ao encontro dos índios. Estes, logo que viram o grupo que subia, correram a seu encontro, mas estacaram a pequena distância perguntando quem eram aqueles.

Eduardo explicou que o velho era o pai adotivo de Maria, que a criara com o carinho que já contara. "E Maria?", perguntaram, chamando-a naturalmente Korikrã, seu nome tribal, pois não a reconheciam naquela figura esguia, vestida numa blusa elegante, saia bem talhada e com a cabeleira elegantemente arranjada num chapéu. Eduardo a indicou. Os índios observaram-na um instante e avançaram para ela, apalpando-a, incrédulos. Logo alguém se lembrou de procurar a marca tribal, cicatriz de duas incisões feitas na perna esquerda das mulheres, logo abaixo da rótula. Levantaram a saia da moça para procurá-la. Enquanto isto, outros lhe arrancavam a blusa, o pai tirava o chapéu e desmanchava o penteado, tentando refazer a imagem da filha, tão cedo arrancada de seu convívio, naquela mocinha estranha e apavorada.

Alguém encontrou a marca tribal e todos se agacharam para ver: "Kó, kó!" — aqui, aqui está. E riscavam os botoques nos joelhos da moça ao examinar-lhe mais detidamente a sigla. Outra cicatriz, produzida por ferimento numa queda quando criança, foi encontrada no braço, e, então, já não havia dúvidas — era ela. O pai tomou entre as manoplas a cabeça de Maria, para obrigá-la a encará-lo, e perguntou: "Você não me reconhece? Eu sou seu pai". Maria não era só pavor, era mais asco que medo. Beiços pregados, não dizia palavra, e o velho implorava e ordenava: "Fala, você me entende? Fala, fala se me reconhece". Dr. Gensch, transido de medo, tanto temia pela própria sorte como pela da pupila. A mãe adotiva esgueirava-se horrorizada. Aí o velho cacique larga a cabeça de Maria com um safanão, afasta-se, olha a filha com ódio e diz:

> "Eu estou vendo, você tem nojo de mim, tem nojo de toda a sua gente." Exibe as manoplas enormes e diz: "Estas mãos a carregaram muitas vezes; estas mãos levantaram este corpo, pinheiro acima, para colher os pinhões que você comeu. Estas minhas mãos me alçaram a muitas árvores para tirar o mel que você comeu; o mel, você entende, mel, mel, que desceu por sua garganta adentro, aqui" — e passava violentamente a mão pelo pescoço de Maria, sempre enojada.

O velho segura a tia de Maria, toma um seio dela nas mãos e diz: "Vê, estes seios te alimentaram, estes braços te sustentaram". E o ódio e o asco sobem também no velho; aproxima-se da filha, empurra-a violentamente e, voltando-se para Eduardo, diz: "Ela não vale mais nada para nós. Mas para você ela serve ainda. Tome, leve-a para a sua casa branca (a sede do posto) e emprenhe-a muitas vezes. Ela não presta para nós, mas para você ainda presta".

Dr. Gensch queria sair, mas era preciso que os índios consentissem, para evitar uma tragédia. E eles não queriam permitir que Maria se fosse, nenhum argumento os convencia; só depois de muito tempo consentiram que fosse buscar suas roupas. Partiu sem trocar uma palavra com os seus, sempre enojada e cada vez mais envergonhada deles.

Cumpre assinalar a paciência sem limites dos pais alemães de Maria — da mãe adotiva, sobretudo —, que souberam suportar todas as incríveis decepções que ela lhes deu. O velho tinha um consolo; não tivera filhos senão os que Maria lhe dera e que constituíam o orgulho de sua vida: os dois trabalhos sobre os Botocudo, que publicara com a ajuda dela, o estudo lingüístico e a comunicação sobre a educação da pupila. O melhor, porém, são as retificações de Eduardo Hoerhen ao livro do dr. Gensch, não só lingüísticas, mas interpretativas, todas baseadas em dados colhidos com a parentela de Maria, que ele conheceu bem, pois sobreviveu alguns anos à pacificação.

O dr. Gensch conta que, depois de levar Maria para casa, vestiu-a e levou-a a comer com ele e a esposa, à mesa. A criança recusou-se formalmente a tocar qualquer alimento, apenas chorava, isolava-se num mutismo impenetrável ou repetia sem cessar uma frase que ele registrou corretamente: "*I kúi-yêle-nûn*". Segundo o dr. Gensch, Maria resolvera suicidar-se pela fome, por isso repetia: "*Ich will nicht mehr essen!*" [Não quero mais comer!]. Procurou então fazê-la voltar a seu ambiente familiar, tanto quanto isto era possível em seus jardins. Escolheu uma palmeira bem formada, limpou os tufos de verdura plantados debaixo dela e sentou-a ali. A menina pareceu mais acomodada naquele ambiente, mas continuava repetindo, sem cessar, a mesma frase e negando-se a tomar qualquer alimento. Ocorre então um acontecimento extraordinário. Na casa vizinha resolvem comer um frango criado no quintal e se põem a persegui-lo. O frango, fugindo desesperadamente, transpassa a cerca, vindo cair bem junto de Korikrã. Rápida como um felino ela salta sobre a ave e num instante a agarra, dilacera e morde freneticamente, comendo a carne crua. Dr. Gensch, que presenciara toda a cena, nela vê o instinto animal de Maria, sua selvageria, que, diante de uma apetitosa presa, abandona os votos de suicídio. Toma, então, alguns tições de fogo e entrega-os à menina. Ela se ajeita, sapeca um pouco a carne e come gostosa e vorazmente o frango inteiro.

Eduardo explica agora: só a ignorância os fazia supor que uma pequena Xokleng pudesse identificar como comida aquelas complicações culinárias que lhe mostravam numa mesa de pequeno-burguês alemão. Nada daquilo tinha qualquer semelhança com as iguarias e o instrumental de comer aos quais ela estava acostumada, nem pela forma, nem pelo cheiro, nem por nada. O melhor, porém, é que a frase repetida ininterruptamente por Maria não significava "Eu não quero comer mais", como traduziu o dr. Gensch, porém: "Estou morta de fome".

Era de fome que a bugrinha padecia, incapaz de reconhecer como alimento a comida complicada que lhe apresentavam. Mas era tão romântico o paternalismo do seu protetor quanto a animosidade de Eduardo Hoerhen. Ambos projetavam nela seus ideais wertherianos e rousseaunianos.

A história de Maria Korikrã e a de Tiago Marques Aipobureu foi vivida por quantos índios tiveram oportunidade de participar de duas tradições em conflito e de incorporar na personalidade estes valores em choque. Seus problemas foram reflexos mentais do conflito entre a própria tribo e a grande sociedade. Embora tentassem alcançar uma acomodação numa ou noutra sociedade, suas dramáticas experiências em conciliar o irreconciliável lhes marcaram para sempre a personalidade. Viviam o "drama de ser dois" de todos os marginalizados que, ao fim, só conseguem ser ninguém.

Assim como reage a personalidade marginalizada, também reage o grupo em destribalização, procurando novos caminhos que lhe permitam estruturar-se como uma entidade viável. Em alguns casos, uma solução temporária é encontrada na volta aos padrões tradicionais e num mais fanático apego a eles, o que configura as indianidades compensatórias, como a dos Bororo e Guarani. Em outros casos, os índios reiteram esforços sempre baldados por se integrarem no mundo dos brancos e por serem reconhecidos como seus iguais, tal como ocorre com os Xokleng e os Terena, como veremos adiante.

Os mesmos Xokleng de Santa Catarina nos proporcionam um outro exemplo desse processo, em seus esforços por reviver a tradição religiosa da tribo, conciliando-a com o catolicismo e o protestantismo. Recordemos que esses índios eram caçadores e coletores que viviam em pequenos bandos nas matas frias do Sul. Pacificados em 1914, vivem desde então num posto do SPI onde foram iniciados nas técnicas, atitudes e valores da variante brasileira da sociedade nacional.

Há cerca de trinta anos, quando já falavam português suficientemente bem para andar pelas colônias vizinhas, conversando com os moradores, os Xokleng começaram a deixar-se definir como católicos. Muitos foram batizados e, durante as festas de igreja, toda a tribo se abalava para ver os folguedos e tomar cachaça. Gostavam particularmente das missas e dos batizados, que lhes permitiam estabelecer relações com os *zug* (brancos). Hoje quase todo Xokleng tem seu compadre na colônia. As relações nesses casos são, naturalmente, assimétricas, de modo que o compadre índio é um pouco afilhado. Ainda assim o compadresco representa para eles um dos poucos acessos a um convívio mais estreito com os *zug*. Ao compadre podem visitar, com ele passam um par de horas domingueiras, numa conversa qualquer, enquanto o colono comum não quer saber de relações com os bugres. Nenhum colono demonstra grande anseio de se fazer padrinho de meninos índios. O batizado custa dinheiro e é necessário vestir o afilhado para a cerimônia; ademais o compadresco cria expectativas de troca de regalos, que no caso dos índios são muito unilaterais. Mas ninguém se nega a batizá-los porque isto seria grave pecado de impiedade, tanto maior por se tratar de "infiéis".

Aos poucos, os Xokleng foram se integrando melhor na sua identificação religiosa. Alguns ganharam catecismos e os estudaram para mostrar conhecimentos aos párocos e fazer jus a medalhinhas e outros presentes. Um professor do posto, católico, transmitiu algumas noções religiosas às crianças, mas o assunto nunca lhes interessou muito, senão como forma de convivência e de identificação com os *zug*. Há cerca de quinze anos começaram a enterrar os mortos em caixões no cemitério da vila, chegando mesmo a fazer desenterrar uma criança, três dias depois do sepultamento tribal, para levá-la ao cemitério — seus pais haviam esquecido de que isto era necessário.

Há alguns anos, porém, vêm vivendo um movimento religioso muito mais profundo. Tudo começou num churrasco organizado por uma igreja evangélica, recém-fundada nas imediações do posto, e do qual participaram dois índios que por acaso estavam por perto. Voltaram ao posto contando a história e, já no domingo seguinte, foi todo um grupo. Não tiveram churrasco, mas puderam cantar sentados na igreja ao lado dos brancos. E o pastor começou a esforçar-se para convertê-los. Ora, para aqueles índios que nunca interessaram, senão superficialmente, ao padre católico, seguro de sua posição de religião da maioria, as atenções do pastor tinham um valor especial.

Em pouco tempo fizeram grande progresso, a ponto de (o que pareceria até então impossível) muitos deixarem de fumar, de dançar e, sobretudo, de beber. Em sua vida de índios civilizados, a embriaguez é praticamente a única fonte de prazer comparável à que lhes proporcionava a cultura tribal. Só embriagados são capazes de evocar todas as motivações da vida antiga, pois nada substituiu para eles as emoções que proporcionava a guerra como fonte de prestígio para os homens; nada ocupou o lugar das grandes cerimônias anuais de furação de beiços como fonte de convívio que os fazia amar a vida, na expectativa de participar delas. Só o vazio, quando não o desespero, responde hoje àquele orgulho nacional de povo que enfrentava os outros e os vencia, que acreditava em si próprio e que se tinha na conta de sábio.

Quando os visitamos, em fevereiro de 1953, os crentes subiam a 94, o que equivalia à metade da tribo (189). Estavam entusiasmados com a estrada que encontraram e tinham uma atitude de evidente proselitismo. Acharam na nova crença muito mais seiva que no catolicismo: podem chamar irmão a muito *zug* importante e rico, podem cantar com eles nas igrejas e se sentirem seus iguais, no criador, nos pecados e na destinação. A nova fé é um reencontro para os Xokleng que perderam a crença no Pinheiral Grande, onde iam ter as almas de seus antepassados, para comer pinhão por toda a eternidade e caçar infindáveis bandos de antas, porcos, veados e toda sorte de caça que lá vivia, e ainda colher o mel que vazava dos pinheiros, ao calor do sol. Antigamente os heróis guerreiros iam viver ali depois de mortos, ficando os espíritos da gente comum a vagar como sombras que deviam ser enxotadas e convencidas de que estavam mortas. Proibidos de fazer a guerra, este se tornou o destino de todos os Xokleng. Hoje sabem de um outro céu, que precisam merecer não bebendo, não fumando, não dançando, não amando, como sempre fizeram; um céu, porém, que parecia perdido e eles reencontraram. Lá vive um deus novo, de ouvidos abertos para seus apelos, deus que é pai deles e de todos os *zug*. Para essa gente que perdia o sentimento de povo, que se envergonhava de sua origem, a revelação de um deus assim comum a todos os homens é uma reconciliação com a vida.

A maioria dos índios da nova geração aprendeu a ler na escola do posto, mas não tendo o que ler, senão poucos almanaques de propaganda, acabaram esquecendo. Agora, todos os crentes têm bíblias e alguns deles livros de hinos dados ou vendidos pelo pastor. Todas as noites se juntam quase todos os crentes na casa de um deles, para o culto. Depois de cantarem horas a fio com entusiasmo crescente, são apossados de um fervor tamanho que o culto se transforma em festa. Gritam, batem palmas, pulam, jogam-se no chão e descabelam-se de arrependimento pelos pecados. Mas, sobretudo, saltam e gritam imitando os animais, desde o ronco do bugio até o coaxar dos sapos, em meio de exclamações sagradas: "Aleluia!"; "Estou subindo pro céu!"; "Deus, me leva!". Eis a resposta à pergunta que fizemos aos crentes: "Deus quer que vocês vivam tristes? Por que não podem dançar e brincar?". Nesse culto alegre e festivo, no entusiasmo da comunhão com o novo deus, eles encontraram um substituto para a festa lasciva e violenta.

A escola do posto é que passou a ter problemas, porque os filhos dos crentes não queriam sentar-se junto aos demais, definidos como católicos. O pior, entretanto, é que, com tamanho culto cada noite, as crianças ficavam a manhã toda na cama, faltando muito às aulas. Já tinham motivações para se alfabetizarem, mas não lhes sobrava tempo para isto. Onde quer que estivessem os índios, andavam agora divididos em dois bandos: de um lado os crentes, sempre loquazes, procurando falar a todos de sua nova paixão; de outro, os não crentes, arredios, calados. Assim, a qualidade de índio e até de parente foi se tornando menos importante que a de crente ou católico.

A riqueza do vocabulário especializado adquirido num ano de religiosidade — referimo-nos às nossas observações em 1953 — é verdadeiramente extraordinária. Recitavam trechos inteiros da Bíblia, empregando expressões cujo significado dificilmente podiam alcançar. Mas podiam-se ver, estampadas em seus rostos, a importância da porta que encontraram e a sede com que procuravam inteirar-se da nova visão do mundo que lhes era oferecida. Quando lhes perguntamos pelos "antigos" — se os índios antes da pacificação não eram mais felizes que hoje —, uma das mais fervorosas crentes nem nos entendeu. Cuidando que falássemos da Bíblia, saiu-se com explicações acerca da Arca de Noé. Na verdade, seus ancestrais não são mais os Xokleng de Santa Catarina, são os mártires cristãos de Roma e os velhos heróis da mitologia hebraica.

Os Xokleng encontraram uma nova visão do mundo, vivificada, homogênea e satisfatória, que não só explica o mundo novo, mas também lhes dá um lugar satisfatório nele. O entusiasmo com que abraçaram a nova fé — o que também ocorreu entre os Terena (veja R. C. de Oliveira, 1960a) — está impregnado desse desespero de povo que deixava de existir, porque se desenganara dos velhos ideais, inaplicáveis ao mundo novo, sem poder substituí-los. Isolados num mundo hostil, olhando a si próprios como bichos, tal como são vistos pelos colonos, só encontravam fuga na embriaguez e na lascívia. A nova fé lhes proporcionou um corpo de valores e uma via de acesso ao mundo dos brancos e até ao céu dos brancos. E são eles que renascem. Não se pode prever o resultado final desse surto de religiosidade dos Xokleng, mas sua importância é manifesta. O mundo estava perdido para eles, estava enfermo, como diziam os Apopocuva-Guarani. Na verdade, eles é que morriam. Agora vêem-no renascer com novas forças.

Qual a explicação para o sucesso, ao menos aparente, dessa conversão espontânea dos Xokleng em relação ao fracasso dos esforços prolongados e cuidadosamente conduzidos para catequizar outros grupos? A primeira observação é a de que não estamos diante de uma conversão no sentido teológico do termo, mas de uma reação psicossocial à extrema desagregação cultural dos Xokleng e de um esforço comovente por se transmudarem etnicamente. Já não sendo índios, senão no sentido genérico, porque despojados de todo o seu patrimônio cultural primitivo, os Xokleng tentam ser não-índios. Em outras palavras, trata-se de uma tentativa desesperada de se dissolverem na comunidade teuto-brasileira circundante; de deixarem de ser eles próprios e, portanto, um enclave diferenciado e exótico, para serem gente como os demais.

A conversão ocorre aqui como uma tentativa de trânsito da consciência amarga de "índios civilizados" para a consciência de participantes da qualidade de brasileiros comuns. É um fenômeno da mesma natureza da exacerbação mística dos índios Guarani e da reação contra-aculturativa dos Bororo. Só que ali, em sentido inverso, de retorno às tradições tribais, ainda viável por seu relativo isolamento. E aqui, no rumo de um salto à frente.

O cristianismo rústico dos brasileiros e as concepções religiosas dos índios defrontam-se mas não se fundem nem entram em conflito, como corpos ideológicos correspondentes a duas entidades étnicas distintas: os "cristãos" e os "índios". Estes últimos não podem ser convertidos por nenhuma façanha intelectual, talvez nem mesmo pelo ato divino de iluminação da fé por que esperavam em vão tantos missionários para coroar os seus esforços. A conversão só é concebível como resultado da assimilação e, onde esta não se der, o índio manterá sua religiosidade original, se praticável, como tentam fazer os Guarani e os Bororo. Ou manterá formas redefinidas dela, em cultos sincréticos, como a religião dos Fulniô e dos Xukuru. Ou mesmo versões peculiares do cristianismo, como o protestantismo dos Xokleng e dos Terena "construídos" como sua nova consciência de "índios civilizados" num esforço desesperado por ter reconhecida sua predisposição a se assimilarem. Em qualquer caso, o índio terá aquela religiosidade que o coloque, como povo, sob o amparo de seres e forças que lhe sejam francamente propícios; que lhe infunda o sentimento de sua própria dignidade e, sobretudo, que lhe dê alguma esperança de saída, ainda que seja sobrenatural, para seu destino de humilhado e ofendido. Nas etapas mais avançadas da aculturação, encontramos situações extremas de ambigüidade religiosa que exprimem uma consciência étnica desesperada em busca de definição, porque já não lhe resta quase nada de sua indianidade original, embora persistam as barreiras opostas à sua assimilação.

Dois casos expressivos dessa exacerbação religiosa compensatória merecem referência. O culto do Ouricuri dos índios Xukuru e do Juazeiro Sagrado dos Fulniô. Tais cultos são praticados anualmente através de vários dias de reclusão, em que se realizam ritos secretos aos quais nenhum cristão pode assistir. Trata-se, nos dois casos, de tribos profundamente aculturadas, cujos membros são quase indistinguíveis dos sertanejos da região em seu modo de vida, principalmente os Xukuru, que perderam completamente o domínio da língua tribal. Seus cultos têm de revelador, primeiro, a importância que os índios lhes atribuem e sua função explícita de mecanismo de intensificação da solidariedade grupal e de afirmação da identidade étnica. Segundo, o fato de que não guardam, provavelmente, quase nada da antiga tradição, tendo sido "elaborados" no processo de aculturação, apesar de os índios concebe-rem-nos como autênticas expressões de suas tradições ancestrais.

Uns e outros buscam na conduta religiosa uma comprovação de sua indianidade e um sustentáculo da dignidade desta. W. Hohenthal, que estudou os Xukuru e as cerimônias do Ouricuri, assinala que as ditas cerimônias refletem "o desejo exacerbado de permanecer indígena" e cumprem a função de

> [...] facilitar a liberação de tensões emocionais e susceptibilidades decorrentes de sua posição inferiorizada na comunidade regional, porque no "ouricuri" existem mistérios e se passam coisas não compreendidas pelos neobrasileiros circundantes. Ao performá-las, os índios experimentam um sentimento de euforia e se sentem parte de um grupo digno de consideração, isto é, descendentes em linha direta dos antigos donos da terra. Tal a importância do "ouricuri" para os Xukuru que os próprios índios que servem nas forças armadas procuram retornar à aldeia na época das cerimônias anuais e, se tarda a permissão, partem sem ela, resignados a aceitar qualquer castigo. (*Hohen, 1960: 65*)

Segundo as observações de Max Boudin (1949), o culto do Juazeiro Sagrado dos índios Fulniô é da mesma natureza e cumpre idêntica função. Essas manifestações religiosas contrastam com as anteriormente examinadas porque representam exemplos de restauração artificial da antiga tradição, motivada pela consciência de uma indianidade reivindicativa que exige a criação de representações coerentes com ela. Nos dois casos, ao término de um processo secular de aculturação sem assimilação, os índios constroem a conduta religiosa que corresponde à sua condição e que responde às tensões ideológicas que suportam. Essas duas tribos, que foram objeto de catequese durante séculos, provavelmente, tiveram também suas crises de conversão. Mas acabaram por refluir para uma religiosidade nominalmente tradicional, nela encontrando expressão para sua consciência étnica específica.

Vejamos, agora, o caso dos índios Terena do sul de Mato Grosso, que oferecem uma variante de resposta aculturativa no campo religioso, altamente expressiva porque se trata de uma conversão aparentemente mais autêntica que as demais. O valor explicativo do caso terena reside no seu alto grau de aculturação e em sua divisão em vários subgrupos que apresentam diversas variantes das condições gerais de interação de grupos tribais com a sociedade nacional. Alguns subgrupos gozaram de certa condição de isolamento e relativa autonomia e por isso conservaram algo mais da cultura tradicional. Outros se viram compelidos a viver junto a tribos que falavam línguas distintas e tinham culturas também diferentes, de que resultou a perda da língua tribal e a adoção do português. Alguns poucos se viram na contingência de se acomodar à condição de agregados ou colonos de fazendas particulares. A assistência oficial por parte do Serviço de Proteção aos Índios, bem como a atuação missionária, protestante ou católica, operou também em grau, continuidade e formas diversas de grupo para grupo, criando variantes do mais alto valor explicativo. Assim, seu estudo permite ver de que modo atuaram — sobre a base uniforme representada pela cultura original — as diversas forças de compulsão que afetaram o processo de integração dos Terena na sociedade regional.

Os Terena de hoje vivem como índios de aldeia, índios de fazenda, índios de cidade, integrados na vida regional como lavradores, como trabalhadores urbanos. Alguns são reservistas e até eleitores. Cada vez menos índios. Cada vez mais abrasileirados e, como tal, a braços com os mesmos problemas sociais com que se defrontam as massas rurais e as populações urbanas mais pobres do Mato Grosso. Diferenciados, porém, do sertanejo e do citadino comum por enfrentarem problemas específicos de ajustamento, decorrentes, sobretudo, da consciência de uma origem tribal comum, das lealdades que os solidarizam uns com os outros e da consciência permanentemente espicaçada pela população regional, de que são diferentes.

Roberto Cardoso de Oliveira, que estudou os Terena, nos dá o seguinte retrato do principal núcleo tribal:

> Bananal é seguramente a aldeia mais importante dos Terena e a mais "urbanizada", contando com casas, algumas de tijolos e uma maioria de adobe, mas devidamente caiadas e dispostas em perfeita simetria, a formar ruas e quadras em estilo bem citadino. Nessa área, temos o Posto Indígena Taunay, o edifício da escola, a igreja católica, o templo protestante, um "bolicho" de um Terena e a casa de hóspedes do Posto, além de 84 moradias terena. Além desse núcleo central, vamos encontrar — a exemplo das demais aldeias terena — áreas especialmente dedicadas às roças e outras constituídas por invernadas para o gado; numas e noutras vêem-se ranchos onde vive uma expressiva parte da comunidade. (*1968: 84*)

Dentre todos os índios civilizados que conhecemos, os Terena são os únicos que chegaram a experimentar uma efetiva conversão religiosa. Com efeito, a conduta dos Terena protestantes, tanto no culto como na vida diária, é quase indistinguível da de qualquer população rural pobre. A explicação desta discrepância com respeito aos demais indígenas encontra-se, provavelmente, em três fatores. Primeiro, o fato mesmo de estarem os Terena — apesar de conservarem, em sua maioria, a língua e alguns costumes — totalmente integrados na sociedade nacional como o principal contingente de mão-de-obra da região em que vivem. Essa integração teve como decorrência o desenvolvimento de uma mentalidade a ela correspondente que tornou os Terena susceptíveis de se converterem a uma religião mais condizente com suas condições de vida e de trabalho. Segundo, a circunstância de ser a população regional quase exclusivamente católica (inclusive os funcionários do SPI), o que tornou mais atrativa essa forma de culto digna, ainda que combatida, aos olhos dos civilizados. Terceiro, o fato de ser o protestantismo, no Brasil, uma religião de minoria, que torna seus adeptos mais severos diante da embriaguez e da licenciosidade e mais exigentes em toda matéria de conduta. Nestas condições, converter-se ao protestantismo representa, para os

Terena, opor-se aos brancos, todos católicos, e negar a imagem regional do índio como preguiçoso e cachaceiro. Um efeito concomitante do caráter minoritário dos protestantes é a solidariedade maior que os índios conversos encontram nos outros "crentes". Outro efeito é o espírito de cruzado que desenvolvem os índios conversos, transformando-os em ativos propagandistas da nova fé junto aos seus companheiros. Um quarto fator aliciante da conversão dos índios Terena é o próprio caráter de tutela a que estão submetidos nos postos do Serviço de Proteção aos Índios. Se, por um lado, esta lhes assegura vantagens, por outro, acentua sua inferioridade, aprofundando a distância que os separa dos não-índios e colocando-os, freqüentemente, em situações vexatórias.

A conversão para os Terena consiste numa completa transformação do seu modo de vida. Envolve, freqüentemente, a transferência de uma para outra das comunidades religiosas em que suas aldeias foram divididas e, em certos casos, o abandono do posto (onde estariam sob a tutela de um funcionário às vezes hostil) para irem viver fora, numa comunidade fechada de protestantes, em terras que eles próprios compraram. Importa também em abster-se tanto das danças e festas da aldeia como das cachaçadas nos bolichos, onde os índios deixam grande parte dos parcos soldos que recebem. Representa, por fim, a investidura no papel, não raro ridicularizado, mas de qualquer forma respeitado, de "crentes", que seus vizinhos figuram como fanáticos mansos, mas trabalhadores, honestos e piedosos.

Na realidade das coisas, esse padrão é, quando muito, um ideal de conduta do qual a maioria dos Terena protestantes apenas se aproxima. Mas a expectativa da comunidade de conversos e a vigilância jocosa dos vizinhos "católicos" atua como força de compressão suficiente para desencorajar transgressões flagrantes. Opera no mesmo sentido a hostilidade dos Terena que, tendo permanecido apegados à religiosidade tribal de cunho xamanístico, perderam forças com esse desgarramento e viram agravados os preconceitos de que são vítimas, porque passaram a ser definidos como "os atrasados e irrecuperáveis".

Quando visitamos as aldeias terena em 1947-8, a hostilidade entre católicos e protestantes era tão grande que a solidariedade entre os índios protestantes já era maior que o seu sentimento de indianidade. Vale dizer que antes e mais do que terena, eles se sentiam "crentes". Rompera-se, assim, a solidariedade grupal, dividindo-se o grupo em três ordens de lealdade: uma residual, a xamanística; outra ocasional, desleixada e indiferente: a católica; e a protestante: intencional, ativada por um impulso renovador, dignificador e proselitista.

Esta análise mostra que, no curso do processo de transfiguração étnica, as expressões ideológicas da consciência indígena alteram-se como um caleidoscópio. Assumem tantas nuances que, por fim, os próprios conteúdos espúrios alcançam certa autenticidade, porque passam a atuar como as únicas formas viáveis de sustentação moral de sua visão de si próprios, na sua nova condição de índios civilizados. Este é o caso da conversão dos Terena ao protestantismo, só inteligível como um esforço a mais para construir sua consciência de índios civilizados.

Neste sentido, ela não é um término, mas um patamar novo a partir do qual eles continuarão seus esforços de integração mais igualitária na sociedade nacional. O sucesso ou malogro desses esforços é que irá configurar sua consciência e sua religiosidade futuras. Mostra-nos ainda que não há uma crise aculturativa típica, inerente a uma etapa do processo de transfiguração étnica (Schaden, 1965). Todo o processo é conflitivo e as raras acomodações bem-sucedidas que às vezes enseja são sempre transitórias. E é também crítico em muitas instâncias correspondentes a sucessivas tomadas de consciência de seu próprio drama, com a percepção de que nenhum caminho se lhes abre para fugir dele. Assim, as crises decorrentes do impacto com a civilização se reiteram, assumindo, porém, expressões distintas em cada tribo e na mesma tribo em diferentes momentos de sua existência.

Os índios vivem rodeados por uma barreira de preconceitos que os separa das populações neobrasileiras e, quanto mais se avança rumo às suas aldeias, maior é essa discriminação. Não a atenua — e talvez a agrave — o fato de ser a população circunvizinha racialmente mais indígena que caucasóide ou negra. Não sabemos precisamente como essa barreira se construiu e que forças a mantêm. É de se supor, entretanto, que ela seja uma decorrência inevitável do enfrentamento entre etnias. Como tal deve ter existido desde os primeiros anos da ocupação, quando se constituíram as primeiras protocélulas da etnia brasileira, e quando estas passaram a se expandir sobre os antigos territórios tribais e os povos indígenas. Aquelas protocélulas foram plasmadas geneticamente pelo cruzamento de índias com europeus, cujos rebentos não se identificavam com a gente materna, escravizada e subjugada, e sim com a paterna, dominadora. Entretanto, esses rebentos mestiços não eram reconhecidos pela gente paterna como iguais e só superaram sua marginalidade quando se afirmaram como distintos de ambas as matrizes, cristalizando um ethos nacional próprio, o brasileiro. Como tal, continuaram a crescer pelo mesmo processo, recebendo mais genes indígenas, caucasóides e negróides, a todos aglutinando no novo ethos.

O mameluco, produto dos primeiros cruzamentos, se tornará mais negróide nas áreas onde se concentram contingentes africanos; mais mongolóide onde absorve, pelo mesmo procedimento de preia e erradicação do vínculo tribal, maiores contribuições de genes indígenas; e mais brancóide nas regiões de maior imigração européia. Mas permanecerá sempre como o "outro" em relação ao índio tribal, ao negro africano e ao português. Assim é que se vai construindo uma etnia nacional com uma imensa capacidade de absorção dos contingentes particularizados, mas só capaz de incorporá-los como indivíduos depois de deculturados literalmente e de desgarrados totalmente de suas antigas filiações étnicas.

Nas fronteiras da civilização, compostas ainda hoje de populações predominantemente masculinas, prosseguem essas formas originais de incorporação de genes indígenas. Nelas, os descendentes dos mamelucos ancestrais continuam cumprindo sua função procriadora, reproduzindo e alargando células étnicas, em prejuízo e à custa da extinção das populações indígenas. Mas aos poucos a população se estabiliza. Vêm mulheres brancas, ou "brancas por definição", cuja presença torna menos disputada a mulher índia, e por fim, até desprezada como companheira permanente, embora continue a exercer certa atração sobre os homens. Estas tendências se aprofundam com a chegada posterior dos criadores de gado ou das lavouras comerciais que formam sociedades de composição mais equilibrada quanto ao sexo.

Assim se estanca, progressivamente, a entrada de índios, ao menos como genes, na composição da população. Os casais regulares de brancos com índias se vão tornando raros e o preconceito contra os índios cresce até que, como ocorre hoje, o caboclo ou sertanejo mais miserável acha que uma índia é indigna dele para o casamento. Permanece, entretanto, o interesse sexual, não tanto em relação à índia aculturada, mas à da maloca. A primeira, embora conserve ainda certa vinculação tribal e certos hábitos da vida de aldeia, já sofreu os efeitos do contato com a civilização, expressos na boca banguela, nos vestidos sujos e maltrapilhos que aprendeu a usar antes de aprender a cuidar. A outra, nua e limpa, de dentadura perfeita, enquanto nova e vistosa, atrai, às vezes, um ou outro para uma ligação temporária, sobretudo sertanejos vindos de regiões que não têm tradição de lutas contra índios, ou trabalhadores das cidades influenciadas pelas estereotipias do lirismo indianista, tão distante da atitude de preconceito das populações rurais.

O casamento entre homem índio e mulher branca é, entretanto, extremamente raro. Uma das razões alegadas é a idéia de que o índio não é um homem livre. Efetivamente, ele participa um pouco daquela natureza de servo que não podia ligar-se aos livres. É casta mais que classe, porque nesta categoria se entra pelo nascimento e dela só se sai pela morte. Por trás desta razão formal está, porém, a enorme carga de preconceitos que se volta contra o índio, tornando penosas todas as relações, amargando a convivência inevitável e opondo obstáculos a qualquer intercurso mais íntimo, como o sexual.

Devemos algumas informações pertinentes a este assunto a Eduardo de Lima e Silva Hoerhen, que, em seus quarenta anos de convivência com os Xokleng, teve oportunidade de observar mesmo estes comportamentos que em geral passam despercebidos ou não são registrados. Segundo seu depoimento, não é conhecida a primeira relação sexual que um civilizado manteve com uma Xokleng após a pacificação, mas a julgar pela liberalidade das relações sexuais entre estes índios, deve ter sido muito cedo. Entretanto, retardou-se muito a primeira posse de uma mulher branca por um índio — o que se deu em 1926 —, ficando bem marcada porque provocou profundas mudanças no comportamento dos índios.

De um dia para outro, sem qualquer razão aparente, caíram todas as regras de respeito e as relações com o pessoal do posto assumiram um tom jocoso. Os índios, homens e mulheres, rebelavam-se contra qualquer ordem, provocando atritos para mostrar suas novas disposições. Intrigado com a novidade, o encarregado se pôs a investigar a origem de tamanha mudança de atitude, descobrindo-a logo depois, mesmo porque o orgulho xokleng não poderia esconder semelhante feito aos olhos de quem ele mais deveria brilhar. Contaram. Tratava-se de uma senhora alemã, empregada do posto, que se entregara a um índio e desde então o assunto de toda a tribo era o relato da aventura, com todos os pormenores possíveis sobre as circunstâncias em que se dera a conquista. A viva reação emocional dos índios a esse fato sugere que numa mulher branca os Xokleng possuíram a sociedade que os avassalava, tirando uma revanche de todas as humilhações e desapontamentos que tinham sofrido. O macho dominando a fêmea, em sua concepção, simbolizava a subjugação; estavam vingados e daí em diante eram iguais.

O segundo caso se deu em 1942 com uma jovem, filha de catarinense de origem açoriana, trabalhador do posto. Encontrando um Xokleng no caminho da aldeia, acedeu a suas propostas, tendo relações ali mesmo junto ao barranco. O caso tornou-se logo conhecido de todos e dias depois surgiu na estrada, marcando o lugar do encontro, um pilar de madeira. Desde então, este marco já foi substituído duas vezes por mãos desconhecidas, que tanto pode ter sido o próprio, como qualquer outro Xokleng, orgulhoso da façanha.

Como no caso anterior, temos aqui uma indicação da importância atribuída pelos Xokleng às relações sexuais com mulheres brancas. É que neste setor a interferência de valores culturais profundamente arraigados impossibilita, mais que em outros, relações simétricas, ensejando a autoconscientização do índio sobre a discriminação de que é objeto. Reações dessa natureza têm lugar assim que os índios passam a visitar agrupamentos de civilizados e a conviver com mulheres "brancas" que, via de regra, se opõem a manter intercurso sexual com eles, em contraste com os homens "brancos", que não deixam escapar oportunidade de possuir mulheres índias.

Ademais dessa discriminação, como outra causa de frustrações, soma-se para o índio a imagem que dão de si aos não-índios com que convivem. Efetivamente, nas regiões pioneiras onde predominam índios nas camadas mais pobres da população, incide neles uma proporção acentuadamente maior de casos de misticismo, de embriaguez e de mendicância, o que leva a confundir com tendências étnicas essas manifestações das condições econômicas e sociais que eles suportam. Assim, as condições de penúria, que engendram em todas as sociedades um certo grau de comportamento dissociativo, são confundidas com uma condição inata e todo sadio passa a ser visto como uma cachaceiro ou um ladrão em potencial.

Muitos dos fatos descritos anteriormente nos mostram como a condição de índio civilizado é tanto um modo de ser dos que a vivem como o resultado da imagem que os não-índios têm do índio civilizado e das suas expectativas com respeito a ele. Isso significa que de nada vale falar a mesma língua com os mesmos maneirismos do caboclo, vestir-se de modo autêntico, trabalhar como os brancos trabalham. Não obstante toda essa aculturação cumprida, o índio civilizado estará sempre sujeito a ser apontado como o "bugre", marcado por um estigma de inferioridade, tão-somente com base na sua origem étnica e numa imagem estereotipada do índio e do cristão, tal como afigura a tradição. Essas imagens não têm correspondência com a realidade, senão nos pontos incidentais que as tornam verossímeis. Não são observações, são clichês fixos que cumprem a função de reger as relações interétnicas mantendo as distâncias e evitando as contaminações.

Outra expressão do papel frustrador da representação que os civilizados têm dos índios é dada pelos esforços baldados de assimilação de indígenas que abandonam a aldeia ou são dela retirados pelos seus "amansadores". No primeiro caso, o sucesso da integração depende de que jamais se saiba, no novo contexto de convívio onde se insere, de que se trata de um índio tribal desgarrado de sua comunidade. Provavelmente muitos o fazem, mas só temos notícia dos que regressam ao grupo por não terem alcançado um ajustamento satisfatório; ou dos que conhecemos nas cidades, profissionalizados como índios, exibindo-se em circos ou em macumbas ou, ainda, apelando para sua ascendência indígena, junto ao SPI, para conseguir uma ajuda nos seus esforços de adaptação ao mundo dos brancos. No outro caso, a própria atitude dos "amansadores" e o peso do consenso social sobre a "natureza" do índio o leva inevitavelmente a terminar revelando sua "ferocidade inata".

Entre os inúmeros casos de "índios amansados" que conhecemos nas fronteiras da civilização, todos eles marginalizados tão-só pelo consenso de que, sendo índios, nada deles se podia esperar, ressalta um, registrado em Goiás. Trata-se de algumas meninas retiradas de uma aldeia e entregues a freiras para serem educadas num convento. Era tão opressiva a expectativa das freiras de que suas pupilas se comportassem como "selvagens" e tão prontas as suas explicações, à base desta idéia, para qualquer infantilidade daquelas crianças, que elas estavam condenadas à marginalidade. O sentimento dessa condenação nos foi dado quando uma freira, em sua piedade, nos contou que seu maior temor vinha de uma história que ouvira sobre uma indiazinha criada por uma família que, "um dia, não resistindo à tentação da antropofagia, comera o pezinho de uma criança entregue a seu cuidado".

Nas fronteiras da civilização, onde as relações entre índios e não-índios são francamente hostis, sobreleva, ainda, a indução sobre os índios civilizados de formas de conduta demonstrativas de sua adesão ao mundo dos brancos. Assim como o mameluco foi o flagelo do gentio materno, também esses modernos índios civilizados fazem de sua hostilidade ao índio tribal uma forma de tirar dúvidas sobre seu próprio status, evitando que os confundam com os bugres bravos. Facilmente se deixam aliciar para os ataques aos índios arredios, sobressaindo-se nessas façanhas por atos ainda mais hediondos que os dos outros participantes. São eles também quem mais admiram e temem o índio hostil e que revelam uma repulsa mais radical a eles. Esta última está, muitas vezes, vinculada a um sentimento de revanche, como o que observamos na ambivalência afetiva dos Tenetehara para com os Urubu. De um lado, sua indisfarçável admiração pelas façanhas daqueles índios contra os brancos que a ambos oprimiam. E, de outro lado, a quase alegre constatação de que, ao contato pacífico com a civilização, os Urubu estavam morrendo aos montes, vitimados pela pneumonia, pela gripe e pelo sarampo: "Isto é para pagar as judiações que eles fizeram quando eram bravos".

Nas zonas de antiga ocupação ou nas grandes cidades onde o índio já não é obstáculo para ninguém, mesmo porque já não existe, desenvolveu-se outra atitude diante da indianidade. Freqüentemente, uma atitude "patriótica" fundada na idéia preconceituosa de uma ancestralidade mais significadora que a negra, mas que, desinformada sobre o índio real, o figura como o "pele-vermelha!" dos filmes norte-americanos ou como os personagens românticos dos romances de José de Alencar e dos versos de Gonçalves Dias.

O índio reage a essa discriminação com um sentimento de hostilidade para com o civilizado, que procura esconder para não ser objeto de maior ódio, mas que se revela cada vez que caem os disfarces. Como se vê, existe um obstáculo infranqueável entre as duas etnias, erigido através de representações, de preconceitos e de sentimentos co-participados pelos membros de cada agrupamento, no esforço de se auto-afirmarem pela negação do outro. Como uma das etnias é de magnitude fantástica e as outras, minúsculas e dispersas em miríades de microetnias, a hostilidade recíproca que apenas degrada a macroetnia nacional oprime, desagrega e destrói as microetnias submetidas, condenando-as ao desaparecimento.

De certo modo, o próprio amparo oficial contribui para acentuar essa barreira, porque, isolando o índio para melhor protegê-lo, o coloca numa situação de tutelado que se agrava nas últimas etapas da integração. Apesar de serem assinaláveis as vantagens representadas pela intervenção protecionista para os índios Terena, por exemplo, a segregação que ela lhes impõe conduz a três limitações capitais. Primeiro, o revigoramento da consciência tribal, devido à própria condição de privilégio que lhes é assegurada em razão de serem índios (como a posse do território tribal), que às vezes opera como um desestímulo à integração.

Segundo, a prevalência de uma condição de incapacidade legal que impossibilita o estabelecimento de relações simétricas com a população brasileira. Terceiro, a ação discriminatória exercida pelo próprio Serviço de Proteção aos Índios que, no zelo de preservar os índios de conflitos eventuais, acaba por lhes impor inibições vexatórias.

Roberto Cardoso de Oliveira nos oferece um relato expressivo de como pode chegar a extremos o zelo tutelar e paternalista do SPI:

> A discriminação mais flagrante do índio que tivemos a oportunidade de presenciar levou a chancela do Serviço de Proteção aos Índios por ocasião das eleições do 1955. Neste ano [...] a diretoria do Serviço de Proteção aos Índios decidiu recolher os títulos dos índios eleitores, alegando que a politicagem regional iria prejudicar os interesses dos índios e a sua administração. Ponderava — com certa razão — que, se os índios votassem, os funcionários do Serviço de Proteção aos Índios, sobretudo os encarregados (de posto), acabariam por se tornar cabos eleitorais, como já vinha acontecendo em algumas aldeias; o resultado disso seria uma futura disputa dos cargos de encarregados de postos indígenas, pois que eles passariam a representar poder político, importância eleitoral [...]
>
> [...] A primeira providência dos encarregados dos postos indígenas foi recolher os títulos nas próprias aldeias. Nelas conseguiram recolher somente uma parte, provavelmente a menor — a se julgar por Cachoeirinha, onde foram poucos os que concordaram em se desfazer dos títulos; grande parte dos índios alegava que seus títulos se encontravam ou nos partidos (na cidade), ou com o próprio juiz eleitoral, em cujas mãos deveriam buscar para votar. Em conseqüência disso, alguns encarregados, querendo cumprir a todo custo a determinação superior, acabaram por ir às cidades nos dias de eleição e lá impedir por todos os meios que o índio votasse. Foi uma verdadeira caçada e extremamente difícil, uma vez que, se os funcionários do SPI eram ajudados por determinado partido, eram impedidos por outro que sabia contar com os votos dos índios daquela aldeia. Muitos votaram, é verdade. Talvez a maioria, pois nem todos os funcionários procuraram ser tão eficientes [...] Mas o resultado disso foi tornar claro para o índio que a distância entre ele e a

> sociedade dos purutuya é praticamente intransponível. E ainda: ser índio e viver aldeado sob as vistas do Serviço de Proteção aos Índios é agüentar também a discriminação, que começa pela ação do próprio órgão protetor de seus direitos. (*1960a: 146, 147-8*)

Sumariando nosso estudo das vicissitudes da consciência indígena diante do impacto da civilização, podemos recapitular, agora, algumas das contingências de sua integração compulsória na sociedade nacional. Conforme vimos, numa primeira instância a tribo indígena posta em contato com a sociedade nacional procura defender e preservar o ethos que lhe provê a imagem orgulhosa de si própria como um povo entre os demais e até mesmo como um povo melhor que os demais. Depois de sucessivos embates que fazem ruir quase todo o orgulho tribal, sobrevêm, via de regra, esforços desesperados de retorno, de isolamento e, às vezes, de afirmação fanática dos valores que intensificam a solidariedade grupal.

A consciência indígena já é então alienada, mas ainda não é espúria, porque procura servir a seus próprios fins. Muitos grupos conseguem manter e exacerbar por longos períodos esta forma de reação, descambando para movimentos revivalistas e para rebeliões messiânicas. Estes mesmos são entremeados de valores exógenos e de redefinições no afã de explicar sua própria experiência, que não encontra eco nas antigas representações.

Mais tarde, as contingências do engajamento compulsório e a acumulação de fatores dissociativos gerados na interação ecológica e biótica fazem desmoronar essas formas de representação, exigindo novas redefinições em que se inserem mais e mais elementos estranhos. Já então a consciência se torna mais espúria que alienada, porque vai deixando de servir aos desígnios do próprio grupo e as condições de sua preservação como tal, para incorporar conteúdos que facilitam sua dominação e a justificam. Em certos casos, sobrevém, nessa altura, uma reação oposta, de acercamento à civilização e de busca desesperada da negação de si próprios como índios, para confundir-se com a sociedade nacional. A obstinada resistência à aceitação dos índios como iguais os compele, porém, a um retorno, já não à consciência tribal e a suas formas de expressão, mas à acomodação à consciência de sua condição efetiva de "outro". É o tempo da consciência amarga do índio civilizado: já não é índio, a não ser por uma remota origem tribal, apenas recordada; mas só por isso ainda índio e, como tal, compelido a conceber-se e a aceitar-se; e, como tal, condenado à marginalidade em face da sociedade nacional.

Nesse ponto terminal do processo de transfiguração étnica, sua consciência já pode ser tão autêntica quanto o é nas condições de alienação comuns a todas as camadas exploradas. Mas será ainda mais alienada que a dos demais brasileiros porque corresponderá a um contingente distinto pelas formas peculiares de desajustamento social que experimenta e pela condição de participante etnicamente diferenciado do ser nacional.

Acomodação ou assimilação?

As diversas situações de conjunção de tribos indígenas com agentes da sociedade nacional mostram que as etnias, tendo embora um enorme poder de persistência, devem atender a um mínimo de requisitos, sem os quais deixam de existir (D. F. Aberle e outros, 1950). Tais são, primeiro, a preservação de um montante mínimo de componentes capaz de pôr em ação as práticas adaptativas e associativas de provimento da subsistência. A mortandade provocada pelo contágio de enfermidades desconhecidas e o extermínio propositado levaram certos grupos a rebaixar esse limite, deixando, por isso, de existir. Segundo, a incapacidade de defesa ou de fuga bem-sucedidas que, conduzindo o grupo a uma luta acirrada e contínua contra inimigos mais poderosos, o converte de uma sociedade tribal em um resíduo de combatentes que dificilmente pode satisfazer as necessidades de reprodução e cuidado dos imaturos, para garantir sua própria sobrevivência. Terceiro, a manutenção de um território tribal mínimo, contra as ameaças de apropriação do mesmo na forma de propriedade particular com a conseqüente expulsão do antigo ocupante indígena. Uma vez perdidas as condições de provimento autônomo da subsistência, o grupo se vê compelido a dispersar-se, seja para ser incorporado no sistema ocupacional da região, seja para sobreviver marginalizado, como mendigos, empregados domésticos ou prostitutas. Nos dois casos, ao perder o convívio comunitário, mesmo quando se conservam aglutinados em famílias, tornam-se incapazes de transmitir aos filhos sua tradição cultural, acabando por perdê-los para a etnia tribal. Quarto, a preservação dos corpos de crenças e valores que motivam a conduta, os quais, apesar de suscetíveis das redefinições mais radicais, podem, em certas condições, ser tão peremptoriamente negados que levam os índios à apatia e ao desengano. Em algumas instâncias extremas, uma etnia pode desaparecer porque seus componentes já não têm suficiente gosto de viver para enfrentar as vicissitudes de uma existência sem atrativo.

Em todos esses casos de incapacidade de preencher os requisitos mínimos de persistência étnica, os grupos por elas afetados ou seus remanescentes tendem a ser absorvidos pela sociedade nacional. Seu destino é uma incorporação individual, do mesmo tipo da que ocorreu com os índios cativados, deculturados e assimilados através da escravização. Entretanto, quando se preservam aqueles requisitos mínimos a etnia persiste, tirando sua continuidade da capacidade de se redefinir, mesmo quando só pode afirmar sua identidade como uma minoria étnica ilhada em meio de um povo estranho e hostil.

Quando se focaliza o índio em situações de interação, ele é sempre visto em relação a um alterno, real ou fictício. Fala-se, por exemplo, de índios e brancos, indicando aparentemente categorias raciais, mas em contextos em que estes não são necessariamente caucasóides, nem aqueles mongolóides. Fala-se, também, de índios e "cristãos" em situações em que, por igual, a alternidade é ambígua porque o índio pode ser converso. Ou ainda, de índios e civilizados, em que os primeiros podem ser índios civilizados e os últimos, representantes de frentes de expansão, geralmente iletrados, que dificilmente podem ser tidos como expressões da ilustração. Estas alternidades ambíguas disfarçam, na realidade, uma única alternidade efetiva: aquela que opõe o indígena ao brasileiro. De fato, o que unifica os diversos alternos do índio, com suas variadas características raciais, culturais e sociais, é que todos eles são integrantes diferenciados de uma mesma etnia nacional, da qual é excluído o indígena enquanto etnia, como o são quaisquer outros que se definam ou sejam definidos como etnicamente distintos, por seu gosto ou malgrado seu.

Sem embargo, precisamos considerar que os membros de uma entidade étnica ampla como a nação participam diferencialmente dela. A pátria ou a nação é coisa diversa para um capitão do exército, um homem de negócios ou um seringueiro e o modo de ser nacional é distinto para um luso-brasileiro ou um teuto-brasileiro. Existem, pois, múltiplas formas de participação no ser nacional. As mais relevantes são, provavelmente, os perfis de cultura rústica brasileira, como o caboclo das áreas extrativistas da Amazônia, o sertanejo das regiões pastoris, o crioulo das zonas açucareiras e cacaueiras do Nordeste, o caipira da área de expansão paulista, o matuto e o gringo-brasileiro dos roceiros do Sul. Neles é que o índio é chamado a se incorporar, passando da condição indígena tribal à indígena genérica e desta à nacional.

Mas é aqui, precisamente, que se levantam as barreiras interétnicas que fazem todos esses grupos se apegarem a uma concepção exclusivista de si próprios como "nacionais", nela incluindo os afro-brasileiros, os luso-brasileiros e outros euro-brasileiros e todos os seus mestiços, mas dela excluindo, com repulsa, o indígena. Por quê? Com efeito, aqueles contingentes correspondem a matizes raciais, enquanto o indígena é um contingente de natureza distinta, por seu caráter étnico-cultural. E toda entidade étnica é intrinsecamente excludente de qualquer outra identificação. Isto é que fez o índio ser visto e ver-se a si próprio como o "outro". O mesmo ocorre com o judeu e o cigano, que podem também percorrer todo o caminho da aculturação, mas que são mantidos à margem porque eles próprios se apegam a uma lealdade étnica singular. No caso do índio civilizado, a situação se complica devido à sua rusticidade e desajustamento, que o fazem freqüentemente ainda mais pobre e atrasado que as camadas mais miseráveis da população com que está em contato. A estas circunstâncias se somam as compulsões ecológica e econômica entre índios e populações regionais, as condições artificiais geradas pela intervenção missionária ou protecionista e, também, a qualificação mais baixa do índio, enquanto trabalhador nacional, que o coloca em situação de inferioridade dentro de uma camada social em que, com o máximo de eficácia, cada pessoa mal consegue sobreviver. Todas essas circunstâncias confluem para fazer da indianidade, além de uma condição étnica, uma forma específica de desajustamento à sociedade nacional.

É preciso distinguir, portanto, duas posições polares de indianidade: o índio tribal e o índio genérico. Os primeiros são os que conservam, como os Kaapor ou os Kayapó, seu ethos tribal e sua autonomia cultural. Os últimos, reduzidos a uma indianidade sem definição tribal, como os Potiguara e os Tuxá, já não falam a língua original nem conservam praticamente nada de seu patrimônio cultural, mas se identificam como Tuxá ou Potiguara em face dos brasileiros, como forma particular de integração na sociedade nacional. Isto é, não como participantes diferenciados dela, mas como enclaves inassimilados.

Nosso problema concreto é saber se esses remanescentes da população que sobrevivem em diferentes regiões, reunidos em aldeias autônomas ou recolhidos em postos de proteção, e que se identificam com a "tribo" tal ou qual já completaram seu processo de aculturação ou se falta algum passo mais a ser dado por eles próprios para que alcancem uma participação na sociedade nacional da mesma natureza da de seus vizinhos brasileiros. Ou ainda, se sua condição representa o término de um processo de transfiguração étnica de que resultou sua situação presente de brasileiros atípicos.

Não é possível comparar a identificação do Potiguara, do Tuxá ou do Terena a seus respectivos grupos com as lealdades que prendem a gente de qualquer arraial ou vizinhança a seu nicho, como brasileiros de certa localidade. Ela é da mesma natureza daquela do judeu ou do cigano, que permanecem tais apesar dessa identificação não representar qualquer vantagem, podendo até recrudescer se forem perseguidos. No caso dos índios, porém, há uma certa ambivalência entre a tendência a permanecer índio ou a se assimilar. De um lado, eles esperam tirar vantagens da condição de índio, que lhes pode garantir a posse da terra que ocupam e certo amparo; de outro lado, esta qualidade os leva a serem tratados como gente inferior. Entretanto, não estão diante de uma possibilidade de opção, mas de uma contingência, porque, mesmo perdidas as terras e o amparo, permaneceriam índios. Quando um desses pólos ganha maior importância, como no caso da discriminação contra os trabalhadores indígenas dos seringais, eles podem ser levados a se identificar como caboclos — "não sou índio, sou caboclo bom" — para fugir ao tratamento dispensado ao indígena como gente ignorante, cujo trabalho pode ser explorado a título de amansamento ou catequização. Ocorre também o inverso, como é o caso dos descendentes de Terena e Guaikuru de Lalima, Mato Grosso, que enfatizam sua condição de índios como o principal título à posse de suas terras, permanentemente ameaçadas.

Como se vê, são evidentes as contingências sócio-econômicas que impelem esses índios genéricos, ora a negar sua identidade tribal, ora a negar sua qualidade nacional. Estas situações polares foram muitas vezes interpretadas como indicações de que os índios, na medida em que se tornam indiferenciados em relação à população local por força da aculturação, fundem-se na sociedade nacional. Segundo esta última interpretação, seria possível compor uma escala que iria do índio tribal ao índio genérico, para prosseguir depois na forma de índio civilizado até recair na condição de caboclo, ou sertanejo de recente origem indígena, sendo esta já tão pouco relevante para eles como a ancestralidade lusa, africana, italiana ou outra para os demais brasileiros.

Conforme demonstramos exaustivamente, mesmo os grupos mais aculturados não parecem predispostos para essa dissolução e fusão; ao contrário, pendem para uma conciliação da identidade étnica tribal com certos modos de integração na vida nacional, ou ao menos na sociedade regional em que se encontram inseridos. Acaso se pode admitir que isto seja uma assimilação diferencial? Ou, em outras palavras, que os grupos com ascendentes indígenas — como os descendentes de outras matrizes — tendem a conservar certas características, as quais, ao fim, representariam formas diferenciadas de participação na vida nacional, diversas para cada componente dela? Neste caso, cada parcela da população nacional, em certa altura do processo de formação do povo brasileiro, exibiria certas marcas de origem, tanto no tipo físico como no comportamento. O prosseguimento do processo levaria, contudo, a uma uniformização tanto racial quanto cultural, em que o patrimônio genético e cultural de cada grupo, depois de devidamente peneirado e "modulado", se tornaria patrimônio comum.

Esta interpretação é às vezes argüida pelos historiadores com base no fato de que, nas áreas onde o índio foi principal matriz da população, suas características comparecem, tanto no tipo físico como na cultura regional, documentando sua contribuição dada e absorvida. Este seria o caso dos caboclos da Amazônia e, até certo ponto, dos sertanejos do agreste nordestino, caracterizados como "cabeças chatas". Capistrano de Abreu (1936: 192-3) procurou comprovar esta tese, demonstrando, através de listas de antigas aldeias e missões que originaram muitas das atuais cidades baianas, que existia um trânsito natural das aldeias tribais às vilas e, depois, às cidades, graças ao qual os índios se iriam civilizando. Egon Schaden, no seu já citado estudo, sempre que deve concluir que os índios permanecem índios ao fim do processo de aculturação, vaticina um passo ulterior em que "a assimilação se retarda até a miscigenação" (1965: 158, 258).

O nosso estudo, apesar de referir-se apenas ao século XX, conduz a outra interpretação, segundo a qual não houve assimilação das entidades étnicas, mas absorção de indivíduos desgarrados, ao passo que aquelas entidades étnicas desapareciam ou se transfiguravam para sobreviver. Não fosse assim, teríamos encontrado a população indígena distribuída por todas as etapas desse processo, com maior incidência nas últimas etapas. Nenhuma evidência comprova esta expectativa, a não ser as situações ambíguas acima referidas. Mesmo aí, porém, não há dúvida quanto à identificação étnica como indígena, ao término de um longo processo de aculturação. Todos estes fatos demonstram que estamos diante de um processo de transfiguração étnica que, em lugar de desembocar na assimilação, conduz ao descaminho de acomodações sucessivas que perpetuam a identificação tribal. Sem embargo, para estender esta generalização a períodos anteriores seria preciso contar, primeiramente, com um conhecimento melhor do que sucedeu aos distintos grupos indígenas que se defrontaram com a civilização a fim de verificar se não são contestáveis os fatos tomados como provas de assimilação. O que nossos estudos autorizam a afirmar é que, concomitantemente com o processo de aculturação e integração dos índios na vida econômica e em outras esferas institucionalizadas da sociedade nacional, encontramos uma progressiva diminuição de suas populações, vitimadas por epidemias, condições de vida precárias, extermínio intencional e outros fatores. A parcela que abandona a vida tribal e se incorpora na população nacional é quase imponderável. E é constituída, quase sempre, por mulheres tomadas como amásias, portadoras de genes indígenas que, conservados e multiplicados nos cruzamentos, vão formar uma população nova com fenótipo indígena. O núcleo tribal, cada vez mais reduzido, subsiste, porém, como tal ou desaparece por extinção, sem se fundir jamais ao neobrasileiro.

É admissível, contudo, que a entrada de genes indígenas na população nacional fosse muito maior no primeiro século, quando se formaram as protocélulas que, expandindo-se e multiplicando-se por cissiparidade, constituíram a etnia brasileira. Naqueles começos operavam dois fatores conducentes à incorporação de maiores contingentes indígenas desgarrados de suas matrizes. Primeiro, a circunstância de que a quase totalidade das mulheres era constituída de índias ou mestiças originárias delas, o que tornava inevitável o cruzamento. Mais tarde, com o ingresso de mulheres brancas e negras, a mesma forma de absorção prosseguiu com intensidade menor, sobretudo nas múltiplas frentes pioneiras em que o modo de ocupação propiciava a união com índias. Esta, como vimos, foi sempre maior nas áreas da indústria extrativa, onde os ocupantes eram bandos masculinos semelhantes aos dos primeiros séculos. E menor nas zonas pastoris, que contavam com uma população mais homogênea quanto à composição dos sexos e que podia crescer sem apelar para cruzamentos com índias. Como se vê, o condicionante principal parece ter sido sempre a presença ou ausência da mulher branca ou "branca por definição". Onde ela falta, impõe-se a miscigenação; quando está presente, dificulta a tomada de índias como amásias ou como companheiras permanentes.

O segundo fator consistia no caráter mais drástico das formas de engajamento do indígena para o trabalho, fundado na escravidão pessoal que permitia isolar cada índio de sua gente para mais facilmente deculturá-lo e desgastá-lo como mão-de-obra. Os que sobreviveram a essas compulsões encontravam-se integrados na nova etnia e, se chegavam a reproduzir, geravam filhos já incorporados nela.

Em qualquer caso, porém, uma vez estabilizada a ocupação de uma área, a população tornava-se independente dos índios como mão-de-obra ou como matrizes étnicas, Os índios remanescentes viam atenuarem-se as pressões dissociativas que pesavam sobre eles, mas simultaneamente viam mais alçadas as barreiras que os separavam dos novos ocupantes de seu território. Entram a operar, então, outras formas de compulsão, que já não reclamam imperativamente o concurso da mulher indígena como matriz e do homem como força de trabalho, mas tão-somente disputam suas terras para os rebanhos, as lavouras ou a exploração extrativista ou a mineira. Desde então o índio é hostilizado como um obstáculo; e se lhe demonstra, por todas as formas, o desgosto que todos têm de coexistir, numa mesma região, com bugres inassimiláveis.

Nessas novas condições, a maioria dos grupos indígenas continua reduzindo-se até a extinção completa. Outros sobrevivem e, quando já se torna impraticável manter a vida independente por força das necessidades que adquiriram e que exigem sua integração na mão-de-obra regional, são levados a buscar um convívio crescente no seu contexto. Prossegue, assim, o processo de aculturação que os aproxima cada vez mais pela língua e pelos costumes da população local, sem lhes ensejar, contudo, uma fusão com ela. Contribuem para isto, em primeiro lugar, a barreira interétnica; em segundo lugar, a falta de atrativos da vida dos dependentes de fazendas e seringais; e, em terceiro lugar, a condição de estufa da intervenção protecionista ou missionária. Esta, onde lhes assegura amparo, os isola da população regional.

Já assinalamos que alguns autores (R. C. Oliveira, 1960b) atribuem a esse protecionismo a não-assimilação das populações indígenas. O problema, na verdade, é mais complexo, como o demonstra, por um lado, o fato de que índios como os do Nordeste, jamais amparados pelo SPI, permanecem índios genéricos, sem se confundir com as populações com que estão em contato. Muitos desses núcleos acabaram desaparecendo por extinção física de todos os seus membros, ao lado dos vilarejos brasileiros que cresceram sobre suas terras. Por outro lado, confirma nossa asserção toda a documentação referente aos esforços baldados de inúmeros índios por se "civilizarem" sem jamais terem sido reconhecidos como iguais pelo contexto brasileiro em que se inseriam. E, finalmente, as próprias tentativas do SPI de "incorporar o índio na sociedade nacional". Como vimos, após ter reiterado durante décadas que essa era a sua missão, o SPI terminou por definir-se como um órgão de amparo e proteção aos grupos perseguidos por sua condição nominal ou real de indígenas e ameaçados de extinção se lhes fosse negado amparo oficial.

Charles Wagley e Eduardo Galvão, no seu estudo dos índios Tenetehara (1961), supuseram também que aquele grupo estava no limiar da assimilação, a ser cumprida em poucas gerações com sua fusão na população regional com que conviviam. Mais tarde, o próprio Galvão redefiniu aquelas suposições:

> Em nossa monografia sobre os índios Tenetehara, nos deixamos empolgar pelo ritmo relativamente acelerado de transição dessa cultura indígena para os padrões brasileiros. Embora o grupo mantenha sua unidade tribal e possa ser distinguido da população cabocla por uma configuração cultural diferente, são evidentes os sinais de desgaste da cultura tradicional e as de substituição de valores tribais por outros, brasileiros, resultantes do impacto de trezentos anos de convívio geralmente pacífico com nossa sociedade rural. Concluímos que não demoraria, talvez mais que uma ou duas gerações, para que os Tenetehara se transformassem em caboclos. Somente a experiência que adquirimos no Serviço de Proteção aos Índios, onde nos familiarizamos com uma variedade de situações de contato e assimilação de grupos indígenas, nos permitiu uma perspectiva mais correta. É bem possível que os Tenetehara em certo ponto de sua transição tomem por outra alternativa que a de aderir à cultura cabocla, a mesma que escolheram os indígenas do nordeste e do sul

> do país, onde, atingida certa estabilidade de população e de relações com os "brancos", e a consciência da impossibilidade de integração na sociedade rural, exceto em seu degrau mais inferior, o índio resolva permanecer índio, categoria sociocultural que lhe garante condições de sobrevivência e de status social nas comunidades regionais. (E. Galvão, 1957: 71-2)

Não concordamos com Galvão em que o indígena tenha a opção de "resolver" qualquer coisa nesta matéria, nem de que sem a proteção oficial poderia assimilar-se.

Estes remanescentes indígenas, embora integrados no sistema econômico local, aculturados lingüisticamente e quanto a quase todo o seu patrimônio cultural, não se dissolvem na população circunvizinha, mas, ao contrário, permanecem diferenciados dela em alguma coisa fundamental que não se pode encontrar em seus traços raciais, em seu sistema social ou em sua cultura, senão em certas lealdades étnicas e no poder isolador do preconceito, racial e social. Este se cristalizou, provavelmente, como uma técnica de competição ecológica, sustentada e mantida como requisito de dominação sobre grupos étnicos minoritários. Mas, uma vez plasmada, tende a permanecer como uma barreira infranqueável.

Comparando-se esses índios civilizados com os brasileiros que com eles convivem, o que se destaca como diferenciador dos indígenas é um grau de solidariedade interna maior, fundada na vida comunitária; e o fato de criarem seus filhos na concepção de que são índios e sob a pressão moral da hostilidade dos que os rodeiam. Em certo sentido constituem uma casta, tão conscientes estão todos, de um grupo e do outro, da existência de barreiras intransponíveis a separá-los, já que as respectivas identidades só se adquirem pelo nascimento e só se dissipam pela morte. Os fatos examinados permitem afirmar que a condição de brasileiro e a de indígena são tão opostas e tão distintas, que não se pode falar de uma assimilação do indígena, mesmo dos mais aculturados. Em lugar da assimilação, o que prevalece é uma acomodação penosa que concilia certa participação na vida nacional com a perpetuação da identidade étnica discrepante.

Dentro desse tipo de ajustamento recíproco, os dois grupos em confronto se comunicam e se isolam através do estabelecimento de um modus vivendi que, evitando o conflito aberto, permite a coexistência, mas também as distâncias sociais, e frustra a fusão de ambos num só. Tal é a natureza desses sistemas interétnicos de entendimento que, distinguindo cada comunidade, uma aos olhos da outra, permitem que convivam às vezes em condições de simbiose, mas as situam como entes imiscíveis. É de assinalar que esse tipo de ajustamento constitui, provavelmente, o requisito essencial à preservação dos atributos de singularidade étnica dos índios civilizados. Só através desse modus vivendi podem subsistir, mas, persistindo, perpetuam sua indianidade.

Assim é que o índio civilizado, ao término de sua história aculturativa e apesar de todas as suas transfigurações étnicas, se vê diante de uma barreira construída dentro dele e fora dele que o condena a permanecer indígena. Nenhum grupo pôde escapar a essa realidade. Só através da fuga individual se pode sair dela, mimetizando-se em "não-índio", se esta simulação não chega a ser percebida e denunciada.

Entretanto, é de se supor que uma mudança revolucionária na estrutura social global, que altere radicalmente a composição de classe e as normas compulsórias de contingenciamento da força de trabalho, erradicando desse modo as bases sociais da discriminação e do preconceito, possa transfigurar tanto aos brasileiros quanto aos índios. Nesta nova ordem de relações interétnicas, o índio civilizado tanto poderá viver em liberdade seu destino de microetnia, porque liberto das perseguições e da odiosidade que hoje o oprimem; como poderá romper, eventualmente, com sua identificação étnica para mergulhar na etnia nacional.

12 CONCLUSÕES

População indígena brasileira

A população indígena do Brasil, cujo montante se encontrava em 1957 entre um mínimo de 68 100 e um máximo de 99 700, não alcança, mesmo na hipótese mais otimista, 0,2% da população nacional. Distribuídos pelas diversas regiões do país, os valores médios destas avaliações nos dão um montante provável de 52 550 índios (61%) para a Amazônia; de 18 125 (21,6%) para o Brasil central; de 7700 (9%) para o Brasil oriental, e de 5525 (6,5%) para a região Sul.

Distribuídas por categorias correspondentes aos graus de contato, estas médias nos dão os seguintes números: 23 925 índios para os grupos isolados (28,5%); 10 275 para os que estão em contato intermitente (12,2%); 18 175 para os que vivem em contato permanente (21,6%); e 31 525 para os grupos integrados na sociedade nacional (37,6%). A discriminação dos grupos lingüísticos com mais de 100 mil pessoas indica a existência provável de 13 825 índios do tronco lingüístico aruak; 12 775 de língua jê; 12 400 tupi e 12 200 karib, em território brasileiro.

Graus de integração

As populações indígenas do Brasil moderno são classificáveis em quatro categorias referentes aos graus de contato com a sociedade nacional, a saber: isolados, contato intermitente, contato permanente e integrados. Estas categorias representam etapas sucessivas e necessárias da integração das populações indígenas na sociedade nacional. Alguns grupos desaparecem, porém, antes de percorrer todas elas e cada grupo permanece mais ou menos tempo numa etapa, conforme as vicissitudes de suas relações com os civilizados, certas características culturais próprias e as variantes econômicas da sociedade nacional com que se defrontam.

1. *Isolados*. São os grupos que vivem em zonas não alcançadas pela sociedade brasileira, só tendo experimentado contatos acidentais e raros com "civilizados". Apresentam-se como simplesmente arredios ou como hostis. Nesta categoria se encontram as tribos mais populosas e de maior vigor físico e, também, as únicas que mantêm completa autonomia cultural.

2. *Contato intermitente*. Corresponde àqueles grupos cujos territórios começam a ser alcançados e ocupados pela sociedade nacional. Ainda mantêm certa autonomia cultural, mas vão surgindo necessidades novas cuja satisfação só é possível através de relações econômicas com agentes da civilização. Freqüentemente têm relações de ambivalência motivadas, por um lado, pelo temor ao homem branco e, por outro lado, pelo fascínio que exerce sobre eles um equipamento infinitamente superior de ação sobre a natureza. Suas atividades produtivas começam a sofrer uma diversificação pela necessidade de, além das tarefas habituais, serem obrigados a dedicar um tempo crescente à produção de artigos para troca ou a se alugarem como força de trabalho. Sua cultura e sua língua começam já a refletir essas novas experiências através de certas modificações que a acercam das características da sociedade nacional.

3. *Contato permanente*. Incluímos nesta categoria os grupos que já perderam sua autonomia sociocultural, pois se encontram em completa dependência da economia regional para o suprimento de artigos tornados indispensáveis. No entanto, ainda conservam os costumes tradicionais compatíveis com sua nova condição, embora profundamente modificados pelos efeitos cumulativos das compulsões ecológicas, econômicas e culturais que experimentaram. O número de índios capazes de exprimir-se em português aumenta, alargando assim os meios de comunicação com a sociedade nacional. A população indígena tende a diminuir, chegando algumas tribos a índices tão baixos que tornam inoperante a antiga organização social.

4. *Integrados*. Estão incluídos nesta classe aqueles grupos que, tendo experimentado todas as compulsões referidas, conseguiram sobreviver, chegando a nossos dias ilhados em meio à população nacional, a cuja vida econômica se vão incorporando como reserva de mão-de-obra ou como produtores especializados em certos artigos para o comércio. Em geral vivem confinados em parcelas de seus antigos territórios, ou, despojados de suas terras, perambulam de um lugar a outro. Alguns desses grupos perderam sua língua original e, aparentemente, nada os distingue da população rural com que convivem. Igualmente mestiçados, vestindo a mesma roupa, comendo os mesmos alimentos, poderiam ser confundidos com seus vizinhos neobrasileiros, se eles próprios não estivessem certos de que constituem um povo à parte, não guardassem uma espécie de lealdade a essa identidade étnica e se não fossem definidos, vistos e discriminados como "índios" pela população circundante.

5. A etapa de integração não corresponde à fusão dos grupos indígenas na sociedade nacional como parte indistinguível dela, pois essa seria a assimilação grupal que não ocorreu em

nenhum dos casos examinados. Aquilo com que nos defrontamos e que foi designado como estado de integração ou como condição de índio genérico representa uma forma de acomodação que concilia uma identificação étnica específica com uma crescente participação na vida econômica e nas esferas de comportamento institucionalizado da sociedade nacional.

Avaliação dos resultados da integração

Uma apreciação numérica dos efeitos do impacto da civilização sobre as populações tribais no curso do século XX mostra que:

1. No trânsito da condição de isolamento à de integração, 87 grupos indígenas foram levados ao extermínio e quase todos eles sofreram grandes reduções demográficas e profundas transformações nos seus modos de vida. Enquanto na relação de tribos indígenas existentes em 1900 sobressai a coluna correspondente aos grupos isolados, com 45,6% do total, na relação de 1957 sobressai a última, dos grupos extintos, com 37,8% do total.

2. O vulto do extermínio em número de pessoas foi muito mais ponderável. Aos 105 grupos isolados de 1900, correspondia, segundo uma avaliação grosseira, uma população de 50 mil índios. Aos seus sobreviventes, classificáveis nas diferentes categorias de integração (exceto os ainda isolados), correspondia, em 1957, tão-somente uma população de 13320. A proporção do extermínio no período considerado foi, portanto, de 73,4%.

3. A proporção de tribos desaparecidas nos primeiros embates com a civilização, nesse meio século, indica que as chances de sobrevivência para os isolados foram pouco superiores a 50%, uma vez que 33 deles desapareceram, enquanto 39 conseguiram sobreviver, passando a outras condições de interação. Foram algo maiores, de cerca de 85%, as chances de sobre-

vivência dos grupos em contato intermitente, pois dos 53 existentes em 1900 desapareceram catorze. Os principais fatores de extinção que operam nessas primeiras etapas de integração são a morte em conflitos com os civilizados e, sobretudo, a depopulação provocada por epidemias de gripe, sarampo, coqueluche e outras enfermidades desconhecidas.

4. Os grupos indígenas que alcançaram, no período examinado, a etapa de convívio permanente, sobre os quais se acumularam, ademais das compulsões de ordem ecológica e biótica, as do processo de aculturação, tiveram suas chances de sobrevivência reduzidas a 28,2%, conforme se comprova pelo fato de terem desaparecido 28 das 39 tribos nestas condições. Os grupos que já se encontravam integrados em 1900 suportaram melhor as vicissitudes do contato, sobrevivendo na proporção de 58,6%, uma vez que de 29 grupos desapareceram doze. No total, desapareceram quatro de cada dez tribos existentes em 1900, sendo de se prever que, a prevalecerem as mesmas condições, 57 dos atuais 143 grupos hoje existentes desaparecerão até o fim do século.

As faces da civilização

A sociedade nacional apresenta características tão diversas e tão relevantes para o processo de integração das populações indígenas, conforme assuma a forma de economia extrativa, agrícola ou pastoril, que não podemos tratá-la como uma constante. Estas diferenças se explicam pela forma específica de ação de cada frente de expansão sobre os grupos indígenas, decorrente de seu caráter de empresas capitalistas especializadas na utilização de certos recursos do território e, em conseqüência, integradas por populações diferenciadas em suas características socioculturais.

1. A *economia extrativa* impõe a dissolução dos grupos tribais mais densos e sua dispersão pela mata através do engajamento dos homens como remeiros e tarefeiros e das mulheres como amásias e produtoras de mantimentos. O baixo grau de organização da vida social e de imposição das instituições nacionais que prevalecem nessas áreas coloca os índios diante de grupos instáveis extremamente agressivos e de formas particularmente arcaicas e despóticas de engajamento da mão-de-obra para a produção.

2. A *economia agrícola* já não se interessa pelo índio como mão-de-obra e como produtor, mas simplesmente disputa as terras que ele ocupa para estender as lavouras. Suas variantes principais — a grande lavoura comercial e a economia granjeira — operam de forma distinta sobre os índios. Ambas o fazem, porém, de modo menos agressivo que evitativo em face dos índios com que se defrontam.

3. A *economia pastoril* age diante do índio movida pela necessidade de limpar os campos de seus ocupantes humanos para entregá-los ao gado e evitar que o indígena, desprovido de caça, a substitua pelos rebanhos que tomaram seu lugar. Aqui, como no caso da frente agrícola, o que mais afeta os índios é a tendência ao monopólio da terra para sua conversão em pastagens. A defesa do gado contra os índios torna as frentes pastoris particularmente agressivas, levando-as a promover chacinas tão devastadoras quanto as das frentes extrativistas.

4. As diferenças entre o impacto que cada uma dessas frentes de expansão desencadeia sobre os grupos tribais não podem ser medidas pela proporção de 60% de extinção dos grupos que se defrontam com frentes de economia agrícola; 45,7% dos que são atingidos por economias extrativas e 30,2% dos

que foram alcançados pelas frentes pastoris. Estas diferenças exprimem, essencialmente, o caráter de fronteiras novas de expansão civilizatória da frente extrativista e de algumas frentes agrícolas, em contraste com as pastoris, que constituem, em geral, áreas de antiga ocupação. A proporção de grupos indígenas nas áreas de economia extrativa (48,9%), pastoril (20,9%) e agrícola (2,8%) confirma essa asserção, refletindo o grau de penetração e domínio da sociedade nacional em cada uma delas. Esta análise impõe a conclusão de que o determinante fundamental do destino dos grupos indígenas é a dinâmica da sociedade nacional. Esta, avançando inexoravelmente sobre as poucas faixas inexploradas do território brasileiro onde ainda sobrevivem grupos isolados, atua dizimadoramente sobre eles e, à medida que consolida a ocupação e ascende a maiores concentrações demográficas, envolve a todos os grupos, fazendo baixar o número de tribos e seu montante populacional.

Reações étnicas diferenciais

O rumo e o ritmo do processo de transfiguração étnica podem ser alterados de acordo com certas variantes correspondentes a características das populações tribais, dentre as quais ressaltam:

1. A magnitude das populações em confronto, ou, em outras palavras, o vulto demográfico da sociedade nacional em relação ao diminuto volume das populações tribais. Essa desproporção decorre das respectivas etapas evolutivas que, no caso das etnias tribais, apenas permite aglutinar núcleos de população limitada e tendente a desdobrar-se em novos grupos à medida que crescem; mas, no caso das sociedades nacionais, possibilita um crescimento quase ilimitado. Este se processa tanto pelo incremento vegetativo quanto pelo poder de desenraizar, deculturar e aculturar indivíduos tomados das etnias tribais e

engajados num sistema sócio-econômico global, cujos descendentes se fundem na etnia nacional.

O efeito crucial dessas disparidades foi impossibilitar os indígenas de enfrentar unificadamente aos brasileiros como duas entidades de magnitude equivalente. Ao contrário, compeliu cada microetnia a opor-se, sozinha, aos agentes locais de uma enorme sociedade nacional em expansão. O resultado foi o desaparecimento da maior parte dos grupos indígenas e a condenação dos sobreviventes à condição de microetnias incapazes de alcançar um montante populacional suficiente para poder aspirar à independência como Estados nacionais autônomos.

2. A atitude das populações indígenas para com os agentes da sociedade nacional:

   a) uma atitude aguerrida de defesa enérgica contra a invasão de seus territórios e de agressividade contra as frentes pioneiras explica a preservação de alguns grupos indígenas que, assim, puderam manter sua autonomia, embora sofrendo pesadas perdas e profundas transformações em seus modos de vida. Entretanto, em virtude da disparidade das massas em confronto, os índios só podem deter as frentes pioneiras por algum tempo, à custa de um tremendo desgaste da própria população e até que provoquem, com sua resistência, uma concentração dessas frentes que as torne capazes de avançar sobre eles como uma avalanche irresistível.

   b) uma atitude dócil e de receptividade por parte dos índios, facilitando os contatos e criando condições para uma rápida sucessão de etapas de integração, provoca uma acumulação dos efeitos dissociativos de cada uma delas que os condena a um pronto desaparecimento.

3. A predisposição dos grupos indígenas à aceitação ou rejeição de inovações permite classificar as culturas tribais como re-

lativamente flexíveis e maleáveis ou como rígidas e conservativas. Entretanto, uma postura aberta tanto pode facilitar as alterações necessárias ao enfrentamento da nova situação e a conquista de um novo equilíbrio, como pode acelerar o processo de transfiguração, acumulando compulsões que, em certos casos, levam os grupos indígenas a um colapso. Por outro lado, uma atitude conservadora pode conduzir tanto a uma conduta evitativa que preserve o grupo, como a uma incapacidade, igualmente fatal, de mudança, em consonância com as exigências da nova situação de existência.

4. A distância relativa entre a cultura tribal, sobretudo seu sistema adaptativo, e a da sociedade nacional. Com efeito o sistema adaptativo das populações rurais brasileiras é, em grande parte, uma herança dos métodos de luta pela subsistência das tribos agrícolas da floresta tropical que foram encontradas na costa pelos primeiros colonizadores, especialmente os grupos tupi. Em conseqüência, esses grupos encontram maior facilidade de aculturação e integração porque têm, de partida, uma série de elementos comuns que permitem maior grau de compreensão recíproca e facilitam o escambo e, depois, o comércio. Já as tribos de filiação cultural diversa enfrentam obstáculos muito maiores ao se defrontarem com a sociedade nacional, porque tudo para elas é diferente, desde os hábitos alimentares e os métodos de produção até a concepção do mundo. Pode-se afirmar, portanto, que um dos fatores que ativam ou entravam o processo de integração é a distância cultural, tanto absoluta — entre o nível de desenvolvimento tecnológico dos índios (agrícolas e pré-agrícolas) e o da sociedade nacional — quanto relativa, vale dizer, entre as diversas variedades de culturas indígenas e a sociedade rural brasileira com sua preponderante herança tupi. Essa ativação tem como conseqüência principal a rápida dissociação e a

pronta extinção dos grupos mais habilitados para o convívio com a civilização. Uma confirmação do peso deste fator nos é dada pelo fato de que os grupos tupi foram os mais vulneráveis às compulsões a que todos se viram submetidos, uma vez que perderam uma proporção muito maior de seus representantes registrados em 1900.

A intervenção protecionista

Um dos condicionantes fundamentais do curso do processo de transfiguração étnica é a interação intervencionista conduzida, seja com o objetivo de simples proteção, seja com propósitos de catequese.

1. A proteção oficial aos índios só prestou serviços efetivamente relevantes na pacificação das tribos hostis, em que dava solução aos problemas da expansão da sociedade nacional e não aos problemas indígenas que lhe competia amparar. As formas mais eficazes de amparo da intervenção protecionista consistem:

   a) na criação de condições artificiais de interação que, atrasando a sucessão de etapas de integração, assegura aos índios mais tempo e maior liberdade de resistência às diversas compulsões a que são submetidos.

   b) na garantia aos grupos indígenas da posse indisputada de um território onde possam manter uma economia comunitária. Graças a estas formas de intervenção, puderam sobreviver muitas tribos que teriam desaparecido se estabelecessem relações livres e espontâneas com agentes da sociedade nacional, perdendo suas terras e sendo enganadas na força de trabalho regional nas precárias condições que lhes são oferecidas. Lamentavelmente, ela não pôde operar — ou operou deficientemente — em todo o país, fazendo sentir sua ausência em áreas como o Juruá-Purus, o Guaporé e outras, por mais altas proporções de grupos desaparecidos no século XX.

2. A ação missionária, sendo conduzida com propósitos de incorporação do indígena à cristandade e, por esta via, à sociedade e à cultura nacional, operou freqüentemente de forma mais negativa que a proteção oficial. Para isto contribuíram a intolerância dos missionários diante da cultura indígena, como a despreocupação das missões em garantir aos índios a posse do seu território e, ainda, as práticas de desmembramento da família indígena pela intimação dos filhos nas escolas missionárias a fim de receberem educação orientada no sentido de destribalizá-los. Em todos estes casos, a competição entre missionários católicos e protestantes provocou a ruptura da solidariedade tribal.

Fatores causais da transfiguração étnica

As diversas etapas de integração correspondem a passos do processo de transfiguração étnico-cultural que, operando através de compulsões de natureza ecológica, biótica, de coerções de natureza tecnológico-cultural, sócio-econômica e ideológica, conduzem os indígenas da condição de índios tribais à de índios genéricos.

Cada uma dessas compulsões corresponde a um fator causal específico que produz efeitos também específicos, embora eles se somem uns aos outros, acarretando às populações indígenas condições cada vez mais precárias de sobrevivência biológica e de existência como etnias autônomas.

1. As *compulsões ecológicas* afetam os grupos indígenas em duas formas básicas. Primeiro, como uma competição entre populações que disputam recursos diferentes de um mesmo território e culmina com a dizimação intencional dos índios ou a transformação do seu hábitat de forma tão drástica que tor-

na inoperante seu antigo sistema adaptativo, ameaçando-os, também por isso, de extinção. Segundo, como um mecanismo de miscigenação que, assegurando aos não-índios o papel de reprodutores, mediante a tomada de mulheres indígenas, resultam na identificação da prole com a etnia paterna e contribuem para reduzir o substrato humano indispensável para a preservação da etnia tribal.

2. As *compulsões bióticas* de maior relevância consistem na incorporação dos índios indenes nos circuitos de contágio de moléstias de que são portadores os agentes da civilização e têm como efeito a depopulação e o debilitamento dos sobreviventes em níveis tais que, muitas vezes, importam na sua completa extinção física.

3. As *coerções tecnológico-culturais* resultam da adoção de novos instrumentos e técnicas de produção que, apesar de mais eficazes, têm efeitos nocivos porque impõem a dependência da tribo em relação aos provedores desses bens que não podem produzir, e porque provocam uma série de efeitos dissociativos sobre a vida tribal.

4. As *coerções sócio-econômicas* consistem essencialmente no engajamento dos índios em um sistema produtivo de caráter capitalista-mercantil que, possibilitando a apropriação privada de suas terras e a conscrição dos indivíduos na força de trabalho regional, anulam a autonomia cultural e provocam profundos desequilíbrios na vida social dos indígenas.

5. As *coerções ideológicas* consistem, principalmente, na traumatização cultural e em frustrações psicológicas resultantes da desmoralização do ethos tribal e da compulsão de redefinir, passo a passo, todos os corpos de crenças e valores, assim

como as próprias consciências individuais de acordo com a alteração das suas condições de existência.

Seqüência típica da transfiguração étnica

As relações da sociedade nacional com as tribos indígenas se processam como um enfrentamento entre entidades étnicas mutuamente exclusivas. Dada a desproporção demográfica e de nível evolutivo que existe entre elas, a interação representa uma ameaça permanente de desintegração das etnias tribais. A reação destas consiste, essencialmente, num esforço para manter ou recuperar sua autonomia e para preservar sua identidade étnica, seja através do retorno real ou compensatório a formas tradicionais de existência, sempre quando isto ainda é possível; seja mediante alterações sucessivas nas instituições tribais que tornem menos deletéria a interação com a sociedade nacional. Esta reação não é, obviamente, um propósito lucidamente perseguido, mas antes uma conseqüência necessária de sua natureza de entidade étnica. As uniformidades mais gerais do processo de transfiguração étnica podem ser assim sumariadas:

1. Ao primeiro contato pacífico com a sociedade nacional, o indígena lhe empresta um enorme prestígio em virtude de sua imensa superioridade técnica e, geralmente, se faz receptivo aos elementos culturais que lhe são apresentados de forma indiscriminada, adotando tanto os que possam ser de utilidade imediata como outros, supérfluos e até inconvenientes.

2. Após essa primeira fase, vem outra em que se definem preferências e idiossincrasias, se estabilizam hábitos novos e se fixam necessidades econômicas conducentes a um convívio cada vez mais intenso com os agentes locais da sociedade nacional.

3. Quando a mortalidade e a desorganização interna do grupo conseqüente das compulsões ecológicas e bióticas começa a alertá-los para o preço que estão pagando pelo convívio pacífico com os civilizados, sobrevêm, geralmente, fases de violenta contra-aculturação. Quase sempre já é tarde para voltar atrás, seja porque a fuga se torna impraticável, seja porque a própria cultura tribal já está traumatizada pelas dúvidas, contradições e interesses em conflito. Alguns grupos encontram expressão para o seu desengano em movimentos messiânicos que se reiteram periodicamente; outros, na exacerbação da conduta religiosa, como uma reação compensatória. A maioria, porém, cai numa atitude de resignação e de amarga reserva para com a sociedade nacional.

4. Em todos os casos, se o grupo sobrevive, prossegue o processo de aculturação e de transfiguração étnica, regido agora pelas compulsões decorrentes da satisfação de necessidades adquiridas que exigem uma interação cada vez mais intensa com o contexto regional e a incorporação progressiva dos índios na força de trabalho, como a camada mais miserável dela.

5. O destino de cada grupo dependerá, fundamentalmente, do ritmo em que opera a transfiguração étnica. Quando é muito intenso, acumulam-se tensões que condenam a tribo ao extermínio pela perda de seu substrato populacional e pelo colapso de sua estrutura sociocultural. Quando é mais lento, enseja redefinições do patrimônio cultural, recuperação dos desgastes biológicos e o estabelecimento de formas de acomodação entre a tribo e seu contexto regional de convívio que possibilitam prolongar a sobrevivência e a persistência da identificação étnica.

6. Uma vez fixados os vínculos de dependência econômica para com o contexto regional, a tribo só pode conservar os

elementos da antiga cultura que sejam compatíveis com sua condição de índios integrados, embora não assimilados. Isso importa numa aculturação que culminará por configurá-los como índios genéricos que quase nada conservam do patrimônio original, mas permanecem definidos como índios e identificando-se como tais. O convívio desses índios genéricos com a população brasileira é mediatizado por um corpo de representações recíprocas que, figurando uns aos olhos dos outros da forma mais preconceituosa, antes os isola que os comunica, perpetuando sua condição de alternos em oposição.

Perspectivas futuras

O presente estudo do processo de transfiguração étnica permite fazer as seguintes previsões com respeito às populações indígenas brasileiras:

1. Prevê-se uma redução progressiva da população indígena, à medida que os diversos grupos passem da condição de isolamento à de integração. Esta redução não condenará a parcela indígena da população ao desaparecimento como contingente humano, porque os grupos indígenas, ao alcançarem a integração, tendem a experimentar certo grau de incremento demográfico. Este incremento, que, presentemente, permite a alguns grupos refazer parte do seu montante original, poderá levar muitos outros grupos a aumentar sua população, desde que lhes sejam asseguradas condições de vida adequadas.

2. As línguas indígenas, embora modificadas em seu vocabulário para exprimir as novas experiências do grupo e em sua estrutura pela coexistência com outra língua, devida ao bilingüismo, continuarão sendo faladas, exceto nos casos de dispersão dos grupos falantes ou de sua fusão com outras tribos.

3. Contudo, as culturas indígenas, somente podendo sobreviver autônomas nas áreas inexploradas ou de penetração recente e fraca ou nas condições artificiais da intervenção protecionista, constituem obsolescências destinadas a se descaracterizarem na medida em que a sociedade nacional cresça e ganhe homogeneidade de desenvolvimento.

4. Qualquer previsão sobre o destino dos grupos indígenas brasileiros deve levar em conta que, entre as várias formas de compulsão mercê das quais a sociedade nacional os afeta, sobressaem as de caráter sócio-econômico. Estas não são, porém, intrínsecas à sociedade nacional, mas decorrentes de sua forma de ordenação institucional. Com efeito, é como uma formação capitalista de caráter neocolonial que a sociedade brasileira mais afeta os grupos indígenas, pela apropriação de suas terras para a exploração extrativista ou para formar novas fazendas agrícolas e pastoris e pelo seu aliciamento como mão-de-obra barata para ser desgastada na produção de mercadorias. O caráter histórico e circunstancial dessas instituições abre aos grupos tribais que consegue sobreviver a elas, certas perspectivas de assimilação ou de persistência como etnias minoritárias dentro de um novo contexto étnico nacional multi-étnico, mais capacitado a assegurar liberdade e bem-estar a seus componentes.

Sumário

O copioso material examinado neste estudo demonstra que os grupos indígenas que classificamos como integrados percorreram todo o caminho da aculturação, no curso do qual suas peculiaridades culturais se alteraram e uniformizaram tanto que já não são substancialmente maiores que as das outras variantes da sociedade nacional, em sua feição rústica. Apesar disso, permanecem índios porque sua aculturação não desembocou numa assimilação, mas no estabelecimento de um modus vivendi ou de uma forma de acomodação. Isto significa que o gradiente da transfiguração étnica vai do índio tribal ao índio genérico e não do indígena ao brasileiro. Significa, também, que as entidades étnicas são muito mais resistentes do que se supõe geralmente, porque só exigem condições mínimas para perpetuar-se; e porque sobrevivem à total transformação do seu patrimônio cultural e racial. Significa, ainda, que a língua, os costumes, as crenças, são atributos externos à etnia, suscetíveis de profundas alterações, sem que esta sofra colapso ou mutação. Significa, por fim, que as etnias são categorias relacionais entre agrupamentos humanos, compostas antes de representações recíprocas e de lealdades morais do que de especificidades culturais e raciais.

As conclusões a que chegamos no exame da interação entre os índios e a civilização no século XX são provavelmente válidas para os períodos anteriores. Sua generalização exige, porém, pesquisas específicas em que esta hipótese seja acuradamente analisada.

NOTAS

Introdução (pp. 19-31)

(1) Em 1952, fomos incumbidos pela Divisão de Estudos Sociais da Unesco a realizar uma pesquisa sobre as relações entre índios e brancos nos quadros da realidade social brasileira, como parte de um amplo programa de estudo das relações de raça no Brasil, empreendido por aquela instituição. Redigimos a primeira versão do presente livro como um relatório para a Unesco, divulgado originariamente, de forma condensada, em Wagley & Harris (1958). Dois capítulos (nºs 8 e10) foram por nós divulgados na forma de artigos em revistas de São Paulo (1956), Rio de Janeiro (1957a), Paris (1957b), Genebra (1962b) e Washington (1967). A Parte Dois foi publicada no Rio de Janeiro como livro (1962a).

(2) Aqui só se mencionam as datas de publicação das obras citadas. Os nomes dos autores e respectivos títulos figuram na bibliografia que se encontra no final do volume. Nos casos de citação textual, à data se segue a menção das respectivas páginas.

A Amazônia extrativista (pp. 34-62)

(1) A "língua geral" é um dialeto oriundo do tupi, mas tão profundamente modificado na gramática e fonética a ponto de se ter transformado numa espécie de *patois* com grande número de enxertos tomados do português. É de assinalar que a população indígena do vale do rio Negro desconhecia o tupi, pois não há notícia de qualquer tribo daquela região que falasse uma língua aparentada com aquela família. Hoje, sem embargo, toda a população do rio Negro — branca, índia e mestiça, e mesmo os estrangeiros já radicados na região — se comunica através da "língua geral", aprendida como a língua da civilização. O português é sofrivelmente falado pela maioria dos homens e apenas por uma minoria de mulheres. Este *patois* do tupi (que foi falado em épocas diferentes em todo o Brasil, conservando-se até meados do século passado em quase toda a Amazônia) é, no rio Negro, a maior barreira à aculturação, porque isola lingüisticamente uma parcela da população nacional, assimilada por todos os outros característicos (Galvão, 1959: 14).

Os índios dos formadores do rio Negro falavam, principalmente, dialetos aruak e tukano. Mais para o interior, conservam-se várias línguas alófilas, como as das tribos Maku, Guaharibo, Waiká. O rio Içana é ocupado por tribos que falam dialetos baniwa muito semelhantes uns aos outros, o que permite aos vários clãs se entenderem com facilidade. Já no Uaupés, onde os índios falam línguas muito divergentes, todos eles se entendem por meio de uma das que dominou, sendo aprendida, ao menos, pelos homens de cada grupo. É o tukano. Em ambos rios, porém, a "língua geral" é caracteristicamente a língua dos brancos, só aprendida para tratar com eles.

(2) Num livro de propaganda da Missão Salesiana se lê o seguinte sobre essas "casas do diabo" que era preciso pôr abaixo, a qualquer custo:

[...] Refiro-me à destruição que, auxiliado por um grupo de índios e de rapazes, pudemos fazer da grande (m. 20 x 40) e velha maloca Taracuá.

Sabe V. Revma. que para o índio a maloca é cozinha, dormitório, refeitório, tenda de trabalho, lugar de reunião na estação de chuvas e sala de dança nas grandes solenidades. É onde nasce, vive e morre o índio: é o seu mundo.

A maloca é, também, como costumava dizer o zeloso Dom Balzola, a "casa do diabo", pois que ali se fazem as orgias infernais, maquinam-se as mais atrozes vinganças contra os brancos e contra os outros índios: na maloca transmitem-se os vícios de pais a filhos.

Ora bem: esse mundo do índio, essa casa do diabo não existe mais em Taracuá: nós a desencantamos e substituímos por um discreto número de casinhas, cobertas de folhas de palmeira e com paredes de barro. Não se mostraram descontentes os índios por causa do arrasamento da maloca: antes ficaram satisfeitos, reconhecendo a grande utilidade de cada família ter sua casinha, seu lar, especialmente para evitar o contágio. Foi-se, pois, a maloca dos Tucanos!" (Massa, 1936: 192).

(3) Curt Nimuendaju, "Relatório sobre as tribos do Madeira apresentado à Inspetoria do Amazonas do Serviço de Proteção aos Índios" ms. dos arquivos do SPI. Ver também Nimuendaju (1925: 137/172).

(4) Dados mais completos sobre a história das tribos aqui mencionadas encontramse em Steward (1948).

(5) Em 1954/5, o preço da borracha pago ao coletor no rio Negro atingia treze cruzeiros o quilo e, raramente, um índio conseguia colher mais de duzentos quilos por safra, alcançando a renda de três mil cruzeiros, quantia inferior aos aviamentos recebidos, do que resultava ficar indefinidamente preso ao seringal por dívidas (Galvão, 1959: 19-20).

AS FRONTEIRAS DA EXPANSÃO PASTORIL (pp. 63-108)

(1) Três cartas régias de d. João VI, datadas de 1808 e 1809.

(2) Num memorial redigido em 1902, frei Gil fala de dois mil a dois mil e quinhentos índios Kayapó, vivendo em três aldeias, todas elas assistidas pela missão. (E. Gallais, 1942: 241).

(3) Trata-se do Colégio Santa Isabel, fundado na cidade de Leopoldina para educar, por conta do Governo, crianças indígenas. A respeito desse educandário, o padre Estêvão Gallais faz a seguinte apreciação: "O Colégio Santa Isabel, que devia fornecer à coloniza-

ção um contingente precioso tirado do elemento indígena, só deu resultados deploráveis. Para enchê-lo, arrancou-se à força os meninos dos pais, sujeitando-os a um regime desmoralizador. Centenas, milhares, talvez, morreram mais de nostalgia do que de outra qualquer moléstia, e encheram com os seus cadáveres o grande cemitério em que repousam. Foram os mais felizes. Os sobreviventes apressaram-se, à saída do Colégio, em voltar às suas florestas, em retomar a vida selvagem, com os seus hábitos, acrescidos de mais alguns vícios". (1942: 21-2).

(4) William Lipkind (1948: 180) recenseou os índios Karajá em 1939, dando as seguintes cifras: 795 Karajá, 650 Javaé e sessenta Xambioá. Atualmente estes últimos praticamente desapareceram e a população Javaé e Karajá, propriamente dita, não excede de oitocentos índios, segundo cálculos do SPI.

(5) Um histórico dos contatos dos Mbayá com os portugueses e espanhóis encontra-se em Métraux (1946). Sobre seus ataques às monções paulistas, ver S. B. Holanda (1945) e A. E. Taunay (1949).

EXPANSÃO AGRÍCOLA NA FLORESTA ATLÂNTICA (pp. 109-30)

(1) Carta do eng. José Mariano de Oliveira ao *Jornal do Comércio*, 9/6/1893

(2) Era a Estrada de Ferro Noroeste do Brasil que ligaria Santos, no litoral paulista, a Corumbá, à margem do rio Paraguai, na fronteira com a Bolívia.

(3) L. B. Horta Barbosa, "Relatório da Inspetoria de São Paulo à diretoria do SPI", 1912.

(4) "Relatório da Comissão de Sindicância dos conflitos ocorridos entre trabalhadores e índios habitantes da zona cortada pela Estrada de Ferro Noroeste do Brasil", 1911: 17 e 18, ms. dos arquivos do Serviço de Proteção aos Índios.

(5) Ms. dos Arquivos do Serviço de Proteção aos Índios.

PENETRAÇÃO MILITAR NA RONDÔNIA (pp. 131-44)

(1) A vida e a obra de Rondon, em seus variados aspectos, é relatada em nosso trabalho O *indigenista Rondon*, 1958.

POLÍTICA INDIGENISTA BRASILEIRA (pp. 147-68)

(1) Publicamos uma versão completa deste capítulo em forma de livro (1962).

(2) A mesma atitude para com os índios tivera, de resto, grande voga na ensaística histórica brasileira do século passado. Seu principal porta-voz foi Varnhagen que defendeu o "emprego da força para civilizar os índios" e aspirava que fossem "quanto antes submetidos e avassalados" e impedidos por todos os meios de voltar à "medonha e perigosa liberdade de seus bosques" (C. A. Moreira Neto, 1967: 179).

(3) Veja o ensaio histórico sobre as origens do Serviço de Proteção aos Índios, de David Staufner (1959/1960).

(4) É o caso da missão dominicana de Goiás e do sul do Pará. Seu principal centro missionário, Conceição do Araguaia, é hoje uma cidade. Ocorre, porém, que os índios Kayapó, objeto de seu desvelo, morreram todos sem deixar descendentes e os padres passaram a cuidar dos sertanejos que se haviam localizado junto à missão e hoje constituem o seu rebanho.

Os índios Krahô e Xerente foram também objeto de assistência missionária, mas na competição que se estabeleceu com os criadores de gado atraídos para junto da missão acabaram sendo expulsos de suas terras. Aqueles índios vivem, hoje, nas terras que lhe restaram, sob o amparo de postos do Serviço de Proteção aos Índios.

(5) (Carta do eng. José Mariano de Oliveira — *Jornal do Comércio*, 9-6-1893. Ver também frei Jacinto Palazzollo, 1945: 252-61).

(6) Veja também Fernando Pinto de Macedo, 1919: 1-117.

(7) Veja as publicações n°s. 253, 276, 294, 300, 305, 333, 334, 341 e 349 do Apostolado Positivista do Brasil.

(8) As modificações de caráter administrativo mantiveram, contudo, as linhas gerais daquele regulamento. As principais foram estatuídas pelo decreto-lei nº 3454, de 6 de janeiro de 1918, que transfere a outro serviço os dispositivos referentes a trabalhadores nacionais; a lei nº 5484, de 27 de junho de 1928, que regula a situação jurídica dos índios; decreto nº 736, de 6 de abril de 1938, que aprova, em caráter provisório, um novo regulamento; decreto-lei nº 1794, de 22 de novembro de 1939, que cria o Conselho Nacional de Proteção aos Índios; decreto nº 10652, de 16 de outubro de 1942, que aprova um novo regimento para o Serviço de Proteção aos Índios, posteriormente modificado pelos Decretos n°s. 12317, de 27 de abril de 1943, e decreto-lei nº 17684, de 26 de janeiro de 1945. (H. Oliveira (1947), A. Ribeiro (1943) e V. de Paula Vasconcelos (1939-41).

(9) Dentre os oficiais do Exército que, depois de participarem das missões comandadas por Rondon no interior do país, se orientaram para a carreira indigenista, queremos destacar alguns nomes: Antônio Martins Estigarribia, capitão de engenharia que abandonou a carreira militar para dedicar-se inteiramente ao Serviço de Proteção aos Índios, onde exerceu todas as funções. Vicente de Paula Teixeira da Fonseca Vasconcelos, que dirigiu durante vários anos o SPI e a quem coube reorganizá-lo depois do colapso que sofreu em 1930. Nicolau Bueno Horta Barbosa, que foi um dos principais auxiliares de campo de Rondon e que numa das expedições, tendo o pulmão vazado por uma flecha, ainda conseguiu manter o controle sobre a tropa para impedir que revidasse ao ataque. Mais tarde devotou-se inteiramente aos índios do sul de Mato Grosso, como chefe da inspetoria local do SPI. Alípio Bandeira, que se tornaria a mais eloqüente expressão literária da causa indígena e que, em colaboração com Manuel Miranda, procedeu aos estudos preliminares para a elaboração da legislação indigenista brasileira. Júlio Caetano Horta Barbosa, que teve os primeiros contatos amistosos com os índios Nambikwara. Boanerges Lopes de Souza, um dos colaboradores mais assíduos de Rondon, tanto na construção das linhas telegráficas de Mato Grosso (1910-2) como na Inspetoria de Fronteiras. Manuel Rabelo, organizador dos planos de pacificação dos índios Kaingang de São Paulo. E Pedro Ribeiro, que iniciara a pacificação dos índios Urubu, em 1911.

Aos militares se juntaram, desde a primeira hora, colaboradores civis, como o dr. José Bezerra Cavalcanti, que respondeu pela direção executiva do SPI desde sua criação até 1933, quando faleceu. O prof. Luiz Bueno Horta Barbosa, que abandonou a cátedra da Escola Politécnica de São Paulo para dedicar-se exclusivamente ao Serviço de Proteção aos Índios e foi o principal formulador dos princípios básicos da política indigenista brasileira. O dr. José Maria de Paula que, ingressando no SPI quando da sua criação, nele exerceu todos os cargos, desde a chefia das inspetorias de índios dos estados do sul até a diretoria. José Maria da Gama Malcher, que serviu ao SPI com invulgar devotamento e capacidade, tanto chefiando as inspetorias do Pará e Maranhão, como na função de diretor, de 1950 a 1954.

(10) Veja a documentação publicada por Carlos de Araújo Moreira Neto, 1959: 49-64 e 1967.

A PACIFICAÇÃO DAS TRIBOS HOSTIS (pp. 169-210)

(1) Relatório da Inspetoria de São Paulo à diretoria do SPI, 1912.

(2) Artigo publicado em *O País* de 30.12.1910, transcrito em Basílio de Magalhães, 1925: 75-6.

(3) *Boletim do SPI* nº 9, de 30.8.1942, p. 4-5.

(4) Tradução de trecho de um artigo do jornal alemão *Urwaldsbote* de 30.9.1911, transcrito em Basílio de Magalhães, 1925: 78-9.

(5) Para a descrição completa da pacificação, embora com menos detalhes, veja Curt Nimuendaju, 1924: 20-278, e Joaquim Gondim, 1925.

(6) *Cf. Boletim do SPI*, nº 2, dezembro de 1942, p. 2-5.

(7) Um relato pormenorizado da pacificação dos índios Xavante se encontra em Lincoln de Souza, 1953.

(8) Veja *O Estado do Pará,* de 26.2.1920.

(9) Nesse período, continuava funcionando o Posto Felipe Camarão; em 1929 foi fundado o Posto General Rondon, nas cabeceiras do rio Maracassumé, não muito distante da estrada telegráfica. Esse era completamente desligado dos postos do Gurupi, tinha sistema de transporte próprio através da picada da linha telegráfica. Teve, porém, papel de pouco destaque, porque os índios quase nunca o procuravam, tal a hostilidade que desenvolveram para com os moradores daquela região.

O PROBLEMA INDÍGENA (pp. 211-38)

(1) Veja Sociedade de Etnografia e Civilização dos Índios, 1901: 13-23 e Miranda & Bandeira, 1929: 35-82.

(2) A legislação referida está contida em José Maria de Paula, 1944.

(3) Veja a documentação publicada por R. C. Oliveira 1954: 178-84.

AS ETAPAS DA INTEGRAÇÃO (pp. 254-93)

(1) Uma versão ampliada deste capítulo foi publicada pelo autor na forma de artigo (1957), reproduzido por Janice H. Hopper (1967).

(2) O número se refere naturalmente às nossas informações, pois devem existir diversos grupos em áreas inexploradas, dos quais não se tem notícia.

(3) Trata-se dos índios Namibiwara, pacificados em 1912; Urubu, em 1928; Xavante, em 1946; Kubenkranken em, 1952; Xikrín, em 1953 e dos Kayabi, em 1956.

(4) São os Waurá, Mehináko, Trumai, Yawalapiti, Kalapalo, Kuikuro, Matipuhy, Kamayurá e Aweti.

(5) Os Kaigang de São Paulo caíram de 1200 a 87; os Xokleng, de oitocentos a 189; os Umutina, de mais de mil a menos de duzentos, da data da pacificação a nossos dias. Estes últimos estão em rápido processo de extinção como etnia porque seus sobreviventes foram recolhidos a postos indígenas juntamente com outros grupos étnicos, de que resultou a perda da língua, e uma descaracterização cultural mais intensa.

(6) A redução dos Tupari, de dois mil antes do contato para 180 em 1948 e a 15 em 1952, segundo cálculos de Franz Caspar (1952), dá uma idéia da dizimação sofrida por aqueles grupos.

(7) Dos Ofaié, como de alguns outros grupos, talvez se encontrem ainda indivíduos falantes dispersos pela região em que viviam, pois nossa categoria *extintos* refere-se, essencialmente, ao desaparecimento do grupo como entidade étnica.

(8) Os censos nacionais de 1940 e 1950 incluíram quesitos que, se acompanhados de instruções especiais, teriam permitido uma estimativa realística da população indígena. Referimo-nos aos itens concernentes à cor (branco, preto, pardo, índio) e a *pessoas presentes de mais de cinco anos que não falam habitualmente o português no lar*. Lamentavelmente, perdeu-se a oportunidade, tanto por falta de uniformidade de critérios por parte do recenseadores, como por não terem sido alcançadas pelo censo as áreas mais remotas onde se encontram as maiores concentrações indígenas. Assim, o cômputo de 45019 índios, soma das pessoas definidas como *indígenas* pela cor no censo de 1950, não corresponde à realidade. Examinando as respectivas tabelas de apuração, constatamos que, em diversos casos, nenhum índio se registrava em municípios onde sabemos com absoluta segurança existirem grupos ponderáveis; em outros casos, registravam-se números muito inferiores aos reais, o mesmo ocorrendo com estados e territórios, como o Pará que comparece com 543 índios, o Amapá com quatorze e o Acre com dezesseis.

AS COERÇÕES SÓCIO-ECONÔMICAS (pp. 357-421)

(1) Para a tentativa de reencontro do equilíbrio emocional através de atos de violência individual ou coletiva, veja C.A. Moreira Neto (1965).

(2) Esta parte foi publicada, originalmente, como artigo (1956).

(3) Dr. Seroa da Mota, dr. Leão da Mota e Cláudio Villas Boas em seus relatórios ao SPI, 1954.

(4) Comparar com os cálculos de depopulação dos núcleos indígenas quinhentistas (Marchant, 1943: 159-63). Ver também, Dobyns & Thompson, 1996; Borah, 1962, 1964.

(5) Devemos os dados referentes às duas primeiras tribos a Cícero Cavalcanti. Os dados sobre os Parintintin foram extraídos de um censo anexo ao relatório da Inspetoria do Amazonas do SPI de 1928; sobre os Bororo, de um censo levantado nos dois principais postos do SPI em 1932 (Povoação Indígena São Lourenço e Posto Córrego Grande).

(6) L. B. Horta Barbosa indica a existência de seis subgrupos da tribo, cada um dos quais com mais de duzentos índios. Mas evitando exagerar, estima-os globalmente em setecentos.

(7) Devemos os dados sobre o último grupo a Roberto e Gertrude Carneiro; os demais foram colhidos pelo autor. No caso dos Urubus, o quadro foi montado com uma amostra da população.

(8) Os dados sobre os Kadiwéu foram colhidos pelo autor. Os dados sobre os Karajá do Posto Indígena Getúlio Vargas e da aldeia Fontoura, Goiás, devemos a Hugo Mariano Flores. Os dados sobre os Tenetehara de Altamira, Uchoa, Farinha, Mundo Novo, Colônia, São José e Coco do município de Barra do Corda do Maranhão e dos Canela de Porquinho e Raposa, no mesmo município, foram levantados por um censo do SPI em 1939.

(9) O único acontecimento significativo que ocorreu nesse período foi a supressão das atividades assistenciais do SPI, que vinham assegurando algum amparo aos Kadiwéu desde vários anos antes. Bibliografia pertinente em Herbert Baldus, 1945: 21-4.

(10) Bibliografia pertinente em Herbert Baldus, 1945: 21-4.

Reações étnicas diferenciais (pp. 422-86)

(1) Ainda não foram esclarecidas as conseqüências de uma dieta fortemente salgada sobre o metabolismo dos índios, que desconheciam o seu uso em forma pura, pois só o consumiam em quantidades muito reduzidas, como no caso de algumas tribos que produziam sal por cocção de cinzas.

(2) Nos últimos anos, esses descalabros se converteram em escândalo internacional, de que resultou uma reforma nominal do órgão de proteção, desacompanhada de quaisquer esforços para coibir a corrupção. É de se temer que as conseqüências para os índios sejam ainda mais desastrosas, uma vez que os novos dirigentes da política indigenista aspiram a transformar os postos indígenas em empresas lucrativas — para os funcionários, naturalmente.

(3) Curt Nimuendaju, "Viagem ao rio Negro". Relatório apresentado à Inspetoria do Amazonas do Serviço de Proteção aos Índios, datado de setembro de 1927. Manuscrito dos Arquivos do SPI. Ver também C. Nimuendaju, 1950.

(4) Em 1963, os Canela foram vítimas de um novo massacre, seguido de sua expulsão da área que ocupavam e seu recolhimento entre os Guajajara, em região de floresta tropical. Posteriormente, seus campos forma entregues aos criadores da Barra do Corda.

Conclusões (pp. 487-503)

(1) Uma versão completa da história de Uirá e o mito de criação dos índios Urubu, foi publicade, por nós, na revista *Anhembi* (D. Ribeiro, 1957). Um caso de revivalismo religioso entre os Kayapó foi analisado por C. A. Moreira Neto (1965).

OBSERVAÇÕES SOBRE A BIBLIOGRAFIA

A copiosidade das fontes citadas na bibliografia que segue aconselha discriminar aqui os nossos débitos para com os autores cujas obras foram mais utilizadas na elaboração deste trabalho.

Fontes teóricas gerais

Na elaboração do presente trabalho apelamos amplamente para os estudos antropológicos dos fenômenos de mudança cultural. Dentre estes merecem destaque o "Memorandum" sobre aculturação de R. Redfield, M. Linton e R. J. Herskovitz (1936) e a "formulação exploratória" de H. G. Bamett, B. Siegel e outros (1954), bem como as análises do processo de aculturação devidas a R. Linton (org., 1940), F. Ortiz (1940), J. Steward (1943 e 1951), M. Herskovitz (1945), A. Ramos (1942 e 1947), Sol Tax (org., 1952), R. L. Beals (1953), G. Aguirre Beltrán (1957), J. Comas (1964) e as apreciações críticas sobre esta ordem de estudos de R. Stavenhagen (1963).

Incluem-se nesta mesma categoria os estudos de mudança social e cultural dos antropólogos ingleses, especialmente B. Malinowsky (1938 e 1945), Radcliffe-Brown (1952), R. Firth (1954). Servimo-nos, igualmente, das pesquisas e estudos teóricos de problemas relacionados com o processo de transfiguração étnica de M. Hunter (1936), R. Redfield (1949, 1950, 1963), G. Balandier (1955) e G. Foster (1953 e 1962).

Ensaios temáticos

Foram úteis ao nosso trabalho diversos estudos temáticos, como as pesquisas de E. Stonequist (1937) sobre marginalidade cultural; os estudos de G. Myrdal (1944), de R. Bastide e F. Fernandes (1959), de F. Fernandes (1964), de L. A. Costa Pinto (1953), de O. Ianni (1966) e de O. Nogueira (1955) sobre relações inter-raciais e o preconceito racial; e os ensaios de Louis Wirth (1945) sobre minorias raciais; de G. Weltfish (1956) e de R. Narroll (1964) sobre a conceituação de etnia.

Estão no mesmo caso os estudos sobre a integração econômico-social dos indígenas de A. Garcia (1948); os estudos antropológicos sobre a formação do campeonato latino-americano de E. Willems (1952), S. Mintz (1953), R. Redfield (1956), de K. Oberg (1965) e de E. R. Wolf (1955 e 1966).

Consultamos, também, com proveito, as análises do impacto das inovações tecnológicas de Edward Spicer (1952), M. Mead (org. 1961) e H. G. Bamett (1953). E, ainda, os estudos de etnobiologia de I. Schwidetzky (1955) e de população de W. Borah (1962, 1964) e de H. F. Dobyns e P. Thompson (1966).

Foram-nos também de grande valia as análises de E. Schaden (1945) sobre a função social do mito; de Anthony Wallace (1956), V. Lantemari (1962), M. I. Pereira de Queiroz (1965) e M. Vinhas de Queiroz (1963) sobre o messianismo.

Vêm, finalmente, como fontes amplamente utilizadas, os estudos clássicos e modernos dos fenômenos da alienação e do papel e da função das ideologias, devidos a K. Marx (1957 e 1962), a K. Marx e F. Engels (1958), a K. Manheim (1950), a G. Luckács (1960), a L. Althusser (1965).

Mudança cultural e aculturação no Brasil

Entre os estudos brasileiros de mudança cultural e de aculturação, queremos destacar a contribuição pioneira de H. Baldus (1937) e os estudos de E. Galvão (1957 e 1960), de E. Schaden (1955 e 1965) e de R. Cardoso de Oliveira (1962, 1963 e 1967).

Monografias sobre a aculturação

Diversos estudos monográficos fundados em pesquisas de observação direta nos deram um acervo do maior valor como fonte de dados e como inspirações para a interpretação teórica. Estão neste caso as obras de E. Galvão e Charles Wagley (1949) sobre os Tenetehara, de K. Oberg (1949) sobre os Terena e Kadiwéu; F. Altenfelder Silva (1949) e de R. C. de Oliveira (1960 e 1968) sobre os Terena; de J. B. Watson (1952) e de E. Schaden (1965) sobre os Guarani; de F. Caspar (1952 e 1957) sobre os Tupari; de R. Murphy (1960) sobre os Munduruku; e de R. Cardoso de Oliveira sobre os Tukuna.

Estudos de reconstituição histórica

Embora nosso trabalho focalize apenas o século XX, foram-nos úteis as análises do impacto da colonização sobre as populações indígenas da costa atlântica e as reações tribais à subjugação devidas a A. Marchant (1943), S. Buarque de Holanda (1957 e 1964), G. Preyre (1964), F. Fernandes (1960) e a C. A. Moreira Neto (1966).

Monografias etnológicas

Diversas monografias sobre tribos indígenas brasileiras, conquanto não tratem especificamente dos problemas de mudança cultural, serviram-nos como preciosas fontes de observações. Tais são as obras básicas de C. Nimuendaju (1914, 1946, 1952 e 1956); as monografias clássicas de K. von den Steinen (1940) sobre os índios do Xingu; de Fritz Krause (1940-4) sobre os Karajá; de Roquette Pinto (1935) sobre os Nambikwara e os Pareci, os estudos de Max Schmidt sobre os Pareci (1943) e os Bakairi (1947); as observações de C. Lévi-Strauss sobre os Nambikwara, os Bororo, os Kadiwéu e os Kawahib (1948a e b; 1957); a monografia de Jules Henry sobre os Xokleng (1941); o estudo dos Bororo ditado por Thiago Marques Aipobureu a A. Colbacchini e Albisetti (1942); as pesquisas de H. Baldus (1944-9) e de C. Wagley (1948, 1951) sobre os Tapirapé; de C. Wagley e E. Galvão sobre os Tenetehara (1949); de J. B. Watson (1945 e 1952) e de E. Schaden (1954) sobre os Guarani, de K. Oberg sobre os Terena e Kadiwéu (1949) e suas anotações sobre algumas tribos do Noroeste de Mato Grosso (1953); o estudo de F. Caspar sobre os Tupari (s/d); Robert Murphy e B. Quain sobre os Trumái (1955) e do primeiro sobre a religião dos Munduruku (1954); as observações de H. Schultz sobre os Umutina (1961-2a), sobre os Suyá (1961-2b) e os Erigpatsé (1964); os estudos de H. Becher sobre os Surára e Pakidai (1960); os de H. Banner (1961) e de S. Dreyfus (1963) sobre os Kayapó; e o de D. Maybury-Lewis (1967) sobre os Xavante.

Estudos das fronteiras da civilização

Multiplicaram-se, nos últimos anos, os estudos sobre as frentes de expansão da sociedade brasileira e seus efeitos sobre as populações indígenas. Merecem destaque aqui, pela utilidade que tiveram para o autor, os estudos de C. A. Moreira Neto (1960) e o de J. C. Melatti (1967) sobre a expansão pastoril; de E. S. Diniz (1962 e 1963), R. D. las Casas (1964) e R. Barros Laraia e R. da Matta (1967) sobre a expansão extrativista; de E. Galvão e M. Simões (1965) sobre os efeitos de uma interação sob controle, documentada no alto Xingu.

Levantamentos regionais

Foram-nos particularmente úteis diversos levantamentos sobre a distribuição da população indígena de certas áreas e sobre suas condições de vida, devidos a B. Lopes de Souza (1959) em relação aos índios do Uaupés, a A. B. Alves da Silva e A. Bruzzi (1952) sobre a região do rio Negro; a M. Simões (1963) com respeito ao alto Xingu; a P. Frickel (1958, 1960, 1961, 1964) com referência à região do Tumucumaque; a W. D. Hohenthal (1960) quanto ao vale do São Francisco; a H. Schultz (1955) sobre o alto Madeira; a H. Schultz e W. Chiara (1955) sobre o Juruá-Purus; a E. Amaud sobre o médio Tocantins (1961 e 1964) e sobre o rio Oiapoque (1966); a E. S. Diniz (1966) sobre o região do Roraima; a Napoleão Figueiredo (1963 e 1966) sobre o vale do Paru.

Consultamos também as observações sobre as condições de vida e sobre o curso da aculturação de certas tribos, publicadas por G. Saake (1953) sobre os Bororo; de W. D. Hohenthal (1954) sobre os Xukuru; por O. Zerries (1955) sobre os Waiká; e por J. Loureiro Fernandes (1958) e A. L. Elmperaire (1964) sobre os Xetá; por W. Crocker (1958 e 1961) sobre os Ramkokamekra; por P. Frickel (1960) sobre os Tiriyó; por H. Banner (1961) sobre os Kayapó; por M. M. Rubinger (1963a e b) e Maria Stella de Amorim (1967) sobre os Maxakali; e por S. Leacock (1964) sobre a economia dos Mawé.

Estudos indigenistas

Dentre as nossas fontes para o estudo do problema indígena destacam-se as publicações do Apostolado Positivista (1907 a 1912), as conferências de C. M. da Silva Rondon que atraíram atenção pública e governamental para o tema (1916). E, sobretudo, os estudos indigenistas da equipe formada por Rondon, especialmente A. B. Magalhães (1942a); A. B. Magalhães e L. B. Horta Barbosa (1916); L. B. Horta Barbosa (1913 e 1923), A. Bandeira (1923), M. Miranda e A. Bandeira (1929), V. P. F. da Fonseca Vasconcelos (1939 e 1940), J. M. de Paula (1944) e H. de Oliveira (1947).

Igualmente importantes para o nosso trabalho foram os estudos etnológicos sobre o papel da intervenção protecionista. Apelamos, principalmente, para as contribuições de C. Nimuendaju (1924, 1925, 1950, 1952a e 1954a), de H. Baldus (1948, 1960, 1962); as coletâneas publicadas pela equipe do Serviço de Proteção aos Índios (1953 e 1954-5); os ensaios de W. D. Hohenthal e T. McCorkle (1955); de E. Galvão (1957), de C. A. Moreira Neto (1959 e 1966), de P. Frickel (1963), de Roberto C. de Oliveira (1954, 1960a e b, 1961) e E. Schaden (1965). E, ainda, para a monografia de D. H. Staufner (1959-60) sobre aquele órgão e para os estudos médicos de N. Nutels (1952 e 1968), de J. Leão da Mota e Seroa da Mota (1955) e de E. Biocca (1963).

Áreas culturais e indígenas. Populações indígenas

Para o levantamento das populações indígenas brasileiras, sua localização geográfica e sua classificação cultural e lingüística, bem como para a determinação de seus montantes populacionais e de suas condições de vida, apelamos especialmente para os mapas etno-lingüísticos e respectivos relatórios descritivos, ambos inéditos, de C. Nimuendaju e C. Loukotka, para a coletânea de estudos editada por J. J. Steward (1948 e 1949); para o levantamento de tribos da Amazônia devido a K. G. Grubb (1927); para a classificação das áreas culturais indígenas do Brasil, de E. Galvão (1960) e para a revisão da relação das tribos indígenas do Brasil do presente autor (1957a), devida a J. M. Gama Malcher (1964) e, sobretudo, a D. Kietzman (1967).

BIBLIOGRAFIA

ABREU, Capistrano de

1936a *Os caminhos antigos e o povoamento do Brasil*, Coleção Biblioteca Básica Brasileira, Brasília, Editora Universidade de Brasília.

1936b *Capítulos de história colonial*, Brasília, Editora Universidade de Brasília.

ABREU, Sílvio Fróes

1931 *Na terra das palmeiras*, Rio de Janeiro, Estudos Brasileiros.

ALTHUSSER, Louis

1965 *Lire le capital*, Paris, [ ].

AMORIM, Maria Stella de

1967 "A situação dos maxakali", *Revista do Instituto de Ciências Sociais*, v. 4, nº 1, pp. 3-25, Rio de Janeiro.

ANCHIETA, José de

1933 *Cartas, informações, fragmentos históricos e sermões*, Rio de Janeiro, Editora Civilização Brasileira.

ANDRADA e Silva, José Bonifácio

1910 "Apontamentos para a civilização dos índios bravos do Brasil", *Homenagem a José Bonifácio* nº 88, Aniversário da Independência do Brasil, Inauguração do Serviço de Proteção aos Índios e Localização de Trabalhadores Nacionais, pp. 13-38, Rio de Janeiro.

APOSTOLADO Positivista do Brasil

1907 nº 253 *Ainda os indígenas do Brasil e a política moderna*. A propózito duns telegramas dos engenheiros Gastão Sengés e Cândido Rondon, por R. Teixeira Mendes, Rio de Janeiro.

1909 nº 276 *O Sientismo e a defeza dos indígenas brazileiros*. A propózito do artigo do dr. Hermann von Ihering "Extermínio dos índigenas ou dos sertanejos?", publicado no *Jornal do Comércio* de 15 de dezembro corrente, por R. Teixeira Mendes, Rio de Janeiro.

1910a nº 294 *A civilização dos indígenas brazileiros e a política moderna*. A propózito dos projetos neste assunto, atribuídos ao dr. Rodolfo Miranda, ministro da Agricultura, Rio de Janeiro.

1910b nº 300 *Em defeza dos selvagens brazileiros*. A propózito da pretendida reorganização do "Território do Acre" atualmente em discussão na Câmara dos Deputados, e a propózito das novas perseguições de que são e estão ameaçados de ser vítimas os mízeros selvagens brazileiros, por R. Teixeira Mendes. Apêndice: Correspondência entre o tenente-coronel Rondon e o ministro da Agricultura, Rio de Janeiro.

1910c nº 305 *José Bonifácio*. A propózito do novo Serviço de Proteção aos Índios, por M. Lemos, Rio de Janeiro.

1911a nº 333 *Ainda pelos martirizados descendentes dos indígenas e dos africanos*. A propózito do projeto que fixa a despesa do Ministério da Agricultura, Indústria e Comércio para o exercício de 1912, Rio de Janeiro.

1911b nº 334 *A influência pozitivista no atual Serviço de Proteção aos Índios e Localização de Trabalhadores Nacionais*, por Cid. Luzo Torres, Rio de Janeiro.

1912a nº 341 *Atitude dos pozitivistas para com os católicos e demais contemporâneos*. A propózito das apreciações de alguns católicos sobre a conduta dos pozitivistas no que concerne à proteção republicana dos indígenas, por R. Teixeira Mendes. Apêndice: Um ofício do coronel Rondon sobre a missão saleziana de catequese de índios em Mato Grosso, Rio de Janeiro.

1912b nº 349 *A proteção republicana aos indígenas brazileiros e a catequese católica dos mesmos indígenas*. A propózito dos auxílios materiais que as atuais classes dominantes do povo brazileiro persistem em dar, oficialmente, a reprezentantes do sacerdócio para a catequeze dos indígenas, por R. Teixeira Mendes, Rio de Janeiro.

ARNAUD, Expedito

1961 "Breve informação sobre os índios asuriní e parakanân, rio Tocantins, Pará", *Boletim do Museu Paraense Emílio Goeldi*, n.s., Antropologia, nº 11, Belém, Pará.

1964 "Notícias sobre os índios gaviões do oeste, rio Tocantins, Pará", *Boletim do Museu Paraense Emílio Goeldi*, n.s., Antropologia, nº 20, Belém, Pará.

1966 "Os índios galibi do rio Oiapoque", *Boletim do Museu Paraense Emílio Goeldi*, n.s., Antropologia, nº 30, Belém, Pará.

ASSOCIAÇÃO Brasileira de Antropologia

1954/1955 "Proposta de convenção para a grafia dos nomes tribais", *Revista de Antropologia*, v. 2, nº 2 (dezembro de 1954), pp. 150-2; v. 3, nº 2 (dezembro de 1955), pp. 125-32, São Paulo.

AZARA, Félix

1809 *Voyages dans L'Amérique Méridionale*, v. 2, Paris, [ ].

AZEVEDO, Thales de

1941 "A tuberculose no Brasil pré-cabralino", *Revista do Arquivo Municipal*, v. 75, pp. 201-2, São Paulo.

BAENA, Antônio Ladislau Monteiro

1839 *Ensaio corográfico sobre a província do Pará*, Belém, Pará, Typografia Santos.

BALANDIER, Georges

1955 *Sociologie actuelle* de *l'Afrique noire*, Paris, Presses Universitaires de France.

BALDUS, Herbert

1935 "Ligeiras notas sobre os índios tapirapes", *Revista do Arquivo Municipal de São Paulo*, v. 16, pp. 103-12, São Paulo.

1937 *Ensaios de etnologia brasileira*, São Paulo, Companhia Editora Nacional.
1944-9 "Os tapirapé, tribo tupi do Brasil central", *Revista do Arquivo Municipal*, vs. 96 a 117, São Paulo.
1945 "Introdução", in Guido Boggiani, *Os caduveo*, São Paulo, Companhia Editora Nacional, pp. 11-46.
1948 "Tribos da bacia do Araguaia e o Serviço de Proteção aos Índios", *Revista do Museu Paulista*, n.s., v. 2, pp. 137-68, São Paulo.
1954 *Bibliografia crítica da etnologia brasileira*, São Paulo, Comissão do IV Centenário da Cidade de São Paulo.
1959 Resenha de *Culturas e línguas indígenas do Brasil*, de Darcy Ribeiro, *Revista do Museu Paulista*, v. 11, pp. 279-82.
1960 "Antropologia aplicada e o indígena brasileiro", *Anhembi*, nº 40, pp. 257-66, São Paulo.
1962 "Métodos e resultados da ação indigenista no Brasil", *Revista de Antropologia*, v. 10, ns. 1/2, pp. 27-42, São Paulo.
1964 "O xamanismo na aculturação de uma tribo tupi do Brasil central", *Revista do Museu Paulista*, n.s., v. 15, pp. 319-27, São Paulo.
1968 *Bibliografia crítica da etnologia brasileira*, v. 2, VölkerkundlicheAbhandlugen, v. 4, Hannover.

BANDEIRA, Alípio
1923 *A mystificação salesiana*, Rio de Janeiro, [ ].
1926 *A cruz indígena*, Porto Alegre, [ ].

BANNER, Horace
1961 "O índio kayapó em seu acampamento", *Boletim do Museu Paraense Emílio Goeldi*, n.s., Antropologia, nº 13, Belém, Pará.

BARBOSA, L. B. Horta
1913 *A pacificação dos caingangs paulistas: hábitos, costumes e instituições desses índios*, Rio de Janeiro, [ ].
1923 *Pelo índio e pela sua protecção official*, Rio de Janeiro, [2ª edição em 1947] com aditamento: "Em defesa do índio" pelo major Alípio Bandeira, pp. 65-71.
1954 "Relatório dos trabalhos realizados pela Inspetoria do Serviço de Proteção aos Índios e Localização de Trabalhadores Nacionais em São Paulo durante o ano de 1916", *Revista do Museu Paulista*, n.s., v. 8, pp. 59-77, São Paulo.

BARNETT, H. G.
1953 *Innovation: the basis of culture change*, New York, McGraw Hill.

BARNETT, H. G.; SIEGEL, B. et alii.
1954 "Acculturation: an exploratory formulation", *American Anthropologist*, v. 56, nº 6, pp. 973-1002, Menasha, Wisconsin.

BARRETO, CASTRO
1951 *Povoamento e população*, Rio de Janeiro, Livraria José Olympio.

BASTIDE, Roger; FERNANDES, Florestan
1959 *Brancos e negros em São Paulo*, São Paulo, Companhia Editora Nacional.

BEALS, Ralph L.
1953 "Acculturation", in A. L. Kroeber (org.), *Anthropology Today*, Chicago, University of Chicago Press.

BECHER, Hans

1960 "Die Surará und Pakidái", *Mitteilung aus dem Museum für Völkerkund in Hamburg*, v. 26, Hamburgo.

BELTRÁN, Gonzalo Aguirre

1955 *Programas de salud en la situación intercultural*, México, [ ].

1957 *El proceso de aculturación*, México, Universidad Nacional Autónoma de Mexico

BIOCCA, Ettore

1944 "'Puru-puru', nome amazônico da espiroquetose discrômica ou 'pinta', 'mal del pinto', 'caratê' etc. Estudos sorológicos", *Arquivos de Biologia*, ano 28, nº 264, separata, São Paulo.

1945 "Estudos etnobiológicos sobre os índios da região do alto rio Negro, Amazonas. Nota 2 — Transmissão ritual e transmissão criminosa de espiroquetose discrômica (puru-puru, pinta etc.) entre os índios do rio Içana", *Arquivos de Biologia*, ano 29, nº 265, separata, São Paulo.

1963 "A penetração branca e a difusão da tuberculose entre os índios do rio Negro", *Revista do Museu Paulista*, n.s., v. 14, pp. 203-12, São Paulo.

BORAH, WOODROW

1962 "Population decline and the social and institutional changes of New Spain in the middle decades of the sixteenth century", *Akten des 34 Internationalen Amerikanisten-kongresses*, Copenhague.

1964 "America as model: the demographic impact of European expansion upon the Non-European world", Actas 35 Congreso Internacional, [ ].

BOUDIN, Max H.

1949 "Aspectos da vida tribal dos índios fulniô", *Cultura*, nº 3, pp. 47-76, Rio de Janeiro.

CARVALHO, Bernardino de

1963 "Waiká: breves anotações informativas", *Revista do Museu Paulista*, n.s., v. 14, pp. 159-62, São Paulo.

CASPAR, Franz

1952 "Los indios tupari y la civilización", *Miscelanea Americanista*, v. 3, Instituto Gonzalo Fernandez de Olviedo, [ ].

1957 *Tupari*, trad. M. N. Souza Queiroz, São Paulo, Editora Melhoramentos.

CASTELNEAU, Francis

1949 *Expedição* às *regiões centrais da América do Sul*, trad. O. M. Oliveira Pinto, t. 2, São Paulo, Companhia Editora Nacional.

CASTRO, Josué de

1946 *Geografia da fome: a fome no Brasil*, Rio de Janeiro, Edições O Cruzeiro.

COLBACCHINI, Antônio; ALBISETTI, César

1942 *Os bororo orientais orarimogodógue do planalto Oriental de Mato Grosso*, São Paulo, Companhia Editora Nacional.

COMAS, Juan

1953 *Ensayos sobre indigenismo*, México, [ ].

1964 *La antropología social aplicada en Mexico: trayectoria y antologia*, México, Instituto Indigenista Interamericano.

CONFERENCIA Internacional del Trabajo

1955 *Condiciones de vida y de trabajo de las poblaciones indigenas en los países independientes*, Oficina Internacional del Trabajo, v. 7, nº 1, Genebra.

1956 *Condiciones de vida y de trabajo de las poblaciones indigenas en los países independientes*, Informe, v. 8, nº 2, Genebra.

COOPER, John M.

1944 "Areal and temporal aspects of aboriginal South American Culture", *The Smithsonian report for 1943*, pp. 429-62, Washington.

CROCKER, William

1958 "Os índios canela de hoje. Nota prévia", *Boletim do Museu Paraense Emílio Goeldi*, n.s., Antropologia, nº 2, Belém, Pará.

1961 "The Canela since Nimuendaju: a preliminary report on cultural change", *Anthropological Quarterly*, nº 34 (2), pp. 69-84.

DINIZ, Edson Soares

1962 "Os kayapó-gorotíre: aspectos sócio-culturais do momento atual", *Boletim do Museu Paraense Emílio Goeldi*, n.s., Antropologia, nº 18, Belém, Pará.

1963 "Convívio interétnico e aglutinação intergrupal", *Revista do Museu Paulista*, v. 14, pp. 213-20, São Paulo.

1966 "O perfil de uma situação interétnica: os makuxi e os regionais do Roraima", *Boletim do Museu Paraense Emílio Goeldi*, n.s., Antropologia, nº 31, Belém, Pará.

DOBT, Gustavo

1939 *Descrição dos rios Paranaíba e Gurupy*, São Paulo, Companhia Editora Nacional.

DOBYNS, H. F.; THOMPSON, Paul

1966 "Estimating aboriginal American population", *Current Anthropology*, v. 7, nº 4, pp. 395-449.

DOLE, Gertrude E.; CARNEIRO, Roberto

1958 "A mechanism for mobilizing labor among Kuikuro of Central Brazil", *Transactions of the New York Academy of Sciences*, 21 (1), pp. 58-60.

DREYFUS, Simone

1963 *Les Kayapo du Nord, État de Para, Brésil*: contribution à l'étude des indiens Gé, Paris, Mouton & Co.

DUARTE, Eustachio

1944 "Notas sobre o 'Pian'" in André Thevet, *Singularidades da França Antártica a que outros chamam América*, São Paulo, Companhia Editora Nacional.

EHRENREICH, Paul

1948 "Contribuições para a etnologia brasileira", trad. Egon Schaden, intr. e notas H. Baldus, *Revista do Museu Paulista*, n.s., v. 2, pp. 7-135, São Paulo.

EMPERAIRE, Annette Laming

1964 "Les Xetá, survivants de l'Âge de la Piérre", *Revue trimestrielle Musée de l'Homme*, 4-4, Paris.

FARIA, Luiz de Castro

1951 "Origens culturais da habitação popular do Brasil", *Boletim do Museu Nacional*, n.s., Antropologia, nº 12, Rio de Janeiro.

FERNANDES, Florestan

1941 *Organização social dos tupinambá*, São Paulo, Instituto Editorial Progresso.

1952 "A função social da guerra na sociedade tupinambá", *Revista do Museu Paulista*, n.s., v. 6, São Paulo.

1958 *A etnologia e a sociologia no Brasil*, São Paulo, Editora Anhembi.

1960a "Os tupi e a reação tribal à conquista", in Sérgio Buarque de Hollanda (org.), *História geral da civilização brasileira*, v. 1, pp. 72-86, São Paulo, Difusão Européia do Livro.

1960b "Tiago Marques Aipobureu: um bororo marginal", [in] [ ] *Mudanças sociais no Brasil*, pp. 311-43, São Paulo.

1964 *A integração do negro à sociedade de classes*, São Paulo, Faculdade de Filosofia da Universidade de São Paulo.

FERNANDES, José Loureiro

1941 "Os caingangues de Palmas", *Arquivos do Museu Paranaense*, v. 1, pp. 161-209, Curitiba, Paraná.

1959 "Os índios da serra dos Dourados (os xetá)", *Anais III Reunião Brasileira de Antropologia*, pp. 27-46, Recife, Pernambuco.

FIGUEIREDO, Napoleão

1963 "Os aragamoto do Paru do Oeste: seus primeiros contatos com a sociedade nacional", *América Indígena*, v. 23, nº 4, pp. 309-17, México.

1966 "O centro urbano, o barracão e a maloca", *Arquivos do Instituto de Antropologia Câmara Cascudo*, v. 2, pp. 1-2, 325-42, Natal, Rio Grande do Norte.

FIRTH, Raymond

1954 "Social organization and social change", *Journal Royal Anthropological Institute*, v. 84, pp. 1-20, Londres.

FONSECA Filho, Olympio da

1930 "Affinidades parasitológicas e clínicas entre o tokelau da Ásia e da Oceania e o chimberê dos indígenas de Mato Grosso", *Boletim do Museu Nacional*, v. 6, pp. 189-221, Rio de Janeiro.

FOSTER, George M.

1953 "What is folk culture", *American Anthropologist*, v. 55, nº 1, pp. 159-73.

1962 *Cultura y conquista: la herencia española de América*, Xalapa, México, Universidad Veracruzana.

FREITAS Filho, Amaury Sadock de

1954 "Relatório apresentado ao diretor do SPI em outubro de 1954", in *SPI 1954*, Rio de Janeiro.

FREYRE, Gilberto

1963 *Casa-Grande e Senzala*, Brasília, Editora Universidade de Brasília.

FRICKEL, Protásio

1958 "Classificação lingüístico-etnológica das tribos indígenas do Pará setentrional e zonas adjacentes", *Revista de Antropologia*, v. 6, pp. 113-88, São Paulo.

1960 "Os tiriyó", *Boletim do Museu Paraense Emílio Goeldi*, n.s., Antropologia, nº 16, Belém, Pará.

1961 "Fases culturais e aculturação intertribal no Tumucumaque", *Boletim do Museu Paraense Emílio Goeldi*, Antropologia, nº 16, Belém, Pará.

1963 "Notas sobre a situação atual dos índios xikrin do rio Caeteté", *Revista do Museu Paulista*, v. 14, pp. 145-58, São Paulo.

1964 "Aculturação intertribal na região do Tumucumaque", *XXXV Congresso Internacional de Americanistas* (1962), v. 3, pp. 317-22, México.

FUENTE, Julio de la

1964 "Relaciones étnicas en Mesoamérica", in Juan Comas (org.), *La antropología social aplicada en Mexico*, México.

GALLAIS, Estêvão

1903 *Uma catequese entre os índios do Araguaya*, São Paulo, [ ].

1942 *O apóstolo do Araguaia, frei Gil de Vilanova, missionário dominicano*, adaptação portuguesa por frei Pedro Secondy e Soares de Azevedo, Conceição do Araguaia, Goiás.

GALVÃO, Eduardo

1952 "Breve notícia sobre os índios juruna", *Revista do Museu Paulista*, n.s., v. 6, pp. 469-79, São Paulo.

1953 "Cultura e sistema de parentesco das tribos do alto rio Xingu", *Boletim do Museu Nacional*, n.s., Antropologia, nº 14, Rio de Janeiro.

1954 "Mudança cultural na região do rio Negro", *Anais do XXXI Congresso Internacional de Americanistas*, v. 1, pp. 313-9, São Paulo.

1955 *Santos e visagens: um estudo da vida religiosa de Itá, Amazonas*, São Paulo, Companhia Editora Nacional.

1957 "Estudos sobre a aculturação dos grupos indígenas do Brasil", *Revista de Antropologia*, v. 5, nº 1, pp. 67-74, São Paulo.

1959 "Aculturação indígena no rio Negro", *Boletim do Museu Paraense Emílio Goeldi*, Antropologia, nº 7, Belém, Pará.

1960 "Áreas culturais indígenas do Brasil: 1900-1959", *Boletim do Museu Paraense Emílio Goeldi*, n.s., Antropologia, nº 8, Belém, Pará. (Reproduzido em Janice H. Hopper (org.), 1967)

GALVÃO, Eduardo; SIMÕES, Mário F.

1965 "Notícia sobre os índios txikão do alto Xingu", *Boletim do Museu Paraense Emílio Goeldi*, n.s., Antropologia, nº 24, Belém, Pará.

1966 "Mudança e sobrevivência no alto Xingu, Brasil Central", *Revista de Antropologia da Universidade de São Paulo*, v. 14, pp. 37-52, São Paulo.

GARCIA, Antônio

1948 "Regimenes indígenas de salariado: el salariado natural y el salariado capitalista en la história de América", *América Indígena*, v. 8, nº 4, México.

GENSCH, Hugo

1908 *Die Erziehung eines Indianerkindes*, Praktischer Beitrag zur Lösung der südamerischen Indianerfrage, Berlim.

GIACONE, Antônio

1949 *Os tucanos e outras tribos do rio Uaupés, afluentes do rio Negro, Amazonas*, São Paulo, Imprensa Oficial do Estado.

GONDIM, Joaquim

1925 *A pacificação dos parintintins*, Koró de Iurapá, Publicação nº 87 da Comissão Rondon, Rio de Janeiro.

GRUBB, K. G.

1927 *The lowland Indians of Amazonia: a survey of the location and religious condition of the Indians of Colombia, Venezuela, the Guianas, Ecuador, Peru, Brazil and Bolivia*, Londres.

GUÉRIOS, R. F. Mansur

1944 "Entre os botocudos do rio Doce", *Gazeta do povo*, 18, 20 e 21 de junho, Curitiba, Paraná.

HENRI, Jules

1941 *Jungle people: a Kaingang tribe of the highlands of Brazil*, New York, J. J. Augustin.

1942 "The Kaingang Indians of Santa Catarina, Brazil", *América indígena*, v. 2, nº 1, pp. 75-9, México.

HERSKOVITZ, Melville

1938 *Acculturation: the study of culture contact*, New York.

1945 "The processes of culture change", in Ralph Linton (org.), *The science of man in the world crisis*, New York, Columbia University Press, pp. 143-70.

HOHENTHAL, W. D.

1954 "Notes on the Shucurú Indians of serra Ararobá, Pernambuco, Brazil", *Revista do Museu Paulista*, n.s., nº 8, pp. 93-164, São Paulo.

1960 "As tribos indígenas do médio e baixo São Francisco", *Revista do Museu Paulista*, n.s., v. 12, pp. 37-86, São Paulo.

HOHENTHAL, W. D.; MCCORKLE, Thomas

1955 "The problem of aboriginal persistence", *Southwestern Journal of Anthropology*, v. 9, nº 3, pp. 288-300, Albuquerque.

HOLANDA, Sérgio Buarque de

1945 *Monções*, Rio de Janeiro, Editora Casa do Estudante do Brasil.

1957 *Caminhos e fronteiras*, Rio de Janeiro, Livraria José Olympio Editora.

HOPPER, Janice H. (org.)

1967 *Indians of Brazil in the twentieth century*, Washington, Institute for Cross-Cultural Research.

HUNTER, Monica

1936 *Reaction to conquest*, Oxford, [ ].

IANNI, Octávio

1966 *Raças e classes sociais no Brasil*, Rio de Janeiro, Editora Civilização Brasileira.

IHERING, Hermann von

1907 "A anthropologia do estado de São Paulo", *Revista do Museu Paulista*, v. 7, pp. 202-57, São Paulo.

1911 "A questão dos índios no Brazil", *Revista do Museu Paulista*, v. 8, pp. 112-40, São Paulo.

Kietzman, Dale W.

1967 "Indians and culture areas of twentieth-century Brazil", in Janice H. Hopper (org.), *Indian of Brazil in the twentieth century*, Washington.

Kosik, Karel

1967 *Dialectica de lo concerto: estudio sobre el problema del hombre y el mundo*, México, Editorial Grijalbo.

Lanternari, Vittorio

1962 *Les mouvements religieux de liberté e de salut des peuples opprimés*, Paris, François Maspero.

Laraia, Roque de Barros; Matta, Roberto da

1967 *Índios e castanheiros: a empresa extrativa e os índios no médio Tocantins*, São Paulo, Difusora Européia do Livro.

Las Casas, Roberto Décio de

1964 "Índios e brasileiros no vale do rio Tapajós", *Boletim do Museu Paraense Emílio Goeldi*, n.s., Antropologia, nº 23, Belém, Pará.

Leacock, Seth

1964 "Economic life of the Maué Indians", *Boletim do Museu Paraense Emílio Goeldi*, n.s., Antropologia, nº 19, Belém, Pará.

Lemos, M.

1910 *José Bonifácio*. A propózito do novo Serviço de Proteção aos Índios, Rio de Janeiro, Publicações do Apostolado Pozitivista do Brazil nº 305.

Lévi-Strauss, Claude

1942 "Guerra e comércio entre os índios da América do Sul", *Revista do Arquivo Municipal*, v. 87, pp. 131-46, São Paulo.

1948a "La vie familiale et sociale des indiens nambikwara", *Journal de la Sociètè des Americanites de Paris*, n.s., t. 37, pp. 1-131.

1948b "The Nambicuara", in J. H. Steward (org.), *Handbook of South American Indians*, v. 3, pp. 361-9, Washington.

1957 *Tristes trópicos*, trad. Wilson Martins, São Paulo, Editora Anhembi.

Lewis, Oscar

1951 *Life in a Mexican village*: Tepotztlan restudied, Urbana, Illinois, [ ].

Lima, Araújo

1945 *Amazônia, a terra e o homem*, São Paulo, Companhia Editora Nacional.

Linton, Ralph

1940 *Acculturation in seven American tribes*, New York, Appleton-Century-Crofts.

1945 *The science of man in the world crisis*, New York, Columbia University Press.

Lipkind, William

1948 "The Carajá", in J. H. Steward (org.), *Handbook of South American Indians*, v. 3, pp. 179-91, Washington.

LISBOA, Miguel Arrojado

1935 *A bacia do Gurupy e suas minas de ouro*, Boletim do Departamento Nacional de Produção Mineral, nº 7, Rio de Janeiro.

LOUKOTKA, Chestmir

1939 "Línguas indígenas do Brasil", *Revista do Arquivo Municipal*, v. 54, pp. 147-74, (1 mapa, bibliografia), São Paulo.

1950 "Les langues de la familie tupi-guarani", *Boletim nº 16 de Etnografia e Língua Tupi-Guarani* da Faculdade de Filosofia, Ciências e Letras da Universidade de São Paulo, São Paulo (índice alfabético de línguas e tribos).

1964 "Alguns suplementos ao trabalho 'Culturas e línguas indígenas do Brasil' ", in Hans Becher (org.), *Beiträge zur Völkerkunde Südamerikas*, Hannover, pp. 177-84.

(ms.) Mapa etno-lingüístico do Brasil com listas de tribos, localização e respectivos vocabulários com menção da filiação lingüística. Bibliografia

LUCKÁCS, Georg

1960 *Histoire et conscience de classe*, Paris, [ ].

MACEDO, Fernando Pinto de

1919 "O Brasil religioso", *Revista do Instituto Histórico e Geográfico da Bahia*, nº 45, ano 26, pp. 1-117, Bahia.

MAGALHÃES, Amílcar A. Botelho de

1942a *Impressões da comissão Rondon*, São Paulo, Companhia Editora Nacional.

1942b *Rondon, uma relíquia da pátria*, Curitiba, Paraná, [ ].

MAGALHÃES, Amílcar A. Botelho de; BARBOSA, Luiz Bueno Horta

1916 *Missão Rondon*, Apontamentos sobre os trabalhos realizados pela Comissão de Linhas Telegráficas Estratégicas de Mato Grosso ao Amazonas sob a direção de cel. de engenharia Cândido Mariano da Silva Rondon, de 1907 a 1915, Rio de Janeiro.

MAGALHÃES, Basílio de

1925 *Em defesa do índio e das fazendas nacionaes*, Discurso pronunciado na Câmara a 28 de novembro, 19, 28 e 30 de dezembro de 1924, precedido de uma carta-prefácio de L. B. Horta Barbosa e seguido de outros escritos, Rio de Janeiro.

MAGALHÃES, Couto de

1940 *O selvagem*, com aditamento de Curso de língua tupi viva ou nheengatu, São Paulo, Companhia Editora Nacional.

MALCHER, José Maria da Gama

1964 *Índios: grau de integração na comunidade nacional. Grupo lingüístico, localização*, Rio de Janeiro, Conselho Nacional de Proteção aos Índios.

MALINOWSKI, Bronislav

1938 "Introductory essay on the Anthropology of changing African cultures", in *Methods of study of culture contact in Africa*, International Institute of African Languages and Culture, Memorandum, v. 15, pp.VII-XXXVIII, Londres.

1945 *The dynamics of culture change: an inquiry into race-relations in Africa*, New Haven, Yale University Press.

MANHEIM, Karl

1950 *Ideologia e utopia*, Porto Alegre, Rio Grande do Sul, Editora Globo.

MARCHANT, Alexandre

1943 *Do escambo à escravidão: as relações de portugueses e índios na colonização do Brasil 1500-1580*, São Paulo, Companhia Editora Nacional.

MARX, Karl

1957 *Contribución à la critique de l'économie politique*, Paris, [ ].

1962 *Manuscrits de 1844*, Paris, [ ].

MARX, Karl; ENGELS, Friedrich

1958 *La ideología alemana*, Montevidéu, [ ].

MASON, J. Alden

1950 "The languages of South American Indians", in J. H. Steward (org.), *Handbook of South American Indians*, v. 6, pp. 157-317 (bibliografia e mapa em cores).

MASSA, Pietro

1936 "Prélature du rio Negro et du Port-Velho. Après vingt ans d'apostolat", *Bulletin Salésien*, v. 58. pp. 236-9; v. 60, pp. 231-5, Turim.

MATOS, Raimundo José da Cunha

1874/5 "Chorographia Historica da Provincia de Goyaz", (1824), *Revista do Instituto Historico, Geographico e Ethnographico do Brasil*, t. 37, parte 1 (1874), pp. 213-398; t. 38, parte 1 (1875), pp. 5-150, Rio de Janeiro.

MATTA, Roberto da

1963 "Notas sobre o contato e a extinção dos índios gaviões do médio rio Tocantins", *Revista do Museu Paulista*, v. 14, pp. 182-202, São Paulo.

MAYBURY-Lewis, David

1967 *Akwé-Shavante Society*, Oxford, Clarendon Press.

MAYBURY-Lewis, Pia

1958 "Diet and health in an acculturated tribe", *Proceedings of the XXXIII International Congress of Americanists*, pp. 190-7.

McQUOWN, Norman A.

1955 "The indigenous languages of Latin America", *American Anthropologist*, v. 57, nº 3, parte 1, pp. 501-70, (mapas, bibliografia), Menasha, Wisconsin.

MEAD, Margaret (org.)

1961 *Cultural patterns and technical change*, New York, Mentor Books.

1956 *New lives for old: cultural transformation*, manus., 1928/1953, New York, Morrow.

MELATTI, Júlio César

1967 *Índios e criadores: a situação dos krahó na área pastoril do Tocantins*, Rio de Janeiro, Instituto de Ciências Sociais da Universidade Federal do Rio de Janeiro.

MENDES, R. Teixeira

1907 *Ainda os indígenas do Brazil e a política moderna*. A propózito duns telegramas dos engenheiros Gastão Sengés e Cândido Rondon, Rio de Janeiro, Publicações do Apostolado Pozitivista do Brazil nº 253.

1909 *O Sientismo e a defeza dos indígenas brazileiros*. A propózito do artigo do dr. Hermann von Ihering "Extermínio dos indígenas ou dos sertanejos?", publicado no *Jor-*

nal do Comércio de 15 de dezembro corrente, Rio de Janeiro, Publicações do Apostolado Pozitivista do Brazil nº 276.

1910a *A civilização dos indígenas brazileiros e a política moderna*. A propózito dos projetos neste assunto, atribuídos ao dr. Rodolfo Miranda, ministro da Agricultura, Rio de Janeiro, Publicações do Apostolado Pozitivista do Brazil nº 294.

1910b *Em defeza dos selvagens brazileiros*. A propózito da pretendida reorganização do "Território do Acre" atualmente em discussão na Câmara dos Deputados, e a propózito das novas perseguições de que são e estão ameaçados de ser vítimas os mízeros selvagens brazileiros. Apêndice: Correspondência entre o tenente-coronel Rondon e o ministro da Agricultura, Rio de Janeiro, Publicações do Apostolado Pozitivista do Brazil nº 300.

1911 *Ainda pelos martirizados descendentes dos indígenas e dos africanos*. A propózito do projeto que fixa a despesa do Ministério da Agricultura, Indústria e Comércio para o exercício de 1912, Rio de Janeiro, Publicações do Apostolado Pozitivista do Brazil nº 333.

1912a *Atitude dos pozitivistas para com os católicos e demais contemporâneos*. A propózito das apreciações de alguns católicos sobre a conduta dos pozitivistas no que concerne à proteção republicana dos indígenas. Apêndice: Um ofício do coronel Rondon sobre a missão saleziana de catequeze de índios em Mato Grosso, Rio de Janeiro, Publicações do Apostolado Pozitivista do Brazil nº 341.

1912b *A proteção republicana aos indígenas brazileiros e a catequeze católica dos mesmo indígenas*. A propózito dos auxílios materiais que as atuais classes dominantes do povo brazileiro persistem em dar, oficialmente, a reprezentantes do sacerdócio católico para a catequeze dos indígenas, Rio de Janeiro, Publicações do Apostolado Pozitivista do Brazil nº 349.

MÉTRAUX, Alfred

1927 *Migrations historiques des tupi-guarani*, Paris, Maison Neuve Frères ed.

1946 "Ethnography of the Chaco", in J. H. Steward (org.), *Handbook of South American Indians*, v. 1, pp. 197-370, Washington.

1950 *A religião dos tupinambá e suas relações com as das demais tribos tupi-guaranis*, prefácio tradução e notas de Estêvão Pinto, São Paulo, Companhia Editora Nacional.

1959 "La révolution de la hache", *Diogène*, nº 25, pp. 32-45, Paris.

1962 "Disparition des Indiens dans le Brésil Central", *Bulletin of the International Committee on Urgent Anthropological and Ethnological Research*, nº 5, pp. 126-131, Viena.

MIGLIAZZA, Ernesto

1964 "Notas sobre a organizacão social dos xiriâna do rio Uraricaã", *Boletim do Museu Paraense Emílio Goeldi*, n.s., Antropologia, nº 22, Belém, Pará.

MINTZ, Sidney

1953 "The folk urban continuum and the rural proletarian community", *American Journal of Sociology*, v. 59, nº 2, pp. 136-43.

MIRANDA, Manuel Tavares da Costa; BANDEIRA, Alípio

1929 "Memorial com um projecto de lei em que se define a situação jurídica do índio brazileiro", in *Collectanea Indigena*, Rio de Janeiro. (Reproduzido em parte na "Coletânea"compilada por Humberto de Oliveira, 1947, pp. 55-86.)

MISSÕES Dominicanas

1936 *Gorotirés*. Prelazia de Conceição do Araguaya, Rio de Janeiro.

MOREIRA Neto, Carlos de Araújo

1959 "Relatório sobre a situação atual dos índios kayapó", *Revista de Antropologia*, v. 2, nºs 1 e 2, pp. 49-64, São Paulo.

1960 "A cultura pastoril do Pau d'Arco", *Boletim do Museu Paraense Emílio Goeldi*, n.s., Antropologia, nº 10, Belém, Pará.

1965 "O estado de rop-króre kam aibãn entre os índios kayapó", *América Indígena*, v. 25, nº 4, pp. 393-408, México.

1967 "Constante histórica do 'Indigenato'no Brasil", *Atas do Simpósio sobre a Biota Amazônica*, v. 2 (Antropologia), pp. 175-85, Rio de Janeiro.

MOTA, João Leão da

1955 Relatório ao diretor do Serviço de Proteção aos Índios sobre problemas sanitários dos indígenas (*inédito*).

MOTA, Seroa da; MOTA, João Leão da

1954 "Relatório ao diretor do Serviço de Proteção aos Índios", in *SPI 1954*, Rio de Janeiro.

MURDOCK, George P.

1951 *Outline of South American Cultures*, Behavior Science Outlines 2, (índice alfabético de tribos, mapas), New Haven.

MURPHY, Robert

1954 "As condições atuais dos mundurucu", *Publicação do Instituto Antropológico e Etnológico do Pará*, nº 8, Belém, Pará.

1960 *Headhunter's heritage: social and economic change among the mundurucu indians*, Berkeley & Los Angeles, University of California Press.

MURPHY, Robert F.; QUAIN, Buell

1955 *The Trumai Indians of Central Brazil*, Monographs of the American Ethnological Society, v. 24, New York, J. J. Augustin.

MURPHY, Robert F.; STEWARD, Julian H.

1956 "Tappers and trappers: paralell process in acculturation", *Economic Development and Cultural Change*, v. 4, pp. 335-55.

MYRDAL, Gunnar

1944 *An american dilema: the negro problem and modern democracy*, New York, [ ].

NARROLL, Raoul

1964 "On ethnic unit classification", *Current Anthropology*, v. 5, nº 4, pp. 283-312, Chicago.

NASH, Roy

1936 *A conquista do Brasil*, trad. Moacyr N. Vasconcellos, São Paulo, Companhia Editora Nacional.

NEVES, Correia das

1958 *História da Estrada de Ferro Noroeste do Brasil*, Bauru, São Paulo, [ ].

NIMUENDAJU Unkel, Curt

1914 "Die Sagen von der Erschaffung und Vernichtung der Welt als Grundlagen der Religion der Apapocuva-Guarani", *Zeitschrift für Ethnologie*, v. 46, pp. 284-403, Berlim.

1924 "Os parintintín do rio Madeira", separata do *Journal de la Sociètè des Américanistes de Paris*, n.s., t. 16, pp. 201-78, Paris.

1925 "As tribos do alto Madeira", *Journal de la Sociètè des Américanistes de Paris*, n.s., t. 17, pp. 137-72, Paris.

1932 "Idiomas indígenas del Brasil", *Revista del Instituto de Etnología*, v. 2, pp. 543-618, Universidad Nacional de Tucúman, Tucúman, Argentina.

1946 *The eastern Timbira*, University of California Publications in American Archaeology and Ethnology, v. 41, Berkeley & Los Angeles.

1948 "The Mura and Pirahá", in J. H. Steward (org.), *Handbook of South American Indians*, v. 3, pp. 255-69, Washington.

1950 "Reconhecimento dos rios Içaná, Ayarí e Uaupés. Relatório apresentado ao Serviço de Proteção dos Índios do Amazonas e Acre (1927)", *Journal de la Sociètè des Américanistes*, n.s., v. 39, pp. 125-82, Paris.

1952a *The Tukúna*, University of California Publications in American Archaeology and Ethnology, v. 45, Berkeley & Los Angeles.

1952b "Os gorotíre. Relatório apresentado ao Serviço de Proteção aos Índios, em 18 e abril de 1940", *Revista do Museu Paulista*, v. 6, n.s., pp. 427-63, São Paulo.

1954a "O fim da tribo oti", in H. Baldus, "Os Oti", *Revista do Museu Paulista*, n.s., v. 8, pp. 83-8, São Paulo.

1954b "Apontamentos sobre os guarani", trad. e notas de Egon Schaden, *Revista do Museu Paulista*, n.s., v. 8, pp. 9-57, São Paulo. (Introdução e complemento do trabalho: "As lendas da criação e destruição do mundo como bases da religião dos apopocuva-guarani", 1914.)

1956 "Os apinayé", *Boletim do Museu Paraense Emílio Goeldi*, Antropologia, nº 12, Belém, Pará.

(ms.) Mapa etno-histórico, com índice bibliográfico e de tribos, pertencente ao Museu Nacional do Rio de Janeiro.

NOGUEIRA, Oracy

1955 "Preconceito racial de marca e preconceito racial de origem", *Anhembi*, v. 5, nº 53, pp. 279-99, São Paulo.

NUTELS, Noel

1952 "Plano para uma campanha de defesa do índio brasileiro contra a tuberculose", *Revista Brasileira de Tuberculose*, v. 20, nº 139, separata, pp. 3-28, Rio de Janeiro

1968 "Medical problems of newly contacted indian groups", in *Biomedical challenges presented by the American Indian*, nº 165, pp. 68-76, Washington, Pan American Health Organization.

OBERG, Kalervo

1949 *The Terena and the Caduveo of Southern Mato Grosso, Brazil*, Publication of the Institute of Social Anthropology of the Smithsonian Institution, nº 9, Washington.

1953 *Indian tribes of Northern Mato Grosso, Brazil*, Publication of the Institute of Social Anthropology of the Smithsonian Institution, nº 15, Washington.

1965 "The marginal peasant in rural Brazil", *American Anthropologist*, v. 67, nº 6, pp. 1417-27, Menasha, Wisconsin.

OCTAVIO, Rodrigo

1946 *Os selvagens americanos perante o Direito*, São Paulo, Companhia Editora Nacional.

OLIVEIRA, Haroldo Cândido de

1952 "O estado de saúde dos índios karajá em 1950", *Revista do Museu Paulista*, n.s., v. 6, pp. 489-508, São Paulo.

OLIVEIRA, Humberto de

1947 *Coletânea de leis, atos e memoriais referentes ao indígena brasileiro*, Publicação do Conselho Nacional de Proteção aos Índios, nº 94, Rio de Janeiro.

OLIVEIRA, Roberto Cardoso de

1954 "Relatório de uma investigação sobre teras em Mato Grosso", in *SPI 1954*, pp. 173-84, Rio de Janeiro.

1960a *O processo de assimilação dos terena*, publicação do Museu Nacional, Rio de Janeiro.

1960b "The role of indian post in the process of assimilation: two case studies", *América Indígena*, v. 20. nº 2, pp. 89-95, México.

1961 "A situação dos tukuna e a proteção oficial", *Anhembi*, v. 44, nº 132, pp. 471-7, São Paulo.

1962 "Estudo de áreas de fricção interétnica no Brasil", *América Latina*, v. 5, nº 3, pp. 89-90, Rio de Janeiro.

1963 "Aculturação e fricção interétnica", *América Latina*, v. 6, nº 3, pp. 33-45, Rio de Janeiro.

1964 *O índio e o mundo dos brancos: a situação dos tukúna do alto Solimões*, São Paulo, Difusora Européia do Livro.

1967 "Problemas e hipóteses relativos à fricção interétnica: sugestões para uma metodologia", *Revista do Instituto de Ciências Sociais*, v. 4, nº 1, pp. 41-91, Rio de Janeiro.

1968 *Urbanização e tribalismo: a integração dos índios terena numa sociedade de classes*, Rio de Janeiro, Zahar Editores.

ORTIZ, Fernando

1940 *Contrapunteo cubano del tabaco y del azúcar*, Havana.

OTTONI, Teophilo B.

1930 "Notícia sobre os selvagens do Mucury", *Revista do Instituto Histórico e Geográfico Brasileiro*, v. 21 (1858), 2ª edição, pp. 173-215, Rio de Janeiro.

PALAZZOLLO, Jacinto de

1945 *Nas selvas dos vales do Mucuri e do rio Doce*, Petrópolis, Editora Vozes.

PAULA, José Maria de

1944 *Terra dos índios*, Boletim do Serviço de Proteção aos Índios, nº 1, Rio de Janeiro.

PERICOT y Garcia, Luis

1962 *América Indígena. El hombre americano*. Los pueblos americanos, t. 1, (mapas, bibliografias), Barcelona, Salvat Editores.

PINTO, E. Roquete

1935 *Rondônia*, São Paulo, Companhia Editora Nacional.

PINTO, Estêvão

1956 *Etnologia brasileira. Fulniô os últimos tapuias*, São Paulo, Companhia Editora Nacional.

PINTO, L. A. Costa
1953 *O negro no Rio de Janeiro,* São Paulo, Companhia Editora Nacional.
PITT-RIVERS, G. H. L.
1927 *The clash of cultures and contact of races*, Londres, [ ].
PRADO, Francisco Rodrigues do
1908 "História dos índios cavalheiros ou da nação guaykurú", *Revista do Instituto Histórico e Geográphico Brasileiro*, t. 1, 3ª edição, pp. 21-44, Rio de Janeiro.
PRIMEIRO Congresso Brasileiro de Geografia
1911 "Trabalhos da 8ª Comissão (Anthropologia e Ethnographia)", *Annaes do Primeiro Congresso Brazileiro de Geografia*, v. 9, realizado na cidade do Rio de Janeiro de 7 a 16 de setembro de 1909.
PRIMÉRIO, Fidélis M. de
1942 *Capuchinhos em Terras de Santa Cruz nos séculos XVII, XVIII e XIX*, Rio de Janeiro.

QUEIROZ, Maria Isaura Pereira de
1965 *O messianismo no Brasil e no mundo*, São Paulo, Editora da Universidade de São Paulo.
QUEIROZ, Maurício Vinhas de
1963 "Cargo cult na Amazônia. Observações sobre o milenarismo tukúna", *América Latina*, v. 6, nº 4, pp. 43-61, Rio de Janeiro.

RADCLIFFE-BROWN, A. R.
1952 *Structure and function in primitive society*, Londres, [ ].
RAMOS, Arthur
1942 *Aculturação negra no Brasil*, São Paulo, [ ].
1943 *Introdução à antropologia brasileira*, v. 1: "As culturas não-européias", Rio de Janeiro, Casa do Estudante do Brasil.
1947 *Introdução à antropologia brasileira*, v. 2: "As culturas européias e os contatos raciais e culturais", Rio de Janeiro, Casa do Estudante do Brasil.
RANKE, Karl E.
1898 "Beobachtungen über Bevolkrungstand und Revölkerungsbewegung bei Indianern Central-Brasiliens", *Blat der deutschen Gesellschaft für Anthropologie, Ethnologie und Urgeschichte*, ano 29, nº 11, novembro de 1898, pp. 123-34 (tradução portuguesa mimeografada de George A. da Silva: "Observações sobre o estado demográfico e movimentos populacionais entre os índios do Brasil Central", 13 pp.).
REDFIELD, Robert
1949 *Civilização e cultura de folk: estudo de variações culturais em Yucatan*, São Paulo, Livraria Martins Editora.
1950 *A village that chose progress: Cham Kom revisited*, Chicago, [ ].
1956 *Peasant society and culture*, Chicago, [ ].
1963 *El mundo primitivo y sus transformaciones*, México, Fondo de Cultura Económica
REDFIELD, R.; LINTON, R.; HERKOVITZ, M. J.
1936 "Memorandum on the study of acculturation", *American Anthropologist*, v. 38, pp. 149-52, Menasha, Wisconsin.

RIBEIRO, Adalberto Mário

1943 "O Serviço de Proteção aos Índios", *Revista do Serviço Público*, ano 6, v. 3, nº 3, pp. 58-81, Rio de Janeiro.

RIBEIRO, Darcy

1948 "Sistema familial kadiwéu", *Revista do Museu Paulista*, n.s., v. 2, pp. 175-92, São Paulo.

1950 *Religião e mitologia kadiwéu*, Publicação do Conselho Nacional de Proteção aos Índios, nº 106, Rio de Janeiro.

1951a "A arte dos índios kadiwéu", separata de *Cultura*, pp. 145-90, Rio de Janeiro.

1951b "Notícia dos ofaié-chavante", *Revista do Museu Paulista*, n.s., v. 5, pp. 105-35, São Paulo.

1953 "Organização administrativa do Serviço de Proteção aos Índios", in *SPI 1953*, pp. 1-15, Rio de Janeiro.

1954a "Os índios e a valorização econômica da Amazônia", in *SPI 1954*, pp. 89-103, Rio de Janeiro. (Reproduzido em: Primeiro plano qüinqüenal da Superintendência do Plano de Valorização Econômica da Amazônia (SPVEA), pp. 223, 226-43, Rio de Janeiro, 1955)

1954b "Assistência aos índios no Brasil", *Américas*, v.?, pp.?, Washington, Panamerican Union.

1954c "O Serviço de Proteção aos Índios e as missões religiosas", in *SPI 1954*, pp. 104-8, Rio de Janeiro. (Reproduzido em espanhol e inglês no *Boletín Indigenista*, v. 16, nº 4, pp. 310-9, México, 1956)

1954d "Parecer sobre o projeto de lei nº 4 824 de Extinção do Serviço de Proteção aos Índios", in *SPI 1954*, pp. 109-24, Rio de Janeiro.

1955 "Os índios urubus: ciclo anual das atividades de subsistência de uma tribo da floresta tropical", *Anais do XXXI Congresso Internacional de Americanistas*, v. 1, pp. 127-57, São Paulo.

1956 "Convívio e contaminação: efeitos dissociativos da depopulação provocada por epidemias em grupos indígenas", *Sociologia*, v. 18, nº 1, pp. 3-50, São Paulo.

1957a "Culturas e línguas indígenas do Brasil", separata de *Educação e Ciências Sociais*, ano 3, v. 2, nº 6, pp. 4-102, Rio de Janeiro. (Reeditado em Janice H. Hopper (org.), *Indians of Brazil in the twentieth century*, pp. 77-168, Washington, 1967.)

1957b "Les tâches de l'Ethnologie et de la Linguistique au Brésil", *Bulletin International des Sciences Sociales*, v. 9, nº 3, pp. 314-24, Paris.

1957c "Uirá vai ao encontro de Maíra: as experiências de um índio urubu que saiu à procura de Deus", *Anhembi*, v. 24, nº 76, pp. 21-35, São Paulo. (Publicado também nos *Anais da II Reunião Brasileira de Antropologia*, pp. 107-37, Salvador, Bahia, 1957.)

1958 *O indigenista Rondon*, publicação do Serviço de Documentação do Ministério da Educação e Cultura, Rio de Janeiro.

1959 "O povo de berô-o-can", *Senhor*, nº 3, pp. 66-75, Rio de Janeiro.

1960 "Prefácio", in Roberto Cardoso de Oliveira, *O processo de assimilação dos terena*, pp. 9-12.

1962a *A política indigenista brasileira*, publicação do Serviço de Informação Agrícola do Ministério da Agricultura, Rio de Janeiro.

1962b "The social integration of indigenous populations in Brazil", *International Labour Office Review*, v. 65, nº 4, pp. 325-46 e v.65, nº 5, pp. 459-77, Genebra.

1968 *O processo civilizatório: etapas da evolução sócio-cultural*, Rio de Janeiro, Editora Civilização Brasileira.

1969 *As Américas e a civilização*, Rio de Janeiro, Editora Civilização Brasileira.

RIBEIRO, Darcy et alii

1960 "Un concepto sobre integración social", *América Indígena*, v. 20, nº 1, pp. 7-13, México.

RIBEIRO, Darcy; RIBEIRO, Berta G.

1957 *Arte plumária dos índios kaapor*, Rio de Janeiro, [ ].

RIBEIRO, Francisco de Paula

1841 "Memoria sobre as nações gentias que presentemente habitam o continente do Maranhão. Escripta no anno de 1819 pelo Major Graduado...", *Revista Trimestral de Historia e Geographia ou Jornal do Instituto Historico Geographico Brasileiro*, v. 3, pp. 184-97; 297-322; 442-56, Rio de Janeiro.

1874 "Descripção do Territorio de Pastos Bons, nos sertões do Maranhão; propriedades dos seus terrenos, caracter dos seus habitantes colonos, e estado actual dos seus estabelecimentos", *Revista Trimestral de Historia e Geographia ou Jornal do Instituto Historico Geographico Brasileiro*, v. 12 (1849), 2ª edição, pp. 41-86, Rio de Janeiro.

RIVERS, W. H. R. (org.)

1922 *Essays on depopulation in Melanesia*, Cambridge, [ ].

RIVET, Paul; LOUKOTKA, Chestmir

1952 "Langue de l'Amérique du Sud et des Antilles", in A. Meillet & M. Cohen (orgs.), *Les langues du monde*, pp. 1099-160 (mapas, bibliografia), Paris.

RIVET, Paul; TASTEVIN, C.

1921 "Les tribus indienne des bassins du Purus, du Juruá et des régions limitrophes", *La Géographie*, v. 35, pp. 449-82, (mapa lingüístico e bibliografia), Paris, Socièté de Géographie.

RODRIGUES, Lysias

1943 *Roteiro do Tocantins*, Rio de Janeiro, Livraria José Olympio Editora.

RONDON, Cândido Mariano da Silva

1916 *Conferências realizadas nos dias 5, 7 e 9 de outubro de 1915 pelo coronel... no theatro Phenix do Rio de Janeiro sobre trabalhos da Expedição Roosevelt e da Comissão Telegraphica*, publicação da Comissão de Linhas Telegraphicas Estratégicas de Matto Grosso ao Amazonas, nº 42, Rio de Janeiro.

ROSENBLAT, Angel

1954 *La población indígena y el mestizaje en América*, v. 1, Buenos Aires.

RUBINGER, Marcos Magalhães

1963a *Projeto de pesquisa maxakali*, Belo Horizonte, Editora do Autor.

1963b "O desaparecimento das tribos indígenas em Minas Gerais e a sobrevivência dos índios maxakali", *Revista do Museu Paulista*, n.s., v. 14, pp. 233-61, São Paulo.

SAAKE, P. Guilherme

1953 "A aculturação dos bororo do rio São Lorenço", *Revista de Antropologia*, v. 1, nº 1, pp. 43-52, São Paulo.

SALZANO, Francisco Mauro

1961 *Estudos genéticos e demográficos entre os índios do Rio Grande do Sul*, Boletim do Instituto de Ciências Naturais, v. 9, Porto Alegre.

SAMPAIO, Theodoro

1901 "A Revista", apresentação da *Revista da Sociedade de Ethnographia e Civilisação dos Indios*, t. 1, nº 1 (julho), pp. v-x, São Paulo.

SCHADEN, Egon

1945 "Ensaio etno-sociológico sobre a mitologia heróica de algumas tribos indígenas do Brasil", *Sociologia*, v. 7, nº 4, São Paulo.

1954 *Aspectos fundamentais da cultura guarani*, São Paulo, Faculdade de Filosofia, Ciências e Letras da Universidade de São Paulo.

1955 "As culturas indígenas e a civilização", *Anais do Congresso Brasileiro de Sociologia*, pp. 189-200, São Paulo.

1963 "Estudos de aculturação indígena", *Revista do Museu Paulista*, v. 14, pp. 263-8, São Paulo.

1965 *Aculturação indígena: ensaio sobre fatores e tendências da mudança cultural de tribos indígenas em contato com o mundo dos brancos*, Revista de Antropologia, v. 13, São Paulo.

SCHMIDT, Max

1943 "Los paressis", *Revista de la Sociedad Científica del Paraguay*, v. 6, nº 1, Asunción.

1947 "Los bakairi", *Revista do Museu Paulista*, n.s., v. 1, pp. 11-58, São Paulo.

SCHULTZ, Harald

1959 "Ligeiras notas sobre os maku do Paraná Boa-Boa", *Revista do Museu Paulista*, n.s., v. 11, pp. 109-32, São Paulo.

1961/2a "Informações etnográficas sobre os umotina (1943, 1944 e 1945)", *Revista do Museu Paulista*, v. 13, pp. 75-314, São Paulo.

1961/2b "Informações etnográficas sobre os suyá (1960)", *Revista do Museu Paulista*, v. 13, pp. 315-32, São Paulo.

1964 "Informações etnográficas sobre os erigpagtsé (canoeiros) do alto Juruena", *Revista do Museu Paulista*, v. 15, pp. 213-314, São Paulo.

SCHULTZ, Harald; CHIARA, Wilma

1955 "Informações sobre os índios do alto Purús", *Revista do Museu Paulista*, n.s., v. 9, pp. 131-200, São Paulo.

SCHWIDETZKY, Ilse

1955 *Etnobilogía: bases para el estudio biológico de los pueblos y el desarrollo de las sociedades*, México, Fondo de Cultura Económica.

SERRA, R. F. Almeida

1845 "Parecer sobre o aldeamento dos índios uaicurús e guanás com a descrição dos seus usos, religião, estabilidade e costumes", *Revista do Instituto Historico Geographico Brasileiro*, v. 7, pp. 196-208.

1850 "Continuação do parecer sobre os índios uaicurús e guanás com a descrição de seus usos, religião, estabilidade e costumes", *Revista do Instituto Historico Geographico Brasileiro*, v. 13, pp. 348-95.

Serviço de Proteção aos Índios

1953 *SPI 1953*, anuário editado na gestão de José Maria da Gama Malcher (mapas e ilustrações), Rio de Janeiro.

1954/5 *SPI 1954*, Anuário das atividades do Serviço de Proteção aos Índios na gestão de José Maria da Gama Malcher, e organizado por Mário F. Simões (mapas e ilustrações), Rio de Janeiro.

Silva, Fernando Altenfelder

1949 "Mudança cultural terena", *Revista do Museu Paulista*, v. 2, pp. 271-379, São Paulo.

Silva, S. D. B. Alves da; Bruzzi, Alcionílio

1962 *A civilização indígena no Uaupés*, São Paulo, [ ].

Simões, Mário F.

1963 "Os txicão e outras tribos marginais do alto Xingu", *Revista do Museu Paulista*, n.s., v. 14, pp. 76-104, São Paulo.

Simpósio sobre a Biota Amazônica

1967 *Atas do Simpósio sobre a Biota Amazônica*, v. 2, Antropologia, Rio de Janeiro.

Sociedade de Etnografia e Civilização dos Índios

1901 "Legislação sobre os índios do Brasil. Legislação colonia e legislação nacional", *Revista da Sociedade de Ethnographia e Civilisação dos Indios*, t. 1, nº 1, julho de 1901, pp. 13-22, São Paulo.

Souza, Boanerges Lopes de

1959 *Do rio Negro ao Orenoco: a terra — o homem*, Conselho Nacional de Proteção aos Índios, nº 111, Rio de Janeiro.

Souza, Lincoln de

1953 *Os xavantes e a civilização*, Rio de Janeiro, [ ].

Souza, Maciel de

1941 "Os bororo tori-tada-ugue, seus hábitos e suas doenças. A ginecologia e a obstetrícia dos bororo. O barí, o médico-feiticeiro dos bororo. A cerimônia fúnebre e o luto dos bororo. O aborto e a limitação da prole entre os bororo", *Acta-Ciba*, ano 8, nº 12, pp. 338, 351-64, Rio de Janeiro.

Spicer, Edward H. (org.)

1952 *Human problems in technicological change: a casebook*, New York, Russel Sage Foundation.

Spicer, Edward H. et alii

1958 "Social structure and the acculturation process", *American Anthropologist*, v. 60, nº 3, pp. 433-55, Menasha, Wisconsin.

Staufner, David Hall

1959-60 *Origem e fundação do Serviço de Proteção aos Índios* (1889/1910), trad. J. Philipson, Revista de História, nºs 37-44, São Paulo.

Stavenhagen, Rodolfo

1963 "Clases, colonialismo y aculturación: ensaio sobre um sistema de relaciones interétnicas en Mesoamérica", *América Latina*, v. 6, nº 4, pp. 63-104, Rio de Janeiro.

Steinen, Karl von den

1940 *Entre os aborígenes do Brasil central*, trad. Egon Schaden, pref. Herbert Baldus, separata renumerada da *Revista do Arquivo*, v. 34-58), São Paulo, Departamento de Cultura.

STEWARD, Julian H.
1943 "Acculturation studies in Latin America: some needs and problems", *American Anthropologist*, v. 45, pp. 198-204, Menasha, Wisconsin.
1945 "The changing American Indian", Ralph Linton (org.), *The science of man in the world crisis*, pp. 283-305, New York, Columbia University Press.
1949a "The native population of South America", in *Handbook of South American Indians*, v. 5, pp. 655-68, Washington.
1949b "South American cultures: an interpretative summary", in *Handbook of South American Indians*, v. 5, pp. 669-768.
1951 "Levels of sociocultural integration: an operational concept", *Southwestern Journal of Anthropology*, v. 7, pp. 374-90, Albuquerque.
STEWARD, Julian H. (org.)
1946-9 *Handbook of South American Indians*, v. 1: *The marginal tribes*, 1946; v. 3. *The tropical forest tribes*, 1948; v. 5: *The comparative ethnology of South American Indians*, 1949, Washington, Smithsonian Institution, Bureau of American Ethnology, Bulletin 143 (mapas, bibliografias, ilustrações).
STEWARD, Julian H.; FARON, Louis C.
1959 *Native peoples of South America*, New York, McGraw Hill.
STONEQUIST, Everett V.
1937 *The marginal man*, New York, Scribners.

TAUNAY, Afonso de E.
1949 *História geral das bandeiras paulistas*, t. 10, 3ª parte: "Os primeiros anos de Cuiabá, Mato Grosso", São Paulo, Editora Museu Paulista.
TAX, Sol (org.)
1952 *Acculturation in the Americas*, Proceedings and selected papers of XXVIII International Congress of Americanists, Chicago, Chicago University Press.
TOCANTINS, Manuel Gonçalves
1877 "Estudos sobre a tribo mundurucu", *Revista do Instituto Historico Geographico Brasileiro*, v. 41, 2ª parte, pp. 73-171, Rio de Janeiro.
TORRES, Cid Luzo
1911 *A influência pozitivista no atual Serviço de Proteção aos Índios e Localização de Trabalhadores Nacionais*, Rio de Janeiro, Publicações do Apostolado Positivista do Brazil nº 334.
TUGGIA, Rafael
1898 "Mappas dos indios cherentes e chavantes na nova povoação de Thereza Christina no rio Tocantins e indios Charaós da aldêa de Pedro Affonso nas margens do mesmo rio, ao norte da Província de Goyaz", *Revista do Instituto Historico e Geographico do Brazil*, t. 19 (t. 6 da 3ª série), pp. 119-24, Rio de Janeiro.

VARNHAGEN, Francisco Adolfo
s.d. *História geral do Brasil antes de sua separação e independência de Portugal*, notas de Capistrano de Abreu e Rodolfo Garcia, 4ª edição, São Paulo, Editora Melhoramentos.
VASCONCELOS, Vicente de Paula Teixeira da Fonseca

1939a "Serviço de Proteção aos Índios. Visita a um posto de fronteira", *Revista do Serviço Público*, v. 3, nº 3, pp. 20-4, Rio de Janeiro.

1939b "A repartição dos negócios indígenas nos Estados Unidos e o Serviço de Proteção aos Índios do Brasil", *Revista do Serviço Público*, v. 3, nº 3, pp. 51-5, Rio de Janeiro.

1939c "Assitência aos Índios", *Revista do Serviço Público*, v. 3, nº 1 e 2, pp. 34-9, Rio de Janeiro.

1940a "O Conselho Nacional de Proteção aos Índios", *Revista do Serviço Público*, v. 1, nº 1, pp. 19-25, Rio de Janeiro.

1940b "O problema da civilização dos índios", *Revista do Serviço Público*, v. 2, nº 1, pp. 59-67, Rio de Janeiro.

1941 "A obra de proteção ao indígena no Brasil", *América Indígena*, v. 1, nº 1, pp. 21-8, México.

VELHO, Otávio Guilherme C. A.

1967 "Análise preliminar de uma frente expansão da sociedade brasileira", *Revista do Instituto de Ciências Sociais*, v. 4, nº 1, pp. 27-39, Rio de Janeiro.

VIANNA, Urbino

1928 "Akuen ou xerente", *Revista do Instituto Historico e Geographico Brasileiro*, t. 101, v. 155 (1927), pp. 2-95, Rio de Janeiro.

WAGLEY, Charles

1942 "Os efeitos do despovoamento sobre a organização social entre os índios tapirapé", *Sociologia*, v. 4, nº 4, pp. 407-11, São Paulo.

1943 "Notas sobre a aculturação entre os guajajara", *Boletim do Museu Nacional*, Antropologia, nº 2, Rio de Janeiro.

1948 "The tapirapé", in J. H. Steward (org.), *Handbook of South American Indians*, v. 3, pp. 167-78, Washington.

1951 "Cultural influences on population: a comparison of two tupi tribes:, *Revista do Museu Paulista*, v. 5, pp. 95-104, São Paulo.

1955 "Tapirape social and culture change, 1940/1953", *Anais do XXXI Congresso Internacional de Americanistas*, v. 1, pp. 99-106, São Paulo.

1967 "El campesino", in J. J. Johnson (org.), *Continuidad y cambio en la America Latina*, pp. 19-48, México, Editorial Hispano-Americana.

WAGLEY, Charles; GALVÃO, Eduardo

1961 *Os índios tenetehara: uma cultura em transição*, Rio de Janeiro, Serviço de Documentação do Ministério da Educação e Cultura (edição original inglesa, 1949).

WAGLEY, Charles; HARRIS, Marvin

1955 "A tipology of Latin American subcultures", *American Anthropologist*, v. 57, pp. 428-51, Menasha, Wisconsin.

1958 *Minorities in the New World: six case studies*, New York, Columbia University Press.

WALLACE, Anthony

1956 "Revitalization movements", *American Anthropologist*, v. 58, nº 2, pp. 264-81, Menasha, Wisconsin.

WATSON, James B.

1945 "Historic influences and change in the economy of a southern Mato Grosso tribe", Acta *Americana*, v. 3, nºs. 1 e 2, pp. 3-25, México.

1952 "Cayuá culture change: a study in acculturation and methodology", *American Anthropologist*, v. 54, nº 2, memoir nº 73, Menasha, Wisconsin.

WEBER, Max

1964 *Economía y sociedad*, México, Fondo de Cultura Económica.

WELTFISH, Gene

1956 "The ethnic dimension in human history", *Fifth International Congress of Anthropological and Ethnological Sciences*, pp. 207-18, Filadélfia.

WIED-NEUWIED, Maximilian, Príncipe de

1940 *Viagem ao Brasil nos anos 1815 a 1817*, trad. Edgar Süssekind de Mendonça, São Paulo, Companhia Editora Nacional.

WILLEMS, Emílio

1952 "Caboclo cultures of southern Brazil", in Sol Tax (org.), *Acculturation in the Americas*, pp. 231-43, Chicago.

1958 "Minority subcultures in Brazil", *Miscellanea Paul Rivet Octogenaris Dicata*, v. 2, nº 58, pp. 877-84, México.

WIRTH, Louis

1945 "The problems of minority groups", in Ralph Linton (org.), *The science of man in the world crisis*, pp. 347-72, New York.

WOLF, Eric R.

1955 "Types of Latin American peasantry: a preliminary discussion", *American Anthropologist*, v. 57, pp. 452-71, Menasha, Wisconsin.

1966 *Peasants*, Foundations of Modern Anthropology Series, New Jersey, Prentice Hall.

ZERRIES, Otto

1955 "Some aspects of Waika culture". *Anais do XXXI Congresso Internacional de Americanistas*, v. 1, pp. 73-88, São Paulo.

ÁREAS CULTURAIS INDÍGENAS

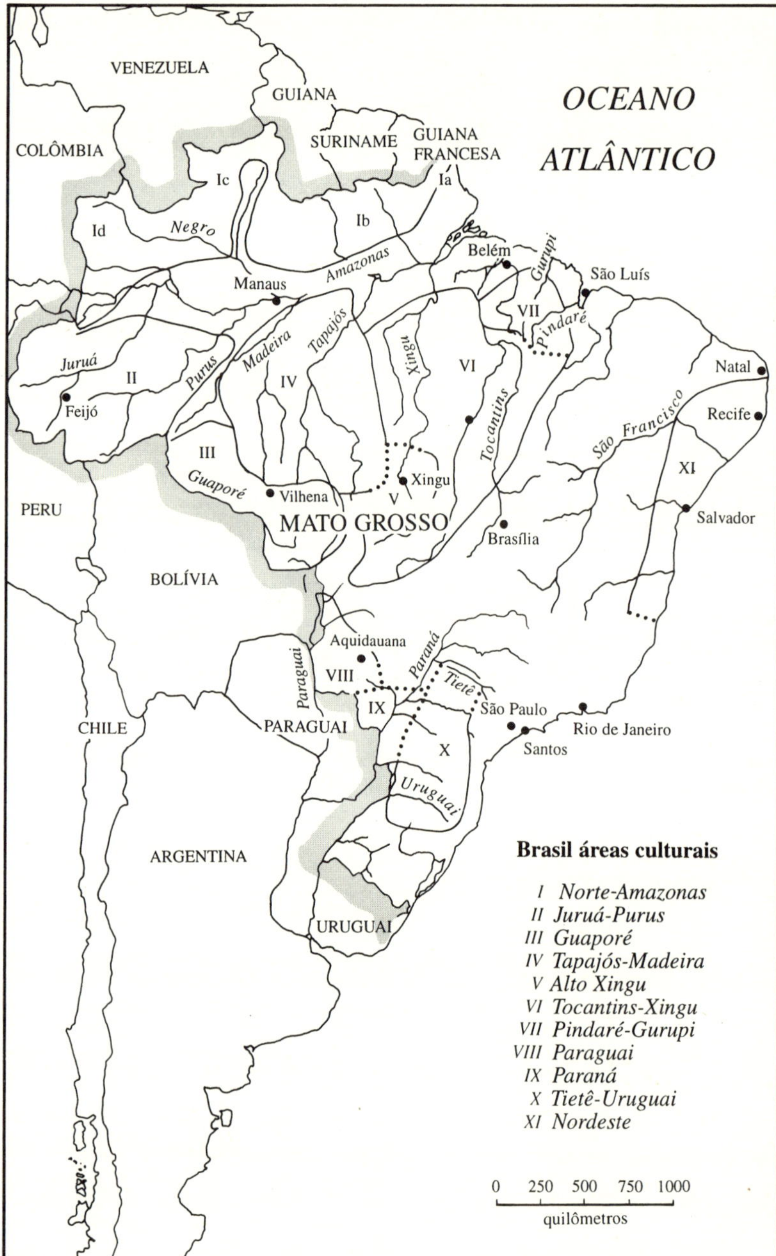

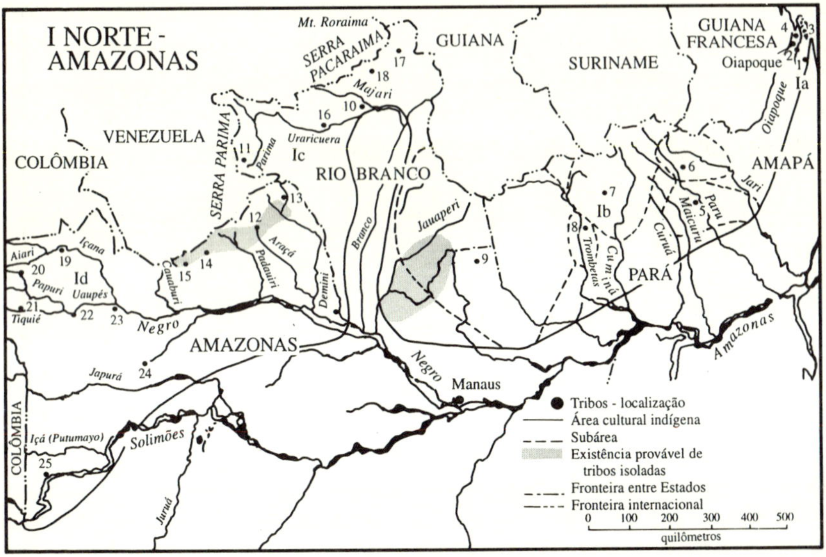

I. Área cultural indígena NORTE-AMAZONAS

a. Amapá

1. PALIKÚR
2. KARIPÚNA
3. GALIBÍ-MARWORNO
4. GALIBÍ

b. Norte Pará

5. APALAÍ
6. URUKUÂNA
7. PIANOKOTÓ-TIRIÓ
8. WARIKYANA OU ARIKIÉNA
9. PARUKOTÓ-XARÚMA

c. Rio Branco

10. XIRIANÁ
11. WAIKÁ
12. PAKIDAÍ
13. AIWATERÍ
14. GUAHARIBÓ
15. MANDAWÁKA
16. MAYONGONG

d. Rio Negro-Putumayo

17. TAULIPANG E MAKUXÍ
18. WAPITXÂNA
19. BANÍWA
20. TARIÂNA
21. TUKÂNA
22. WANÂNA
23. KOBÉWA
24. MAKÚ
25. TUKÚNA

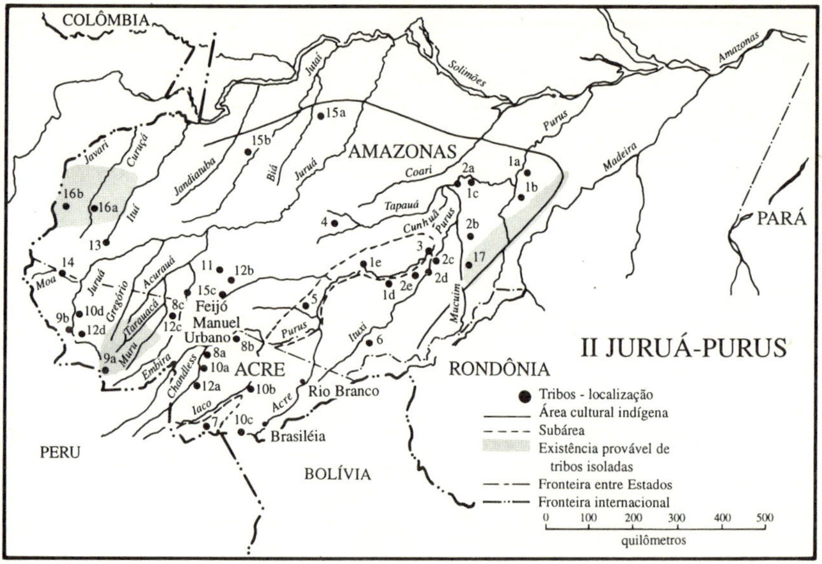

II. Área cultural indígena JURUÁ-PURUS

1. APURINÃ (a-e)
2. PAUMARÍ (a-e)
3. JARUÁRA
4. DANÍ
5. JAMANDÍ
6. KAXARARÍ
7. MANITENERÍ
8. KULÍNA (a-c)
9. KAMPA (á-b)
10. JAMINÁWA (a-d)
11. KANIMARÍ OU TAMANÁWA
12. KAXINÁWA (a-d)
13. MARÚBO
14. POYANÁWA
15. KATUKÍNA (a-c)
16. MÁYA (a-b)
17. JUMÁ

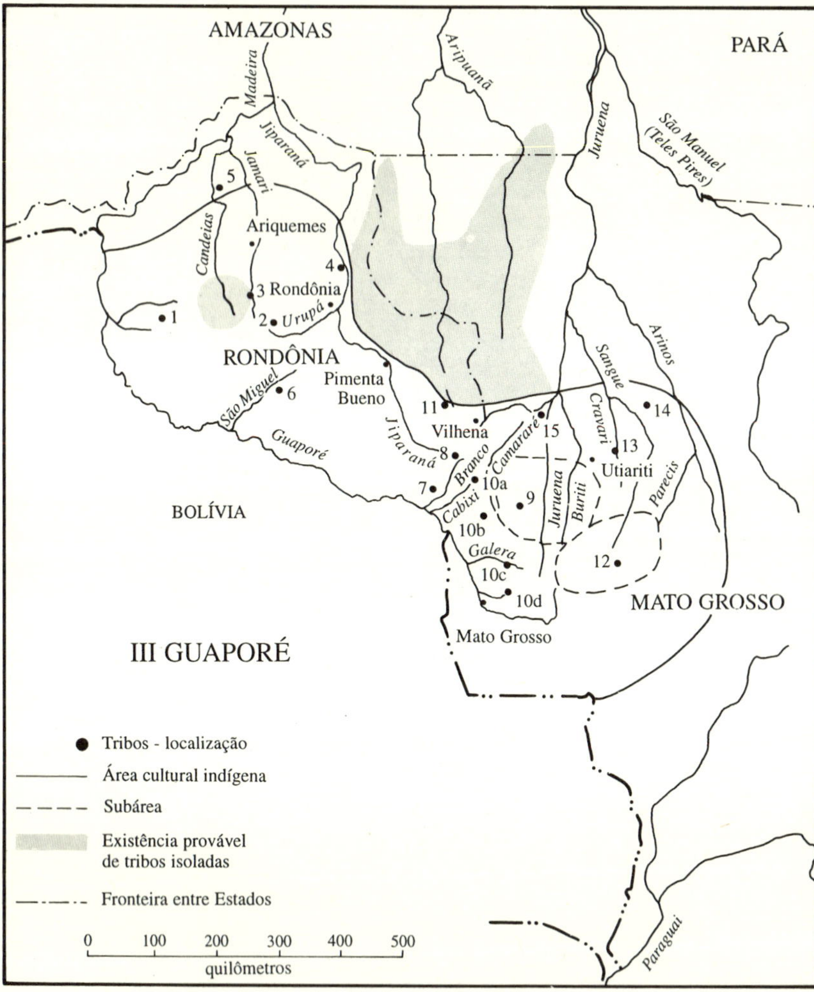

III. Área cultural indígena GUAPORÉ

1. PAKAÁNOVAS
2. URUPÁ
3. KARIPÚNA
4. ARÁRA
5. KARITIÂNA
6. PURUBORÁ
7. TUPARÍ
8. ARIKAPÚ OU MAXUPÍ
9. NAMBIKUÁRA
10. Subgrupos NAMBIKUÁRA
    a) Mamindé
    b) Manairisú
    c) Galéra
    d) Sararé ou Kabixí
11. SABONES
12. PARESÍ
13. IRANTXÉ
14. BEIÇO-DE-PAU
15. CINTA LARGA

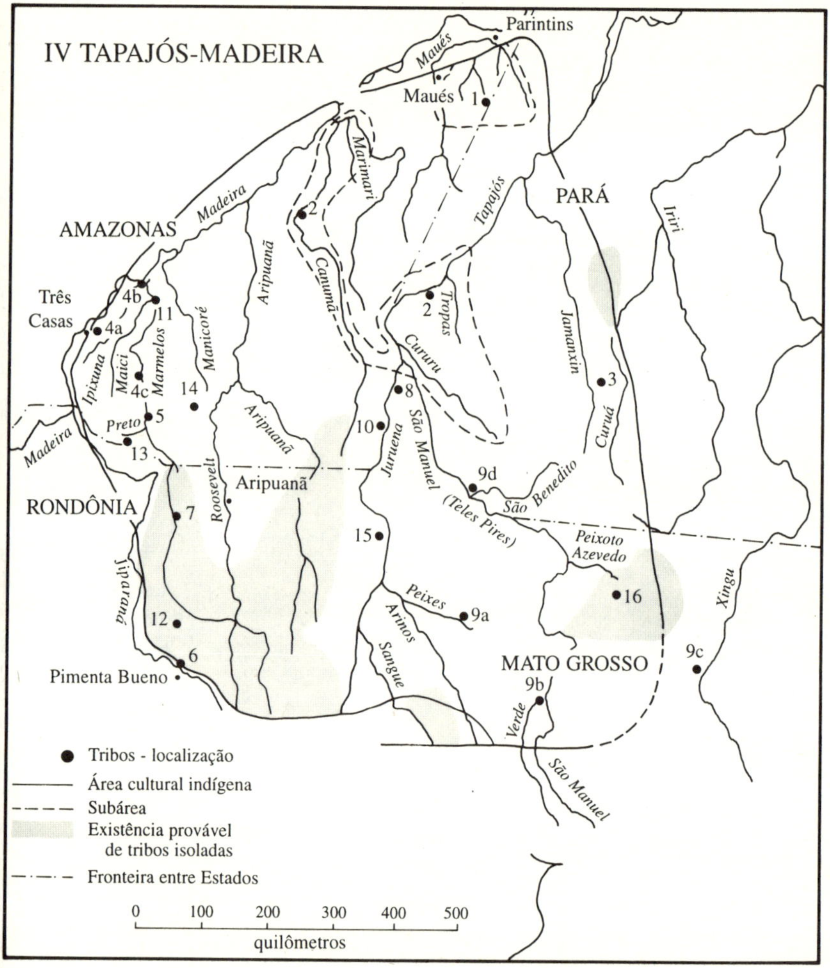

IV. Área cultural indígena TAPAJÓS-MADEIRA

1. MAWÉ
2. MUNDURUKÚ
3. KARUÁYA
4. PARINTINTÍN (a-c)
5. TENHARÍM OU BOCA-PRETA
6. Subgrupos KAWAHÍB
   Paranawát
   Wiraféd
   Tukunaféd
7. TUPI-KAWAHÍB
   Itogapúk ou Boca-Negra
8. TAPAYÚNA
9. KAYABÍ (a-d)
10. APIAKÁ
11. MURA-PIRAHÃ
12. SURUÍ E GAVIÃO
13. MOREREBI E DIARRÓI
14. NUMBIAÍ OU ORELHA-DE-PAU
15. ARIPAKTSÁ
16. IPEWÍ

V. Área cultural indígena
ALTO XINGU

1. TXUKAHAMÃI
2. JURÚNA
3. KAYABÍ
4. SUYÁ
5. MATIPUHY e NAHUKUÁ
6. KALAPÁLO
7. KAMAIURÁ
8. WAURÁ
9. YAWALAPITÍ
10. MEHINÁKU
11. KUIKÚRO
12. AWETÍ
13. TXIKAN
14. BAKAIRÍ (a-b)
15. AGAVOTOKUENG
16. TRUMÁI

VI. Área cultural indígena
TOCANTINS-XINGU

1. KRAHÓ
2. APINAYÉ
3. RAMKOKAMEKRA CANEL
4. GAVIÃO
5. KREN-YÊ
6. KRIKATÍ
7. XERENTE
8. XAVANTE (a-e)
9. GOROTÍRE
10. KUBÉN-KRAN-KEGN
11. UBÉN-KRAGNOTÍRE
12. MENTUKTÍRE
e TXUKAHAMÃI (a-b)
13. DIORÉ
14. XIKRÍN
15. KREEN-AKARORE
16. ARÁRA
17. ASURINÍ
18. PARAKANÂN
19. MUDJETÍRE
20. TAPIRAPÉ
21. KARAJÁ
22. BORORO

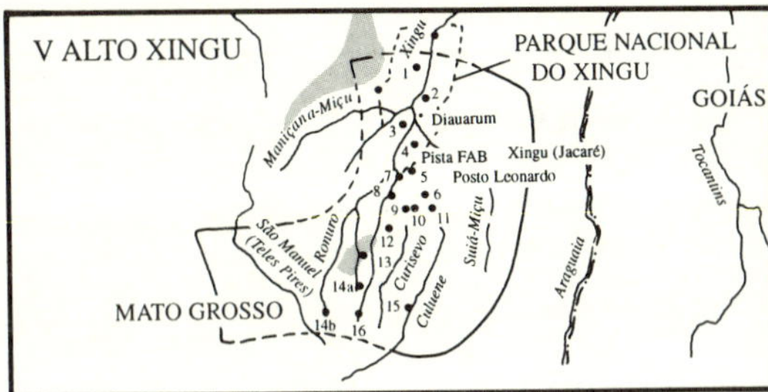

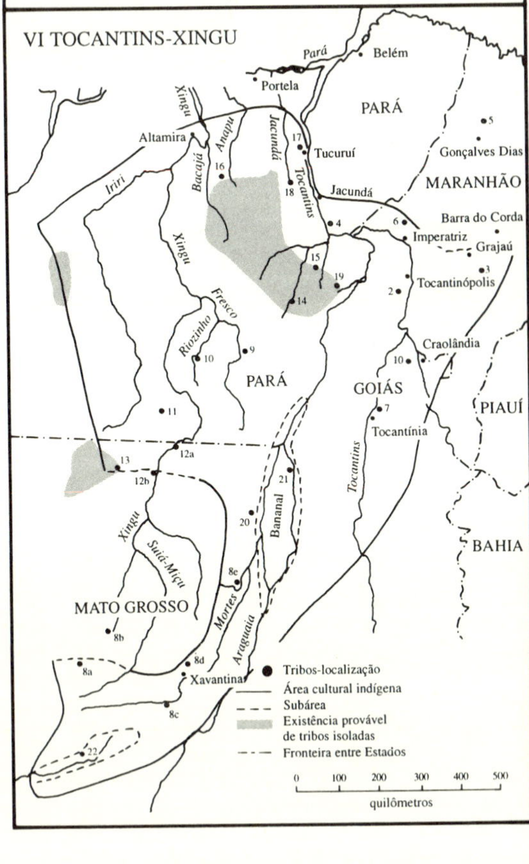

VII. Área cultural indígena
PINDARÉ-GURUPI

1. AMANAYÉ
2. TURIWÁRA
3. TEMBÉ
4. URUBUS-KAAPOR
5. GUAJAJÁRA (a-c)
6. GUAJÁ

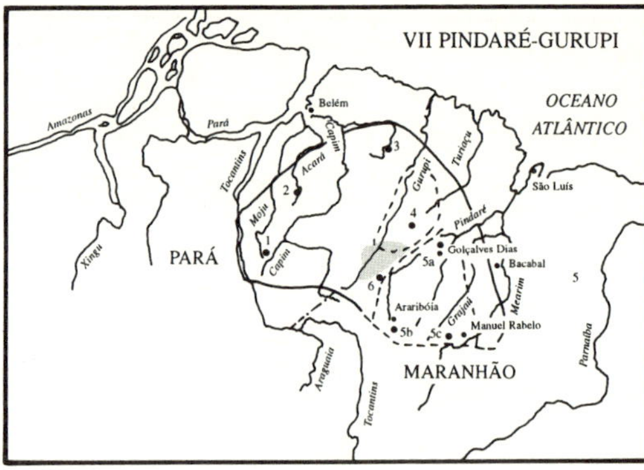

VIII. Área cultural indígena
PARAGUAI

1/11. TERÊNA
11/12. KADIWÉU
13. GUATÓ

IX. Área cultural indígena
PARANÁ

1/9. KAIWÁ-GUARANÍ
1, 4/7. NANDÉVA-GUARANÍ
6, 8, 9, 11/12. MBUA-GUARANÍ

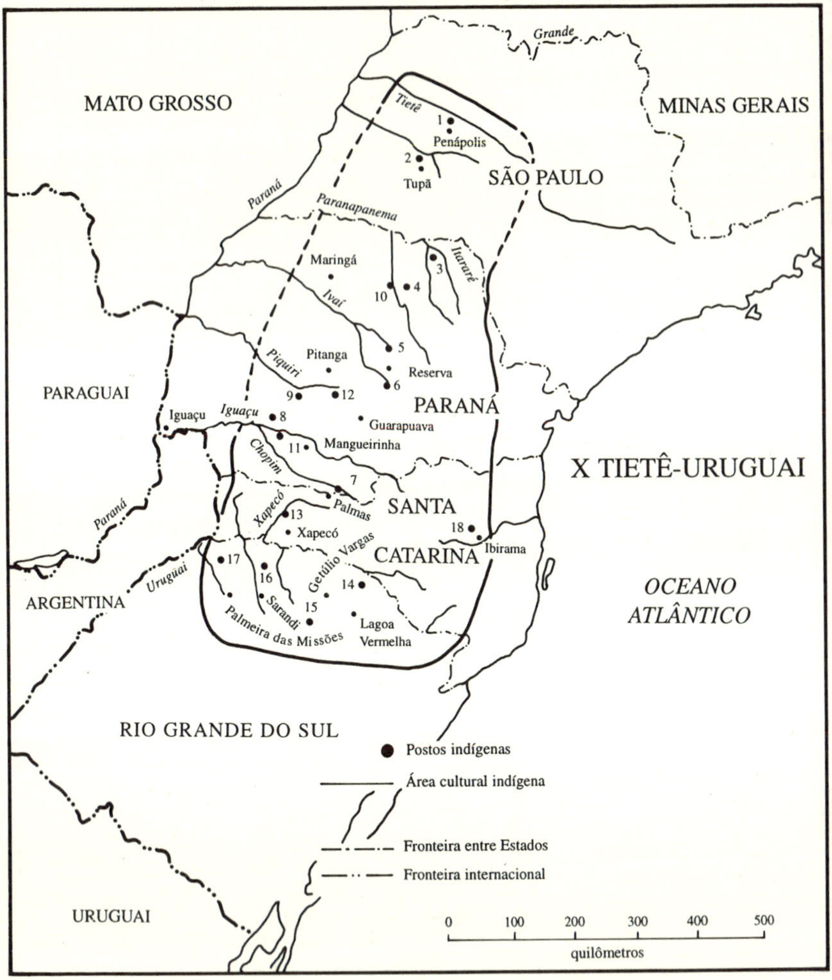

X. Área cultural indígena TIETÊ-URUGUAI

1/17. KAINGÂNG
3, 18. XOKLENG

XI. Área cultural indígena NORDESTE

1. POTIGUÁRA
2. XUCURÚ
3. KAMBIWÁ
4. UAMUÉ ou ATICUM
5. PANKARARÁ
6. TUÁ ou RODELA
7. PANKARARÚ
8. FULNIÔ
9. XUKURÚ-KARIRÍ (a-b)
10. KIRIRÍ
11. KAIMBÉ
12. PATAXÓ-HAHAHÃI
13. GUEREN ou BOTOCUDOS
14. MAXAKALI

ÍNDICE REMISSIVO

NOMES

Tribos

ESTA OBRA FOI COMPOSTA PELA HELVÉTICA EDITORIAL
EM TIMES ROMAN E IMPRESSA PELA PROL EDITORA GRÁFICA
EM OFSETE SOBRE PAPEL PÓLEN SOFT DA SUZANO BAHIA SUL
PARA A EDITORA SCHWARCZ EM DEZEMBRO DE 2005